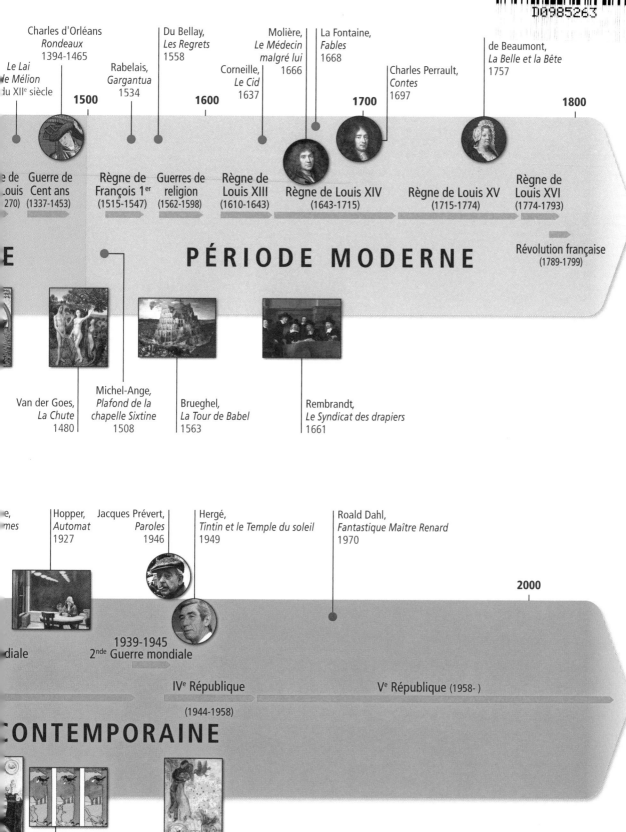

Charles d'Orléans
Rondeaux
1394-1465

Du Bellay,
Les Regrets
1558

Molière,
*Le Médecin
malgré lui*
1666

La Fontaine,
Fables
1668

de Beaumont,
La Belle et la Bête
1757

*Le Lai
de Mélion
du XIIᵉ siècle*

Rabelais,
Gargantua
1534

Corneille,
Le Cid
1637

Charles Perrault,
Contes
1697

1500 **1600** **1700** **1800**

de
Louis
270)

Guerre de
Cent ans
(1337-1453)

Règne de
François 1ᵉʳ
(1515-1547)

Guerres de
religion
(1562-1598)

Règne de
Louis XIII
(1610-1643)

Règne de Louis XIV
(1643-1715)

Règne de Louis XV
(1715-1774)

Règne de
Louis XVI
(1774-1793)

PÉRIODE MODERNE

Révolution française
(1789-1799)

Van der Goes,
La Chute
1480

Michel-Ange,
*Plafond de la
chapelle Sixtine*
1508

Brueghel,
La Tour de Babel
1563

Rembrandt,
Le Syndicat des drapiers
1661

---

e,
mes

Hopper,
Automat
1927

Jacques Prévert,
Paroles
1946

Hergé,
Tintin et le Temple du soleil
1949

Roald Dahl,
Fantastique Maître Renard
1970

2000

diale

1939-1945
2ⁿᵈᵉ Guerre mondiale

IVᵉ République

Vᵉ République (1958-)

(1944-1958)

CONTEMPORAINE

Rabier,
Le Corbeau et le Renard
1928

Chagall,
Les Amoureux aux marguerites
1949

Terre des Lettres

Français

LIVRE UNIQUE

6e

CYCLE 3

NOUVEAU PROGRAMME 2016

Anne-Christine Denéchère
Certifiée de Lettres classiques
Collège Clément Janequin (Montoire-sur-le-Loir)

Catherine Hars
Certifiée de Lettres modernes
Collège Pilâtre de Rozier (Wimille)

Véronique Marchais
Agrégée de Lettres modernes
Collège Lucie et Raymond Aubrac (Luynes)

Claire-Hélène Pinon
Certifiée de Lettres modernes

Avec la collaboration de
Jean-Charles Boilevin
Diplômé de l'École Supérieure
des Beaux-Arts de Marseille

Nathan

Couverture

• *Le Corbeau et le Renard* (détail), Benjamin Rabier, 1929, © Kharbine-Tapabor. (document central)

• Arthur Rimbaud, photographie d'Étienne Carjat, 1871, © Leemage. (gauche)

• *L'Arche de Noé*, enluminure de *La Bible historiale*, vers 1403, © British Library. (haut, droite)

• *La Belle et la Bête*, publicité pour Le Bon Marché, © Leemage. (milieu)

• Beaumarchais, *Le Mariage de Figaro*, mise en scène de Jean-Paul Tribout, Théâtre 14, Paris, 2015, avec Agnès Ramy (Suzanne), Claire Mirande (Marceline) et Éric Herson-Macarel (Figaro), © Artcomart. (bas)

Édition : Suzanne Pointu
Conception maquette : Marc Henry
Couverture : Jean-Marc Denglos
Mise en page : Typo-Virgule
Iconographie : Gaëlle Mary
Corrections : Charlotte Le Tarnec
Infographie : AFDEC, Cyril Courgeau, Renaud Scapin, Carl Voyer

© Nathan 2016 – 25, avenue Pierre-de-Coubertin, 75013 Paris – ISBN : 978-209-171712-8

Avant-propos

Terre des Lettres, c'est toujours :

➤ La lecture

- Des **textes choisis pour leur intérêt** littéraire, pour ce qu'ils peuvent apporter à des jeunes gens en construction.
- Un questionnement qui en **déploie le plus possible les richesses et le sens**.
- Une approche variée, alternant **questionnaires classiques et démarche par tâche complexe**.
- Des parcours différenciés, avec pour les élèves en difficulté un travail permettant le développement de la compréhension.
- Des chapitres axés sur **une problématique littéraire** et débouchant sur une synthèse qui donne aux élèves des repères précis dans l'histoire et les genres littéraires.

➤ La langue

- **Une progression spiralaire**, c'est-à-dire qui assure régulièrement le réinvestissement et l'approfondissement des acquis.
- Une **approche inductive** des notions qui ne se limite pas à des manipulations trop peu éclairantes mais fournit des **explications claires et précises**.
- Des fiches de révisions différenciées (« Réinvestir ses connaissances ») adaptables aux besoins des élèves, permettant de revoir une notion ponctuelle (« Réviser »), de se confronter à des exercices qui mobilisent deux ou trois points étudiés (« Croiser les connaissances ») ou à des travaux plus complexes d'orthographe ou d'écriture (« Maîtriser l'écrit »).
- Des **liens renforcés entre grammaire et écriture**, avec souvent une entrée dans les notions par l'écriture.

➤ L'écriture

- *Terre des Lettres* reste attaché à la **transmission, en rédaction comme ailleurs, d'un contenu solide**, organisé selon une **progression méthodique**.
- Chaque chapitre permet d'exercer des compétences rédactionnelles précises. Par exemple : « commencer un récit », « bien utiliser les pronoms », « employer les mots de liaison »… Selon ses besoins, le professeur pourra utiliser les pages « Vers l'écriture » comme préparation à la rédaction finale, ou **faire travailler à chaque élève les capacités précises dont il a besoin, identifiées grâce à l'utilisation de l'échelle de maîtrise** donnée dans le manuel.
- L'écriture est également travaillée à l'issue des textes et dans les **fiches de langue (écriture brève)**.
- Le **vocabulaire** est constamment travaillé, au fil des textes, mais aussi en étude thématique en lien avec le chapitre. Une place accrue est accordée à l'étymologie.

➤ L'Accompagnement Personnalisé

- Les échelles de maîtrise en compréhension et en rédaction permettent d'identifier les points que chaque élève doit travailler.
- Enfin, le manuel offre de nombreuses ressources :
  - en lecture, des **parcours différenciés** lors des études de texte ;
  - en écriture, les pages **« Apprendre à rédiger »**, qui ciblent des points précis en rédaction ;
  - en langue, les pages « Réinvestir ses connaissances », qui permettent en grammaire des **révisions différenciées**.

Sommaire

→ **Récits de création et création poétique**

1 Poésies pour célébrer le monde

Repères Poésie, musique et jeux de mots 14

Textes et images

1 La nature et ses éléments

1. « La bise fait le bruit... », V. Hugo 16
2. « Le vent », É. Verhaeren 17
3. « Choses du soir », V. Hugo 18
4. « La nuit », C. Roy 20
Lecture d'image *La Nuit étoilée*, V. Van Gogh 21
5. « Le temps a laissé son manteau »,
   Ch. d'Orléans 22
6. « Le jardin et la maison », A. de Noailles 23

2 Le monde des hommes

7. « Le buffet », A. Rimbaud 24
8. « Déjeuner du matin », J. Prévert 26
9. Haïkus 28

Synthèse La poésie : les mots autrement 29

Vers l'écriture

- **Vocabulaire** Les cinq sens 30
- **Apprendre à rédiger** Le langage poétique 31
- **À vos plumes !** Écrire un poème 32

Coin lecture, coin cinéma 33

Dossier 1 **De la calligraphie au calligramme**

▪ Calligraphie et calligrammes 34
Lecture d'image *Le Monde en petit*, F. Verdier 36
Atelier d'écriture Créer un calligramme 37

→ **Le monstre, aux limites de l'humain**

2 Ogres et sorcières

Repères Le conte, une histoire de tous les temps 40

Textes et images

1 L'initiatrice ou la femme sorcière

1. « La Belle au bois dormant », Ch. Perrault 42
2. « Jeannot et Margot », J. et W. Grimm 47
3. « Vassilissa la très belle », E. Jaubert 51

2 Les monstres dévorateurs

4. « Le Chat botté », Ch. Perrault 56
5. « Le Petit Poucet », Ch. Perrault 59
6. « La Barbe bleue », Ch. Perrault *Texte intégral* 64
Lecture d'image *La Barbe bleue*, G. Doré 69

Atelier de lecture Le personnage du monstre
dans les contes 70

Synthèse La confrontation au monstre 71

Vers l'écriture

- **Vocabulaire** Qualités et défauts 72
- **Apprendre à rédiger** Enchaîner les actions 73
- **À vos plumes !**
  Raconter une rencontre avec un monstre 74

Coin lecture, coin cinéma 75

→ **Le monstre, aux limites de l'humain**

3 Belles et Bêtes, du livre à l'écran

Repères   La diffusion des récits populaires 78

Textes et images

1 *La Belle et la Bête,* Mme Leprince de Beaumont — *Étude intégrale*
1. « Le prix d'une rose » 80
2. « Dans l'antre de la Bête » 83
3. « La mise à l'épreuve » 86

2 *Le Lai de Mélion* — *Étude intégrale*
4. « Un étrange chevalier » 91
5. « Le loup du roi » 94
6. « La justice du roi » 96

Fiche technique Le cadrage au cinéma 98
Étude de film *La Belle et la Bête,* J. Cocteau 99
Étude de film « Le Loup-garou », *Les Contes de la nuit,* M. Ocelot 102

Atelier de lecture   Comparer les deux contes 104

Synthèse   Adapter une œuvre au cinéma 105

Vers l'écriture

• **Vocabulaire** Des mots pour parler d'une œuvre 106
• **Apprendre à rédiger** Exprimer son opinion sur une œuvre 107
• **À vos plumes !** Écrire une critique littéraire ou cinématographique 108

Coin lecture, coin cinéma 109

→ **Récits de création et création poétique**

4 Récits de création

Repères   Récits de la nuit des temps 112

Textes et images

1 **La mythologie grecque**

Texte audio « De la naissance du monde au partage de Prométhée », *La Création du monde,* C. Obin 114
1. « Le Déluge », *Les Métamorphoses,* Ovide 115
2. « Phaéton et le char du soleil », F. Rachmuhl d'après Ovide, *Les Métamorphoses* 117

Repères   Qu'est-ce que la Bible ? 120

Textes et images

2 **La Bible**

3. « La Genèse » 122
4. « Adam et Ève » 124
5. « L'arche de Noé » 126
6. « La tour de Babel » 128
Lecture d'image *La Tour de Babel,* P. Brueghel l'Ancien 129
7. « Une figure de patriarche : Abraham » ... 130

Atelier de lecture   Comparer deux récits de création 132

Synthèse   Qu'est-ce qu'un mythe ? 133

Vers l'écriture

• **Vocabulaire** Le temps 134
• **Apprendre à rédiger** Structurer un récit 135
• **À vos plumes !** Réécrire le récit du déluge 136

Coin lecture, coin cinéma 137

Dossier 2   Cultures de l'Antiquité

▮ Les dieux de la mythologie grecque 138
Histoire des arts Arts et mythologie 140
Histoire de la langue Découvrir le latin 142

→ **Le monstre, aux limites de l'humain**
→ **Récits de création et création poétique**

5 Face au monstre

Textes et images

1. « Les Hécatonchires », *Le Feuilleton d'Hermès*,
   M. Szac 146

   Lecture d'image *Saturne dévorant un
   de ses fils*, F. de Goya 149

2. « Lycaon », *Les Métamorphoses*, Ovide 150

3. « Le combat contre le Minotaure », *Le Premier
   Livre des Merveilles*, N. Hawthorne 151

4. « Bellérophon et la Chimère », *Mythes et légendes
   de la Grèce antique*, E. Petiska 155

5. « La mort d'Hector », *L'Iliade*, Homère 158

Synthèse   Étrangers à l'homme... 161

Vers l'écriture

● **Vocabulaire** Le vocabulaire de la mythologie ... 162
● **Apprendre à rédiger** Bien relier ses phrases ... 163
● **À vos plumes !** Amplifier un récit héroïque ... 164

Coin lecture, coin cinéma 165

→ **Le monstre, aux limites de l'humain**
→ **Récits d'aventure**

6 L'*Odyssée*, d'Homère
ÉTUDE D'UNE ŒUVRE INTÉGRALE

Repères   Homère et ses héros 168

Textes et images

1. « Au pays des Cyclopes » 170
2. « Circé la magicienne » 174
3. « Les Sirènes » 177
4. « Chez Alkinoos » 179
5. « L'épreuve de l'arc » 181
6. « Les retrouvailles » 184

Pour étudier l'œuvre 185

Synthèse   L'épopée d'Ulysse 187

Vers l'écriture

● **Vocabulaire** La langue de l'épopée 188
● **Apprendre à rédiger** Écrire un récit épique ... 189
● **À vos plumes !** Inventer un épisode de L'*Odyssée* . 190

Coin lecture, coin cinéma 191

En route pour l'aventure !

Repères Le roman d'aventure,
la naissance d'un genre 194

Textes et images

1. « Une irrésistible escapade »,
L'Enfant et la Rivière, H. Bosco 196

2. « Pauvre petit », *Sans famille*, H. Malot 199

3. « Un hôte peu recommandable »,
Oliver Twist, Ch. Dickens 202

4. « La chasse au trésor »,
Les Aventures de Tom Sawyer, M. Twain 205

5. « Sauve qui peut ! »,
Bilbo le Hobbit, J. R. R. Tolkien 208

6. « Une attaque de dinosaure »,
Le Monde perdu, A. C. Doyle 210

7. « Un voyage mouvementé »,
Le Temple du soleil, Hergé 213

Synthèse Les caractéristiques du roman d'aventure 217

Vers l'écriture

● **Vocabulaire** La nature 218

● **Apprendre à rédiger**
Faire une description expressive 219

● **À vos plumes !** Raconter une scène d'aventure 220

Coin lecture, coin cinéma 221

Étude de film *L'Odyssée de Pi*, Ang Lee 222

8 *Le Livre de la jungle*
ÉTUDE D'UNE ŒUVRE INTÉGRALE

Repères Découvrir *Le Livre de la jungle* 226

Textes et images

Le Livre de la jungle, R. Kipling

1. « Un petit d'homme au pays des loups » 228
2. « Au chaud cœur noir de la forêt » 231
3. « Les Maîtres Mots de la jungle » 234
4. « Le peuple sans loi » 236
5. « Maintenant, je vois que tu es un homme » 238
6. « Chassé du peuple des hommes » 241

Synthèse Des aventures qui font grandir 244

▓ « Si : Tu seras un homme, mon fils », *Rewards
and Fairies*, R. Kipling 245

Vers l'écriture

● **Vocabulaire** Les sentiments 246

● **Apprendre à rédiger**
Exprimer un sentiment et éviter les répétitions 247

● **À vos plumes !**
Raconter un épisode des aventures de Mowgli 248

Coin lecture, coin cinéma 249

→ **Résister au plus fort : ruses, mensonges et masques**

9 Fables et fabliaux : Renard et ses compères

Repères Fables et fabliaux 252

Textes et images

1 Fables

Lecture d'image *Le Corbeau et le Renard*, B. Rabier .. 254

1. « Du Lion allant à la chasse avec d'autres bêtes », Ésope 255
2. « Le Loup et l'Agneau », J. de La Fontaine 256
3. « Le Lion et le Rat », J. de La Fontaine 258
4. « Le Corbeau et le Renard », J. de La Fontaine 259
5. « Le Coq et le Renard », J. de La Fontaine 260

2 Le *Roman de Renart*

6. « Les jambons d'Ysengrin » 262
7. « Renart jongleur » 264
8. « La pêche à la queue » 266

Synthèse Masques et ruses, résister au plus fort .. 269

Étude de film *Fantastic Mr. Fox*, W. Anderson 270

Vers l'écriture

● **Vocabulaire** Rusés animaux 272
● **Apprendre à rédiger** Caractériser un personnage et lui donner la parole 273
● **À vos plumes !** Écrire à partir d'une image Rédiger la suite d'une aventure de Renart 274

Coin lecture, coin cinéma 275

→ **Résister au plus fort : ruses, mensonges et masques**

10 Ruses et pouvoir au théâtre

Repères Molière et son héritage 278

Textes et images

1 *Le Médecin malgré lui*, Molière *Étude intégrale*

1. « Une scène de ménage » (I, 1) 280
2. « La consultation » (II, 4) 283
3. « Une guérison miraculeuse » (III, 6) 288

2 *Knock ou le Triomphe de la médecine*, J. Romain

4. « Ça vous chatouille ou ça vous gratouille ? » (II, 1) 291

Pour étudier l'œuvre 293

Synthèse La comédie 295

Vers l'écriture

● **Vocabulaire** La langue classique 296
● **Apprendre à rédiger** Écrire une scène de théâtre . 297
● **À vos plumes !** Écrire et monter une pièce satirique 298

Pratiquer l'oral Jouer une scène de théâtre 299

Dossiers

	Thèmes du programme	Axes d'étude
Dossier 1 **De la calligraphie au calligramme** → p. 34	Récits de création et création poétique	● Découvrir la calligraphie. ● Lire et écrire des calligrammes. ● Analyser une œuvre : *Le Monde en petit*, de Fabienne Verdier.
Études de film ***La Belle et la Bête**, de Jean Cocteau* ***Le Loup-garou**, de Michel Ocelot* → p. 99 et 102	Le monstre, aux limites de l'humain	● Analyser deux œuvres inspirées par la littérature. ● Découvrir les enjeux de l'adaptation d'une œuvre au cinéma.
Dossier 2 **Cultures de l'Antiquité** → p. 138	Récits de création et création poétique	● Se familiariser avec la mythologie gréco-romaine. ● Étudier des œuvres d'art inspirées par la mythologie. ● Découvrir la langue et la civilisation latines. ● S'initier à la langue latine.
Étude de film ***L'Odyssée de Pi**,* *d'Ang Lee* → p. 222	Récits d'aventure	● Étudier un film d'aventure adapté d'une œuvre contemporaine pour la jeunesse. ● Approfondir le motif de l'odyssée et son caractère formateur.
Étude de film ***Fantastic Mr. Fox**,* *de Wes Anderson* → p. 270	Résister au plus fort : ruses, mensonges et masques	● Étudier un film d'animation. ● Étudier la figure du renard, son origine, son évolution dans les œuvres littéraires et sa persistance dans une fable moderne.

Étude de la langue

Terre des Lettres propose une **progression spiralaire**, qui introduit les notions progressivement, par une **approche inductive**, et les approfondit à chaque étape, avec une grande place accordée à l'écriture. Ces étapes sont ponctuées par des fiches de révision **différenciées**.

Étape 1

1 GRAMMAIRE Sujet, verbe et proposition 302

2 GRAMMAIRE Le verbe 304

3 GRAMMAIRE Le nom et le groupe nominal 306

4 ORTHOGRAPHE L'accord du verbe avec le sujet : les marques régulières de la personne 308

5 CONJUGAISON Temps simples, temps composés 310

6 GRAMMAIRE La phrase et sa ponctuation 312

▶ **Réinvestir ses connaissances** 314

Étape 2

7 VOCABULAIRE La formation des mots 316

8 CONJUGAISON Le présent de l'indicatif des verbes du 1er groupe 317

9 ORTHOGRAPHE Le féminin des noms 318

10 CONJUGAISON Le présent de l'indicatif des verbes des 2e et 3e groupes 319

11 ORTHOGRAPHE Le pluriel des noms 321

12 CONJUGAISON Le passé composé 322

▶ **Réinvestir ses connaissances** 324

Étape 3

13 ORTHOGRAPHE Les mots invariables 326

14 GRAMMAIRE Les déterminants (1) : les articles 328

15 GRAMMAIRE Les déterminants (2) : les démonstratifs et les possessifs 330

16 CONJUGAISON L'impératif 332

17 ORTHOGRAPHE L'accord des adjectifs 334

▶ **Réinvestir ses connaissances** 336

Étape 4

18 GRAMMAIRE Les pronoms 338

19 CONJUGAISON L'imparfait et le plus-que-parfait 340

20 ORTHOGRAPHE Les homophones liés aux verbes *être* et *avoir* 342

21 CONJUGAISON Le passé simple et le passé antérieur 344

22 CONJUGAISON Employer les temps du passé : imparfait et passé simple 346

23 GRAMMAIRE La nature des mots : bilan 348

▶ **Réinvestir ses connaissances** 350

Étape 5

24 GRAMMAIRE Les compléments d'objet 352

25 ORTHOGRAPHE Le participe passé employé seul ou avec l'auxiliaire *être* 354

26 ORTHOGRAPHE Les terminaisons verbales en [é] 356

27 GRAMMAIRE L'attribut du sujet 358

28 CONJUGAISON Le futur et le futur antérieur ... 360

▶ **Réinvestir ses connaissances** 362

Étape 6

29 GRAMMAIRE Les compléments circonstanciels : manière, temps et lieu .. 364

30 GRAMMAIRE Le complément du nom 366

31 GRAMMAIRE La fonction des mots 368

32 GRAMMAIRE Initiation à la phrase complexe .. 370

▶ **Réinvestir ses connaissances** 372

Outils pour apprendre

Règles d'orthographe d'usage 374

Tableaux de conjugaison 376

Tableaux des préfixes et des suffixes 380

Échelles de maîtrise de compréhension et de rédaction 382

Cartes mentales des classes grammaticales et des fonctions .... gardes arrière

Vers l'écriture

Vocabulaire

- Les cinq sens 30
- Qualités et défauts 72
- Des mots pour parler d'une œuvre 106
- Le temps 134
- Le vocabulaire de la mythologie 162
- La langue de l'épopée 188
- La nature 218
- Les sentiments 246
- Rusés animaux 272
- La langue classique 296

Apprendre à rédiger

- Le langage poétique 31
- Enchaîner les actions 73
- Exprimer son opinion sur une œuvre 107
- Structurer un récit 135
- Bien relier ses phrases 163
- Écrire un récit épique 189
- Faire une description expressive 219
- Exprimer un sentiment et éviter les répétitions 247
- Caractériser un personnage et lui donner la parole 273
- Écrire une scène de théâtre 297

À vos plumes !

- Écrire un poème 32
- Raconter une rencontre avec un monstre 74
- Écrire une critique littéraire ou cinématographique 108
- Réécrire le récit du déluge 136
- Amplifier un récit héroïque 164
- Inventer un épisode de l'*Odyssée* 190
- Raconter une scène d'aventure 220
- Raconter un épisode des aventures de Mowgli 248
- Écrire à partir d'une image 274
- Rédiger la suite d'une aventure de Renart 274
- Écrire et monter une pièce satirique 298

1 Poésies pour célébrer le monde

> *Par quels moyens la poésie renouvelle-t-elle notre regard sur le monde ?*

Repères

- **Poésie, musique et jeux de mots** 14

Textes et images

1. La nature et ses éléments

1. « La bise fait le bruit... », Victor Hugo 16
2. « Le vent », Émile Verhaeren 17
3. « Choses du soir », Victor Hugo 18
4. « La nuit », Claude Roy 20
   Lecture d'image *La Nuit étoilée*, Vincent Van Gogh 21
5. « Le temps a laissé son manteau... », Charles d'Orléans 22
6. « Le jardin et la maison », Anna de Noailles 23

2. Le monde des hommes

7. « Le buffet », Arthur Rimbaud 24
8. « Déjeuner du matin », Jacques Prévert 26
9. Haïkus 28

Synthèse

- **La poésie : les mots autrement** 29

Vers l'écriture

- **Vocabulaire :** Les cinq sens 30
- **Apprendre à rédiger :** Le langage poétique 31
- **À vos plumes !** Écrire un poème 32

Coin lecture, coin cinéma 33

Les Amoureux aux marguerites, **Marc Chagall**, 1949-1950 (coll. privée).

Lire une image

1 Quels sont les différents éléments qui figurent dans cette composition ? Qu'est-ce qui vous paraît insolite ?

2 Quelle couleur domine ? Quelle impression s'en dégage ?

Poésie, musique et jeux de mots

Muse Urania,
statue en marbre
(musée national romain,
Rome).

Un genre musical

• Le mot *poésie* vient du grec *poïein* qui signifie « **créer** ». La poésie est donc une création, une manière d'assembler les mots qui leur donne une beauté et une force particulières. Elle peut dégager un tel charme que, dans l'Antiquité, on disait que les poètes étaient inspirés par des divinités appelées les **Muses**.

• **Orphée**, poète mythique, était capable, dit-on, de charmer par ses chants et le son de sa lyre même les animaux. À cette époque, en effet, la poésie est chantée. Elle le sera encore longtemps : en France, tout au long du Moyen Âge, **trouvères** et **troubadours** continuent d'allier musique et poésie.

Orphée ramenant Eurydice des Enfers, **Jean-Baptiste Corot,**
huile sur toile, 1861 (Museum of the Fine Arts, Houston).

Questions

1 De quel instrument Orphée s'accompagnait-il ?

2 Qui étaient les Muses ?

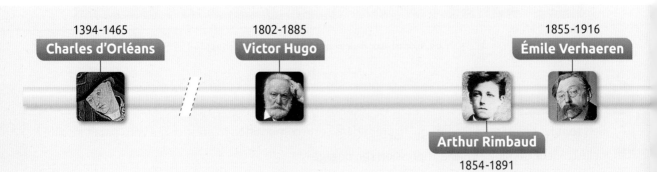

1394-1465
Charles d'Orléans

1802-1885
Victor Hugo

1855-1916
Émile Verhaeren

Arthur Rimbaud
1854-1891

Entre règles et inventivité

• La poésie est donc **un genre littéraire** qui a partie liée avec la **musique**. Le poète Verlaine disait même que la poésie, c'est « de la musique avant toute chose ». Toutefois, à la fin du Moyen Âge, la poésie se sépare de la chanson : elle cultive sa musique propre, faite des mots et du rythme des phrases.

• **Des règles d'écriture poétique** sont définies peu à peu. L'ensemble de ces règles forme ce que l'on appelle **la versification**. Elles occupent une place très importante du XVIe au XIXe siècle. Mais elles sont aussi souvent remises en cause : les poètes cherchent encore et toujours de nouvelles manières de jouer avec les mots.

Question

❸ Repérez les différents auteurs cités dans ce chapitre et situez-les dans le temps.

Portrait d'Émile Verhaeren,
Théo van Rysselberghe,
1915 (musée d'Orsay, Paris).

Orphée,
Jean Cocteau,
dessin, 1962
(coll. privée).

La langue dans tous ses états

• À partir du XIXe siècle, les poètes rejettent les règles classiques de la poésie, mélangeant tous les tons, cherchant à choquer ou à éblouir. Au début du XXe siècle, c'est **Apollinaire** qui fait disparaître la ponctuation pour pouvoir mieux jouer sur le sens des mots. Il utilise aussi la mise en page et le dessin pour créer de nouvelles associations entre les mots et les images.

• Au fil du XXe siècle, plusieurs groupes littéraires vont multiplier les **expériences poétiques**, en jouant avec les mots ou en distordant la phrase afin de rendre toujours plus proche ce qui vient d'être nommé.

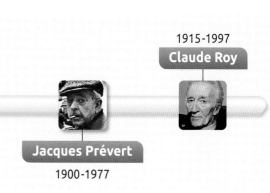

| 1880-1918 | 1915-1997 |
| **Apollinaire** | **Claude Roy** |

Anna de Noailles
1876-1933

Jacques Prévert
1900-1977

La bise fait le bruit...

La bise fait le bruit d'un géant qui soupire ;
La fenêtre palpite et la porte respire ;
Le vent d'hiver glapit[1] sous les tuiles du toit ;
Le feu fait à mon âtre[2] une pâle dorure ;

5   Le trou de ma serrure
Me souffle sur les doigts.

VICTOR HUGO, *Dernière Gerbe*[3], 1902 (posthume).

---

1. Glapit : hurle comme un renard.
2. Âtre : foyer de la cheminée.
3. Gerbe : ensemble de choses semblables réunies, dont la forme évoque un jaillissement.

Victor Hugo

(1802-1885)
Cet écrivain est l'un des plus importants de la littérature française. Son œuvre, très variée, rassemble des romans (*Les Misérables*), des poèmes (*Les Contemplations*) et des pièces de théâtre (*Ruy Blas*).

Lecture

Pour bien lire

1 Quels détails vous permettent d'identifier ce texte comme un poème ?

2 a. Combien comptez-vous de strophes ? et de vers ?
b. Quels sont les mots qui riment ?

3 a. Comptez le nombre de syllabes dans chaque vers.
b. Dans quels cas faut-il prononcer les *-e* muets à la fin des mots ?

4 Que décrit Victor Hugo dans ce poème ?

Pour approfondir

5 Relisez le poème à voix haute.
a. Quelle voyelle est répétée dans la première strophe ?
b. Quel bruit le poème cherche-t-il à imiter ?

6 Notez tous les éléments qui donnent l'impression que cette maison est vivante.

7 Quelle impression se dégage de cette maison ? Auriez-vous envie d'y vivre ? Pourquoi ?

Vocabulaire

1 Cherchez dans le poème les mots qui correspondent aux définitions suivantes :
vent froid – battre très fort – cheminée – hurler comme un animal.

2 Complétez les phrases suivantes avec chacun de ces mots.
1. La bûche crépite dans l'....
2. La fourmi se trouva forts dépourvue quand la ... fut venue.
3. La pauvre bête se cacha dans le fourré et ... de douleur. Je sentis alors son cœur ....

Le vent

Émile Verhaeren

(1855-1916)
La poésie de cet écrivain belge met en scène des paysages de campagne ou de grandes villes.

Sur la bruyère longue infiniment,
Voici le vent cornant[1] Novembre,
Sur la bruyère, infiniment,
Voici le vent
5 Qui se déchire et se démembre,
En souffles lourds, battant[2] les bourgs ;
Voici le vent,
Le vent sauvage de Novembre.

Aux puits des fermes,
10 Les seaux de fer et les poulies[3]
Grincent ;
Aux citernes des fermes,
Les seaux et les poulies
Grincent et crient
15 Toute la mort, dans leurs mélancolies.

[…]
Sur la bruyère, infiniment,
Voici le vent hurlant,
Voici le vent cornant Novembre.

ÉMILE VERHAEREN, *Les Villages illusoires*, 1895.

1. Cornant : sonnant avec une corne (sens propre) ; avertissant, annonçant (sens figuré).

2. Battant : parcourant.

3. Poulies : roues sous lesquelles on fait passer une corde pour soulever plus facilement une charge.

Effet de vent (détail), **Claude Monet,** 1891 (musée d'Orsay, Paris).

Lecture

Pour bien lire

1 Où et quand situez-vous la scène décrite dans le poème ?

2 Quels sont les mots qui évoquent des bruits ?

3 Le paysage décrit vous semble-t-il triste ou gai ? Justifiez votre réponse.

Pour approfondir

4 Relevez les répétitions : quelle est l'impression créée ?

5 Quelles allitérations (répétitions d'une même consonne) présentes dans le poème nous font entendre le bruit du vent ?

6 Relevez tous les mots qui évoquent la souffrance. L'ensemble de ces mots constitue un champ lexical.

7 Relevez les mots qui personnifient le vent. Quelle est leur nature ? Quels autres objets sont personnifiés ?

8 Vérifiez le sens du mot *corner* (v. 2) : quel type de personnage sonnait ainsi dans une trompe, autrefois ?

9 Que paraît annoncer le vent dans ce poème ?

Écriture

À votre tour, décrivez, dans un court poème, le vent soufflant sur la mer par temps de tempête.
– Employez la répétition, créez des effets sonores.
– Cherchez à personnifier le vent en employant quelques-uns des verbes suivants : *cingler, gronder, hurler, bondir, gémir.*
Pour préparer ce travail, faites les exercices de vocabulaire 7, 8 et 9 p. 30.

Choses du soir

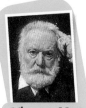

Victor Hugo

(1802-1885)
En 1877, Victor Hugo prend en charge ses petits-enfants à la suite du décès de l'un de ses fils.
Il écrit alors ce recueil : *L'Art d'être grand-père.*

Le brouillard est froid, la bruyère est grise ;
Les troupeaux de bœufs vont aux abreuvoirs[1] ;
La lune, sortant des nuages noirs,
Semble une clarté qui vient par surprise.

5   Je ne sais plus quand, je ne sais plus où,
Maître[2] Yvon soufflait dans son biniou[3].

Le voyageur marche et la lande est brune ;
Une ombre est derrière, une ombre est devant ;
Blancheur au couchant, lueur au levant ;
10   Ici crépuscule, et là clair de lune.

Je ne sais plus quand, je ne sais plus où,
Maître Yvon soufflait dans son biniou.

La sorcière assise allonge sa lippe[4] ;
L'araignée accroche au toit son filet ;
15   Le lutin reluit dans le feu follet[5]
Comme un pistil d'or dans une tulipe.

Je ne sais plus quand, je ne sais plus où,
Maître Yvon soufflait dans son biniou.

On voit sur la mer des chasse-marées[6] ;
20   Le naufrage guette un mât frissonnant ;
Le vent dit : demain ! l'eau dit : maintenant !
Les voix qu'on entend sont désespérées.

Je ne sais plus quand, je ne sais plus où,
Maître Yvon soufflait dans son biniou.

25   Le coche[7] qui va d'Avranche à Fougère
Fait claquer son fouet comme un vif éclair ;
Voici le moment où flottent dans l'air
Tous ces bruits confus que l'ombre exagère.

Je ne sais plus quand, je ne sais plus où,
30   Maître Yvon soufflait dans son biniou.

Dans les bois profonds brillent des flambées ;
Un vieux cimetière est sur un sommet ;
Où Dieu trouve-t-il tout ce noir qu'il met
Dans les cœurs brisés et les nuits tombées ?

35   Je ne sais plus quand, je ne sais plus où,
Maître Yvon soufflait dans son biniou.

Parc à moutons, clair de lune,
François Millet, vers 1872-18[...]
(musée d'Orsay, Paris).

1. Abreuvoir : lieu, récipient aménagé pour faire boire les bêtes.

2. Maître : titre souvent donné aux paysans et aux artisans, pour qui l'on n'utilise pas le terme de « monsieur ».

3. Biniou : cornemuse bretonne, instrument à vent.

4. Lippe : lèvre inférieure. « Allonger sa lippe » : faire la moue.

5. Feu follet : petite flamme due à une exhalaison de gaz sur un étang.

6. Chasse-marée : petit bateau côtier pour les pêcheurs bretons.

7. Coche : cocher qui conduit une voiture tirée par des chevaux et transportant des voyageurs.

Des flaques d'argent tremblent sur les sables ;
L'orfraie[8] est au bord des talus crayeux ;
Le pâtre, à travers le vent, suit des yeux
40   Le vol monstrueux et vague des diables.

Je ne sais plus quand, je ne sais plus où,
Maître Yvon soufflait dans son biniou.

Un panache gris sort des cheminées ;
Le bûcheron passe avec son fardeau ;
45   On entend, parmi le bruit des cours d'eau,
Des frémissements de branches traînées.

Je ne sais plus quand, je ne sais plus où,
Maître Yvon soufflait dans son biniou.

La faim fait rêver les grands loups moroses ;
50   La rivière court, le nuage fuit ;
Derrière la vitre où la lampe luit,
Les petits enfants ont des têtes roses.

Je ne sais plus quand, je ne sais plus où,
Maître Yvon soufflait dans son biniou.

8. **Orfraie** : rapace qui vit la nuit.

🐚 **VICTOR HUGO**, *Dernière Gerbe*, 1902 (posthume).

Parcours de lecture 1

❶ Expliquez le titre de ce poème.

❷ Dans quelles strophes le poète décrit-il un paysage de lande ? la mer ? la campagne ? et les bois ?

❸ Quels sont les personnages croisés dans ces lieux ? Lesquels semblent réels ? Lesquels appartiennent au monde de l'imaginaire ?

❹ Comment qualifieriez-vous la nuit dépeinte par Hugo : inquiétante, joyeuse, sinistre, fantastique, belle, douce ? Justifiez votre réponse.

❺ Relevez tous les termes qui évoquent la lumière. Classez-les en deux catégories : lumières froides et lumières chaudes.

❻ Quel refrain est répété ? Ce refrain est-il rassurant ou inquiétant ? Justifiez votre réponse.

Vocabulaire

❶ Qu'est-ce qu'un *frémissement* ? Soulignez le suffixe de ce nom. Donnez un verbe de la même famille.

❷ En employant le même suffixe, construisez des noms à partir des verbes suivants : *trembler – charger – siffler – clignoter – déployer*.

Parcours de lecture 2

❶ Quelle est la structure de ce poème : nombre de strophes, nombre de vers par strophes, disposition des rimes ?

❷ **a.** Dans la troisième strophe, relevez les termes qui s'opposent. Comment le rythme des vers vient-il appuyer ces oppositions ? Quel moment est ici décrit ?
b. Dans les autres strophes, relevez d'un côté les expressions qui évoquent la noirceur et de l'autre celles qui évoquent la clarté.

❸ Quelles strophes évoquent des personnages réalistes ? Quelles sont celles qui évoquent des personnages fantastiques ? Quelle description l'auteur nous fait-il de la nuit ?

❹ Quel effet produit la répétition du refrain ?

❺ Dans la dernière strophe, qui semble observer l'arrivée de la nuit ?

Écriture

À votre tour, décrivez l'arrivée de la nuit, en insistant sur les changements : la lumière qui s'atténue, les bruits qui diminuent, les ombres qui grandissent... Pour préparer ce sujet, vous pouvez faire les exercices de vocabulaire 1 à 4 p. 31.

La nuit

Elle est venue la nuit de plus loin que la nuit
à pas de vent de loup de fougère et de menthe
voleuse de parfum impure fausse nuit
fille aux cheveux d'écume issue de l'eau dormante

5 Après l'aube la nuit tisseuse de chansons
s'endort d'un songe lourd d'astres et de méduses
et les jambes mêlées aux fuseaux des saisons
veille sur le repos des étoiles confuses

Sa main laisse glisser les constellations
10 le sable fabuleux des mondes solitaires
la poussière de Dieu et de sa création
la semence de feu qui féconde les terres

Mais elle vient la nuit de plus loin que la nuit
à pas de vent de mer de feu de loup de piège
15 bergère sans troupeau glaneuse[1] sans épis
aveugle aux lèvres d'or qui marche sur la neige.

CLAUDE ROY, *Poésies*, © Éditions Gallimard, 1970.

Claude Roy

(1915-1997)
Journaliste et écrivain français, il est aussi un homme engagé qui rejoint la Résistance pendant la Seconde Guerre mondiale.

---

1. Glaneuse : personne qui ramasse les épis de blé restant après la moisson (sens propre) ; personne qui recueille des informations (sens figuré).

Lecture

Pour bien lire

1 a. Combien de strophes ce poème comporte-t-il ?
b. Quel vers reconnaissez-vous ? Quelle sorte de rime est employée ?
c. Quelle remarque pouvez-vous faire sur le nombre de phrases ?

2 a. Quelles sont les différents sentiments que vous éprouvez à la venue de la nuit ?
b. Dans quelles strophes parle-t-on de la venue de la nuit ? Quelles sensations y sont évoquées ?

3 Comment le poète s'y prend-il pour donner à la nuit l'image d'une femme ?

Pour approfondir

4 a. Que signifie l'expression « à pas de loup » ?
b. Relevez les autres compléments du nom *pas* dans les vers 2 et 14. Quelles impressions suggère cette accumulation de compléments ?

5 Relevez les groupes nominaux qui désignent la nuit : à quel genre de personnage la nuit est-elle associée ?

6 Quelles expressions de la 3e strophe évoquent l'univers et l'infini ?

7 Quel effet le poète recherche-t-il en omettant la ponctuation ?

8 Quelle expression répétée deux fois évoque l'inconnu ?

9 En vous aidant des réponses aux questions précédentes, expliquez, dans un court paragraphe, comment le poète présente la nuit à la fois comme effrayante et attirante.

Tâche complexe

Vocabulaire

1 Cherchez dans un dictionnaire la définition du mot *glaneuse*. Donnez un verbe de la même famille, puis composez une phrase où vous emploierez ce verbe au sens figuré.

2 Le poète utilise l'expression « à pas de loup ». Voici d'autres expressions avec le mot *loup*. Associez-les à leur définition.
A. Entre chien et loup. – Être connu comme le loup blanc. – Un vieux loup de mer. – Se jeter dans la gueule du loup. – Hurler avec les loups.
B. S'exposer à un grand danger. – Se joindre aux autres pour critiquer quelqu'un. – Le soir, au crépuscule. – Être connu de tout le monde. – Un marin expérimenté.

La Nuit étoilée, Van Gogh

La Nuit étoilée, **Vincent Van Gogh**, huile sur toile, 1889 (The Museum of Modern Art, New York).

Du texte à l'image

Le monde humain et le monde naturel

1 Quelles sont les deux parties distinctes de ce tableau ?

2 Comment le jeu des couleurs assure-t-il une unité entre ces deux parties ?

3 **a.** À quels objets du ciel répondent les fenêtres allumées ? **b.** Quel autre élément du tableau la forme du clocher rappelle-t-elle ?

Une vision cosmique

4 Lequel de ces deux mondes paraît le plus paisible ? Lequel paraît le plus animé ? Justifiez votre réponse.

5 Qu'est-ce qui vous surprend dans cette représentation de la nuit ? À quoi vous font penser les étoiles ? le tourbillon central ?

6 Quelle impression vous laisse ce ciel étoilé ?

Arts plastiques

Vincent Van Gogh (1853-1890) est un célèbre peintre néerlandais qui s'attacha davantage à peindre des impressions plutôt que la réalité. Ce tableau représente un village de Provence la nuit.

En vous inspirant des poèmes de Victor Hugo et de Claude Roy, ainsi que de la peinture de Van Gogh, dessinez la nuit.

1 Lisez ces poèmes et leur étude plusieurs fois. Faites la liste de toutes les sensations évoquées.

2 Demandez à votre professeur d'arts plastiques comment mettre en évidence ces différentes sensations : travail sur les couleurs, les matières, les formes...

3 Faites la liste des personnages liés à la nuit : lesquels voudriez-vous représenter ? Comment vous y prendriez-vous pour unir étroitement le personnage aux éléments représentés ?

Le temps a laissé son manteau

Charles d'Orléans

(1394-1465)
Père du futur roi Louis XII, il est appelé le Prince-poète : grand amateur de poésie, il organise à sa cour des jeux et concours de poésie et écrit lui-même rondeaux et ballades.

1. **Qu'en** : qui.
2. **Jargon** : langue.
3. **Livrée** : habit.
4. **Orfèvrerie** : objet de décoration en métal précieux.

Le temps a laissé son manteau
De vent, de froidure et de pluie,
Et s'est vêtu de broderie,
De soleil luisant, clair et beau.

5 Il n'y a bête ni oiseau,
Qu'en[1] son jargon[2] ne chante ou crie :
Le temps a laissé son manteau
De vent, de froidure et de pluie.

Rivière, fontaine et ruisseau
10 Portent, en livrée[3] jolie,
Gouttes d'argent, d'orfèvrerie[4] ;
Chacun s'habille de nouveau :
Le temps a laissé son manteau.

CHARLES D'ORLÉANS, *Rondeaux*, XVe siècle.

Lecture

Pour bien lire

1 Quelle saison est évoquée dans ce poème ? Justifiez votre réponse.

2 Qu'est-ce qui montre que la nature est ici personnifiée ?

3 Quelle impression se dégage du poème ?

Pour approfondir

4 Quel est le type de vers utilisé ?

5 a. Quel vers est commun à chaque strophe ?
b. Quel effet produit cette répétition ?

6 Les sonorités du poème sont-elles plutôt graves et monotones ou gaies et variées ?

7 a. Relevez deux vers qui s'opposent dans la première strophe.
b. Quel effet produit cette opposition ?

8 Quels sont les termes qui évoquent la richesse ?

9 Qui parle aux vers 7 et 8 ?

10 Quels détails du poème donnent l'impression que toute la nature est en fête ?

Vocabulaire

1 Donnez un synonyme de l'adjectif *luisant* au vers 4.

2 a. Sur quel radical le mot *froidure* est-il formé ?
b. De la même manière, formez d'autres noms à partir des mots suivants : *cheveu – vert – voile – toit – arme – doré – parer.*

Le jardin et la maison

Anna de Noailles

(1876-1933)
Dite comtesse de Noailles, cette femme de lettres française d'origine gréco-roumaine a écrit trois romans et de nombreux recueils de poèmes. Elle fut la première femme commandeur de la Légion d'honneur.

---

1. **Dolent :** qui exprime plaintivement une souffrance.

Voici l'heure où le pré, les arbres et les fleurs

Dans l'air dolent[1] et doux soupirent leurs odeurs.
Les baies du lierre obscur où l'ombre se recueille

Sentant venir le soir se couchent dans leurs feuilles,
5   Le jet d'eau du jardin, qui monte et redescend,

Fait dans le bassin clair son bruit rafraîchissant ;
La paisible maison respire au jour qui baisse

Les petits orangers fleurissant dans leurs caisses
Le feuillage qui boit les vapeurs de l'étang

10   Lassé des feux du jour s'apaise et se détend,
– Peu à peu la maison entr'ouvre ses fenêtres

Où tout le soir vivant et parfumé pénètre,
Et comme elle, penché sur l'horizon, mon cœur

S'emplit d'ombre, de paix, de rêve et de fraîcheur...

ANNA DE NOAILLES, *Le Cœur innombrable*, Calman Lévy Éditeur, 1901.

Lecture

Pour bien lire

1 Quelle est la structure de ce poème (nombre de strophes, nombre de vers par strophe, disposition des rimes) ?

2 **a.** Le titre du poème vous paraît-il bien choisi ? Expliquez pourquoi.
b. Quel moment de la journée est évoqué ? Citez deux expressions qui vous permettent de le comprendre.
c. Ce moment est-il perçu comme agréable ou désagréable ? Développez votre réponse en citant des mots du poème.

Pour approfondir

3 **a.** Quel est le sens du verbe *soupirer* ? Est-ce le cas dans son emploi au vers 2 ?
b. Dans la troisième strophe, relevez une autre expression qui détourne le sens d'un mot et expliquez-là.

4 **a.** Expliquez l'expression les « feux du jour » (v. 10). Relevez un nom et un adjectif évoquant le contraire.
b. Quelle opposition apparaît dans l'ensemble du poème ?

5 **a.** Observez les verbes employés dans tout le poème : sont-ils des verbes d'action ou des verbes d'état ? Leurs sujets sont-ils animés ou inanimés ?
b. Quelle image nous est ainsi donnée de la nature et des différents éléments décrits ?

6 Relisez la dernière strophe : quelle expression montre que le poète est en harmonie avec tout ce qui l'entoure ?

7 **a.** Relevez dans le poème deux mots de la famille de *paix* (v. 14).
b. Quelle atmosphère se dégage de ce poème ?

Écriture

« Les fleurs soupirent leurs odeurs », « un bruit rafraîchissant » : sur les mêmes modèles, inventez deux expressions mélangeant les sens, de manière à évoquer une chaleur étouffante. Employez-les dans un paragraphe de trois à quatre phrases.

Le buffet

C'est un large buffet sculpté ; le chêne sombre,
Très vieux, a pris cet air si bon des vieilles gens ;
Le buffet est ouvert, et verse dans son ombre
Comme un flot de vin vieux, des parfums engageants ;

5   Tout plein, c'est un fouillis de vieilles vieilleries,
De linges odorants et jaunes, de chiffons
De femmes ou d'enfants, de dentelles flétries[1],
De fichus de grand-mère où sont peints des griffons[2] ;

– C'est là qu'on trouverait les médaillons[3], les mèches
10 De cheveux blancs ou blonds, les portraits, les fleurs sèches
Dont le parfum se mêle à des parfums de fruits.

– Ô buffet du vieux temps, tu sais bien des histoires,
Et tu voudrais conter tes contes, et tu bruis
Quand s'ouvrent lentement tes grandes portes noires.

ARTHUR RIMBAUD, *Poésies*, 1870.

---

1. **Flétries** : fanées, ridées, froissées.
2. **Griffon** : animal fabuleux doté d'un corps de lion avec une tête et des ailes d'aigle.
3. **Médaillon** : bijou ovale dans lequel on place un portrait ou des cheveux.

Arthur Rimbaud

(1854-1891)
Arthur Rimbaud compose ses premiers poèmes dès l'âge de 15 ans. Avec lui, la poésie française entre dans la modernité.

Lecture

Pour bien lire

1 Quelle est la forme de ce poème ? Combien de syllabes les vers comportent-ils?

2 Cherchez la définition du nom *buffet*. Quelles précisions donne le poème sur l'aspect de ce meuble ?

3 Quel adjectif est répété quatre fois dans les deux quatrains ? Cet adjectif a-t-il une valeur positive ou négative ?

Pour approfondir

4 Faites la liste des objets énumérés dans le deuxième quatrain. Ces objets ont-ils encore une utilité ? À quoi sert ce meuble ?

5 Qu'évoquent les objets énumérés dans le premier tercet ?

6 a. Dans les trois premières strophes, relevez les expressions liées à l'odorat. À quoi sont comparés les parfums au vers 4 ?
b. Que signifie l'adjectif *engageant* au vers 4 ?

7 a. À qui le poète s'adresse-t-il dans la dernière strophe ?
b. Quelles expressions rendent le buffet mystérieux et vivant ?

Mon intérieur à Paris…,
Léonard Foujita,
huile sur toile, 1921
(Centre Georges-Pompidou,
Paris).

Vocabulaire

Recopiez les phrases ci-dessous en remplaçant les expressions en gras par l'un des synonymes suivants : *en ruine – antiquités – décrépit – ancestrales – aïeule*.

1. Nous allons restaurer ce **vieux** mur.

2. Le grenier de mes grands-parents est rempli de **vieux objets**.

3. En haut de cette montagne, se dresse un château **usé par le temps**.

4. Cette **vieille dame de ma famille** m'a raconté de passionnantes histoires sur sa jeunesse.

5. Certaines coutumes **très anciennes** se perpétuent aujourd'hui.

Écriture

Vous trouvez, dans votre grenier, un vieil objet qui vous raconte son histoire.

– Décrivez cet objet au milieu de toutes les autres choses accumulées dans le grenier.

– Évoquez les sensations liées à cet objet : odeurs, toucher…

– Donnez la parole à l'objet et faites-le conter des histoires du passé.

– Vous aurez soin d'utiliser, dans votre texte, les mots vus en vocabulaire.

Pour préparer ce travail, faites les exercices de vocabulaire 5 et 7 et 10 à 12 p. 30.

Déjeuner du matin

Jacques Prévert

(1900-1977)
Ce poète populaire emploie volontiers un langage familier, parle de la réalité quotidienne et aime utiliser des jeux de mots. Il a également écrit des scénarios pour le cinéma.

Il a mis le café
Dans la tasse
Il a mis le lait
Dans la tasse de café
5 Il a mis le sucre
Dans le café au lait
Avec la petite cuiller
Il a tourné
Il a bu le café au lait
10 Et il a reposé la tasse
Sans me parler

Il a allumé
Une cigarette
Il a fait des ronds
15 Avec la fumée
Il a mis les cendres
Dans le cendrier
Sans me parler
Sans me regarder

20 Il s'est levé
Il a mis
Son chapeau sur sa tête
Il a mis son manteau de pluie
Parce qu'il pleuvait
25 Et il est parti
Sous la pluie
Sans une parole
Sans me regarder

Et moi j'ai pris
30 Ma tête dans ma main
Et j'ai pleuré.

JACQUES PRÉVERT, *Paroles*,
© Éditions Gallimard, 1946.

Automat, **Edward Hopper**, huile sur toile, 1927 (Des Moines Art Center, États-Unis).

Pour bien lire

1 Observez la forme ce poème : combien de strophes comporte-t-il ? Ces strophes ont-elles toutes le même nombre de vers ? Les vers sont-ils réguliers ?

2 Quelle remarque pouvez-vous faire concernant la ponctuation ?

3 Quels sont les pronoms personnels employés dans ce poème ? Sait-on à qui ils renvoient ?

4 Ce poème raconte une courte histoire : quelle est-elle ? Sait-on où et quand elle se déroule ? Quel est le temps des verbes ?

Pour approfondir

5 a. Par quel mot la plupart des phrases commencent-elles ?
b. Quelle remarque pouvez-vous faire sur la longueur et l'enchaînement de ces phrases ?
c. Comment le rythme du poème est-il donné ?

6 Relevez les compléments circonstanciels de manière.

7 a. Comment qualifieriez-vous les actions du personnage principal ?
b. En insistant sur les actions de ce personnage, que veut montrer le poète ?
c. Quels vers montrent que, sous l'apparente banalité, se cache un drame ? Quel est ce drame ?

Écriture

À votre tour, racontez précisément les actions d'un personnage sans nom, en utilisant une succession de phrases simples, sans mot de liaison. Vous donnerez une forme poétique à votre texte. Vous avez même le droit de faire des répétitions !

Haïkus

1

Senteur d'orchidée
Aux ailes du papillon
S'est communiquée.

BASHO, in M. Coyaud,
Fourmis sans ombres,
Le Livre du haïku, Phébus, 1978.

2

Sur une branche nue
Un corbeau s'est posé
Crépuscule automnal.

BASHO, *Ibidem.*

3

La rivière d'été
Passée à gué, quel bonheur
Savates à la main.

BUSON, *Ibidem.*

4

Tout le monde dort
Rien entre
La lune et moi.

SEIFUJO, *Ibidem.*

5

Pluie et grêle
Je bois du saké brûlant
Froide journée.

TEITOKU, *Ibidem.*

6

Un oiseau aquatique crie :
La lune dans l'eau
Les étoiles dans l'eau.

MUJIN, *Ibidem.*

Estampe d'Hokusai, 1834
(musée Guimet, Paris).

Lecture

1 De combien de vers ces poèmes sont-ils composés ?

2 Quels sont les sujets évoqués ?

3 Dans chaque poème, relevez les indices qui vous permettent d'identifier la saison ou le moment de la journée.

4 Quels sont les différents sens évoqués dans chaque poème ?

5 Lesquels de ces poèmes donnent une impression d'harmonie avec la nature ? de paix ? d'angoisse ? de plaisir ?

Retenir

Le haïku est **un poème traditionnel japonais**. En seulement trois vers, le poète s'efforce de saisir la particularité d'un moment (sensations, images) et de restituer ainsi les émotions liées à cet instant.

Écriture

Inventez un haïku sur un moment que vous aimez (lever du jour, nuit, coucher du soleil, saison…).
– Choisissez quelques détails caractéristiques de la nature à ce moment (fleurs, insectes, météo, etc.).
– Cherchez les sons, les couleurs que vous pourrez évoquer.
– Choisissez des détails évocateurs (séduisants ou angoissants) qui permettront d'exprimer vos émotions liées à ce moment.

La poésie :
les mots autrement

✳ La poésie est un genre littéraire qui joue tout particulièrement sur la musique des mots pour créer des impressions et des images.

La musicalité

✳ La plupart des poèmes sont écrits en **vers** regroupés en **strophes**. On appelle **quatrain** une strophe de quatre vers ; une strophe de trois vers est un **tercet**. Le **sonnet** est un poème formé de deux quatrains et deux tercets.

✳ Un vers se caractérise par un certain rythme :

– L'**alexandrin** (douze syllabes) : « Ô Buffet du vieux temps, tu sais bien des histoires » (A. Rimbaud).

– Le **décasyllabe** (dix syllabes) : « Sur la bruyère longue infiniment ». (É. Verhaeren).

– L'**octosyllabe** (huit syllabes) : « Le temps a laissé son manteau » (Ch. d'Orléans).

✳ Le rythme d'un poème peut être régulier ou irrégulier, lent et mélancolique ou rapide et alerte… Le rythme, comme en musique, joue un rôle très important dans le climat du poème.

✳ Le poète joue aussi avec les sons des mots.

– La **rime** est la répétition d'un même son à la fin de plusieurs vers.

– L'**allitération** est la répétition d'une même consonne à l'intérieur d'un ou plusieurs vers.

– L'**assonance** est la répétition d'une même voyelle à l'intérieur d'un ou plusieurs vers.

✳ Le poète peut aussi utiliser des répétitions ou des refrains. Par les sonorités le poète cherche parfois à imiter ce dont il est question ou à créer une atmosphère particulière.

Les images

✳ En étudiant les poèmes de ce chapitre, vous avez pu voir combien chaque objet, chaque sentiment nous y apparaît dans sa nouveauté. C'est parce que le poète a cherché à établir des ressemblances entre la chose qu'il voulait dire et le monde. Il crée ainsi des images auxquelles on donne un nom.

– La **comparaison** est une figure qui met en évidence le point commun entre deux éléments : « les marrons rebondissants, vernis comme de vieux meubles » (F. Jammes).

– La **personnification** est une figure qui rend vivant un objet en lui donnant des caractéristiques humaines : « L'aube se passe autour du cou / un collier de fenêtres » (P. Éluard).

✳ Ainsi, à travers le jeu des images, le poète nous offre une vision particulière du monde.

Branches d'amandiers en fleurs,
Vincent Van Gogh, 1890,
(Van Gogh Museum, Amsterdam).

Les cinq sens

→ La vue

1 Voici des verbes qui expriment le fait de regarder. Recopiez les phrases suivantes en employant ces verbes au présent et en tenant compte de leurs nuances de sens : *examiner – observer – guetter – contempler – épier.*

1. Je ... avec impatience l'arrivée de mes amis.
2. Le médecin ... attentivement le patient afin d'établir son diagnostic.
3. Il pressa le pas et se retourna plusieurs fois, car il se sentait ....
4. L'astronome ... les étoiles avec une lunette puissante.
5. Arrivés au sommet, nous ... avec émerveillement le paysage qui s'offre à nous.

2 Voici des adjectifs qui évoquent la blancheur. Employez-les chacun dans une phrase qui mettra en évidence leurs nuances de sens : *pâle – livide – immaculé.*

3 a. Comment le suffixe *-âtre* modifie-t-il le sens de l'adjectif *blanc* ?
b. Trouvez d'autres adjectifs construits avec le même suffixe.
c. Utilisez-les dans des phrases de votre invention.

4 Recopiez et complétez les phrases suivantes avec chacun de ces mots qui évoquent la lumière : *lueur – pourpre – laiteux – ardent – miroiter.*

1. La nuit était douce et la lune nous enveloppait de sa lumière ....
2. Il écrivit sa lettre à la ... tremblotante d'une bougie.
3. La route tremblait sous la lumière ... du soleil.
4. La première étoile apparut dans la lumière ... du couchant.
5. Mille petits soleils ... à la surface de l'eau.

→ Le toucher

5 Associez à chaque mot de la liste A un antonyme (mot de sens contraire) de la liste B.

A. lisse – frêle – souple – moelleux – glacial
B. brûlant – dur – rugueux – solide – rigide

6 Associez à chaque sujet de la liste A le verbe qui correspond dans la liste B.

A. le vent – le froid – la bise – la canicule – le soleil
B. caresse – accable – darde ses rayons – mord – cingle

→ L'ouïe

7 a. Recopiez et classez les mots suivants en deux colonnes selon qu'ils évoquent un bruit faible ou un bruit fort : *froissement – tonnerre – murmure – tapage – tintamarre – chuchotement – souffle – brouhaha.*
b. Employez ensuite chacun de ces mots dans une phrase de votre composition.

8 Recopiez et complétez les phrases suivantes avec chacun de ces mots qui évoquent les bruits : *retentir – gronder – siffler – clapoter – résonner – crépiter.*

1. Le vent ... entre les tuiles mal jointes du toit.
2. Allongé au fond de la barque, j'écoute l'eau ... contre les planches.
3. De l'autre côté des montagnes, l'orage se mit à ....
4. Lorsque l'ascenseur parvint au cinquième étage, une petite sonnette ....
5. La flamme étouffée s'efforçait de renaître et bientôt le feu ....
6. Au fond de ce couloir, sa voix ... d'une étrange manière.

9 Classez les verbes en trois colonnes selon le type de bruit qu'ils indiquent : *bruit qui augmente – bruit qui dure – bruit qui diminue ou s'achève.*

se prolonger – s'accroître – s'affaiblir – faire écho – persister – s'enfler – se taire – se répercuter – s'amplifier – se calmer – s'atténuer

→ L'odorat et le goût

10 Pour chaque expression de la liste A, retrouvez l'adjectif qui correspond dans la liste B.

A. un plat non salé – le vieux beurre – le citron – la fumée – le parfum d'une rose – une endive
B. acide – suave – âcre – amère – fade – rance

11 Associez à chaque mot de la liste A un synonyme (mot de même sens) de la liste B.

A. entêtant – savoureux – fétide – exhaler – discerner – se délecter
B. reconnaître – se régaler – enivrant – répandre – nauséabond – délicieux

12 Trouvez trois mots de la famille d'odeur qui répondent aux définitions suivantes : *sens permettant la perception des odeurs – qui sent mauvais – qui n'a pas d'odeur.*

Le langage poétique

→ Les sonorités

1 Lisez à haute voix les deux extraits suivants.

A. Hiver

Nous sortirons encor par ces beaux jours de glace,
Quand les noirs bûcherons penchent sur leurs
   fardeaux,
Quand la terre est sonore et sévère l'espace,
Quand les feuilles dans l'arbre ont fait place aux
   corbeaux.

V. MUSELLI, « L'œuvre poétique »,
Points et contrepoints, 1957.

B. La Guitare

Commencent les larmes	Elle pleure pour des
De la guitare.	choses
Inutile de l'arrêter.	Lointaines
Impossible	Sable du Sud brûlant
De l'arrêter.	Qui appelle des
Elle pleure, monotone,	camélias blancs.
Comme pleure l'onde,	
Comme pleure le vent	
Sur la neige. […]	

F. GARCIA LORCA,
Poèmes du Cante Jondo,
1921-1922.

a. Quel poème a des sonorités dures ? Lequel a des sonorités douces ? Expliquez le choix de ces sonorités.
b. À partir des listes suivantes, composez deux petits poèmes dont le thème sera en accord avec les sonorités.

A. soleil – luire – bleuet – blé – vent – nuage – blanc – silence
B. rafale – mugir – sombre – brume – se briser – écueils – mer

→ Les images

2 a. Dans les extraits de poèmes ci-dessous, expliquez les personnifications. Qu'évoquent ces images ?

1. « Le soleil parle bas / À la neige et l'engage / À mourir sans souffrir / Comme fait le nuage. » (SUPERVIELLE)

2. « Déjà la nuit en son parc amassait, / Un grand troupeau d'étoiles vagabondes. » (DU BELLAY)

3. « Et les cyprès tiennent la lune dans leurs doigts » (REVERDY)

4. « La nuit monte à pas lents dans ce ciel sombre et beau, / Et vient avec la lune ainsi qu'une servante / vient avec un flambeau. » (HUGO)

b. À votre tour, personnifiez la neige, la mer, les étoiles, en employant chacun de ces noms comme sujet d'un verbe d'action.

3 Procédez à des associations de mots.

a. Listez tous les termes auxquels vous pensez lorsque vous dites chacun des mots suivants : *nuit – soir – midi – aube.*

Exemple : Aube → *rosée, fraîcheur, lueur, brume, commencement...*

b. Avec la liste de mots que vous avez établie, écrivez un poème dans lequel vous personnifierez ce moment de la journée. Vous pourrez commencer votre poème comme dans l'exemple suivant : « J'aime... ».

Exemple : « J'aime l'aube aux pieds nus qui se coiffe de thym. » (SAMAIN)

→ Le sens propre et le sens figuré

4 a. Lisez ce poème de Claude Roy et relevez l'expression utilisée dans le premier vers.

L'enfant qui est dans la lune

Cet enfant, toujours dans la lune,
s'y trouve bien, s'y trouve heureux.
Pourquoi le déranger ? La lune
est un endroit d'où l'on voit mieux.

C. ROY, *Enfantasques*,
© Éd. Gallimard, 1974.

b. Écrivez une strophe sur l'une des expressions suivantes que vous utiliserez au sens propre.

1. Je me suis noyé dans un verre d'eau.
2. Il a la tête dans les étoiles.
3. Il a peur de son ombre.

→ Raconter une histoire

5 a. Lisez ce poème de Jules Supervielle.

Le lac endormi

Un sapin, la nuit,	Quelque clapotis,
Quand nul ne le voit,	Et l'eau s'effarouche
Devient une barque	Tout autour de lui.
Sans rames ni bras.	
On entend parfois	

J. SUPERVIELLE,
Le Lac endormi et autres poèmes,
© Éd. Gallimard Jeunesse, 2003.

b. À votre tour, écrivez un poème qui racontera ce que font, quand nul ne les voit, la mer, les livres ou les lampadaires de la rue.

Écrire un poème

À votre tour, écrivez un poème dans lequel vous donnerez à voir les objets du quotidien de manière nouvelle, pour surprendre ou faire rêver.

Décrivez l'intérieur de votre maison et évoquez les objets en les rendant insolites. Vous pourrez vous inspirer du poème ci-dessous.

Composez un poème dans lequel vous évoquerez votre saison préférée.

Choisissez un lieu précis, marqué par les saisons, et décrivez les éléments naturels les plus représentatifs de la saison choisie.

Jardin à Vaucresson, **Édouard Vuillard,** 1920
(The Metropolitan Museum of Art, New York).

Personne ?

La cour est vide
Sous la verte lessive des feuilles

Et les volets de la cuisine
Ne cachent personne

Dans le salon, le fauteuil dort
Le piano a toujours cent bras ouverts

L'ombre du couloir dérobe
Le chat sans aucun bruit

Craque l'escalier
Monte sans s'arrêter

Dans la chambre, les draps pendent
Comme des morceaux de ciel

Les enfants sortent des murs
Des étoiles sur les genoux.

CATHERINE LEBLANC,
Des étoiles sur les genoux,
Le Dé bleu / éd. Cadex, 2000.

Méthode — Écrire un poème

Employez des images

– Utilisez des comparaisons.

– Utilisez des personnifications pour décrire l'objet autrement (sujet 1) ou pour évoquer les sensations liées à la saison choisie (sujet 2).

Exprimer des sensations variées

– Exprimez des sensations autres que visuelles : les bruits, les odeurs.

– Créez des impressions sonores.

– Conjuguez vos verbes au présent.

Donnez une forme au poème

Réfléchissez au nombre de strophes, de vers...

Des livres

Au hasard des oiseaux et autres poèmes, Jacques Prévert, Gallimard Jeunesse, 2000.

Les poèmes de Jacques Prévert offrent de la magie, de la fantaisie et de l'humour.
Le quotidien prend des allures de fête...

Demain dès l'aube, Le Livre de Poche Jeunesse, 2015.

Les cent plus beaux poèmes pour l'enfance et la jeunesse choisis par les poètes d'aujourd'hui.

Le Lac endormi et autres poèmes, Jules Supervielle, Gallimard Jeunesse, « Enfance en poésie », 2003.

Une poésie destinée aux enfants qui prend des allures d'album photographique grâce aux dessins de l'illustratrice.

Poèmes 6ᵉ-5ᵉ, Hachette éducation, « Biblio collège », 2002.

Un florilège de poèmes classiques et contemporains adaptés aux classes de 6ᵉ et de 5ᵉ.

Des films

Impression de montagne et d'eau et autres histoires, Studios d'art de Shanghai, années 1980.

Une série de films d'animation qui témoignent de la subtilité et de la délicatesse de ces artistes chinois et nous plongent dans un univers proche des haïkus.

Le Hérisson dans le brouillard, réalisé par Youri Norstein, Studio Soyuzmultfilm (Moscou), 1975.

Youri Norstein est considéré comme l'un des plus brillants réalisateurs parmi la génération actuelle des cinéastes d'animation. Cette histoire d'ours et de hérisson nous plonge dans une nature poétique et étrange.

Goshu le violoncelliste, réalisé par Isao Takahata, Ô Production, 2001, DVD.

Un jeune violoncelliste découragé redécouvre la beauté des sons grâce aux animaux qui l'entourent. Dans une ambiance poétique et lyrique, le jeune garçon réapprend la musique.

Calligraphie et calligrammes

Le mot *calligraphie* vient du grec *kallos* (« beauté ») et de *graphein* (« écrire »). La calligraphie est donc littéralement « l'art de bien écrire ». Cet art, qui répond à des règles bien précises, est présent dans de nombreuses civilisations.

1

La Colombe de la Paix, **Hassan Massoudy**, calligraphie trilingue (français, hébreu et arabe).

 **Le point sur**)))

La calligraphie

- Ce sont d'abord des **religieux** (scribes, moines) qui l'utilisent pour diffuser les **textes sacrés**.

- En Europe, au XXᵉ siècle, les **poètes** s'en emparent à leur tour : ils jouent sur la forme de l'écriture, son harmonie, autant que sur le sens des mots, pour **exprimer une idée ou des sensations**.

2

Exil, **lavis de Victor Hugo**, 1855 (Maison de Victor Hugo, Paris)

3

Chevalier combattant le dragon, miniature tirée de *Morales sur Job* de saint Grégoire, 1111 (Abbaye de Cîteaux).

Questions

1 a. Quel mot pouvez-vous lire dans le document 1 ?
b. Quel dessin ce mot forme-t-il ? Quel lien peut-on établir entre le mot et le dessin ?
c. Identifiez les trois écritures utilisées dans ce dessin : romaine, arabe et hébraïque. À votre avis, pourquoi ce choix ?

2 Que représente le document 3 ? Relevez tout ce qui montre le travail décoratif.

3 Quelles lettres lisez-vous sur le lavis de Victor Hugo ? Comment l'auteur rend-il sensible dans son dessin la douleur de l'exil ?

Retenir

- La calligraphie s'intéresse à **l'aspect graphique de l'écriture** : les proportions des caractères, le geste du tracé, le choix des encres et des outils (pinceau, plume, calame…) suscitent **un sentiment d'harmonie**.

- **Cet art trouve ses origines dans le sacré**.

Flèche

```
                        azur
                    l'
                dans
            tant
        mon
      en
    qui
  flèche
      des
        cend
          sur
            le
              mi
                roir
                  du
                    lac
```

Le point sur))) **Les calligrammes**

● C'est le poète Guillaume Apollinaire (1880-1918) qui est à l'origine du mot « calligramme », né de la contraction de *calligraphie* et *idéogramme*. Son recueil *Calligrammes, poèmes de la paix et de la guerre* paraît en 1918.

● Si Apollinaire a créé le mot calligramme, il n'a pas inventé le « poème dessin » qui remonte à l'Antiquité.

2
Calligramme,
Guillaume Apollinaire,
Poèmes à Lou, 1915.

Le ver

En voilà un qui s'étire et qui s'allonge comme une belle nouille.

3
Histoires naturelles,
Jules Renard, 1896.

Questions

1 Observez la disposition de ces poèmes : en quoi est-elle inhabituelle ?

2 Dans le poème Le Ver, remplacez le mot *ver* par un homonyme en rapport avec la poésie : quel nouveau sens prend alors le poème ?

3 Observez le *Poème à Lou* : quels mots parvenez-vous à lire ? En particulier sur les détails du visage ? Quelle impression se dégage de ce portrait ? Que pouvez-vous en conclure sur les relations entre le poète et cette femme ?

4 Dans chaque poème, quel lien peut-on établir entre le texte et le dessin ?

Retenir

● Un **calligramme** est un poème dont la disposition graphique sur la page forme un **dessin en lien avec le sujet du texte**.

● Le dessin n'est jamais purement illustratif : il contribue au sens au poème.

Le Monde en petit, Fabienne Verdier

Fabienne Verdier

(Née en 1962)
Cette artiste peintre française est fascinée par la Chine. Elle y étudie la calligraphie avec les plus grands maîtres. Elle aime mélanger les techniques de la peinture et de la calligraphie pour traduire un sentiment de communion avec la nature.

Le Monde en petit,
Fabienne Verdier, 1992.

Questions

Un dialogue entre dessin et écriture

1 Que représente cette œuvre ? Quels caractères d'écriture y reconnaissez-vous ?

2 Le caractère 山 représente la montagne. Où est-il situé dans la toile ? À votre avis, pourquoi ?

3 Par quels autres moyens l'artiste crée-t-elle une unité entre le dessin et l'écriture ?

Un monde d'harmonie

4 Quelles sont les couleurs utilisées ? Que vous évoquent-elles ?

5 Repérez les représentations d'humains et d'animaux : comment l'artiste s'y prend-elle pour créer un sentiment de communion de l'homme et de la nature ?

Créer un calligramme

Il pleut

Averse averse averse averse averse averse
pluie ô pluie ô pluie ô ! ô pluie ô pluie ô pluie !
gouttes d'eau gouttes d'eau gouttes d'eau gouttes d'eau
parapluie ô parapluie ô paraverse ô !
paragouttes d'eau paragouttes d'eau de pluie
capuchons pèlerines et imperméables
que la pluie est humide et que l'eau mouille et mouille !
mouille l'eau mouille l'eau mouille l'eau mouille l'eau
et c'est agréable agréable agréable
d'avoir les pieds mouillés et les cheveux humides
tout humides d'averses et de pluie et de gouttes
d'eau de pluie et d'averse et sans un paragoutte […].

> **RAYMOND QUENEAU**, « Il pleut »,
> *Les Ziaux*, © Éd. Gallimard, 1943.

Questions

1 Recopiez le poème ci-dessus sous la forme d'un calligramme.

2 Observez ce calligramme de Guillaume Apollinaire.
a. Que représente la forme du dessin ?
b. Lisez le texte : pourquoi l'objet est-il représenté de travers ?
c. À votre tour, écrivez un petit calligramme évoquant un objet familier.

3 À la manière de Guillaume Apollinaire (doc. 2, p. 35), faites le portrait rapide d'une personne que vous aimez et présentez-le sous forme d'un calligramme.

4 À la manière de Hassan Massoudy (doc. 1, p. 34), choisissez à votre tour un mot que vous aimez et écrivez-le d'une manière travaillée, de façon à montrer ce que ce mot signifie pour vous.
Quelques pistes ou suggestions : amour, lune, soleil, livre, oiseau, mer, eau…

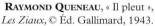

LA CRAVATE
DOU
LOU
REUSE
QUE TU
PORTES
ET QUI T'
ORNE O CI
VILISÉ
OTE-   TU VEUX
LA   BIEN
SI   RESPI
RER

La Cravate, **Guillaume Apollinaire**,
Calligrammes, 1918.

2 Ogres et sorcières

Que représente la figure du monstre dans les contes ?

Repères

- **Le conte, une histoire de tous les temps** 40

Textes et images

L'initiatrice ou la femme sorcière

1. « La Belle au bois dormant », Charles Perrault 42

2. « Jeannot et Margot », Jacob et Wilhelm Grimm 47

3. « Vassilissa la très belle », Ernest Jaubert 51

Les monstres dévorateurs

4. « Le Chat botté », Charles Perrault 56

5. « Le Petit Poucet », Charles Perrault 59

6. « La Barbe bleue », Charles Perrault — Texte intégral 64

Lecture d'image *La Barbe bleue*, Gustave Doré 69

Atelier de lecture

- **Le personnage du monstre dans les contes** 70

Synthèse

- **La confrontation au monstre** 71

Vers l'écriture

- **Vocabulaire** : Qualités et défauts 72

- **Apprendre à rédiger** : Enchaîner les actions 73

- **À vos plumes !** Raconter une rencontre avec un monstre 74

Coin lecture, coin cinéma 75

Le Petit Chaperon rouge, **illustration d'Arthur Rackham,** 1902 (BNF, Paris).

Lire une image

1 Qui l'enfant perçoit-elle derrière le rideau ?

2 Pourquoi la créature n'est-elle pas bien distincte ? Quelles sont ses particularités ?

3 À votre avis, que va-t-il se passer ?

Le conte, une histoire de tous les temps

Silhouettes d'Arthur Rackham (1867-1939) illustrant *La Belle au bois dormant* de Charles Perrault (BNF, Paris).

Le conte, une histoire des origines

• Les contes sont des **histoires très anciennes**, sans auteur précis et qui se sont transmises de génération en génération. Dans toutes les civilisations, on retrouve ces récits qui se racontaient lors des **veillées** ou des **fêtes populaires**. Le rôle du conteur est de reprendre la trame de ces histoires tout en les modifiant en fonction de son imagination et de sa culture.

• Ces récits sont toujours **merveilleux**, c'est-à-dire qu'ils ne se déroulent pas dans un cadre réaliste et qu'ils mettent en scène certains types de **personnages**, princes, princesses, ogres ou sorcières, dont l'aspect varie en fonction des époques et des cultures.

Questions

1 Dans les sociétés traditionnelles, qu'appelait-on la *veillée* ?

2 Quel auteur a mis par écrit les contes populaires ? Quel est le titre de son recueil ?

Le conte, un nouveau genre littéraire

• En France, c'est à partir du XVIIe siècle que certaines de ces histoires commencent à être mises à l'écrit. À cette époque, **Louis XIV**, qu'on appelle le Roi Soleil, veut donner à son règne une majesté sans pareille. En 1682, il installe la Cour de France à Versailles, palais immense entouré de jardins et de parcs. Il y appelle tout ce que le pays compte d'écrivains et d'artistes capables de donner plus d'éclat à la Cour.

• Parmi eux se trouve **Charles Perrault** qui met les contes à la mode grâce à ses *Contes de ma mère l'Oye*, en 1695. Mlle l'Héritier, nièce de Charles Perrault, et Mme Leprince de Beaumont vont prendre le relais, et le conte, d'origine populaire, devient ainsi **littéraire**.

• C'est à cette époque que naît l'expression « **contes de fées** » et l'univers culturel qui lui est associé : on aime le raffinement des sentiments, des manières et les fées élégantes et scintillantes.

Couverture d'un recueil de contes, éditions Delarue, vers 1850.

Le conte, une histoire populaire

• Au XIXᵉ siècle, les régimes politiques ont changé, les idées de la **Révolution française** se sont propagées et un nouvel intérêt apparaît pour la culture populaire, qu'on appelle le **folklore**.

• En 1807, alors que les traditions orales se perdent, **les frères Grimm**, en Allemagne, vont collecter et classer avec fidélité les contes entendus dans les campagnes. Ils considèrent davantage leur travail comme une recherche scientifique que comme une composition littéraire.

• Aujourd'hui encore, des auteurs poursuivent ce travail : ils racontent et mettent par écrit **des contes de tous les pays**. C'est l'œuvre à laquelle s'attèle notamment Henri Gougaud, à la fois conteur et écrivain.

Un griot, conteur traditionnel africain,
peinture sous verre du Sénégal, XXᵉ siècle.

Questions

3 Quel est le sens du mot *folk* en anglais ? Qu'est-ce que le *folklore* ?

4 À votre avis pourquoi, au XIXᵉ siècle, semble-t-il urgent de mettre par écrit la littérature orale ?

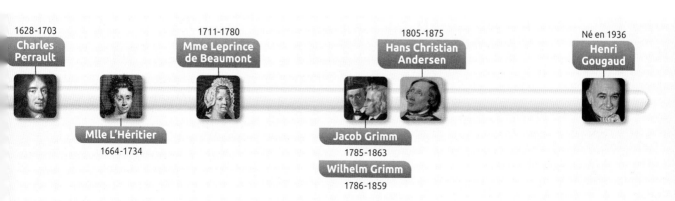

1628-1703
Charles Perrault

Mlle L'Héritier
1664-1734

1711-1780
Mme Leprince de Beaumont

1805-1875
Hans Christian Andersen

Jacob Grimm
1785-1863

Wilhelm Grimm
1786-1859

Né en 1936
Henri Gougaud

La Belle au bois dormant

Charles Perrault

(1628-1703)
Célèbre pour ses *Histoires ou Contes du temps passé*, appelés aussi *Contes de ma mère l'Oye*, Charles Perrault a mis à la mode le genre littéraire des contes sous le règne de Louis XIV.

Il était une fois un roi et une reine, qui étaient si fâchés de n'avoir point d'enfants, si fâchés qu'on ne saurait dire. Ils allèrent à toutes les eaux[1] du monde ; vœux, pèlerinages, menues dévotions[2], tout fut mis en œuvre, et rien n'y faisait. Enfin pourtant la reine devint grosse[3], et accoucha d'une
5 fille : on fit un beau baptême ; on donna pour marraines à la petite princesse toutes les fées qu'on pût trouver dans le pays (il s'en trouva sept), afin que chacune d'elles lui faisant un don, comme c'était la coutume des fées en ce temps-là, la princesse eût par ce moyen toutes les perfections imaginables. Après les cérémonies du baptême, toute la compagnie
10 revint au palais du roi, où il y avait un grand festin pour les fées. On mit devant chacune d'elles un couvert magnifique, avec un étui d'or massif, où il y avait une cuiller, une fourchette, et un couteau de fin or garni de diamants et de rubis.

Mais comme chacun prenait sa place à table, on vit entrer une vieille
15 fée qu'on n'avait point priée[4] parce qu'il y avait plus de cinquante ans qu'elle n'était sortie d'une tour et qu'on la croyait morte, ou enchantée[5]. Le roi lui fit donner un couvert, mais il n'y eut pas moyen de lui donner un étui d'or massif, comme aux autres, parce que l'on n'en avait fait faire que sept pour les sept fées. La vieille crut qu'on la méprisait, et grommela
20 quelques menaces entre ses dents. Une des jeunes fées qui se trouva auprès d'elle l'entendit, et jugeant qu'elle pourrait donner quelque fâcheux don à la petite princesse, alla, dès qu'on fut sorti de table, se cacher derrière la tapisserie, afin de parler la dernière, et de pouvoir réparer autant qu'il lui serait possible le mal que la vieille aurait fait. Cependant, les fées com-
25 mencèrent à faire leurs dons à la princesse. La plus jeune donna pour don qu'elle serait la plus belle personne du monde, celle d'après qu'elle aurait de l'esprit comme un ange, la troisième qu'elle aurait une grâce admirable à tout ce qu'elle ferait, la quatrième qu'elle danserait parfaitement bien, la cinquième qu'elle chanterait comme un rossignol, et la sixième
30 qu'elle jouerait de toutes sortes d'instruments dans la dernière perfection. Le rang[6] de la vieille fée étant venu, elle dit, en branlant[7] la tête encore plus de dépit[8] que de vieillesse, que la princesse se percerait la main d'un fuseau[9], et qu'elle en mourrait. Ce terrible don fit frémir toute la compagnie, et il n'y eut personne qui ne pleurât.

35 Dans ce moment, la jeune fée sortit de derrière la tapisserie et dit tout haut ces paroles : « rassurez-vous, roi et reine, votre fille n'en mourra pas ; il est vrai que je n'ai pas assez de puissance pour défaire entièrement ce que mon ancienne a fait. La Princesse se percera la main d'un fuseau ; mais au lieu d'en mourir elle tombera seulement dans un profond sommeil qui
40 durera cent ans, au bout desquels le fils d'un roi viendra la réveiller. » Le roi, pour tâcher d'éviter le malheur annoncé par la vieille, fit publier aussitôt un édit[10], par lequel il défendait à toutes personnes de filer au fuseau, ni d'avoir des fuseaux chez soi sur peine de la vie[11].

---

1. Eaux : stations thermales de l'époque, où on allait se soigner.

2. Dévotions : actes qui montrent l'attachement à une croyance.

3. Grosse : enceinte.

4. Priée : invitée.

5. Enchantée : victime d'un sort.

6. Rang : tour.

7. En branlant : en secouant d'un mouvement involontaire.

8. Dépit : chagrin mêlé de colère.

9. Fuseau : instrument servant à filer la laine.

10. Édit : décision royale qui a valeur de loi.

11. Sur peine de la vie : sous peine de mort.

Au bout de quinze ou seize ans, le roi et la reine étant allés à une de leurs
maisons de plaisance, il arriva que la jeune princesse courant un jour dans
le château, et montant de chambre en chambre, alla jusqu'au haut d'un
donjon dans un petit galetas[12], où une bonne vieille était seule à filer sa
quenouille. Cette bonne femme n'avait point ouï[13] parler des défenses que
le roi avait faites de filer au fuseau. « Que faites-vous là, ma bonne femme ?
dit la princesse. – Je file, ma belle enfant, lui répondit la vieille qui ne la
connaissait pas. – Ah ! que cela est joli, reprit la princesse, comment faites-
vous ? Donnez-moi que je voie si j'en ferais bien autant. » Elle n'eut pas
plus tôt pris le fuseau, que comme elle était fort vive, un peu étourdie, et
que d'ailleurs l'arrêt[14] des fées l'ordonnait ainsi, elle s'en perça la main, et
tomba évanouie. La bonne vieille, bien embarrassée, crie au secours : on
vient de tous côtés, on jette de l'eau au visage de la princesse, on la délace,
on lui frappe dans les mains, on lui frotte les tempes avec de l'eau de la
reine de Hongrie, mais rien ne la faisait revenir. […]

12. Galetas : logement misérable.

13. Ouï : entendu.

14. Arrêt : décision à laquelle on doit se soumettre.

*La Belle
au bois dormant*,
**illustration
d'Adrien Marie**, 1884
(coll. privée).

La bonne fée, qui lui avait sauvé la vie, endort, de sa baguette, tout ce qui est dans le château.

Au bout de cent ans, le fils du roi qui régnait alors, et qui était d'une
60 autre famille que la princesse endormie, étant allé à la chasse de ce côté-là, demanda ce que c'était que ces tours qu'il voyait au-dessus d'un grand bois fort épais ; chacun lui répondit selon qu'il en avait ouï parler. Les uns disaient que c'était un vieux château où il revenait des esprits ; les autres que tous les sorciers de la contrée y faisaient leur sabbat[15]. La plus com-
65 mune opinion était qu'un ogre y demeurait, et que là il emportait tous les enfants qu'il pouvait attraper, pour les pouvoir manger à son aise, et sans qu'on le pût suivre, ayant seul le pouvoir de se faire un passage au travers du bois.

Le prince ne savait qu'en croire, lorsqu'un vieux paysan prit la parole, et
70 lui dit : « Mon Prince, il y a plus de cinquante ans que j'ai ouï dire à mon père qu'il y avait dans ce château une princesse, la plus belle du monde ; qu'elle y devait dormir cent ans, et qu'elle serait réveillée par le fils d'un roi, à qui elle était réservée. » Le jeune prince, à ce discours, se sentit tout de feu[16] ; il crut sans balancer[17] qu'il mettrait fin à une si belle aventure ;
75 et, poussé par l'amour et par la gloire, il résolut de voir sur-le-champ ce qu'il en était. À peine s'avança-t-il vers le bois, que tous ces grands arbres, ces ronces et ces épines s'écartèrent d'elles-mêmes pour le laisser passer : il marcha vers le château qu'il voyait au bout d'une grande avenue où il entra, et ce qui le surprit un peu, il vit que personne de ses gens ne l'avait
80 pu suivre, parce que les arbres s'étaient rapprochés dès qu'il avait été passé. Il ne laissa[18] pas de continuer son chemin : un prince jeune et amoureux est toujours vaillant. Il entra dans une grande avant-cour où tout ce qu'il vit d'abord était capable de le glacer de crainte : c'était un silence affreux, l'image de la mort s'y présentait partout, et ce n'était que des corps éten-
85 dus d'hommes et d'animaux, qui paraissaient morts.

Il reconnut pourtant bien au nez bourgeonné et à la face vermeille des Suisses[19] qu'ils n'étaient qu'endormis, et leurs tasses où il y avait encore quelques gouttes de vin montraient assez qu'ils s'étaient endormis en buvant. Il passe une grande cour pavée de marbre, il monte l'escalier, il
90 entre dans la salle des gardes qui étaient rangés en haie, la carabine sur l'épaule, et ronflant de leur mieux.

Il traverse plusieurs chambres pleines de gentilshommes et de dames, dormant tous, les uns debout, les autres assis, il entre dans une chambre toute dorée, et il vit sur un lit, dont les rideaux étaient ouverts de tous
95 côtés, le plus beau spectacle qu'il eût jamais vu : une princesse qui parais-sait avoir quinze ou seize ans, et dont l'éclat resplendissant avait quelque chose de lumineux et de divin. Il s'approcha en tremblant et en admirant, et se mit à genoux auprès d'elle.

Alors, comme la fin de l'enchantement était venue, la princesse s'éveilla ;
100 et le regardant avec des yeux plus tendres qu'une première vue ne sem-blait le permettre : « Est-ce vous, mon Prince ? lui dit-elle, vous vous êtes bien fait attendre. » Le prince, charmé de ces paroles, et plus encore de la manière dont elles étaient dites, ne savait comment lui témoigner sa joie

15. Sabbat : assemblée nocturne de sorcières.
16. Tout de feu : enthousiaste.
17. Balancer : hésiter.
18. Ne laissa : ne cessa.
19. Suisses : portiers, gardes (dont le costume rappelait celui des soldats suisses).

La Princesse endormie, **Edward Burne-Jones,** huile sur toile, 1886-1888 (Faringdon, Oxford).

et sa reconnaissance ; il l'assura qu'il l'aimait plus que lui-même. Ses dis-
105 cours furent mal rangés[20] ; ils en plurent davantage ; peu d'éloquence,
beaucoup d'amour. Il était plus embarrassé qu'elle, et l'on ne doit pas s'en
étonner ; elle avait eu le temps de songer à ce qu'elle aurait à lui dire, car il
y a apparence (l'histoire n'en dit pourtant rien) que la bonne fée, pendant
un si long sommeil, lui avait procuré le plaisir des songes agréables. Enfin
110 il y avait quatre heures qu'ils se parlaient, et ils ne s'étaient pas encore dit
la moitié des choses qu'ils avaient à se dire.

Cependant, tout le palais s'était réveillé avec la princesse, chacun son-
geait à faire sa charge[21], et comme ils n'étaient pas tous amoureux, ils mou-
raient de faim ; la dame d'honneur, pressée comme les autres, s'impatienta,
115 et dit tout haut à la princesse que la viande était servie. Le prince aida la
princesse à se lever ; elle était tout habillée et fort magnifiquement ; mais
il se garda bien de lui dire qu'elle était habillée comme ma mère grand,
et qu'elle avait un collet monté[22], elle n'en était pas moins belle. Ils passèrent dans un salon de miroirs et y soupèrent, servis par les officiers de
120 la princesse ; les violons et les hautbois jouèrent de vieilles pièces, mais
excellentes, quoiqu'il y eût près de cent ans qu'on ne les jouât plus ; et
après souper, sans perdre de temps, le grand aumônier les maria dans la
chapelle du château et la dame d'honneur leur tira le rideau.

CHARLES PERRAULT, *Histoires ou Contes du temps passé, avec des moralités,* 1697.

20. Mal rangés :
maladroits.

21. Faire sa charge :
remplir sa fonction.

22. Collet monté :
col raide (comme
ceux des femmes
de la génération
précédente).

La Belle au bois dormant,
illustration d'Edmond Dulac,
recueil de Sir A. Quiller-Couch, 1910.

Parcours de lecture 1

1 Quel est le rôle des fées, le jour du baptême ?

2 Pourquoi n'a-t-on pas invité la vieille fée ce jour-là ? Quelle en est la conséquence ?

3 Comment la jeune fée s'y prend-elle pour contrer le sort de son aînée le jour du baptême ? puis le jour du maléfice ?

4 Comparez les fées avec les Parques : qu'ont-elles en commun ?

5 Que deviennent le château et ses résidents après le maléfice ?

6 Combien de temps dure ce maléfice ?

7 Qui vient délivrer la princesse ? Rencontre-t-il des difficultés dans sa quête ? Pourquoi ?

Parcours de lecture 2

1 **a.** Quelles sont les qualités de la princesse ? Qui lui en fait don ?
b. Quel rôle les fées jouent-elles au début de ce conte ? Quel rapprochement pouvez-vous faire avec les Parques ?

2 Pourquoi la princesse est-elle condamnée à dormir durant son adolescence ? Quelle faute en est à l'origine ?

3 **a.** À partir de la ligne 76, comment qualifieriez-vous l'endroit où arrive le prince ? Justifiez votre réponse.
b. Examinez la construction de la phrase (l. 89-91) : comment met-elle en évidence le cheminement du prince et son but ultime ?
c. Quel rôle le prince joue-t-il dans cette histoire ? Connaissez-vous un autre conte où le prince joue ce rôle ?

Vocabulaire

1 Voici des noms qui expriment les différentes qualités du prince : *la gloire - la vaillance - la témérité - la droiture - la vertu.*
a. Cherchez dans le dictionnaire une définition pour chacun d'eux et donnez l'adjectif correspondant.
b. Utilisez ces noms et ces adjectifs dans les phrases suivantes.
1. Face à l'ennemi, il ne perdit jamais courage et se battit avec ….
2. L'enfant … grimpa sur le toit pour aider le chaton, effrayé par le vide, à redescendre au plus vite.
3. Les Grecs revinrent de Troie victorieux et ils connurent la ….
4. Cette princesse parée de toutes les qualités est très ….
5. On lui proposa un contrat malhonnête, mais il refusa et fit preuve d'une grande ….

2 Le mot *fée* vient du latin *fatum* qui signifie « le destin » : pouvez-vous expliquer le rapport entre ces deux mots ?

Écriture

À votre tour, écrivez en quelques lignes l'arrivée d'un héros dans un endroit mystérieux. Pour cela, complétez les phrases suivantes.

1. À peine s'avance-t-il vers … que ….

2. Il entre dans … où tout ce qu'il voit d'abord le surprend grandement : c'est ….

3. Il passe …, il monte …, il entre …, il traverse ….

4. Enfin, il voit sur … le plus … des spectacles qu'il eût jamais vu : ….

Jeannot et Margot

**Jacob Grimm
Wilhelm Grimm**

(1785-1863) et (1786-1859)
Les frères Grimm, qui ont toute leur vie travaillé ensemble à une meilleure connaissance de la langue allemande, ont collecté un grand nombre de contes de leur pays.

Les parents de Jeannot et Margot, deux enfants souvent connus sous le nom d'Hansel et Gretel, sont de pauvres bûcherons. N'ayant plus rien à manger, la mère convainc le père de perdre les enfants dans la forêt ; mais Jeannot a tout entendu et il sème en route des petits cailloux grâce auxquels ils retrouveront le chemin de la maison. À la deuxième tentative des parents, Jeannot sème du pain que les oiseaux picorent…

Et déjà le matin se leva pour la troisième fois depuis leur départ de la maison paternelle. Ils se remirent en route, mais ils s'enfoncèrent de plus en plus dans les bois, et s'il ne leur venait pas bientôt du secours, il leur faudrait périr d'inanition[1]. Quand il fut midi, ils aperçurent, perché sur
5 une branche, un joli petit oiseau blanc comme neige qui chantait si bien qu'ils s'arrêtèrent pour l'écouter. Et quand il eut fini, il prit son essor[2] et partit devant eux à tire-d'aile, et ils le suivirent jusqu'à une maisonnette sur le toit de laquelle il se posa ; et en s'approchant, ils virent que la maisonnette était de pain et couverte d'un toit de gâteau ; quant aux fenêtres
10 elles étaient en sucre candi. « Mettons-nous-y, dit Jeannot, et faisons un bon repas. Je vais manger un morceau du toit, tu pourras manger de la fenêtre, Margot, c'est sucré. » Jeannot se haussa sur la pointe des pieds et cassa un morceau de toiture pour voir quel goût elle avait, et Margot se mit à grignoter les vitres. Alors une voix douce sortit de la pièce :

15 *Grigno, grigno, grignoton,*
Qui grignote ma maison ?

Les enfants répondirent :

C'est le vent, c'est le vent,
Le céleste[3] enfant.

20 et ils continuèrent à manger sans se laisser décontenancer[4]. Jeannot, qui trouvait le toit fort à son goût, en arracha un grand morceau et Margot détacha toute une vitre ronde, s'assit par terre et s'en donna à cœur joie. Tout à coup la porte s'ouvrit et une femme vieille comme le monde se glissa dehors en s'appuyant sur une béquille. Jeannot et Margot eurent
25 une telle frayeur qu'ils laissèrent tomber ce qu'ils avaient à la main. Mais la vieille secoua la tête et dit : « Chers enfants, qui vous a conduits ici ? Entrez donc et restez chez moi, il ne vous arrivera pas de mal. » Elle les prit tous les deux par la main et les emmena dans sa maison. Là, on leur servit un bon repas, du lait et de l'omelette au sucre, des pommes et des
30 noix. Puis on leur prépara deux jolis petits lits blancs, et Jeannot et Margot s'y couchèrent et se crurent au Paradis.

Mais la gentillesse de la vieille était feinte, car c'était une méchante sorcière qui guettait les petits enfants et n'avait bâti sa maisonnette de pain que pour les attirer. Quand il en tombait un en son pouvoir, elle le tuait, le
35 faisait cuire, le mangeait et pour elle, c'était jour de fête. Les sorcières ont

1. **Périr d'inanition :** mourir de faim.
2. **Essor :** envol.
3. **Céleste :** qui vient du ciel.
4. **Décontenancer :** faire perdre sa contenance, déstabiliser.

les yeux rouges et ne voient pas de loin, mais elles ont du flair comme les animaux et sentent les hommes venir. Quand Jeannot et Margot arrivèrent dans son voisinage, elle eut un rire mauvais et dit sardoniquement[5] : « Je les tiens, ils ne m'échapperont plus. » De bon matin, avant que les enfants ne
40 fussent réveillés, elle se leva, et en les voyant reposer tous les deux si gentiment, avec leurs joues rondes et rouges, elle murmura à part soi : « Cela fera un morceau de choix. » Alors elle saisit Jeannot de sa main décharnée, le porta dans une petite étable, et l'enferma derrière une porte grillagée. Il eut beau crier tant qu'il pouvait, cela ne lui servit de rien. Puis elle alla
45 auprès de Margot, la secoua pour la réveiller et cria : « Debout, paresseuse, va chercher de l'eau et fais cuire quelque chose de bon pour ton frère, il est enfermé dans l'étable et il faut qu'il engraisse. Quand il sera gras, je le mangerai. » Margot se mit à pleurer amèrement, mais en vain, force lui fut de[6] faire ce que la méchante sorcière demandait.

50 Alors, on prépara pour le pauvre Jeannot les meilleurs plats, mais Margot n'eut que les carapaces des écrevisses. Tous les matins, la vieille se traînait à la petite étable et criait : « Jeannot, sors tes doigts, que je sente si tu seras bientôt assez gras. » Mais Jeannot lui tendait un petit os, et la vieille, qui avait la vue trouble et ne pouvait pas le voir, croyait que c'étaient les
55 doigts de Jeannot et s'étonnait qu'il ne voulût pas engraisser. Comme il y avait quatre semaines de passées et que Jeannot restait toujours maigre, elle fut prise d'impatience et ne voulut pas attendre davantage. « Holà, Margot, cria-t-elle à la petite fille, dépêche-toi et apporte de l'eau. Que Jeannot soit gras ou maigre, demain je le tuerai et je le ferai cuire. » Ah,
60 comme la pauvre petite sœur se désola quand il lui fallut porter de l'eau, et comme les larmes lui coulaient le long des joues !

« Ô mon Dieu, viens-nous en aide, s'écria-t-elle, si les bêtes sauvages nous avaient dévorés dans les bois, au moins nous serions morts ensemble.
– Fais-moi grâce de tes piailleries, dit la vieille, tout cela ne te servira
65 de rien. »

Dès le petit matin, Margot dut sortir, suspendre la marmite d'eau et allumer le feu.

« Nous allons d'abord faire le pain, dit la vieille, j'ai déjà chauffé le four et pétri la pâte. » Elle poussa la pauvre Margot vers le four d'où sortaient
70 déjà les flammes.

« Glisse-toi dedans, dit la sorcière, et vois s'il est à bonne température pour enfourner le pain. » Et quand Margot serait dedans, elle fermerait la porte du poêle. Margot y rôtirait puis elle la mangerait aussi. Mais la petite devina ce qu'elle avait en tête, et dit : « Je ne sais pas comment faire.
75 Comment vais-je entrer là-dedans ?
– Petite oie, dit la vieille, l'ouverture est assez grande, regarde, je pourrais y passer moi-même. » Elle se mit à quatre pattes pour s'approcher du four et y fourra la tête. Alors Margot la poussa si bien qu'elle entra tout entière dans le four, puis elle ferma la porte de fer et tira le verrou. Hou !
80 la vieille se mit à pousser des hurlements épouvantables : mais Margot se sauva et la sorcière impie[7] brûla lamentablement.

Margot courut tout droit à Jeannot, ouvrit la porte de la petite étable et s'écria : « Jeannot, nous sommes délivrés, la vieille sorcière est morte. »

5. Sardoniquement : en se moquant méchamment.

6. Force lui fut de… : elle fut bien obligée de…

7. Impie : qui est sans religion.

Hansel et Gretel
(Jeannot et Margot),
illustration
de Kay Nielsen,
1929 (BNF, Paris).

Alors Jeannot bondit dehors comme un oiseau s'envole quand on lui ouvre
85 la porte de sa cage. Quelle joie ce fut, comme ils se sautaient au cou, gam-
badaient de tous côtés, s'embrassaient !

Et comme ils n'avaient plus rien à craindre, ils entrèrent dans la maison
de la sorcière, il y avait là dans tous les coins des coffrets pleins de perles
et de pierres précieuses. « C'est encore mieux que des cailloux », dit Jean-
90 not et il en mit dans ses poches tant qu'il voulut en entrer, et Margot dit :
« Moi aussi, je veux rapporter quelque chose chez nous », et elle en mit
plein son tablier.

Les deux enfants rentrent chez eux, comblés de richesses et retrouvent
leur père qui les attendait, la mère étant décédée.

GRIMM, « Jeannot et Margot » *Contes*, trad. Marthe Robert, © Éditions Gallimard, 1976.

Hansel et Gretel
(Jeannot et Margot),
illustration d'Arthur Rackham,
1906.

Pour bien lire

1 Pour quelle raison Jeannot et Margot sont-ils seuls dans la forêt ?

2 Quelle est la particularité de la maison où les mène l'oiseau ? Qui y demeure ?

3 Quel stratagème Jeannot adopte-t-il pour éviter d'être dévoré ?

4 Comment Margot s'y prend-elle pour se débarrasser de la sorcière ?

Pour approfondir

5 **a.** Étudiez le personnage de la sorcière : comment se comporte-t-elle au début de la rencontre ? le lendemain ?
b. Quelles sont les caractéristiques physiques du personnage (l. 23 à 37) ?

6 **a.** La forêt est le lieu d'action de bien des contes : pouvez-vous en citer quelques-uns ?
b. En général quand le héros pénètre dans la forêt, que lui arrive-t-il ? Quel genre de rencontres y fait-il ?

7 **a.** De quelles qualités les personnages font-ils preuve pour vaincre la sorcière ?
b. Comment sont-ils récompensés ?

Vocabulaire

1 Voici des adjectifs pour qualifier la voix. Faites correspondre chaque adjectif de la liste A à son antonyme (mot de sens contraire) de la liste B.
A. juste – grave – criarde – grêle – hésitante – claire
B. assurée – mélodieuse – fausse – puissante – enrouée – aigüe

2 On dit de la sorcière qu'elle est « vieille comme le monde » (l. 23). Retrouvez des expressions en associant les deux éléments A et B de la comparaison.
A. rapide – aveugle – triste – muet – doux – vieux – sourd
B. comme une carpe – comme le monde – comme un agneau – comme une taupe – comme l'éclair – comme un pot – comme la pierre

Écriture

1 Les maisons de sorcière sont peu banales. En voici un autre exemple dans un conte russe. Pour retrouver le texte original, vous le complèterez avec les verbes suivants que vous conjuguerez à l'imparfait : *être entouré – être fait – se trouver – se dresser – surmonter*.
« Là ... la maison de la Baba Yaga, perchée sur des pattes de poule. Elle ... d'une palissade d'ossements humains que ... des crânes qui semblaient vous regarder ; les battants des grilles ... de jambes, les verrous de mains, et la serrure d'une bouche aux dents pointues. Les arbres de la clairière ... tels d'immenses gardiens. »

2 À votre tour, décrivez la maison d'une sorcière en utilisant les verbes du premier exercice.

Vassilissa la très belle

Sur son lit de mort, la mère de Vassilissa a remis à sa fille une petite poupée qui, si elle lui donne à manger, l'aidera et la protègera dans l'épreuve. Un peu plus tard, le père de Vassilissa se remarie avec une femme méchante qui a deux filles lui ressemblant en tous points. La marâtre fait travailler Vassilissa jour et nuit, mais celle-ci reste toujours plus belle que ses propres filles. Elle décide alors de se débarrasser de Vassilissa.

Un jour le marchand dut partir en voyage pour longtemps. La marâtre s'en alla habiter une maison à l'orée de la forêt. Dans cette forêt vivait Baba Yaga, la vieille sorcière. Elle ne laissait personne approcher de sa maison et croquait les gens comme des poulets. Pour se débarrasser de Vassilissa,

5 sa marâtre l'envoyait tout le temps dans la forêt – cherche ceci, apporte cela. Mais la jeune fille revenait saine et sauve, sa poupée la guidait, l'éloignait de la maison de Baba Yaga.

L'automne vint. Durant les longues soirées les filles travaillaient : l'une à faire de la dentelle, l'autre à tricoter des bas et Vassilissa à filer le lin.

10 La marâtre leur donna leur tâche pour la nuit et se coucha, ne laissant qu'une chandelle allumée pour les travailleuses. L'une de ses filles fit mine de moucher la chandelle avec une pince et l'éteignit, comme sa mère lui avait ordonné.

– Quel malheur ! L'ouvrage n'est pas terminé et il n'y a pas de feu dans

15 la maison. Il faut aller demander du feu à Baba Yaga ! Qui va y aller ?

– Pas moi, dit la dentellière. Avec mes épingles, j'y vois clair !

– Ni moi, dit la tricoteuse. Mes aiguilles brillent, j'y vois bien.

Et toutes les deux s'en prirent à Vassilissa :

– C'est à toi d'aller chercher du feu chez Baba Yaga !

20 Et elles la poussèrent hors de la pièce. Vassilissa courut à son appentis, servit le souper à la poupée, lui dit en pleurant :

– Petite poupée, mange et écoute ma peine ! On me dit d'aller chez Baba Yaga. Elle va me dévorer !

– Ne crains rien, lui répondit la poupée. Prends-moi avec toi et va tran-

25 quillement où l'on t'envoie. Tant que je suis là, rien ne peut t'arriver.

Vassilissa mit sa poupée dans sa poche, se signa et s'en alla dans la forêt obscure. Elle cheminait depuis quelque temps en tremblant quand un cavalier la dépassa : tout blanc, de blanc vêtu et monté sur un cheval blanc, harnaché de blanc. Aussitôt le ciel devint plus clair. Elle poursuivit son chemin

30 et vit un autre cavalier : tout rouge, vêtu de rouge et monté sur un cheval rouge, harnaché de rouge. Et le soleil se leva. Ce n'est qu'au soir tombant que Vassilissa atteignit la clairière où vivait Baba Yaga. La clôture de sa maison était faite d'ossements, des crânes avec des yeux ornaient cette clôture, comme montants de portail des jambes humaines, pour loquets des bras

35 avec des mains, et en guise de cadenas une bouche avec des dents pointues.

La pauvre jeune fille tremblait comme une feuille, quand un cavalier arriva : tout noir, de noir vêtu et monté sur un cheval noir harnaché de noir. Aussitôt la nuit tomba et les yeux des crânes s'allumèrent, si bien qu'on y voyait comme en plein jour. Vassilissa aurait bien voulu se sauver,
40 mais la peur la clouait sur place.

Tout à coup il se fit grand bruit dans la forêt : les branches craquaient, les feuilles crissaient. Et déboucha dans la clairière Baba Yaga, vieille sorcière. Elle voyageait dans un mortier¹, le poussait du pilon², effaçait sa trace du balai. Le mortier s'arrêta devant le portail, Baba Yaga huma l'air et s'écria :
45   – Ça sent la chair russe par ici ! Qui est-ce ?!

Toute tremblante, Vassilissa s'approcha en saluant bas :

– C'est moi, grand-mère. Les filles de ma marâtre m'ont envoyée chez toi, te demander du feu.

– C'est bon, je les connais, dit Baba Yaga. Tu vas rester ici et me servir.
50 Si le travail est bien fait, je te donnerai du feu, autrement, je te mangerai !

Baba Yaga se tourna vers le portail et cria :

– Déverrouillez-vous, cadenas résistants ! Large portail, ouvre-toi !

Le portail s'ouvrit et Baba Yaga roula dans la cour en sifflotant. Vassilissa la suivit. Et le portail se referma.
55   Une fois dans la maison, Baba Yaga s'affala sur un banc et ordonna à Vassilissa :

– Sers-moi à manger tout ce qui est au four ! Et dépêche-toi, j'ai faim !

Vassilissa se mit à la servir. Pâtés et rôtis, tartes et tourtes, jambons et soupes. Elle tira du cellier hydromel³ et eau-de-vie, bières et vins – de
60 quoi boire et manger pour dix ! Baba Yaga mangea et but le tout ; elle ne laissa pour Vassilissa qu'un quignon de pain, un peu de soupe et un bout de cochon rôti. Puis elle dit :

– Demain, après mon départ, tu balayeras la cour, nettoieras la maison, prépareras le dîner, rangeras le linge. Après ça, tu prendras dans la huche⁴
65 un boisseau⁵ de blé que tu vas trier grain par grain. Et tâche que tout soit bien fait, sinon je te mange !

Elle se coucha et se mit à ronfler. Vassilissa mit devant sa poupée les restes du souper de Baba Yaga et lui dit en pleurant :

– Petite poupée, mange et écoute ma peine ! Si je ne fais pas tout ce tra-
70 vail, Baba Yaga va me manger !

– Ne crains rien, Vassilissa, lui répondit la poupée.

– Va dormir tranquille, le matin est plus sage que le soir !

Vassilissa se leva avant l'aube, mais Baba Yaga était déjà debout. Bientôt les yeux des crânes s'éteignirent. Passa le cavalier blanc et le jour se
75 leva. Baba Yaga sortit dans la cour et siffla, aussitôt le mortier vint se ranger devant elle, avec le pilon et le balai. Le cavalier rouge passa et le soleil apparut. Baba Yaga monta dans son équipage et fila bon train. Elle voyageait dans un mortier, le poussait du pilon, effaçait sa trace du balai...

Restée seule, Vassilissa fit le tour de la maison, admira la richesse et
80 l'abondance en se demandant par quel bout commencer le travail, quand elle vit que tout était déjà fait, la poupée triait les derniers grains de blé. Vassilissa l'embrassa :

– Comment te remercier, ma poupée chérie ! Tu m'as sauvé la vie.

1. Mortier : récipient servant à broyer des aliments, notamment des graines.

2. Pilon : instrument de bois cylindrique servant à écraser les aliments ou les graines.

3. Hydromel : alcool à base de miel.

4. Huche : coffre de bois pour conserver le pain.

5. Boisseau : récipient servant à mesurer.

La poupée grimpa dans sa poche en disant :

85 – Tu n'as plus que le dîner à préparer. Puis repose-toi.

Au soir tombant, Vassilissa mit la table. Bientôt le cavalier noir passa et la nuit tomba. Les yeux des crânes s'étaient allumés, on entendit les branches craquer, les feuilles crisser, c'est Baba Yaga qui arrivait. Vassilissa sortit à sa rencontre.

90 – Le travail est-il fait ? demanda Baba Yaga.

– Vois par toi-même, grand-mère, répondit la jeune fille.

Baba Yaga inspecta tout, regarda partout sans trouver rien à redire. Elle grogna : « Bon, ça peut aller... » puis appela :

– Fidèles serviteurs, mes amis de cœur, venez moudre mon blé !

95 Alors trois paires de bras ont apparu, ont emporté le grain hors de la vue. Baba Yaga dîna et se coucha en disant :

– Demain, en plus de tout ce que tu as fait aujourd'hui, tu vas trier un boisseau de graines de pavot. De la terre s'y est mêlée, tâche qu'il n'en reste pas trace, sinon je te mange !

100 Elle se mit vite à ronfler. Vassilissa servit sa poupée qui mangea et lui dit comme la veille :

– Va dormir tranquille, tout sera fait, Vassilissa chérie. Le matin est plus sage que le soir !

Baba Yaga volant dans son mortier, **Yvan Bilibine**, aquarelle et encre, 1899 (imprimerie Goznak, Moscou).

Le lendemain, Baba Yaga partit, et Vassilissa avec sa poupée firent l'ouvrage en un tournemain. À son retour, Baba Yaga inspecta tout, regarda dans tous les recoins, ne trouva rien à redire. Elle appela :

– Fidèles serviteurs, mes amis de cœur, venez presser l'huile de mes graines de pavot !

Trois paires de bras ont apparu, ont emporté les graines hors de la vue.

Baba-Yaga s'attabla pour dîner. Vassilissa la servait en silence et la sorcière grommela :

– Pourquoi ne dis-tu rien ? Tu es là, comme une muette !

– C'est que je n'osais pas, grand-mère ! Mais si tu le permets, je voudrais bien te demander quelque chose.

– Demande ! Mais toute question n'est pas bonne à poser. D'en savoir trop long, on vieillit trop vite !

– Je voudrais que tu m'expliques ce que j'ai vu, grand-mère. En venant chez toi, un cavalier blanc m'a croisée. Qui est-il ?

– C'est mon jour clair, répondit Baba Yaga.

– Après ça j'ai vu un cavalier tout rouge, qui est-ce ?

130 – C'est mon soleil ardent.

– Et puis j'ai vu un cavalier tout noir, qui est-ce ?

– C'est ma sombre nuit, répondit Baba Yaga. Tous trois sont mes serviteurs fidèles !

Vassilissa pensait aux trois paires de bras, mais n'en souffla mot. Baba
135 Yaga lui dit :

– Eh bien, tu ne me poses plus de questions ?

– J'en sais bien suffisamment pour moi, grand-mère ! Tu l'as dit toi-même – à trop savoir, on vieillit vite.

– C'est bien, approuva Baba Yaga. Tu interroges sur ce que tu as vu dehors,
140 pas sur ce qui se passe dedans. J'entends laver mon linge en famille[6], et les trop curieux, je les mange ! Et maintenant c'est mon tour de te poser une question : comment arrives-tu à faire tout le travail que je te donne ?

– La bénédiction maternelle me vient en aide, grand-mère.

– C'est donc ça ? Eh bien, fille bénie, va-t-en, et tout de suite ! Je n'en
145 veux pas, de bénis, chez moi !

Baba Yaga poussa la jeune fille dehors, mais avant de refermer le portail, elle prit un crâne aux yeux ardents[7], le mit au bout d'un bâton qu'elle fourra dans la main de Vassilissa :

– Voilà du feu pour les filles de ta marâtre, prends-le ! Après tout, c'est
150 pour ça qu'elles t'avaient envoyée chez moi.

Vassilissa partit en courant dans la forêt. Les yeux du crâne éclairaient son chemin et ne s'éteignirent qu'à l'aube. Elle chemina toute la journée et, vers le soir, comme elle approchait de sa maison, elle se dit : « Depuis le temps, elles ont sûrement trouvé du feu... » et voulut jeter le crâne. Mais
155 une voix en sortit :

– Ne me jette pas, porte-moi chez ta marâtre !

Vassilissa obéit. En arrivant, elle fut bien étonnée de ne pas voir de lumière dans la maison, plus étonnée encore de voir la marâtre et ses filles l'accueillir avec grande joie. Depuis son départ, lui dit-on, pas moyen d'avoir du
160 feu dans la maison. Celui qu'on allume ne prend pas, celui qu'on amène de chez les voisins s'éteint.

– Le tien se gardera mieux, peut-être, dit la marâtre.

Vassilissa apporta le crâne dans la chambre ; aussitôt les yeux brûlants se fixèrent sur la marâtre et ses filles, les suivant partout. En vain tentaient-elles
165 de fuir ou de se cacher, les yeux les poursuivaient et avant l'aube il n'en resta que cendres ; seule Vassilissa n'avait aucun mal.

Ernest Jaubert, *Contes populaires russes*, Librairie Fernand Nathan, 1926.

---

6. Laver son linge en famille : garder certaines affaires secrètes et refuser que d'autres s'en mêlent.

7. Ardent : flamboyant.

Vassilissa la très belle
et le cavalier blanc,
illustration d'Yvan Bilibine,
1900 (imprimerie Goznak, Moscou).

Lecture

Pour bien lire

1 Expliquez la situation familiale de Vassilissa au début du conte. Connaissez-vous d'autres contes qui commencent de la même manière ?

2 **a.** Pour quelle raison Vassilissa se rend-elle chez Baba Yaga ?
b. Qui croise-t-elle sur sa route ?
c. Quelles tâches doit-elle réaliser chez la sorcière ? Comment y parvient-elle ?

3 Pourquoi la sorcière la laisse-t-elle repartir ? Qu'a obtenu Vassilissa ?

Pour approfondir

4 Que sait-on du lieu où vit Baba Yaga ?

5 **a.** Comment cette sorcière se déplace-t-elle ?
b. Qui lui obéit ?
c. Quelle est l'étendue de ses pouvoirs ?

6 **a.** Vassilissa pose trois questions. Quelles sont-elles ?
b. Quelle question Vassilissa évite-t-elle ensuite de poser ? Pourquoi cela lui est-il favorable ?

7 **Débat** Baba Yaga est-elle maléfique ou bénéfique ? Discutez de vos réponses et justifiez-les.

Vocabulaire

1 Classez les expressions suivantes selon qu'elles désignent le soir ou le matin : *l'aube – le point du jour – le crépuscule – l'aurore – à la brune – entre chien et loup.*

2 Remettez dans l'ordre les repas de la journée : *le dîner – le petit déjeuner – le souper – le goûter – le déjeuner.*

3 Voici des verbes synonymes de *manger*. Recopiez et complétez les phrases suivantes par l'un de ces verbes que vous conjuguerez au présent (plusieurs solutions sont possibles) : *se goinfrer – savourer – s'empiffrer – déguster.*

  1. On me sert un mets inconnu que je … avec délices.
  2. Baba Yaga … de toutes sortes de viande.
  3. Au goûter, mon petit frère … de chocolat.
  4. Nous … un fameux vin que notre hôte nous a servi.

Écriture

Transformez les phrases selon le modèle.
Exemple : *Je mange **les trop curieux**.* → *Les trop curieux, je les mange !*
  1. Je ne veux pas **de filles bénies** chez moi.
  2. Elle ne parvient pas à rallumer **cette chandelle**.
  3. Tu trieras **les graines de pavot**.

Le Chat botté

Le Chat botté chez l'ogre, illustration de Gustave Doré, 1867 (BNF, Paris).

Le fils d'un meunier reçoit pour tout héritage un chat, tandis que ses frères ont respectivement hérité d'un moulin et d'un âne. Désespéré de son sort, il pense mourir de faim, mais le chat lui demande une paire de bottes et part chasser. Le chat attrape du gibier qu'il porte au roi en cadeau de la part de son maître qu'il nomme auprès du roi « marquis de Carabas ».

Le Chat continua ainsi, pendant deux ou trois mois, à porter de temps en temps au roi du gibier de la chasse
5 de son maître.

Un jour qu'il sut que le roi devait aller à la promenade, sur le bord de la rivière, avec sa fille, la plus belle princesse du monde, il dit à son maître :
10 « Si vous voulez suivre mon conseil, votre fortune est faite : vous n'avez qu'à vous baigner dans la rivière, à l'endroit que je vous montrerai, et ensuite me laisser faire. »

Le marquis de Carabas fit ce que son chat lui conseillait, sans savoir à quoi cela serait bon. Dans le temps qu'il se baignait, le roi vint à passer,
15 et le Chat se mit à crier de toutes ses forces :

« Au secours ! Au secours ! Voilà monsieur le marquis de Carabas qui se noie ! »

À ce cri, le roi mit la tête à la portière, et, reconnaissant le Chat qui lui avait apporté tant de fois du gibier, il ordonna à ses gardes qu'on allât vite
20 au secours de monsieur le marquis de Carabas.

Pendant qu'on retirait le pauvre marquis de la rivière, le Chat s'approcha du carrosse et dit au roi, que dans le temps que son maître se baignait, il était venu des voleurs qui avaient emporté ses habits, quoiqu'il eût crié au voleur de toute sa force ; le drôle[1] les avait cachés sous une grosse pierre.
25 Le roi ordonna aussitôt aux officiers de sa garde-robe[2] d'aller quérir[3] un de ses plus beaux habits pour monsieur le marquis de Carabas. Le roi lui fit mille caresses, et comme les beaux habits qu'on venait de lui donner relevaient sa bonne mine (car il était beau et bien fait de sa personne), la fille du roi le trouva fort à son gré[4], et le marquis de Carabas ne lui eut
30 pas jeté deux ou trois regards, fort respectueux et un peu tendres, qu'elle en devint amoureuse à la folie.

1. **Le drôle :** le fripon, le coquin.

2. **Officier de la garde-robe :** fonction qui consiste à s'occuper des vêtements du roi.

3. **Quérir :** chercher.

4. **Fort à son gré :** à son goût.

Le roi voulut qu'il montât dans son carrosse et qu'il fût de la promenade. Le Chat, ravi de voir que son dessein commençait à réussir, prit les devants et ayant rencontré des paysans qui fauchaient un pré, il leur dit :

35 – Bonnes gens qui fauchez, si vous ne dites au roi que le pré que vous fauchez appartient à monsieur le marquis de Carabas, vous serez tous hachés menu comme chair à pâté.

Le roi ne manqua pas à demander aux faucheux à qui était ce pré qu'ils fauchaient.

40 – C'est à monsieur le marquis de Carabas, dirent-ils tous ensemble car la menace du chat leur avait fait peur.

– Vous avez là un bel héritage, dit le roi au marquis de Carabas.

– Vous voyez, Sire, répondit le marquis, c'est un pré qui ne manque point de rapporter abondamment toutes les années.

45 Le maître Chat, qui allait toujours devant, rencontra des moissonneurs, et leur dit :

– Bonnes gens qui moissonnez, si vous ne dites que tous ces blés appartiennent à monsieur le marquis de Carabas, vous serez tous hachés menu comme chair à pâté.

50 Le roi, qui passa un moment après, voulut savoir à qui appartenaient tous les blés qu'il voyait.

– C'est à monsieur le marquis de Carabas, répondirent les moissonneurs, et le roi s'en réjouit encore avec le marquis.

Le Chat, qui allait devant le carrosse, disait toujours la même chose à 55 tous ceux qu'il rencontrait ; et le roi était étonné des grands biens de monsieur le marquis de Carabas. Le maître Chat arriva enfin dans un beau château dont le maître était un ogre, le plus riche qu'on ait jamais vu, car toutes les terres par où le roi avait passé étaient de la dépendance de ce château. Le Chat, qui eut soin de s'informer qui était cet ogre, et ce qu'il 60 savait faire, demanda à lui parler disant qu'il n'avait pas voulu passer si près de son château, sans avoir l'honneur de lui faire la révérence. L'ogre le reçut aussi civilement que le peut un ogre, et le fit reposer.

– On m'a assuré, dit le Chat, que vous aviez le don de vous changer en toute sorte d'animaux, que vous pouviez par exemple, vous transformer 65 en lion, en éléphant ?

– Cela est vrai, répondit l'ogre brusquement, et pour vous le montrer, vous m'allez voir devenir lion.

Le Chat fut si effrayé de voir un lion devant lui, qu'il gagna aussitôt les gouttières, non sans peine et sans péril, à cause de ses bottes qui ne valaient 70 rien pour marcher sur les tuiles.

Quelque temps après, le Chat, ayant vu que l'ogre avait quitté sa première forme, descendit, et avoua qu'il avait eu bien peur.

– On m'a assuré encore, dit le Chat, mais je ne saurais le croire, que vous aviez aussi le pouvoir de prendre la forme des plus petits animaux, 75 par exemple, de vous changer en un rat, en une souris ; je vous avoue que je tiens cela tout à fait impossible.

– Impossible ? reprit l'ogre, vous allez voir, et en même temps il se changea en une souris, qui se mit à courir sur le plancher.

Le Chat ne l'eut pas plus tôt aperçue qu'il se jeta dessus, et la mangea.

Le Chat botté appelant à l'aide, **gravure de Gustave Doré**, 1862 (BNF, Paris).

80 Cependant le roi, qui vit en passant le beau château de l'ogre, voulut entrer dedans. Le Chat, qui entendit le bruit du carrosse qui passait sur le pont-levis, courut au-devant, et dit au roi :

– Votre Majesté soit la bienvenue dans ce château de monsieur le marquis de Carabas !

85 – Comment, monsieur le marquis, s'écria le roi, ce château est encore à vous ? Il ne se peut rien de plus beau que cette cour et que tous ces bâtiments qui l'environnent ; voyons les dedans, s'il vous plaît.

Le marquis donna la main à la jeune princesse, et suivant le roi qui montait le premier, ils entrèrent dans une grande salle où ils trouvèrent

90 une magnifique collation que l'ogre avait fait préparer pour ses amis qui le devaient venir voir ce jour-là, mais qui n'avaient pas osé entrer sachant que le roi y était. Le roi, charmé des bonnes qualités de monsieur le marquis de Carabas, de même que sa fille qui en était folle, et voyant les grands biens qu'il possédait, lui dit, après avoir bu cinq ou six coups :

95 – Il ne tiendra qu'à vous, monsieur le marquis, que vous ne soyez mon gendre.

Le marquis, faisant de grandes révérences, accepta l'honneur que lui faisait le roi ; et dès le même jour épousa la princesse. Le Chat devint grand seigneur et ne courut plus après les souris que pour se divertir.

CHARLES PERRAULT, *Histoires ou Contes du temps passé, avec des moralités*, 1697.

Lecture

Pour bien lire

1 Que reçoit en héritage le troisième fils du meunier ? Qu'en pense-t-il ?

2 Comment le chat s'y prend-il pour se faire connaître du roi et lui plaire ?

3 Quelle ruse invente-t-il pour organiser la rencontre entre son maître et le roi ?

4 Quelle autre ruse manigance-t-il pour faire de son maître le propriétaire d'un grand royaume ?

5 Quel titre obtiennent respectivement le fils du meunier et le chat à la fin de ce conte ?

Pour approfondir

6 Relevez, lignes 56 à 59, les expressions qui montrent la richesse de l'ogre.

7 Relisez les deux répliques de l'ogre (l. 66 et 77) : comment qualifieriez-vous son attitude ?

8 a. Quelle phrase le chat répète-t-il aux paysans pour les soumettre ?
b. Relisez les deux répliques du chat, lorsqu'il s'adresse à l'ogre (l. 63 et 73) : que cherche-t-il ?

9 Dans ce conte, le personnage de l'ogre fait-il peur ? Justifiez votre réponse.

Vocabulaire

1 « La fille du roi le trouva fort à son gré » (l. 29)
a. Cherchez dans le dictionnaire deux synonymes du nom *gré*.
b. Cherchez le sens des expressions suivantes, puis utilisez-les dans une phrase de votre composition : *au gré de – bon gré mal gré – de son plein gré – savoir gré à quelqu'un de*.
c. Remplacez le groupe nominal en gras par un adverbe de même sens.
Exemple : *L'ogre le reçut **avec civilité** → L'ogre le reçut civilement.*
1. L'ogre répondit **avec brutalité** qu'il pouvait se changer en tout et n'importe quoi.
2. Le chat s'empara **avec vivacité** de la souris.
3. Le roi le salua **avec courtoisie**.

Écriture

Réécrivez ces phrases selon le modèle.
Exemple : *Le chat l'aperçoit, alors il se jette dessus.* → *Le chat ne l'a pas plus tôt aperçu qu'il se jette dessus.*
1. Le chat aperçoit le carrosse du roi, alors il se met à demander de l'aide.
2. Le chat chausse ses bottes, alors il court au palais du roi.
3. Le meunier reçoit le chat en héritage, alors il se lamente sur son triste sort.

Le Petit Poucet

Poucet est le fils d'une famille de bûcherons et le dernier d'une fratrie de sept enfants. Il est baptisé ainsi parce que le jour de sa naissance, il n'était pas plus gros qu'un pouce. Alors que la famine sévit sur le pays, le bûcheron et la bûcheronne décident de conduire leurs enfants dans la forêt pour les abandonner. Poucet, ayant découvert le projet de ses parents, sème en route des petits cailloux blancs afin de retrouver le chemin de la maison. Un peu plus tard, alors que les parents tentent de nouveau de les perdre, Poucet sème des morceaux de pain que les oiseaux picorent, et il se retrouve perdu avec ses frères au cœur de la forêt.

Cependant, ayant marché quelque temps avec ses frères du côté qu'il avait vu la lumière, il la revit en sortant du bois. Ils arrivèrent enfin à la maison où était cette chandelle, non sans bien des frayeurs, car souvent ils la perdaient de vue, ce qui leur arrivait toutes les fois qu'ils descendaient

5 dans quelques fonds. Ils heurtèrent à la porte, et une bonne femme vint leur ouvrir. Elle leur demanda ce qu'ils voulaient ; le Petit Poucet lui dit qu'ils étaient de pauvres enfants qui s'étaient perdus dans la forêt, et qui demandaient à coucher par charité.

Cette femme les voyant tous si jolis se mit à pleurer, et leur dit :

10 – Hélas ! mes pauvres enfants, où êtes-vous venus ? Savez-vous bien que c'est ici la maison d'un ogre qui mange les petits enfants ?

– Hélas ! Madame, lui répondit le Petit Poucet, qui tremblait de toute sa force aussi bien que ses frères, que ferons-nous ? Il est bien sûr que les loups de la forêt ne manqueront pas de nous manger cette nuit, si vous

15 ne voulez pas nous retirer chez vous. Et cela étant, nous aimons mieux que ce soit Monsieur qui nous mange ; peut-être qu'il aura pitié de nous, si vous voulez bien l'en prier.

La femme de l'ogre qui crut qu'elle pourrait les cacher à son mari jusqu'au lendemain matin, les laissa entrer et les mena se chauffer auprès

20 d'un bon feu ; car il y avait un mouton tout entier à la broche pour le souper de l'ogre. Comme ils commençaient à se chauffer, ils entendirent heurter trois ou quatre grands coups à la porte : c'était l'ogre qui revenait. Aussitôt sa femme les fit cacher sous le lit et alla ouvrir la porte. L'ogre demanda d'abord si le souper était prêt, et si on avait tiré du vin, et aussitôt se mit à

25 table. Le mouton était encore tout sanglant, mais il ne lui en sembla que meilleur. Il fleurait à droite et à gauche, disant qu'il sentait la chair fraîche.

– Il faut, lui dit sa femme, que ce soit ce veau que je viens d'habiller[1] que vous sentez.

– Je sens la chair fraîche, te dis-je encore une fois, reprit l'ogre, en regar-

30 dant sa femme de travers, et il y a ici quelque chose que je n'entends[2] pas.

En disant ces mots, il se leva de table, et alla droit au lit.

– Ah, dit-il, voilà donc comme tu veux me tromper, maudite femme ! Je ne sais à quoi il tient que je ne te mange aussi ; bien t'en prend d'être une vieille bête. Voilà du gibier qui me vient bien à propos pour traiter trois

35 ogres de mes amis qui doivent me venir voir ces jours ici.

Le Petit Poucet avec les bottes de sept lieues, gravure de 1900 (coll. privée).

1. **Habiller une viande :** l'aromatiser avant de la faire cuire.

2. **Que je n'entends pas :** que je ne comprends pas.

**Le Petit Poucet
et ses frères chez l'ogre,**
illustration de Gustave Doré
(coll. privée).

Il les tira de dessous le lit l'un après l'autre. Ces pauvres enfants se mirent
à genoux en lui demandant pardon ; mais ils avaient à faire au plus cruel
de tous les ogres, qui bien loin d'avoir de la pitié les dévorait déjà des yeux,
et disait à sa femme que ce serait là de friands morceaux lorsqu'elle leur
40 aurait fait une bonne sauce. Il alla prendre un grand couteau, et en approchant de ces pauvres enfants, il l'aiguisait sur une longue pierre qu'il tenait
à sa main gauche. Il en avait déjà empoigné un, lorsque sa femme lui dit :

– Que voulez-vous faire à l'heure qu'il est ? N'aurez-vous pas assez de
temps demain matin ?

45 – Tais-toi, reprit l'ogre, ils en seront plus mortifiés.

– Mais vous avez encore là tant de viande, reprit sa femme ; voilà un
veau, deux moutons et la moitié d'un cochon !

– Tu as raison, dit l'ogre ; donne-leur bien à souper, afin qu'ils ne mai-
grissent pas, et va les mener coucher.

50 La bonne femme fut ravie de joie, et leur porta bien à souper mais ils
ne purent manger tant ils étaient saisis de peur. Pour l'ogre, il se remit à
boire, ravi d'avoir de quoi si bien régaler ses amis. Il but une douzaine de
coups plus qu'à l'ordinaire, ce qui lui donna un peu dans la tête, et l'obli-
gea de s'aller coucher.

L'ogre avait sept filles, qui n'étaient encore que des enfants. Ces petites ogresses avaient toutes le teint fort beau, parce qu'elles mangeaient de la chair fraîche comme leur père ; mais elles avaient de petits yeux gris et tout ronds, le nez crochu et une fort grande bouche avec de longues dents fort aiguës et fort éloignées l'une de l'autre.

Elles n'étaient pas encore fort méchantes ; mais elles promettaient beaucoup, car elles mordaient déjà les petits enfants pour en sucer le sang. On les avait fait coucher de bonne heure, et elles étaient toutes sept dans un grand lit, ayant chacune une couronne d'or sur la tête. Il y avait dans la même chambre un autre lit de la même grandeur, ce fut dans ce lit que la femme de l'ogre mit coucher les sept garçons ; après quoi, elle s'alla coucher auprès de son mari. Le Petit Poucet qui avait remarqué que les filles de l'ogre avaient des couronnes d'or sur la tête, et qui craignait qu'il ne prît à l'ogre quelque remords de ne les avoir pas égorgés dès le soir même, se leva vers le milieu de la nuit, et prenant les bonnets de ses frères et le sien, il alla tout doucement les mettre sur la tête des sept filles de l'ogre, après leur avoir ôté leurs couronnes d'or qu'il mit sur la tête de ses frères et sur la sienne, afin que l'ogre les prît pour ses filles, et ses filles pour les garçons qu'il voulait égorger. La chose réussit comme il l'avait pensé ; car l'ogre s'étant éveillé sur le minuit eut regret d'avoir différé au lendemain ce qu'il pouvait exécuter la veille ; il se jeta donc brusquement hors du lit, et prenant son grand couteau :

– Allons voir, dit-il, comment se portent nos petits drôles ; n'en faisons pas à deux fois.

Il monta donc à tâtons à la chambre de ses filles et s'approcha du lit où étaient les petits garçons, qui dormaient tous, excepté le Petit Poucet, qui eut bien peur lorsqu'il sentit la main de l'ogre qui lui tâtait la tête, comme il avait tâté celles de tous ses frères. L'ogre, qui sentit les couronnes d'or :

– Vraiment, dit-il, j'allais faire là un bel ouvrage ; je vois bien que je bus trop hier au soir.

Il alla ensuite au lit de ses filles, où ayant senti les petits bonnets des garçons :

– Ah ! les voilà, dit-il, nos gaillards ! Travaillons hardiment.

En disant ces mots, il coupa sans balancer la gorge à ses sept filles. Fort content de cette expédition, il alla se recoucher auprès de sa femme. Aussitôt que le Petit Poucet entendit ronfler l'ogre, il réveilla ses frères et leur dit de s'habiller promptement et de le suivre. Ils descendirent doucement dans le jardin, et sautèrent par-dessus les murailles. Ils coururent presque toute la nuit, toujours en tremblant et sans savoir où ils allaient. L'ogre s'étant éveillé dit à sa femme :

– Va-t'en là-haut habiller ces petits drôles d'hier soir.

L'ogresse fut fort étonnée de la bonté de son mari, ne se doutant point de la manière qu'il entendait qu'elle les habillât, et croyant qu'il lui ordonnait de les aller vêtir elle monta en haut où elle fut bien surprise lorsqu'elle aperçut ses sept filles égorgées et nageant dans leur sang. Elle commença par s'évanouir (car c'est le premier expédient[3] que trouvent presque toutes les femmes en pareilles rencontres).

---

3. Expédient : moyen, procédé.

L'ogre, craignant que sa femme ne fût trop longtemps à faire la besogne dont il l'avait chargée, monta en haut pour lui aider. Il ne fut pas moins
105 étonné que sa femme lorsqu'il vit cet affreux spectacle.

– Ah ! qu'ai-je fait ? s'écria-t-il, ils me le payeront, les malheureux, et tout à l'heure.

Il jeta aussitôt une potée d'eau dans le nez de sa femme et l'ayant fait revenir :

110 – Donne-moi vite mes bottes de sept lieues, lui dit-il, afin que j'aille les attraper.

Il se mit en campagne, et après avoir couru bien loin de tous côtés, enfin il entra dans le chemin où marchaient ces pauvres enfants qui n'étaient plus qu'à cent pas du logis de leur père.

115 Ils virent l'ogre qui allait de montagne en montagne, et qui traversait des rivières aussi aisément qu'il aurait fait le moindre ruisseau. Le Petit Poucet, qui vit un rocher creux proche le lieu où ils étaient, y fit cacher ses six frères, et s'y fourra aussi, regardant toujours ce que l'ogre deviendrait. L'ogre qui se trouvait fort las[4] du long chemin qu'il avait fait inu-
120 tilement (car les bottes de sept lieues fatiguent fort leur homme), voulut se reposer, et par hasard il alla s'asseoir sur la roche où les petits garçons s'étaient cachés. Comme il n'en pouvait plus de fatigue, il s'endormit après s'être reposé quelque temps, et vint à ronfler si effroyablement que les pauvres enfants n'en eurent pas moins de peur que quand il tenait son
125 grand couteau pour leur couper la gorge. Le Petit Poucet en eut moins de peur, et dit à ses frères de s'enfuir promptement à la maison, pendant que l'ogre dormait bien fort, et qu'ils ne se missent point en peine de lui. Ils crurent son conseil, et gagnèrent vite la maison. Le Petit Poucet s'étant approché de l'ogre, lui tira doucement ses bottes, et les mit aussitôt. Les
130 bottes étaient fort grandes et fort larges ; mais comme elles étaient fées[5], elles avaient le don de s'agrandir et de s'apetisser selon la jambe de celui qui les chaussait, de sorte qu'elles se trouvèrent aussi justes à ses pieds et à ses jambes que si elles avaient été faites pour lui. Il alla droit à la maison de l'ogre où il trouva sa femme qui pleurait auprès de ses filles égorgées.
135 – Votre mari, lui dit le Petit Poucet, est en grand danger, car il a été pris par une troupe de voleurs qui ont juré de le tuer s'il ne leur donne tout

4. Las : fatigué.
5. Fées : magiques, enchantées.

L'ogre du *Petit Poucet*,
Gustave Doré, gravure
mise en couleurs, 1862.

son or et tout son argent. Dans le moment qu'ils lui tenaient le poignard sur la gorge, il m'a aperçu et m'a prié de vous venir avertir de l'état où il est, et de vous dire de me donner tout ce qu'il a vaillant[6] sans en rien retenir, parce qu'autrement ils le tueront sans miséricorde[7]. Comme la chose presse beaucoup, il a voulu que je prisse ses bottes de sept lieues que voilà pour faire diligence[8], et aussi afin que vous ne croyiez pas que je sois un affronteur.

La bonne femme fort effrayée lui donna aussitôt tout ce qu'elle avait car cet ogre ne laissait pas d'être fort bon mari, quoiqu'il mangeât les petits enfants.

Le Petit Poucet étant donc chargé de toutes les richesses de l'ogre s'en revint au logis de son père, où il fut reçu avec bien de la joie.

Charles Perrault, *Histoires ou Contes du temps passé, avec des moralités*, 1697.

6. **Vaillant** : signifie ici qui a de la valeur.
7. **Miséricorde** : pitié.
8. **Faire diligence** : aller vite.

Lecture

Pour bien lire

1 a. Pourquoi les enfants se trouvent-ils seuls dans la forêt ?
b. Quel autre conte commence de la même manière ?
c. À quel être maléfique se confrontent-ils ?

2 Décrivez tous les aspects du personnage de l'ogre.
a. Quels détails rendent l'ogre particulièrement effrayant ?
b. De quelle manière l'ogre s'adresse-t-il à sa femme ? Appuyez-vous sur des citations du texte.
c. Quels termes l'ogre emploie-t-il pour désigner les enfants, lignes 34, 39 et 88 ?
d. Relevez lignes 38 et 96 des expressions employées au sens figuré en rapport avec la nourriture.
e. Pourquoi, au final, ce personnage est-il plus effrayant qu'un simple monstre ?

3 Relevez le portrait des ogresses. Qu'éprouve le lecteur au moment de leur mort ?

4 Et Poucet, qui sauve-t-il ? Comment s'y prend-il ?

Pour approfondir

5 Lisez l'histoire de Thésée et du Minotaure p. 151. Établissez des rapprochements entre les mythes et les contes, en comparant le mythe de Thésée et *Le Petit Poucet*.

> Tâche complexe

▶ **Coup de pouce**
1. Recherchez, dans le mythe de Thésée, un lieu comparable à la forêt.
2. Soyez attentifs à la manière dont les enfants cherchent à retrouver leur chemin. Comparez avec Thésée.
3. Remarquez la personne que Poucet affronte au cœur de la forêt. Comparez une fois encore avec Thésée.
4. Notez qui Thésée épargne en tuant le monstre. Comparer avec celui que sauve Poucet et observez comment ce dernier s'y prend.

Vocabulaire

1 a. Pour chacun des adjectifs suivants, donnez un adverbe de la même famille : *effroyable – prompt – charitable*.
b. Employez chacun de ces adjectifs dans une phrase de votre composition.

2 Expliquez la formation du verbe *agrandir*. Sur le même modèle, trouvez des verbes qui signifient : *rendre mince – rendre maigre – rendre doux – rendre faible – rendre paisible*.

3 Trouvez un nom et un adverbe de la même famille que *vaillant*. Employez-les chacun dans une phrase de votre composition.

Écriture

Transformez les phrases suivantes selon le modèle.
Exemple : *Quand le Petit Poucet se fut approché de l'ogre, il lui tira doucement ses bottes et il les mit aussitôt.* → *Le Petit Poucet s'étant approché de l'ogre, lui tira doucement ses bottes et les mit aussitôt.*

1. Quand l'ogre eut touché les petits bonnets, il sortit son grand couteau et il trancha la gorge de ses sept filles.
2. Quand les parents eurent conduit leurs enfants au plus profond de la forêt, ils leur demandèrent de faire des fagots et ils s'en retournèrent discrètement par un petit chemin.
3. Lorsque la femme eut fait entrer les sept garçons, elle leur donna bien à souper et elle les cacha sous le lit.

La Barbe bleue

**La Barbe bleue
et la clef du cabinet,
illustration de Gillot,**
1860 (BNF, Paris).

Il était une fois un homme qui avait de belles maisons à la ville et à la campagne, de la vaisselle d'or et d'argent, des meubles en broderie, et des carrosses tout dorés ; mais par malheur cet homme avait la barbe bleue : cela le rendait si laid et si terrible, qu'il n'était ni femme ni fille qui ne
5 s'enfuît de devant lui. Une de ses voisines, dame de qualité, avait deux filles parfaitement belles. Il lui en demanda une en mariage, et lui laissa le choix de celle qu'elle voudrait lui donner. Elles n'en voulaient point toutes deux, et se le renvoyaient l'une à l'autre, ne pouvant se résoudre[1] à prendre un homme qui eût la barbe bleue. Ce qui les dégoûtait encore,
10 c'est qu'il avait déjà épousé plusieurs femmes, et qu'on ne savait ce que ces femmes étaient devenues.

La Barbe bleue, pour faire connaissance, les mena avec leur mère, et trois ou quatre de leurs meilleures amies, et quelques jeunes gens du voisinage, à une de ses maisons de campagne, où on demeura huit jours entiers. Ce
15 n'était que promenades, que parties de chasse et de pêche, que danses et festins, que collations[2] : on ne dormait point, et on passait toute la nuit à se faire des malices les uns aux autres ; enfin tout alla si bien, que la cadette commença à trouver que le maître du logis n'avait plus la barbe si bleue, et que c'était un fort honnête homme. Dès qu'on fut de retour à la ville,
20 le mariage se conclut.

Au bout d'un mois la Barbe bleue dit à sa femme qu'il était obligé de faire un voyage en province, de six semaines au moins, pour une affaire de conséquence[3], qu'il la priait de se bien divertir pendant son absence, qu'elle fît venir ses bonnes amies, qu'elle les menât à la campagne si elle
25 voulait, que partout elle fît bonne chère[4]. Voilà, lui dit-il, les clefs des deux grands garde-meubles, voilà celles de la vaisselle d'or et d'argent qui ne sert pas tous les jours, voilà celles de mes coffres-forts, où est mon or et mon argent, celles des cassettes où sont mes pierreries, et voilà le passe-partout de tous les appartements : pour cette petite clef-ci, c'est la clef du cabinet
30 au bout de la grande galerie de l'appartement bas : ouvrez tout, allez partout, mais pour ce petit cabinet, je vous défends d'y entrer, et je vous le défends de telle sorte, que s'il vous arrive de l'ouvrir il n'y a rien que vous ne deviez attendre de ma colère. Elle promit d'observer[5] exactement tout ce qui lui venait d'être ordonné ; et lui, après l'avoir embrassée, il monte
35 dans son carrosse, et part pour son voyage.

Les voisines et les bonnes amies n'attendirent pas qu'on les envoyât quérir[6] pour aller chez la jeune mariée, tant elles avaient d'impatience de voir toutes les richesses de sa maison, n'ayant osé y venir pendant que le mari y était, à cause de sa barbe bleue qui leur faisait peur. Les voilà aussitôt
40 à parcourir les chambres, les cabinets, les garde-robes, toutes plus belles et plus riches les unes que les autres. Elles montèrent ensuite aux garde-meubles, où elles ne pouvaient assez admirer le nombre et la beauté des tapisseries, des lits, des sofas, des cabinets, des guéridons, des tables et des

1. Se résoudre :
se décider.

2. Collation :
au XVIIe siècle, repas que
l'on faisait l'après-midi
ou la nuit.

3. De conséquence :
importante.

4. Faire bonne chère :
faire de bons repas.

5. Observer : respecter.

6. Quérir : chercher.

La découverte du cabinet, illustration d'Hermann Vogel, 1887 (BNF, Paris).

miroirs, où l'on se voyait depuis les pieds jusqu'à la tête et dont les bordures, les unes de glaces, les autres d'argent et de vermeil[7] doré, étaient les plus belles et les plus magnifiques qu'on eût jamais vues. Elles ne cessaient d'exagérer et d'envier le bonheur de leur amie, qui cependant ne se divertissait point à voir toutes ces richesses, à cause de l'impatience qu'elle avait d'aller ouvrir le cabinet de l'appartement bas.

Elle fut si pressée de sa curiosité, que sans considérer qu'il était malhonnête de quitter sa compagnie, elle y descendit par un petit escalier dérobé, et avec tant de précipitation, qu'elle pensa se rompre le cou deux ou trois fois. Étant arrivée à la porte du cabinet, elle s'y arrêta quelque temps, songeant à la défense[8] que son mari lui avait faite, et considérant qu'il pourrait lui arriver malheur d'avoir été désobéissante ; mais la tentation était si forte qu'elle ne put la surmonter : elle prit donc la petite clef, et ouvrit en tremblant la porte du cabinet. D'abord elle ne vit rien, parce que les fenêtres étaient fermées ; après quelques moments elle commença à voir que le plancher était tout couvert de sang caillé, et que dans ce sang se miraient[9] les corps de plusieurs femmes mortes et attachées le long des murs (c'étaient toutes les femmes que la Barbe bleue avait épousées et qu'il avait égorgées l'une après l'autre).

Elle pensa mourir de peur, et la clef du cabinet qu'elle venait de retirer de la serrure lui tomba de la main. Après avoir un peu repris ses esprits, elle

7. **Vermeil :** argent doré.
8. **Défense :** interdiction.
9. **Se miraient :** se reflétaient.

65 ramassa la clef, referma la porte, et monta à sa chambre pour se remettre un peu ; mais elle n'en pouvait venir à bout, tant elle était émue. Ayant remarqué que la clef du cabinet était tachée de sang, elle l'essuya deux ou trois fois, mais le sang ne s'en allait point ; elle eut beau la laver et même la frotter avec du sablon et avec du grès[10], il y demeura toujours du sang, car
70 la clef était fée, et il n'y avait pas moyen de la nettoyer tout à fait : quand on ôtait le sang d'un côté, il revenait de l'autre. La Barbe bleue revint de son voyage dès le soir même, et dit qu'il avait reçu des lettres dans le chemin, qui lui avaient appris que l'affaire pour laquelle il était parti venait d'être terminée à son avantage. Sa femme fit tout ce qu'elle put pour lui
75 témoigner qu'elle était ravie de son prompt[11] retour.

Le lendemain il lui redemanda les clefs, et elle les lui donna, mais d'une main si tremblante, qu'il devina sans peine tout ce qui s'était passé. « D'où vient, lui dit-il, que la clef du cabinet n'est point avec les autres ? – Il faut, dit-elle, que je l'aie laissée là-haut sur ma table. – Ne manquez pas, dit
80 la Barbe bleue, de me la donner tantôt. » Après plusieurs remises, il fallut apporter la clef. La Barbe bleue, l'ayant considérée, dit à sa femme : « Pourquoi y a-t-il du sang sur cette clef ? – Je n'en sais rien, répondit la pauvre femme, plus pâle que la mort. – Vous n'en savez rien, reprit la Barbe bleue, je le sais bien, moi ; vous avez voulu entrer dans le cabinet ! Hé bien,
85 Madame, vous y entrerez, et irez prendre votre place auprès des dames que vous y avez vues. » Elle se jeta aux pieds de son mari, en pleurant et en lui demandant pardon, avec toutes les marques d'un vrai repentir[12] de n'avoir pas été obéissante. Elle aurait attendri un rocher belle et affligée[13] comme elle était ; mais la Barbe bleue avait le cœur plus dur qu'un rocher.
90 « Il faut mourir Madame, lui dit-il, et tout à l'heure[14].

– Puisqu'il faut mourir, répondit-elle, en le regardant les yeux baignés de larmes, donnez-moi un peu de temps pour prier Dieu.

– Je vous donne un quart d'heure, reprit la Barbe bleue, mais pas un moment davantage. »
95 Lorsqu'elle fut seule, elle appela sa sœur, et lui dit : « Ma sœur Anne (car elle s'appelait ainsi), monte, je te prie, sur le haut de la tour pour voir si mes frères ne viennent point ; ils m'ont promis qu'ils me viendraient voir aujourd'hui, et si tu les vois, fais-leur signe de se hâter. »

La sœur Anne monta sur le haut de la tour, et la pauvre affligée lui criait
100 de temps en temps : « Anne, ma sœur ne vois-tu rien venir ? » Et la sœur Anne lui répondait : « Je ne vois rien que le soleil qui poudroie[15], et l'herbe qui verdoie[16]. » Cependant la Barbe bleue, tenant un grand coutelas à sa main, criait de toute sa force à sa femme : « Descends vite ou je monterai là-haut. – Encore un moment, s'il vous plaît, lui répondait sa femme » ; et
105 aussitôt elle criait tout bas : « Anne, ma sœur Anne, ne vois-tu rien venir ? » Et la sœur Anne répondait : « Je ne vois rien que le soleil qui poudroie, et l'herbe qui verdoie. – Descends donc vite, criait la Barbe bleue, ou je monterai là-haut. – Je m'en vais, répondait sa femme », et puis elle criait : « Anne, ma sœur Anne, ne vois-tu rien venir ? – Je vois, répondit la sœur
110 Anne, une grosse poussière qui vient de ce côté-ci. – Sont ce mes frères ? – Hélas ! non, ma sœur, c'est un troupeau de moutons. – Ne veux-tu pas descendre ? criait la Barbe bleue. – Encore un moment », répondait sa

10. Grès : roche formée de petits éléments unis.

11. Prompt : rapide.

12. Repentir : regret, remords.

13. Affligée : profondément attristée, accablée.

14. Tout à l'heure : tout de suite, maintenant.

15. Le soleil poudroie : les poussières paraissent dans les rayons solaires.

16. Verdoyer : paraître vert.

femme ; et puis elle criait : « Anne, ma sœur Anne, ne vois-tu rien venir ?
– Je vois, répondit-elle, deux cavaliers qui viennent de ce côté-ci, mais ils
115 sont bien loin encore : Dieu soit loué, s'écria-t-elle un moment après, ce
sont mes frères, je leur fais signe tant que je puis de se hâter. » La Barbe
bleue se mit à crier si fort que toute la maison en trembla. La pauvre femme
descendit, et alla se jeter à ses pieds toute éplorée[17] et toute échevelée.
« Cela ne sert de rien, dit la Barbe bleue, il faut mourir », puis la prenant
120 d'une main par les cheveux, et de l'autre levant le coutelas en l'air, il allait
lui abattre la tête. La pauvre femme se tournant vers lui, et le regardant
avec des yeux mourants, le pria de lui donner un petit moment pour se
recueillir. Non, non, dit-il, recommande-toi bien à Dieu ; et levant son
bras... Dans ce moment on heurta si fort à la porte, que la Barbe bleue
125 s'arrêta tout court : on ouvrit, et aussitôt on vit entrer deux cavaliers, qui
mettant l'épée à la main, coururent droit à la Barbe bleue. Il reconnut que
c'étaient les frères de sa femme, l'un dragon[18] et l'autre mousquetaire, de
sorte qu'il s'enfuit aussitôt pour se sauver ; mais les deux frères le pour-
suivirent de si près, qu'ils l'attrapèrent avant qu'il pût gagner le perron. Ils
130 lui passèrent leur épée au travers du corps, et le laissèrent mort. La pauvre
femme était presque aussi morte que son mari, et n'avait pas la force de
se lever pour embrasser ses frères.

Il se trouva que la Barbe bleue n'avait point d'héritiers, et qu'ainsi sa
femme demeura maîtresse de tous ses biens. Elle en employa une grande
135 partie à marier sa sœur Anne avec un jeune gentilhomme, dont elle était
aimée depuis longtemps ; une autre partie à acheter des charges de capitaine à ses deux frères ; et le reste à se marier elle-même à un fort honnête homme, qui lui fit oublier le mauvais temps qu'elle avait passé avec
la Barbe bleue.

17. Éplorée : qui est
en pleurs.
18. Dragon : soldat
de cavalerie.

140 MORALITÉ
La curiosité malgré tous ses attraits,
Coûte souvent bien des regrets ;
On en voit tous les jours mille exemples paraître.
C'est, n'en déplaise au sexe, un plaisir bien léger ;
145 Dès qu'on le prend il cesse d'être.
Et toujours il coûte trop cher.

AUTRE MORALITÉ
Pour peu qu'on ait l'esprit sensé,
Et que du monde on sache le grimoire,
150 On voit bientôt que cette histoire
Est un conte du temps passé ;
Il n'est plus d'époux si terrible,
Ni qui demande impossible,
Fût-il malcontent et jaloux.
155 Près de sa femme on le voit filer doux ;
Et de quelque couleur que sa barbe puisse être,
On a peine à juger qui des deux est le maître.

La Maison de la Barbe bleue,
illustration d'Arthur Rackham, 1933.

🐾 **Charles Perrault**, *Histoires ou Contes du temps passé, avec des moralités*, 1697.

Lecture

Pour bien lire

1 Quelles sont les deux caractéristiques de Barbe bleue énoncées dans la première phrase ?

2 Expliquez cette phrase : « tout alla si bien, que la cadette commença à trouver que le maître du logis n'avait plus la barbe si bleue » (l. 17-18).

3 À quelle épreuve le mari soumet-il sa jeune épouse ?

4 Que découvre-t-elle dans le cabinet secret ?

5 Pourquoi ne parvient-elle pas à cacher sa faute à son mari ? Quelle en sera la conséquence ?

Pour approfondir

6 a. Oral Lisez à plusieurs voix et en vous répartissant les rôles l'extrait de la ligne 99 à 116.
b. Qu'éprouve-t-on à la lecture de cette scène ? Comment l'auteur s'y prend-il pour faire naître cette émotion ?

7 Dans bien des contes, le héros, tout en étant comblé, est soumis à l'épreuve de la chambre interdite.
a. Qu'est-ce qui montre, dans le troisième paragraphe, que la jeune épouse est comblée ?
b. En quoi le personnage de Barbe bleue joue-t-il le personnage de tentateur ?
c. Connaissez-vous d'autres histoires mettant en scène un personnage jouant auprès d'une femme le rôle de tentateur ?

8 Que veut montrer Perrault dans la seconde moralité ?

Vocabulaire

1 Donnez, pour chacun des adjectifs suivants, un mot de la même famille : *éplorée* – *échevelée*.
Cherchez le sens de ces deux adjectifs.

2 Donnez le nom en -*eur* de la même famille que les mots suivants : *effrayé* – *horrifié* – *terrifiant* – *endolori* – *vigoureux* – *hideux* – *ardent* – *gros*.
<u>Exemple</u> : *apeuré* → *la peur*.

Écriture

Voici le début d'un conte russe :

« La reine s'absente et laisse la garde de son palais au prince Ivan, son époux, mais en lui recommandant avec insistance de ne pas ouvrir un certain coffre. »

Imaginez la suite de cette histoire. Pour cela vous utiliserez les phrases suivantes que vous compléterez.

1. « Il fut si pressé de sa curiosité que …. »
2. « Il s'avança vers le coffre avec tant de précipitation que …. »
3. « La tentation était si forte que …. »
4. « Sa surprise fut si grande que …. »

La Barbe bleue, illustration d'**Edmond Dulac**, 1910 (éd. Piazza, Paris).

La Barbe bleue, Gustave Doré

La Barbe bleue,
**illustration
de Gustave Doré**,
1862 (Jules Hertzel,
Paris).

Du texte à l'image

Gustave Doré (1832-1883) est un illustrateur, graveur, peintre et sculpteur français. Il connaît la célébrité de son vivant, notamment grâce à ses illustrations des *Contes* de Charles Perrault.

L'illustration d'un conte

1. Qui sont les deux personnages représentés ? Qu'est-ce qui vous permet de les identifier ?

2. D'après les costumes, à quelle époque Gustave Doré situe-t-il ses personnages ?

3. Quel épisode est ici illustré ?

Le merveilleux

4. Comparez les proportions de chaque personnage. Quelle remarque pouvez-vous faire ?

5. Quel geste de Barbe bleue montre qu'il met en garde son épouse ?

6. Quel détail du visage transforme cette mise en garde en une terrible menace ?

7. Décrivez l'attitude de la jeune femme (gestes, regards) : semble-t-elle entendre son époux ?

8. En observant cette image, que peut-on deviner sur la suite du conte ?

Atelier de lecture

Le personnage
du monstre dans les contes

I. La sorcière : femme qui aide à grandir ou créature malfaisante ?

Lisez les textes 1, 2 et 3, *Dame Holle* des frères Grimm, et *La Princesse grenouille* d'Afanassiev. Répondez ensuite aux questions.

1 a. Quelle sorte de personnage lance la malédiction dans *La Belle au bois dormant* ?
b. Quelle conclusion en tirez-vous sur ce personnage ?

2 a. En quoi consiste le pouvoir de Baba Yaga ? De Dame Holle ?
b. Qu'en déduisez-vous du personnage de la sorcière ?

3 Dans quel lieu les sorcières vivent-elles ?

4 Quelles caractéristiques les sorcières des contes ont-elles en commun ?

5 Dans quels contes le personnage de la sorcière est-il maléfique ? Que risque le héros ?

6 Dans quels contes joue-t-il un rôle positif ? À quelles conditions ?

7 De manière générale, qu'arrive-t-il au héros après sa rencontre avec la sorcière ?

II. Ogres et loups : quelles ruses pour ne pas être dévoré ?

Lisez les textes 4, 5 et 6, *Le Petit Chaperon rouge* de Charles Perrault et *Le Vaillant Petit Tailleur* des frères Grimm. Répondez ensuite aux questions.

1 Qu'ont en commun les héros de ces trois contes : *Le Petit Poucet, Le Petit Chaperon rouge, Le Vaillant Petit Tailleur* ?

2 Quel trait de caractère ont en commun le Petit Chaperon rouge et la femme dans *Barbe bleue* ?

3 a. Quel est le trait de caractère commun aux ogres et aux géants dans *Le Chat botté, Le Petit Poucet* et *Le Vaillant Petit Tailleur* ?
b. De quelle manière le héros parvient-il à se débarrasser d'eux ?

4 Quels héros se font dévorer ? Par quelle sorte de personnage ? Sont-ils des monstres ?

5 **Débat** Quel personnage vous a le plus effrayé ? Pourquoi ? Ce personnage est-il un monstre ? Discutez de vos réponses.

Le Vaillant Petit Tailleur rencontre le géant, **Ignatius Taschner**, gravure sur bois, 1902.

70

La confrontation au monstre

Synthèse

Des personnages universels

✳ Les contes traditionnels trouvent leur origine dans des **mythes et légendes universels**. C'est pourquoi, d'un pays à l'autre, ils présentent des **thèmes et des personnages communs**.

✳ L'univers des contes est **merveilleux**, c'est-à-dire qu'il est hors de la réalité. Le cadre y est toujours imprécis, relégué dans un passé lointain par la fameuse formule « il était une fois » et dans un royaume ou une forêt qui semblent **hors du monde**. Ensuite les personnages y subissent toujours une épreuve en se confrontant à un **être surnaturel souvent monstrueux**.

Le monstre, aux frontières de l'humain ?

✳ Dans la plupart des contes, le héros rencontre un personnage aux aspects redoutables : à la fois humain et étranger à l'humanité, cet être se singularise soit par des **caractéristiques physiques hors du commun** (taille disproportionnée, barbe bleue, yeux rouges...), soit par des **dons surnaturels** (magie), quand il ne cumule pas les deux.

✳ Lorsque ces êtres ont une apparence humaine, ils ont toujours quelques traits qui les rapprochent du **monde animal** : ogres et sorcières dévorent la chair fraîche et ont du flair. Ainsi cumulent-ils l'instinct de la bête et la cruauté de l'homme : la sorcière bâtit une maison de sucre pour attirer à elle les enfants.

Le monstre, être bénéfique ou maléfique ?

✳ Ces personnages effrayants sont, la plupart du temps, les détenteurs d'un **trésor** ou d'un **secret**.

– Les **fées** président au destin des êtres humains ; descendantes des Parques romaines ou des Moires grecques, elles sont les garantes du respect des rites.

– Les **sorcières** remplissent la même fonction. Elles initient le héros en lui imposant une épreuve douloureuse qui, souvent, le transforme et l'enrichit. Elles sont aussi étroitement liées aux forces de la nature, d'où elles tiennent leur pouvoir : Baba Yaga commande au jour et à la nuit.

– Les **ogres** et les **géants** sont, la plupart du temps, les gardiens d'un trésor. Leur force physique est redoutable, mais leur intelligence est limitée. Ainsi le héros, aussi faible soit-il, parvient-il à les vaincre par la ruse.

✳ À travers ces confrontations douloureuses avec un être monstrueux et des épreuves apparemment insurmontables, le conte parle de la nécessité de se former, de se transformer, en apprivoisant nos propres peurs.

Marionnette indonésienne, XIXe siècle (Ethnologisches Museum, Berlin).

Qualités et défauts

1 Dès sa naissance, la Belle au bois dormant est parée de toutes les vertus.

a. Qu'est-ce qu'une *vertu* ?

b. Quel est l'antonyme (mot de sens contraire) de ce mot ?

2 Faites correspondre à chacun des défauts de la liste A la vertu qui s'y oppose dans la liste B. Recherchez la définition des mots que vous ne connaissez pas.

A. la paresse – l'orgueil – la gourmandise – l'avarice – la colère – l'envie

B. la sérénité – la générosité – l'humilité – le zèle – le détachement – la frugalité

3 La série de mots suivants se rapporte à la beauté.

beau – délicat – magnifique – somptueux – mignon – attrayant – harmonieux

a. **Pour chacun d'eux, trouvez un antonyme dans la liste ci-dessous en respectant le degré d'intensité. Discutez de vos choix.**

horrible – repoussant – hideux – grossier – ingrat – difforme – laid

b. **Choisissez cinq de ces mots pour rédiger en quelques phrases le portrait d'une princesse.**

c. **Choisissez cinq de ces mots pour rédiger maintenant le portrait d'une affreuse sorcière.**

4 a. **Recopiez et complétez les phrases avec les participes passés des verbes suivants que vous accorderez.**

vêtir – orner – parer

1. Pour se rendre au bal, les deux sœurs sont magnifiquement ... de rubans et de bijoux.
2. Cendrillon était ... de haillons.
3. Elle portait un manteau de velours rouge, ... de fleurs d'or.

b. **Trouvez, pour chacun de ces verbes, un nom de la même famille.**

5 Rangez les mots suivants en commençant par celui qui désigne le moins courageux et en terminant par celui qui désigne le plus courageux.

audacieux – courageux – entreprenant – hardi – lâche – prudent – réservé – téméraire – timoré

6 a. **Associez à chaque adjectif son antonyme.**

doux • • colossal
séduisant • • difforme
grâcieux • • répugnant
étincelant • • brutal
minuscule • • terne

b. **En quelques lignes, décrivez une petite fée à l'aide des mots de la liste de gauche, puis un ogre à l'aide des mots de la liste de droite.**

7 Remplacez les mots en gras par un synonyme choisi dans la liste suivante.

vaillant – hardi – couard – discrète – humble

1. Cendrillon, **réservée**, n'osait lever les yeux sur le prince.
2. Il avait remporté bien des victoires, mais restait **modeste** en toutes circonstances.
3. Le **courageux** garçon s'avança vers le géant.
4. **Audacieux**, il dégaina son épée et l'enfonça dans la gueule du monstre.
5. Son **peureux** de frère restait caché derrière un rocher.

8 Donnez l'adjectif qui correspond à chaque définition.

1. Qui fait preuve de ténacité.
2. Qui résiste à la fatigue physique.
3. Qui manifeste de nombreuses qualités morales.
4. Qui est plein de charme.
5. Qui fait preuve d'humilité.

9 a. **Quel sentiment les mots suivants expriment-ils ?**

la fureur – le dépit – le ressentiment – le courroux – l'irritation – la rage

b. **Expliquez les nuances de sens qui les distinguent en les replaçant dans les phrases suivantes.**

1. Les deux sœurs conçurent du ... en constatant que la petite pantoufle allait si bien à Cendrillon.
2. Il ne parvenait pas à résoudre ce problème et cela provoquait chez lui une vive ....
3. Neptune, de son trident, met les flots en ....
4. La pauvre femme tremble devant la ... de Barbe bleue.
5. L'ogre fut pris de ... en découvrant qu'il avait égorgé ses propres filles.
6. La femme de l'ogre conserva un vif ... envers l'homme qui avait tué ses filles.

Enchaîner les actions

→ Utiliser la ponctuation et les mots de liaison

1 **a.** Recopiez les phrases suivantes, en ajoutant les points et les majuscules qui permettent de séparer les actions en différentes phrases (un verbe par phrase).

1. Le prince entra dans le château aussitôt les buissons de ronce se refermèrent derrière lui il avança alors en silence

2. Cendrillon pleura longtemps dans le jardin soudain sa marraine apparut aussi la jeune fille confia-t-elle à la fée les raisons de son chagrin

3. Le jeune homme laissa la grenouille derrière lui il entendit bientôt un étrange froissement il se retourna d'un bond il vit alors à la place de l'affreuse bête une merveilleuse jeune fille

b. Dans les phrases précédentes que vous avez recopiées, soulignez les mots de liaison qui montrent l'enchaînement des actions.

c. Recopiez et complétez les phrases suivantes avec les mots de liaison que vous avez soulignés.

1. Les enfants grignotaient le toit de la maison. ⸬ une vieille femme aux yeux rouges apparut à la porte. Elle leur demanda ⸬ ce qu'ils faisaient là.

2. Le prince s'empara de la cage d'or. ⸬ une sonnerie retentit dans tout le palais. Les gardes se précipitèrent ⸬ sur lui pour l'arrêter.

3. Toutes les portes du château étaient fermées. ⸬ le prince décida-t-il d'escalader la tour.

2 Recopiez les phrases en plaçant au bon endroit les virgules afin de séparer les différentes actions.

1. Il entrouvrit donc la porte prit l'oiseau et le mit dans la cage d'or. (AFANASSIEF)

2. Va dans le jardin tu y trouveras six lézards derrière l'arrosoir apporte-les moi. (PERRAULT)

3. Il passe une grande cour pavée de marbre il monte l'escalier il entre dans la salle des gardes qui étaient rangés en haie. (PERRAULT)

4. Le cavalier tourna la bride parvint à la hauteur des poursuivants les faucha tous puis se dépêcha de rejoindre le roi.

→ Transformer les phrases

3 Afin d'exprimer la rapidité dans l'enchaînement de deux actions, transformez les phrases selon le modèle.

Exemple : La jeune fille était arrivée près du lit de son père et celui-ci s'éveilla. → À peine la jeune fille était-elle arrivée près du lit de son père que celui-ci s'éveilla.

1. Le fils du roi s'était installé sur le dos du renard et celui-ci se mit à courir, laissant derrière eux tous les obstacles.

2. Les enfants étaient entrés au château et le tonnerre se mit à gronder, le plafond se fendit en deux.

3. Ils s'étaient cachés et dans les airs apparut Kochtcheï l'immortel.

4. La fée avait frappé la citrouille de sa baguette magique et elle se transforma en un beau carrosse doré.

4 Afin d'exprimer deux actions qui ont lieu en même temps, transformez les phrases selon le modèle.

Exemple : Il aperçut un dragon ; le dragon crachait du feu et s'agitait en tous sens. → Il aperçut un dragon crachant du feu et s'agitant en tous sens.

1. Poucet et ses frères observaient craintivement les loups ; les loups se massaient en meutes au pied de l'arbre.

2. Le marquis de Carabas sauta dans la rivière ; il se débattit et appela au secours.

3. Peau d'âne frappa le sol de sa baguette ; elle fit apparaître la caissette qui contenait ses robes.

4. Sa mère lui confia le panier ; elle lui recommanda de ne pas adresser la parole aux inconnus.

5. Poucet aperçut bientôt l'ogre ; l'ogre se cachait derrière un rocher.

→ Utiliser le vocabulaire

5 Exprimez une succession d'actions : recopiez le texte et complétez-le avec les verbes suivants que vous conjuguerez au passé simple.

se dresser – pénétrer – galoper – atteindre – franchir – abandonner – parcourir – poursuivre – aller

Un jeune prince parcourt une longue route

Infatigable, il ⸬ les plaines et les montagnes, ⸬ fleuves et rivières et ⸬ enfin les portes du septième royaume. Il ⸬ encore longtemps, longtemps, jusqu'à la tombée de la nuit. Bientôt il ⸬ sa monture épuisée et ⸬ à pied. Soudain devant lui ⸬ les murs d'un domaine tels les remparts d'une ville forte. Il ⸬ dans la cour, ⸬ droit au perron et frappa.

Racontez une rencontre avec un monstre

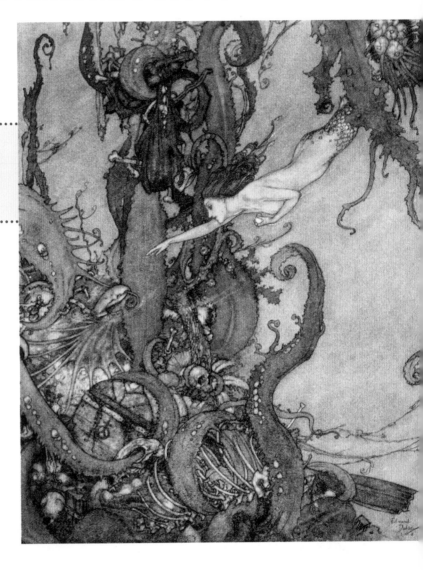

SUJET

À votre tour, vous allez écrire un conte dans lequel le héros rencontre un être monstrueux qui lui fait subir une épreuve.

La Petite Sirène et la sorcière des mers, **illustration d'Edmond Dulac,** 1911 (éd. Piazza, Paris).

A   Travailler au brouillon

1 Qui est votre héros ? Prince, princesse, enfant...

2 Quelle est sa situation de départ ? Imaginez une situation instable qui va pousser votre personnage à s'aventurer vers un lieu dangereux.

3 Où votre héros s'aventure-t-il ? Forêt, château, grotte...

4 Quel monstre rencontre-t-il ? Quelles sont ses caractéristiques ?

5 Quelle épreuve le monstre fait-il subir au héros ?

6 Quelle est la qualité principale de votre héros (courage, ruse) ? Est-il protégé ou aidé par un être surnaturel ?

7 Quelle est l'issue de cette rencontre ? Votre héros est-il vainqueur ou se fait-il dévorer ? Qu'obtient-il de plus par rapport à la situation de départ ?

B   Les étapes du récit

8 Rédigez ce conte en quatre paragraphes.
– Présentez le héros et sa situation.
– Décrivez le départ du héros vers un lieu inconnu et sa rencontre avec le monstre.
– Rédigez une ou deux épreuves que subit le héros.
– Racontez l'issue de cette rencontre.

Des livres

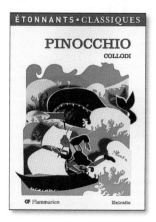

Pinocchio, **Carlo Collodi**, Flammarion, « Étonnants classiques », 2007.

Pinocchio, un pantin de bois créé par le menuisier Gepetto, traverse de nombreuses aventures avant d'être transformé en véritable petit garçon et de quitter le rêve pour la réalité.

Les Contes du chat perché, **Marcel Aymé**, publiés entre 1934 et 1946.

Delphine et Marinette vivent à la campagne avec leurs parents et partagent avec les animaux de la ferme de nombreuses aventures, toutes plus cocasses les unes que les autres.

Peter Pan, **James Matthew Barrie**, Gallimard, « Folio junior », 2009.

Peter, un curieux garçon qui a cessé de grandir, fait irruption dans la chambre de Wendy et ses frères et propose de les emmener au pays imaginaire, une île peuplée de pirates et d'enfants perdus.

Des films

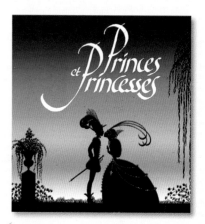

Le Château ambulant, **réalisé par Hayao Miyasaki**, 2005, DVD.

La vie de la jeune Sophie bascule le jour où elle croise sur son chemin le sorcier Hauru. Elle entre alors au service de ce dernier et vit dans un étrange château ambulant qui la fait passer d'un monde à l'autre.

Le Petit Poucet, **réalisé par Michel Boisrond**, 1972, DVD.

Un petit Poucet féérique qui tombe amoureux de la princesse Rose-monde, pour qui il est prêt à défier l'ogre le plus terrifiant.

Princes et Princesses, **réalisé par Michel Ocelot**, 2000, DVD.

Michel Ocelot présente en théâtre d'ombres une multitude de contes d'univers culturels variés.

3

Belles et Bêtes, du livre à l'écran

Qu'est-ce qu'adapter une œuvre au cinéma ?

Repères **La diffusion des récits populaires** 78

Textes et images

1. *La Belle et la Bête*, Mme Leprince de Beaumont — Étude intégrale

1. « Le prix d'une rose » 80

2. « Dans l'antre de la Bête » 83

3. « La mise à l'épreuve » 86

2. *Le Lai de Mélion* — Étude intégrale

4. « Un étrange chevalier » 91

5. « Le loup du roi » 94

6. « La justice du roi » 96

Fiche technique Le cadrage au cinéma 98

Étude de film *La Belle et la Bête*, Jean Cocteau 99

Étude de film « Le Loup-garou », *Les Contes de la nuit*, Michel Ocelot 102

Atelier de lecture **Comparer les deux contes** 104

Synthèse **Adapter une œuvre au cinéma** 105

Vers l'écriture

• **Vocabulaire :** Des mots pour parler d'une œuvre 106

• **Apprendre à rédiger :** Exprimer son opinion sur une œuvre 107

• **À vos plumes !** Écrire une critique littéraire ou cinématographique 108

Coin lecture, coin cinéma 109

Affiche du film *La Belle et la Bête*, de Jean Cocteau, 1946.

Lire une image

1 Quelle est la nature exacte de cette image ?

2 **a.** Qui a réalisé le film ? **b.** De quelle œuvre ce film est-il tiré ?

3 Qui a réalisé le dessin ?

4 **a.** Qui sont les personnages représentés ? **b.** Qu'est-ce qui les oppose ?

5 Quels détails de l'image évoquent le luxe et la beauté ?

La diffusion des récits populaires

Le conte, de l'oral à l'écrit...

• Les contes sont d'abord **des récits oraux**. Au Moyen Âge, où les livres sont rares, ce sont encore des jongleurs qui colportent les récits populaires, allant de place en place et de château en château. **Inspirés par les métamorphoses antiques**, ils mettent en scène toutes sortes de transformations : princes changés en grenouilles, en ours... Ainsi, le *Lai de Mélion* (lai, au Moyen Âge, signifie *poème*) raconte l'histoire d'un chevalier changé en loup. Il a été d'abord transmis oralement, et l'on n'en connaît pas l'auteur.

• **Au XVIIᵉ siècle, le conte devient un genre à la mode** chez les lettrés. Des écrivains reconnus, comme Charles Perrault, mettent par écrit les récits populaires. Ils inventent aussi des histoires originales en reprenant les personnages caractéristiques des contes : princesses dont la beauté n'a d'égale que la vertu, parfaits chevaliers, reines jalouses, monstres divers...

• Dans le prolongement de cette mode, Mme Leprince de Beaumont, préceptrice pour enfants, écrit *La Belle et la Bête* en 1757.

Questions

1 Connaissez-vous des histoires dans lesquelles un personnage est changé en animal ?

2 À quelle époque Charles Perrault a-t-il vécu ?

3 Citez des contes de cet auteur.

Théâtre d'ombres (Java, Indonésie).

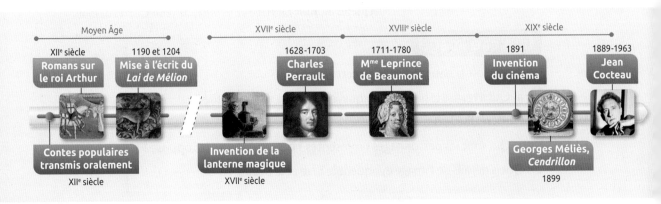

Moyen Âge		XVIIᵉ siècle	XVIIIᵉ siècle	XIXᵉ siècle	
XIIᵉ siècle	1190 et 1204	1628-1703	1711-1780	1891	1889-1963
Romans sur le roi Arthur	**Mise à l'écrit du *Lai de Mélion***	**Charles Perrault**	**Mᵐᵉ Leprince de Beaumont**	**Invention du cinéma**	**Jean Cocteau**
Contes populaires transmis oralement		**Invention de la lanterne magique**		**Georges Méliès, *Cendrillon***	
XIIᵉ siècle		XVIIᵉ siècle		1899	

... et du théâtre au cinéma

• De tout temps, les hommes ont tenté de représenter les histoires qu'ils racontaient. Dès l'antiquité, en Inde et en Chine, naît **le théâtre d'ombre** : des marionnettes sont animées entre une source de lumière et un écran, projetant leur ombre sur cet écran.

• En Europe, au XVIIᵉ siècle, Kirsher invente la **lanterne magique**. Mais ces images ne sont pas encore animées.

• Au XVIIIᵉ siècle, on fait de grands progrès dans l'optique. On invente toutes sortes d'objets permettant d'observer les premières images animées : folioscopes, zootropes... Mais il s'agit de séquences de quelques secondes seulement.

• Il faut attendre la **fin du XIXᵉ siècle**, et **l'invention par les frères Lumière du cinéma**, pour pouvoir voir de véritables films.

• Dès le début, le cinéma s'empare des contes. Ainsi **Georges Méliès**, un des premiers cinéastes, crée-t-il une version de *Cendrillon* en 1899.

Spectacle de lanterne magique, XIXᵉ siècle.

Questions

4 Décrivez la gravure ci-contre : que représente-t-elle ?

5 À votre avis, quel genre d'histoire est montré aux enfants ? Justifiez votre réponse.

Jean Cocteau

• Jean Cocteau (1889-1963) est un artiste français qui se fait connaître dès 20 ans par ses poèmes. Il fréquente alors les artistes parisiens, notamment les milieux du théâtre et de la danse. Il se lie avec **les surréalistes**, un groupe d'artistes qui recherche la fantaisie et la liberté. Avec eux, **il s'intéresse beaucoup au monde des rêves**, où tout est possible, et où les associations les plus inattendues créent une forme de poésie.

• Dans son œuvre immense, il croise sans cesse écriture, mise en scène, musique, danse... Il écrit des romans (*Les Enfants terribles*, 1929), des pièces de théâtre (*La Machine infernale*, 1934), des ballets (*Parade*, 1917) et réalise plusieurs films comme *Le Sang d'un poète* (1932) et *La Belle et la Bête*, en 1946, inspiré par l'œuvre de Mme Leprince de Beaumont.

Questions

6 De quel mouvement artistique Cocteau a-t-il été proche ?

7 À quel domaine ces artistes s'intéressent-ils ? Pourquoi ?

Jean Cocteau sur le tournage de *La Belle et la Bête* (1946).

La Belle et la Bête

Le prix d'une rose

Jeanne-Marie Leprince de Beaumont

(1711-1780)
Écrivain français chargé de l'éducation de jeunes filles, Mme Leprince de Beaumont a rassemblé de nombreux contes, dont *La Belle et la Bête*, dans un recueil destiné à leur instruction, intitulé *Le Magasin des enfants*.

Il y avait une fois un marchand qui était extrêmement riche. Il avait six enfants, trois garçons et trois filles ; et, comme ce marchand était un homme d'esprit, il n'épargna rien pour l'éducation de ses enfants, et leur donna toutes sortes de maîtres. Ses filles étaient très belles ; mais la cadette,
5 surtout, se faisait admirer, et on ne l'appelait, quand elle était petite, que *La Belle enfant* ; en sorte que le nom lui en resta ; ce qui donna beaucoup de jalousie à ses sœurs. Cette cadette, qui était plus belle que ses sœurs, était aussi meilleure qu'elles. Les deux aînées avaient beaucoup d'orgueil, parce qu'elles étaient riches ; elles faisaient les dames, et ne voulaient pas
10 recevoir les visites des autres filles de marchands ; il leur fallait des gens de qualité[1] pour leur compagnie. Elles allaient tous les jours au bal, à la comédie, à la promenade, et se moquaient de leur cadette, qui employait la plus grande partie de son temps à lire de bons livres.

Un jour, le marchand se rend en ville. Ses filles aînées lui réclament des bijoux et de belles toilettes. La Belle ne demande rien de plus qu'une rose. Mais sur le chemin du retour, une tempête se lève et le marchand se perd.

Il neigeait horriblement ; le vent était si grand, qu'il le jeta deux fois en
15 bas de son cheval, et, la nuit étant venue, il pensa qu'il mourrait de faim ou de froid, ou qu'il serait mangé des loups, qu'il entendait hurler autour de lui. Tout d'un coup, en regardant au bout d'une longue allée d'arbres, il vit une grande lumière, mais qui paraissait bien éloignée. Il marcha de ce côté-là, et vit que cette lumière sortait d'un grand palais qui était tout
20 illuminé. Le marchand remercia Dieu du secours qu'il lui envoyait, et se hâta d'arriver à ce château ; mais il fut bien surpris de ne trouver personne dans les cours. Son cheval, qui le suivait, voyant une grande écurie ouverte, entra dedans ; et, ayant trouvé du foin et de l'avoine, le pauvre animal, qui mourait de faim, se jeta dessus avec beaucoup d'avidité. Le
25 marchand l'attacha dans l'écurie, et marcha vers la maison, où il ne trouva personne ; mais, étant entré dans une grande salle, il y trouva un bon feu, et une table chargée de viande, où il n'y avait qu'un couvert. Comme la pluie et la neige l'avaient mouillé jusqu'aux os, il s'approcha du feu pour se sécher, et disait en lui-même : le maître de la maison ou ses domestiques
30 me pardonneront la liberté que j'ai prise, et sans doute ils viendront bientôt. Il attendit pendant un temps considérable ; mais onze heures ayant sonné, sans qu'il vit personne, il ne put résister à la faim, et prit un poulet qu'il mangea en deux bouchées, et en tremblant. Il but aussi quelques coups de vin, et, devenu plus hardi, il sortit de la salle, et traversa plusieurs grands
35 appartements, magnifiquement meublés. À la fin il trouva une chambre où il y avait un bon lit, et comme il était minuit passé, et qu'il était las, il prit le parti de fermer la porte et de se coucher.

---

1. Gens de qualité : personnes nobles, de haute condition sociale, comme des ducs ou des princes.

Il était dix heures du matin quand il se leva le lendemain, et il fut bien surpris de trouver un habit fort propre à la place du sien qui était tout gâté.

40 Assurément, dit-il, en lui-même, ce palais appartient à quelque bonne Fée qui a eu pitié de ma situation. Il regarda par la fenêtre et ne vit plus de neige ; mais des berceaux[2] de fleurs qui enchantaient la vue. Il rentra dans la grande salle où il avait soupé la veille, et vit une petite table où il y avait du chocolat. Je vous remercie, madame la Fée, dit-il tout haut, d'avoir eu

45 la bonté de penser à mon déjeuner. Le bon homme, après avoir pris son chocolat, sortit pour aller chercher son cheval, et, comme il passait sous un berceau de roses, il se souvint que la Belle lui en avait demandé, et cueillit une branche où il y en avait plusieurs. En même temps, il entendit un grand bruit, et vit venir à lui une Bête si horrible, qu'il fut tout prêt de s'éva-

50 nouir. «Vous êtes bien ingrat, lui dit la Bête, d'une voix terrible ; je vous ai sauvé la vie, en vous recevant dans mon château, et, pour ma peine, vous me volez mes roses que j'aime mieux que toutes choses au monde. Il faut mourir pour réparer cette faute ; je ne vous donne qu'un quart d'heure pour demander pardon à Dieu. Le marchand se jeta à genoux, et dit à la

55 Bête, en joignant les mains :

– Monseigneur, pardonnez-moi, je ne croyais pas vous offenser en cueillant une rose pour une de mes filles, qui m'en avait demandé.

– Je ne m'appelle point monseigneur, répondit le monstre, mais

60 la Bête. Je n'aime point les compliments, moi, je veux qu'on dise ce que l'on pense ; ainsi, ne croyez pas me toucher par vos flatteries ; mais vous m'avez dit que vous aviez des

65 filles ; je veux bien vous pardonner, à condition qu'une de vos filles vienne volontairement, pour mourir à votre place : ne me raisonnez pas[3] ; partez, et si vos filles refusent de mou-

70 rir pour vous, jurez que vous reviendrez dans trois mois. Le bon homme n'avait pas dessein de sacrifier une de ses filles à ce vilain monstre ; mais il pensa, au moins, j'aurai le plaisir

75 de les embrasser encore une fois. Il jura donc de revenir, et la Bête lui dit qu'il pouvait partir quand il voudrait.

Mme Leprince De Beaumont,
La Belle et la Bête, XVIIIe siècle.

L'arrivée au château,
gravure sur bois de Gustave Doré,
1862 (BNF, Paris).

Lecture

Pour bien lire

1 **a.** Présentez la famille du marchand : en quoi la cadette se distingue-t-elle des aînées ?
b. Connaissez-vous d'autres contes où un personnage se distingue de ses frères et sœurs ?

2 **a.** Comment le père arrive-t-il au palais ?
b. D'après vous, son attitude dans le palais est-elle correcte ou incorrecte ? Justifiez votre réponse en vous appuyant sur le texte.

3 **a.** Quelle faute le marchand commet-il en partant ?
b. Quel châtiment le maître des lieux lui inflige-t-il alors ?

Pour approfondir

4 **a.** Relisez les lignes 20 à 41 : quels détails montrent que le palais est enchanté ?
b. Qu'imagine le marchand en voyant tout cela ?

5 En réalité, qui est le maître des lieux (l. 48 à 55) ? Comment l'imaginez-vous ? Pourquoi ?

6 **a.** En quoi le comportement de ce personnage est-il digne de celui d'une bête sauvage ?
b. « Je ne m'appelle point monseigneur, répondit le monstre, mais la Bête. » À votre avis, pourquoi refuse-t-il d'être appelé « monseigneur » ?

**Rencontre du père avec la Bête,
illustration d'H. M. Brock** (1875-1960)
(bibliothèque des Arts décoratifs, Paris).

Vocabulaire

1 Sans utiliser de dictionnaire, mais à l'aide du contexte, donnez le sens des mots *las* (l. 36), *gâté* (l. 39), *offenser* (l. 56) et *dessein* (l. 72).

2 Il « se jeta dessus avec beaucoup d'avidité. » (l. 24)
a. *Avidité* vient du latin *avere* qui signifie « désirer violemment ». À partir de cette étymologie, expliquez le sens de l'expression « avec avidité ».
b. Recopiez la phrase en remplaçant cette expression par un adverbe de la même famille.

3 Donnez un synonyme et un antonyme de *hardi* (l. 34).

Écriture

Résumer un texte (1)

Complétez les phrases suivantes pour résumer le texte. Vous n'avez pas le droit d'ajouter d'autres phrases.

C'est l'histoire d'un ... qui a .... Les deux premières sont ..., la dernière est .... Un jour, le marchand .... Il arrive .... Comme il ne trouve personne, il ... et finit par s'endormir. Le matin, avant de repartir, il .... Alors surgit ... qui ....

Dans l'antre de la Bête

Malgré les protestations de son père, la Belle refuse de le laisser mourir et décide de se livrer à la Bête. Le père et la fille retournent donc au palais.

Le cheval prit la route du palais, et sur le soir ils l'aperçurent illuminé, comme la première fois. Le cheval fut tout seul à l'écurie, et le bon homme entra avec sa fille dans la grande salle, où ils trouvèrent une table magnifiquement servie, avec deux couverts. Le marchand n'avait pas le cœur de
5 manger ; mais Belle s'efforçant de paraître tranquille, se mit à table, et le servit ; puis elle disait en elle-même : la Bête veut m'engraisser avant de me manger, puisqu'elle me fait si bonne chère[1]. Quand ils eurent soupé, ils entendirent un grand bruit, et le marchand dit adieu à sa pauvre fille en pleurant ; car il pensait que c'était la Bête. Belle ne put s'empêcher de
10 frémir en voyant cette horrible figure ; mais elle se rassura de son mieux, et le monstre lui ayant demandé si c'était de bon cœur qu'elle était venue ; elle lui dit, en tremblant, qu'oui. Vous êtes bien bonne, dit la Bête, et je vous suis bien obligé[2]. Bon homme, partez demain matin, et ne vous avisez jamais de revenir ici. Adieu, la Belle. Adieu, la Bête, répondit-elle, et tout
15 de suite le monstre se retira. Ah ! ma fille, lui dit le marchand, en embrassant la Belle, je suis à demi-mort de frayeur. Croyez-moi, laissez-moi ici ; non, mon père, lui dit la Belle avec fermeté, vous partirez demain matin, et vous m'abandonnerez au secours du ciel ; peut-être aura-t-il pitié de moi. Ils furent se coucher, et croyaient ne pas dormir de toute la nuit ;
20 mais à peine furent-ils dans leurs lits que leurs yeux se fermèrent. Pendant son sommeil, la Belle vit une dame qui lui dit : « Je suis contente de votre bon cœur, la Belle ; la bonne action que vous faites, en donnant votre vie, pour sauver celle de votre père, ne demeurera point sans récompense. » La Belle, en s'éveillant, raconta ce songe[3] à son père, et, quoiqu'il le consolât
25 un peu, cela ne l'empêcha pas de jeter de grands cris, quand il fallut se séparer de sa chère fille.

Lorsqu'il fut parti, la Belle s'assit dans la grande salle, et se mit à pleurer aussi ; mais, comme elle avait beaucoup de courage, elle se recommanda[4] à Dieu, et résolut de ne point se chagriner, pour le peu de temps qu'elle
30 avait à vivre ; car elle croyait fermement que la Bête la mangerait le soir. Elle résolut de[5] se promener en attendant, et de visiter ce beau château. Elle ne pouvait s'empêcher d'en admirer la beauté. Mais elle fut bien surprise de trouver une porte, sur laquelle il y avait écrit : *Appartement de la Belle*. Elle ouvrit cette porte avec précipitation, et elle fut éblouie de la magni-
35 ficence qui y régnait ; mais ce qui frappa le plus sa vue fut une grande bibliothèque, un clavecin[6], et plusieurs livres de musique. On ne veut pas que je m'ennuie, dit-elle, tout bas ; elle pensa ensuite, si je n'avais qu'un jour à demeurer ici, on ne m'aurait pas fait une telle provision. Cette pensée ranima son courage. Elle ouvrit la bibliothèque, et vit un livre où il y

1. **Bonne chère** : bon accueil, notamment avec un bon repas.
2. **Obligé** : reconnaissant.
3. **Songe** : rêve.
4. **Se recommander à** : se confier à, se remettre à.
5. **Résoudre de** : décider de.
6. **Clavecin** : instrument de musique proche du piano.

La Belle et la Bête,
**illustration d'Eleanor
Vere Boyle**, 1875
(coll. privée).

avait écrit en lettres d'or : *Souhaitez,*
commandez ; vous êtes ici la reine et la
maîtresse. « Hélas ! dit-elle, en soupirant, je ne souhaite rien que de voir
mon pauvre père, et de savoir ce qu'il
fait à présent » : elle avait dit cela en
elle-même. Quelle fut sa surprise ! en
jetant les yeux sur un grand miroir,
d'y voir sa maison, où son père arrivait avec un visage extrêmement triste.
Ses sœurs venaient au-devant de lui,
et, malgré les grimaces qu'elles faisaient pour paraître affligées, la joie
qu'elles avaient de la perte de leur
sœur paraissait sur leur visage. Un
moment après, tout cela disparut, et
la Belle ne put s'empêcher de penser
que la Bête était bien complaisante[7],
qu'elle n'avait rien à craindre d'elle.
À midi, elle trouva la table mise, et,
pendant son dîner elle entendit un
excellent concert, quoiqu'elle ne vît
personne. Le soir, comme elle allait
se mettre à table, elle entendit le bruit
que faisait la Bête, et ne put s'empêcher de frémir.

– La Belle, lui dit ce monstre, voulez-vous bien que je vous voie souper ?

– Vous êtes le maître, répondit la
Belle en tremblant.

– Non, répondit la Bête, il n'y a ici de maîtresse que vous. Vous n'avez
qu'à me dire de m'en aller si je vous ennuie ; je sortirai tout de suite. Dites-
moi, n'est-ce pas que vous me trouvez bien laid ?

– Cela est vrai, dit la Belle, car je ne sais pas mentir ; mais je crois que
vous êtes fort bon.

– Vous avez raison, dit le monstre, mais, outre que je suis laid, je n'ai
point d'esprit : je sais bien que je ne suis qu'une Bête.

– On n'est pas Bête, reprit la Belle, quand on croit n'avoir point d'esprit : un sot n'a jamais su cela.

– Mangez donc, la Belle, lui dit le monstre ; et tâchez de ne vous point
ennuyer dans votre maison, car tout ceci est à vous ; et j'aurais du chagrin,
si vous n'étiez pas contente.

– Vous avez bien de la bonté, lui dit la Belle. Je vous avoue que je suis bien
contente de votre cœur ; quand j'y pense, vous ne me paraissez plus si laid.

– Oh dame, oui, répondit la Bête, j'ai le cœur bon, mais je suis un monstre.

– Il y a bien des hommes qui sont plus monstres que vous, dit la Belle ; et
je vous aime mieux avec votre figure que ceux qui, avec la figure d'hommes,
cachent un cœur faux, corrompu[8], ingrat.

7. Complaisant : qui
cherche à faire plaisir.

8. Corrompu :
malhonnête.

– Si j'avais de l'esprit, reprit la Bête, je vous ferais un grand compliment pour vous remercier ; mais je suis un stupide, et tout ce que je puis vous dire, c'est que je vous suis bien obligé.

La Belle soupa de bon appétit. Elle n'avait presque plus peur du monstre ; mais elle manqua mourir de frayeur, lorsqu'il lui dit : « La Belle, voulez-vous être ma femme ? » Elle fut quelque temps sans répondre : elle avait peur d'exciter la colère du monstre, en le refusant. Elle lui dit pourtant en tremblant : « non, la Bête ». Dans ce moment, ce pauvre monstre voulut soupirer, et il fit un sifflement si épouvantable, que tout le palais en retentit ; mais Belle fut bientôt rassurée, car la Bête lui ayant dit tristement : « Adieu donc, la Belle », sortit de la chambre, en se retournant de temps en temps pour la regarder encore. Belle, se voyant seule, sentit une grande compassion[9] pour cette pauvre Bête : « Hélas ! disait-elle, c'est bien dommage qu'elle soit si laide, elle est si bonne ! »

9. **Compassion :** pitié.

MME LEPRINCE DE BEAUMONT, *La Belle et la Bête*, XVIIIe siècle.

Parcours de lecture 1

1 a. Quels sont les sentiments du père et de la fille dans le premier paragraphe ? Pourquoi ?
b. Relevez, dans ce paragraphe, la phrase du texte qui dit à quel sort s'attend la Belle.

2 Quels sont les différents éléments qui surprennent la Belle au fil de la journée suivante ?

3 Que pensez-vous du comportement de la Bête avec sa prisonnière ?

4 Dans les lignes 91 à 101, relevez une phrase qui montre l'évolution des sentiments de la Belle pour la Bête.

5 À votre avis, qui est la dame que la Belle a vue en rêve (l. 20 à 23) ? Quel est son rôle ?

Parcours de lecture 2

1 Quelle est l'atmosphère du premier paragraphe ? Justifiez votre réponse en vous appuyant sur le texte.

2 a. Dans quelle sorte d'endroit les monstres des contes vivent-ils habituellement ?
b. Le palais de la Bête ressemble-t-il aux demeures habituelles des monstres ? Justifiez et développez votre réponse en vous appuyant sur le texte (l. 1 à 5 et 30 à 42).

3 a. L'attitude de la Bête est-elle celle d'un monstre ? Justifiez.
b. Quel détail du dernier paragraphe rappelle le caractère bestial du personnage ?

4 « Belle, se voyant seule, sentit une grande compassion pour cette pauvre Bête » (l. 99) : en quoi la situation à la fin du passage est-elle inattendue ?

5 De quelles qualités la Belle fait-elle preuve ?

Vocabulaire

1 Rappelez le sens de l'expression : « je vous suis bien obligé » (l. 90).

2 « La Bête était bien complaisante » (l. 57).
a. À l'aide de la note, donnez plusieurs mots de la famille de *complaisant*.
b. Recopiez la phrase en remplaçant *complaisant* par un antonyme.

3 À l'aide du contexte, donnez le sens d'*affligées* (l. 52).

Écriture

Résumer un texte (2)

1 Reformulez en trois phrases les trois informations principales du premier paragraphe.

2 Résumez en une seule phrase les lignes 27 à 54.

3 Lisez ce résumé des lignes 54 à 90 : « À table, la Bête se monte aimable, et la Belle commence à changer d'opinion à son sujet. » Quelle partie du texte n'a-t-on pas détaillée ? Pourquoi ?

4 Résumez le dernier paragraphe en une seule phrase, sans faire de dialogue.

La mise à l'épreuve

Belle passa trois mois dans ce palais avec assez de tranquillité. Tous les soirs, la Bête lui rendait visite, l'entretenait pendant le souper, avec assez de bon sens, mais jamais avec ce qu'on appelle esprit[1], dans le monde. Chaque jour, Belle découvrait de nouvelles bontés dans ce monstre. L'habitude de
5 le voir l'avait accoutumée à sa laideur ; et, loin de craindre le moment de sa visite, elle regardait souvent à sa montre pour voir s'il était bientôt neuf heures ; car la Bête ne manquait jamais de venir à cette heure-là. Il n'y avait qu'une chose qui faisait de la peine à la Belle, c'est que le monstre, avant de se coucher, lui demandait toujours si elle voulait être sa femme, et
10 paraissait pénétré de douleur lorsqu'elle lui disait que non. Elle dit un jour :

– Vous me chagrinez, la Bête ; je voudrais pouvoir vous épouser, mais je suis trop sincère pour vous faire croire que cela arrivera jamais. Je serai toujours votre amie ; tâchez de vous contenter de cela.

– Il le faut bien, reprit la Bête ; je me rends justice. Je sais que je suis
15 bien horrible ; mais je vous aime beaucoup ; cependant je suis trop heureux de ce que vous voulez bien rester ici ; promettez-moi que vous ne me quitterez jamais.

La Belle rougit à ces paroles. Elle avait vu dans son miroir que son père était malade de chagrin de l'avoir perdue ; et elle souhaitait de le revoir.
20 – Je pourrais bien vous promettre, dit-elle à la Bête, de ne vous jamais quitter tout à fait ; mais j'ai tant d'envie de revoir mon père, que je mourrai de douleur si vous me refusez ce plaisir.

– J'aime mieux mourir moi-même, dit ce monstre, que de vous donner du chagrin. Je vous enverrai chez votre père ; vous y resterez, et votre
25 pauvre Bête en mourra de douleur.

– Non, lui dit la Belle en pleurant, je vous aime trop pour vouloir causer votre mort. Je vous promets de revenir dans huit jours. Vous m'avez fait voir que mes sœurs sont mariées, et que mes frères sont partis pour l'armée. Mon père est tout seul, souffrez que je reste chez lui une semaine.
30 – Vous y serez demain au matin, dit la Bête ; mais souvenez-vous de votre promesse. Vous n'aurez qu'à mettre votre bague sur une table en vous couchant, quand vous voudrez revenir. Adieu, la Belle.

La Bête soupira selon sa coutume, en disant ces mots, et la Belle se coucha toute triste de la voir affligée. Quand elle se réveilla le matin, elle se
35 trouva dans la maison de son père ; et, ayant sonné une clochette qui était à côté de son lit, elle vit venir la servante qui fit un grand cri en la voyant. Le bon homme accourut à ce cri, et manqua mourir de joie en revoyant sa chère fille ; et ils se tinrent embrassés plus d'un quart d'heure. La Belle, après les premiers transports[2], pensa qu'elle n'avait point d'habits pour se
40 lever ; mais la servante lui dit, qu'elle venait de trouver dans la chambre voisine un grand coffre plein de robes toutes d'or, garnies de diamants. Belle remercia la bonne Bête de ses attentions ; elle prit la moins riche de ces robes, et dit à la servante de serrer les autres, dont elle voulait faire présent à ses sœurs ; mais à peine eut-elle prononcé ces paroles, que le coffre

1. Esprit : intelligence vive et brillante, capable de plaisanteries et de paroles galantes.
2. Transports : ici, manifestations de joie.

La Belle et la Bête,
**illustration
de Walter Crane**,
XIXe siècle (coll. privée).

45 disparut. Son père lui dit que la Bête voulait qu'elle gardât tout cela pour
elle ; et aussitôt les robes et le coffre revinrent à la même place. La Belle
s'habilla ; et, pendant ce temps on fut avertir ses sœurs qui accoururent
avec leurs maris ; elles étaient toutes deux fort malheureuses. L'aînée
avait épousé un gentilhomme, beau comme le jour ; mais il était si amou-
50 reux de sa propre figure, qu'il n'était occupé que de cela, depuis le matin
jusqu'au soir, et méprisait la beauté de sa femme. La seconde avait épousé
un homme qui avait beaucoup d'esprit ; mais il ne s'en servait que pour
faire enrager tout le monde, et sa femme toute la première. Les sœurs de
la Belle manquèrent de mourir de douleur, quand elles la virent habillée
55 comme une princesse, et plus belle que le jour. Elle eut beau les caresser[3],
rien ne put étouffer leur jalousie, qui augmenta beaucoup, quand elle leur
eut conté combien elle était heureuse. Ces deux jalouses descendirent dans
le jardin pour y pleurer tout à leur aise, et elles se disaient :

    — Pourquoi cette petite créature est-elle plus heureuse que nous ? Ne
60 sommes-nous pas plus aimables qu'elle ?

3. Caresser : ici,
se montrer aimable
avec quelqu'un, essayer
de lui plaire.

– Ma sœur, dit l'aînée, il me vient une pensée ; tâchons de l'arrêter ici plus de huit jours ; sa sotte Bête se mettra en colère de ce qu'elle lui aura manqué de parole, et peut-être qu'elle la dévorera.

– Vous avez raison, ma sœur, répondit l'autre. Pour cela, il lui faut faire de grandes caresses.

Et, ayant pris cette résolution, elles remontèrent, et firent tant d'amitié à leur sœur, que la Belle en pleura de joie. Quand les huit jours furent passés, les deux sœurs s'arrachèrent les cheveux, et firent tant les affligées de son départ, qu'elle promit de rester encore huit jours chez son père.

Cependant Belle se reprochait le chagrin qu'elle allait donner à sa pauvre Bête, qu'elle aimait de tout son cœur, et elle s'ennuyait de ne plus la voir. La dixième nuit qu'elle passa chez son père, elle rêva qu'elle était dans le jardin du palais, et qu'elle voyait la Bête couchée sur l'herbe et près de mourir, qui lui reprochait son ingratitude. La Belle se réveilla en sursaut, et versa des larmes. « Ne suis-je pas bien méchante, disait-elle, de donner du chagrin à une Bête qui a pour moi tant de complaisance ? Est-ce sa faute si elle est si laide, et si elle a peu d'esprit ? Elle est bonne, cela vaut mieux que tout le reste. Pourquoi n'ai-je pas voulu l'épouser ? Je serais plus heureuse avec elle, que mes sœurs avec leurs maris. Ce n'est ni la beauté, ni l'esprit d'un mari qui rendent une femme contente : c'est la bonté du caractère, la vertu, la complaisance ; et la Bête a toutes ces bonnes qualités. Je n'ai point d'amour pour elle, mais j'ai de l'estime, de l'amitié, de la reconnaissance. Allons, il ne faut pas la rendre malheureuse : je me reprocherais toute ma vie mon ingratitude. » À ces mots, Belle se lève, met sa bague sur la table, et revient se coucher. À peine fut-elle dans son lit, qu'elle s'endormit ; et, quand elle se réveilla le matin, elle vit avec joie qu'elle était dans le palais de la Bête. Elle s'habilla magnifiquement pour lui plaire, et s'ennuya à mourir toute la journée, en attendant neuf heures du soir ; mais l'horloge eut beau sonner, la Bête ne parut point. La Belle alors craignit d'avoir causé sa mort. Elle courut tout le palais, en jetant de grands cris ; elle était au désespoir. Après avoir cherché partout, elle se souvint de son rêve, et courut dans le jardin vers le canal, où elle l'avait vue en dormant. Elle trouva la pauvre Bête étendue sans connaissance, et elle crut qu'elle était morte. Elle se jeta sur son corps, sans avoir horreur de sa figure ; et, sentant que son cœur battait encore, elle prit de l'eau dans le canal, et lui en jeta sur la tête. La Bête ouvrit les yeux, et dit à la Belle :

– Vous avez oublié votre promesse ; le chagrin de vous avoir perdue m'a fait résoudre à me laisser mourir de faim ; mais je meurs content, puisque j'ai le plaisir de vous revoir encore une fois.

– Non, ma chère Bête, vous ne mourrez point, lui dit la Belle, vous vivrez pour devenir mon époux ; dès ce moment je vous donne ma main, et je jure que je ne serai qu'à vous. Hélas ! je croyais n'avoir que de l'amitié pour vous ; mais la douleur que je sens me fait voir que je ne pourrais vivre sans vous voir.

À peine la Belle eut-elle prononcé ces paroles qu'elle vit le château brillant de lumière ; les feux d'artifices, la musique, tout lui annonçait une fête ; mais toutes ces beautés n'arrêtèrent point sa vue : elle se retourna vers sa chère Bête, dont le danger la faisait frémir. Quelle fut sa surprise !

La Bête avait disparu, et elle ne vit plus à ses pieds qu'un prince plus beau
que l'Amour, qui la remerciait d'avoir fini son enchantement. Quoique ce
prince méritât toute son attention, elle ne put s'empêcher de lui demander où était la Bête.

– Vous la voyez à vos pieds, lui dit le prince. Une méchante fée m'avait
condamné à rester sous cette figure, jusqu'à ce qu'une belle fille consentît
à m'épouser, et elle m'avait défendu de faire paraître mon esprit. Ainsi, il
n'y avait que vous dans le monde, assez bonne pour vous laisser toucher
à la bonté de mon caractère ; et, en vous offrant ma couronne, je ne puis
m'acquitter des obligations que je vous ai. La Belle, agréablement surprise,
donna la main à ce beau prince pour le relever. Ils allèrent ensemble au
château, et la Belle manqua mourir de joie en trouvant, dans la grande
salle, son père et toute sa famille, que la belle dame, qui lui était apparue
en songe, avait transportée au château. « Belle, lui dit cette dame qui était
une grande fée, venez recevoir la récompense de votre bon choix : vous
avez préféré la vertu à la beauté et à l'esprit, vous méritez de trouver toutes
ces qualités réunies en une même personne. Vous allez devenir une grande

La Bête transformée en prince, **illustration de Horsley,** 1859 (coll. privée).

reine : j'espère que le trône ne détruira pas vos vertus. Pour vous, mesdemoiselles, dit la fée aux deux sœurs de Belle, je connais votre cœur et toute
la malice qu'il renferme. Devenez deux statues ; mais conservez toute votre
raison sous la pierre qui vous enveloppera. Vous demeurerez à la porte du
130 palais de votre sœur, et je ne vous impose point d'autre peine que d'être
témoins de son bonheur. Vous ne pourrez revenir dans votre premier état
qu'au moment où vous reconnaîtrez vos fautes ; mais j'ai bien peur que
vous ne restiez toujours statues. On se corrige de l'orgueil, de la colère, de
la gourmandise et de la paresse : mais c'est une espèce de miracle que la
135 conversion d'un cœur méchant et envieux. » Dans le moment, la fée donna
un coup de baguette qui transporta tous ceux qui étaient dans cette salle,
dans le royaume du prince. Ses sujets le virent avec joie, et il épousa la
Belle qui vécut avec lui fort longtemps, et dans un bonheur parfait, parce
qu'il était fondé sur la vertu.

Mme Leprince De Beaumont, *La Belle et la Bête*, XVIIIᵉ siècle.

Parcours de lecture 1

1 a. Combien de temps s'est-il passé depuis le début du récit ?
b. Parmi les propositions suivantes, choisissez celle qui vous semble
vraie et justifiez votre réponse par des citations du texte.
1. La Belle aime de plus en plus la Bête.
2. La Belle n'aime pas la Bête, mais accepte son sort.
3. La Belle souffre de plus en plus, prisonnière de la Bête.

2 Pourquoi la Belle quitte-t-elle la Bête ? Quelle promesse fait-
elle alors ?

3 Lignes 47 à 53, qu'apprend-on sur la situation des deux sœurs ?

4 Les deux sœurs « firent tant d'amitié à leur sœur, que la Belle
en pleura de joie » (l. 66-67) :
a. Quel est le but des sœurs ?
b. Quelles sont les conséquences de leur piège?

5 Qui est la dame de la ligne 121 ?

6 a. Que deviennent les différents personnages à la fin du récit ?
b. Quelles explications sont données au lecteur ? Développez et
approfondissez votre réponse.

Parcours de lecture 2

1 Au début de l'extrait, la Belle vous paraît-
elle heureuse ? Nuancez votre réponse en
vous appuyant sur le texte.

2 À votre avis, à quelle épreuve la Bête soumet-il la Belle ?

3 Lignes 47 à 53 : en quoi la situation des
sœurs et celle de la Belle s'opposent-elles ?

4 a. Quelle faute la Belle commet-elle ?
b. Est-elle punie ? Pourquoi ?

5 a. À la fin du récit, quels personnages
sont châtiés ? Lesquels sont récompensés ?
Pourquoi ?
b. Connaissez-vous d'autres récits où les fées
distribuent châtiments et récompenses ?
c. Au XVIIᵉ siècle, les contes se terminaient
souvent par une morale. Quelle pourrait être,
selon vous, la morale de cette histoire ? Qui
formule cette morale ?

Vocabulaire

1 Rappelez le sens des mots *affligée* (l. 34) et *complaisance* (l. 76).

2 En vous aidant des notes p. 83 et 87, donnez le sens de *caresses* (l. 65) et de *résolution* (l. 66).

Un étrange chevalier

Mélion est un chevalier du roi Arthur, « modèle de courtoisie et de vertu, il se faisait aimer de tous ». Il a épousé la fille du roi d'Irlande, d'une beauté incomparable, et dont il est tombé fou amoureux.

« **Le Loup-garou** »,
film d'animation
de Michel Ocelot,
2011.

Un jour, il alla dans la forêt en compagnie de sa chère femme. Comme il avait vu un cerf, ils se lancèrent à sa poursuite. L'animal s'enfuit, tête baissée. Un écuyer[1], qui portait son matériel de chasse, accompagnait Mélion. Ils avaient pénétré dans une lande et Mélion, ayant porté les yeux

5 sur un buisson, aperçut un très grand cerf qui se tenait là. Il regarda sa femme en riant :

— Mon amie, lui dit-il, je pourrais vous faire voir un cerf gigantesque, si je voulais ; tenez, le voilà dans ce buisson.

— Par ma foi, répondit-elle, sachez, Mélion, que si je n'ai pas un mor-

10 ceau de ce cerf, jamais plus je ne mangerai.

Elle tomba sans connaissance de son palefroi[2] et Mélion la releva. Comme il ne put lui donner satisfaction, elle se mit à pleurer amèrement.

— Mon amie, supplia-t-il, par la grâce de Dieu, ne pleurez plus, je vous en prie ; je porte à la main cet anneau que voici. Dans le chaton[3], il y a deux

15 pierres. Jamais l'on n'en vit de la sorte : l'une est blanche, l'autre vermeille ; vous allez en entendre dire des choses très étonnantes. Vous me toucherez avec la blanche et la mettrez sur ma tête : quand je me serai déshabillé, je deviendrai un loup grand et robuste. Par amour pour vous, je capturerai le cerf et vous rapporterai un morceau de viande. Je vous prie, par Dieu, de

20 m'attendre ici et de garder mes vêtements. Ma vie et ma mort sont entre vos mains : rien ne pourrait me secourir si je n'étais pas touché par l'autre pierre et jamais plus je ne reprendrais forme humaine.

1. **Écuyer** : jeune garçon au service d'un chevalier.
2. **Palefroi** : cheval.
3. **Chaton** : partie d'une bague où sont insérées les pierres.

Il appela son écuyer et lui demanda de lui enlever ses chausses. Ce dernier vint à lui, le déchaussa et Mélion pénétra dans le bois. Il ôta ses vêtements et, une fois nu, se couvrit de son manteau. Quand sa femme le vit nu, entièrement dévêtu, elle le toucha de l'anneau. Il devint alors un grand loup vigoureux et se précipita sans ménager ses efforts. Le loup partit, courant à toute vitesse vers les lieux où il avait vu le cerf arrêté et ne tarda pas à suivre ses traces. Mais il allait avoir bien du mal pour le rejoindre, le capturer et en retirer un morceau de viande.

La dame dit à l'écuyer : « Laissons-le donc chasser tout son soûl[4]. »

Elle monta à cheval, ne s'attarda pas davantage et emmena l'écuyer avec elle. La dame s'en retourna directement en Irlande, son pays. Elle se rendit sur le port, y trouva un bateau, discuta sans plus attendre avec les marins qui devaient la conduire à Dublin, ville située en bord de mer et appartenant à son père, le roi d'Irlande : elle obtint alors satisfaction. Dès qu'elle arriva au port, elle fut reçue à grand renfort de joie. Mais nous allons la quitter un moment pour retrouver Mélion.

Mélion était sur les traces du cerf : il l'avait harcelé sans répit et, l'ayant poursuivi dans la lande, il venait de l'abattre. Il en déchira alors un grand morceau de viande qu'il emporta dans sa gueule. Il repartit en toute hâte vers les lieux où il avait laissé sa femme mais ne l'y trouva pas : elle était retournée en Irlande. Il en fut extrêmement affligé et ne sut que faire en ne la trouvant pas à l'endroit prévu. Cependant, tout loup qu'il était, il avait une intelligence et une mémoire d'homme.

Il attendit si longtemps que le jour finit par décliner : il remarqua qu'on chargeait un bateau prêt à appareiller dans la nuit pour gagner directement l'Irlande. Il se dirigea vers les lieux, attendit qu'il fît nuit et pénétra dans le bateau. Il prenait des risques mais il n'avait cure[5] de préserver sa vie. Tapi, embusqué sous une claie[6], il sut se dérober aux regards. […]

Mélion parvient ainsi en Irlande et se cache dans la nature.

Après avoir parcouru friches, montagnes et forêts, Mélion s'était adjoint, à la longue, la compagnie d'une dizaine de loups qu'il avait entraînés avec lui, à force de flatteries et de cajoleries, et ces derniers faisaient tout ce qu'il voulait.

Ils s'infiltraient dans tout le pays et malmenaient hommes et femmes. Ils y demeurèrent ainsi une année entière durant laquelle ils dévastèrent toute la région, tuant hommes et femmes et ravageant tout le territoire. Ils étaient fort habiles pour se mettre à l'abri et le roi était impuissant à les surprendre.

Une nuit, après avoir erré sans fin, ils se sentaient fourbus, endoloris. Pour se reposer, ils pénétrèrent dans un bois qui surplombait la mer, à proximité de Dublin. Une plaine de rase campagne l'environnait. Et là, victimes d'un traquenard[7], ils allaient connaître la trahison.

Un paysan, qui les a vus, accourt bien vite chez le roi :

– Sire, dit-il, les onze loups sont allés se coucher dans le bois du Cerceau !

Le roi, tout réjoui d'entendre cela, appelle ses hommes et leur en fait part :

– Seigneurs, leur dit-il, écoutez ceci ! Sachez que cet homme a vu les onze loups pénétrer dans ma forêt !

Tout autour du bois, ils firent tendre des filets qui leur servaient habituellement à capturer des sangliers. Quand les filets furent tendus, le roi

Livre de la chasse, miniature de Gaston **Phébus**, 1405-1410 (BNF, Paris).

4. Tout son soûl : autant qu'il veut.

5. N'avait cure : n'avait souci, ne se souciait pas de.

6. Claie : construction en planches.

7. Traquenard : piège.

remonta aussitôt à cheval et leur dit qu'il viendrait assister à la chasse aux
70 loups avec sa fille.

Peu de temps après, les hommes se rendirent au bois dans le plus grand
silence et la plus absolue discrétion. Ils l'encerclèrent. Il y avait nombre
de gens armés de haches et de massues. Quelques autres avaient l'épée à
la main. On excita mille chiens qui ne tardèrent pas à trouver les loups.
75 Mélion comprit qu'on l'avait trahi et n'ignorait pas qu'il se trouvait en mauvaise posture ! Les chiens n'avaient de cesse de harceler les loups qui, dans
leur fuite, se jetaient dans les filets. Tous furent tués et mis en pièces. Pas
un n'en sortit vivant, excepté Mélion qui parvint à s'échapper en sautant
par-dessus les rets[8]. Unique rescapé, grâce à son habileté, il trouva refuge
80 dans un bois. Les hommes regagnèrent la cité. Le roi exultait, se faisant
une fête d'avoir eu dix loups sur onze. En effet, il était bien vengé d'eux :
un seul sur onze avait pu s'échapper. « C'est le plus grand, lui dit sa fille.
Il donnera encore bien d'occasions de se plaindre ! »

8. Rets : filets.

*Lais anonymes des XIIe et XIIIe siècles, édition critique
de quelques lais bretons*, trad. P. O'Hara Tobin, Droz, 1976.

Lecture

Pour bien lire

1 Qui sont les personnages principaux de ce récit ? Quels liens les unissent ?

2 Quel objet magique Mélion possède-t-il ? Quels pouvoirs cet objet a-t-il ?

3 **a.** Quelles sont les deux façons dont la dame trahit Mélion ?
b. Qui est son complice ?
c. À votre avis, pourquoi la dame a-t-elle exigé un morceau de la viande du cerf ?

4 Où la seconde partie du texte se passe-t-elle ? Pourquoi ?

5 **a.** Comment Mélion vit-il la première année ?
b. Qu'est-ce qui met fin à cette manière de vivre ?

6 Qui prononce la dernière phrase ? À votre avis, quel est le but de ce personnage ?

Pour approfondir

7 À votre avis, que représentent les loups pour les hommes du Moyen Âge ? Pour répondre, pensez au rôle des loups dans les contes.

8 **a.** Dans les lignes 54 à 57, relevez le vocabulaire de la destruction.
b. En quoi le comportement de Mélion est-il celui d'une bête sauvage ?
c. Quels traits humains a-t-il conservés ?

9 Quelle image a-t-on de la femme, dans ce texte ? Et du loup ?

Vocabulaire

1 **a.** D'après le contexte, donnez le sens général de *vermeil* (l. 15).
b. À l'aide d'un dictionnaire, vérifiez le sens exact et donnez un autre adjectif de la même famille.

2 Qu'est-ce qu'une *lande* (l. 4) ? Une *friche* (l. 51) ?

Écriture

Résumer un texte (3)

Recopiez le résumé du texte en supprimant toutes les informations inutiles.

Mélion est un chevalier plein de qualités. Un jour qu'il chasse avec sa femme, il aperçoit un énorme cerf. La femme exige d'avoir sa viande. Elle dit que si elle n'en a pas, elle ne mangera plus jamais. Alors Mélion lui livre son secret : il possède une bague capable de le changer en loup. Si on le touche avec la pierre blanche, il se transforme en loup ; quand on le touche avec la rouge, il redevient homme. Mélion appelle son écuyer. La femme touche de la bague magique Mélion qui se change en loup et s'élance à la poursuite du cerf. Aussitôt, la femme s'enfuit en Irlande avec l'écuyer. Elle est accueillie avec joie. Quand Mélion revient, il est perdu. Mais il voit le navire, comprend ce qui se passe et embarque secrètement. Il voyage caché sous une claie. Arrivé en Irlande, il s'adjoint une troupe de loups. Ensemble, ils ravagent le pays pendant un an. Le roi ne parvient pas à les attraper. Mais un jour, une grande battue est organisée et tous les loups sont tués sauf Mélion. La femme dit que le dernier loup est dangereux.

Le loup du roi

Livre de la chasse,
**miniature de Gaston
Phébus,** 1405-1410
(BNF, Paris).

Après son escapade, Mélion avait trouvé refuge sur une montagne. Il souffrait de la perte de ses compagnons. Il en fut longtemps tourmenté mais le salut n'allait pas tarder.

Arthur[1], en effet, se rendait alors en Irlande dans l'intention d'y conclure
5 la paix. Des affrontements avaient lieu dans le pays et il voulait établir un accord entre les belligérants[2]. Il voulait étendre ses conquêtes sur les territoires romains et désirait faire participer l'Irlande à son offensive. Le roi était en visite officieuse[3] et n'avait pas grand monde avec lui : seuls vingt chevaliers l'accompagnaient. Le temps était au beau, il y avait bon vent.
10 Le bateau était grand, superbe et de bons matelots le conduisaient. D'un équipement remarquable, il était bien pourvu en hommes et en armes.

Mélion reconnut les boucliers, suspendus à l'extérieur du bateau. [...] Il s'est approché du bateau et, de là, a rejoint le château à proximité duquel il s'arrête. Il a parfaitement reconnu tout le monde. Il sait bien que s'il
15 n'obtient pas l'appui du roi il trouvera la mort en Irlande ! Mais il ne sait comment s'y prendre : il est loup et, en tant que tel, ne peut pas parler. Il faut pourtant qu'il aille vers lui, qu'il joue le tout pour le tout !

Le voilà enfin à la porte du roi : il reconnaît tous les chevaliers. Il ne s'arrête pas. Il avance tout droit vers le roi Arthur, au péril de sa vie. Il se
20 laisse choir aux pieds du roi et s'obstine à rester prosterné[4]. Ah ! Il aurait

---

1. Il s'agit du roi Arthur, qui règne alors sur la petite et la grande Bretagne.

2. Belligérants : combattants.

3. Officieux : qui n'est pas officiel, mais discret.

4. Prosterné : courbé à terre en signe de respect.

fallu voir la surprise du souverain ! Celui-ci s'écria : « C'est prodigieux, regardez ! Ce loup est venu me trouver ! C'est donc qu'il est apprivoisé ! Malheur à qui lui fera du mal ou s'avisera de le toucher ! Qu'on se le dise ! »

Quand le repas fut prêt, les seigneurs se lavèrent les mains. Le roi en fit autant et prit place à table. Des nappes avaient été disposées devant eux. Le roi appela Ydel et le fit asseoir à son côté.

Mélion, qui avait reconnu très vite tous les seigneurs, était aux pieds du roi. Ce dernier le regardait souvent. Il lui tendit un morceau de pain. Mélion le prit et entreprit de le manger. Le roi, très surpris, dit à Ydel : « Regardez ! Ce loup est apprivoisé, vous savez ! » Puis, le roi lui donna un morceau de viande que Mélion mangea avec plaisir. « Regardez, seigneurs, ce loup fait mentir sa nature » s'exclama alors Gauvain.

Tous les seigneurs s'accordèrent à dire qu'ils n'avaient jamais vu un loup aussi bien élevé. Le roi fit verser du vin dans une cuvette que l'on déposa devant le loup. Dès que ce dernier l'eut aperçue, il s'empressa d'en boire le contenu. Il en avait grande envie, croyez-moi ! Il en but une bonne quantité et le roi ne manqua pas de le remarquer. Les seigneurs quittèrent la table, se lavèrent les mains et se rendirent sur la plage. Le loup ne quittait pas le roi : où que se rendit celui-ci, impossible de l'en séparer. Enfin, le roi voulut aller se coucher et donna l'ordre de préparer son lit. Il était très fatigué. Il alla se coucher et le loup l'accompagna. On eut beau faire, rien ne put le détacher du roi. Il alla se coucher à ses pieds.

Lais anonymes des XIIe et XIIIe siècles, édition critique de quelques lais bretons, trad. P. O'Hara Tobin, Droz, 1976.

Lecture

Pour bien lire

1 Qui est le personnage qui apparaît dans cet extrait ?

2 Comment le loup se comporte-t-il avec ce personnage ?

3 Comment ce personnage réagit-il ? Comment sa réaction est-elle soulignée par la ponctuation ?

Pour approfondir

Tâche complexe

4 Quels sont les différents éléments qui montrent que ce loup n'est pas une bête sauvage ?

▶ **Coup de pouce**

Soyez attentif aux sentiments exprimés par le loup, à son attitude, mais aussi à sa nourriture.

Écriture

Résumer un texte (4)

Ajoutez à ce résumé les informations manquantes.

Mélion reconnaît ses anciens compagnons. Le roi est étonné de voir un loup à ses pieds. Il le prend sous sa protection. Le loup reste à ses côtés, mangeant du pain, buvant du vin.

Vocabulaire

1 Le mot *belligérant* vient du latin *bellum* (*guerre*), et *gerare* (*porter, faire*). À l'aide de ces racines et de la note, expliquez la formation du mot.

2 *Péril* (l. 19) vient du latin *periculum* qui signifie *danger*.
a. Quel est le sens du nom *péril* ?
b. Expliquez l'expression « au péril de sa vie » (l. 19).
c. Donnez un adjectif de la famille de *péril* et expliquez son sens.

3 Le mot *salut* (l. 3) vient du latin *salvus* (*entier, intact, sauf*, comme dans « sain et sauf »).
a. Donnez un verbe de la même famille.
b. Expliquez le sens de *salut* dans le texte.

4 « Ce loup fait mentir sa nature » (l. 32) : quel est ici le sens du mot *nature* ?

5 Sans recourir au dictionnaire, mais à l'aide du contexte, donnez le sens de *choir* (l. 20).

6 Donnez un synonyme d'*escapade* (l. 1) et de *tourmenté* (l. 2).

La justice du roi

Peu après, le roi d'Irlande, accompagné de sa fille, vient rendre hommage au roi Arthur.

Le roi regarda son loup et l'appela pour le faire venir près de la table. Les deux souverains étaient assis côte à côte. Le banquet fut somptueux. Les seigneurs s'acquittaient fort bien de leurs devoirs. Le service fut
5 abondant, partout dans la demeure.

Cependant, Mélion regardait alentour. Il remarqua alors, au milieu de la salle, celui qui avait amené sa femme. Il n'ignorait pas qu'il avait traversé la mer pour se rendre en Irlande. Il le saisit à l'épaule. Impuissant à
10 le maintenir ainsi, il le fit tomber au milieu de la salle. Ah ! Comme volontiers il l'aurait tué et réduit à néant si des serviteurs ne s'étaient précipités ! De tous les coins du palais, on apporta des manches de bois et des bâtons. On s'apprêtait déjà à tuer le loup quand le roi
15 Arthur se mit à crier : « Gare à qui touche à ce loup, par Dieu ! Sachez qu'il m'appartient ! »

Ydel, le fils d'Yrien, leur dit :

– Seigneurs, vous agissez mal ! S'il n'avait pas détesté cet homme, il ne lui aurait pas fait de mal.

20 – Tu as raison, Ydel, ajouta le roi Arthur.

Et, quittant la table, le roi se dirigea vers le loup et dit au jeune homme :

– Tu dois avouer pourquoi il s'en est pris à toi, sinon tu mourras sur-le-champ.

Mélion regarda le roi et resserra son étreinte sur le jeune homme qui
25 se mit à crier et supplia le roi d'avoir pitié de lui en jurant qu'il dirait la vérité. Il raconta alors comment la dame avait entraîné Mélion, comment elle l'avait touché avec l'anneau et l'avait enfin emmené, lui-même, en Irlande. Il reconnut les faits et raconta l'intégralité de l'aventure.

Arthur s'adressa alors au roi d'Irlande :

30 – Maintenant, je vois où est la vérité et je m'en réjouis pour mon noble vassal. Faites-moi remettre l'anneau et envoyez-moi votre fille qui s'en est emparée. Elle s'est cruellement jouée de lui.

Le roi d'Irlande quitta les lieux pour aller dans sa chambre, accompagné du roi Ydel. Il cajola et flatta sa fille tant et si bien qu'elle finit par lui
35 remettre l'anneau qu'il apporta au roi Arthur. Mélion n'eut pas de peine à le reconnaître. Il s'approcha du roi Arthur, s'agenouilla et lui baisa les deux pieds. Son roi voulut lui apposer l'anneau, ce à quoi s'opposa Gauvain :

– Ne faites pas cela, cher oncle ! lui dit-il. Emmenez-le dans une chambre où vous serez absolument seul avec lui. Qu'il n'ait pas à rougir de la pré-
40 sence des gens !

Le roi demanda alors à Gauvain et à Ydel de l'accompagner. Quand

Mélion eut pénétré dans une chambre, il referma la porte sur lui. Il posa alors l'anneau sur la tête de Mélion : un visage humain apparut. Ce dernier changea de forme, prit celle d'un homme. Il fut, dès lors, en mesure
45 de parler.

Il se laissa tomber aux pieds du roi. Ils le couvrirent d'un manteau. Quand ils le virent métamorphosé en homme, ils donnèrent libre cours à leur joie. Le roi en pleurait de pitié et, tout à ses larmes, il lui demanda comment cela était arrivé et par quelle regrettable faute ils l'avaient perdu. Il fit
50 appeler son chambellan et lui ordonna d'apporter de beaux vêtements. Il le fit habiller et parer comme il se devait et l'emmena dans la grande salle.

L'apparition de Mélion plongea toute la maisonnée dans la stupéfaction. Le roi d'Irlande convoqua sa fille et la présenta à Arthur afin que ce dernier en fasse ce que bon lui semblait : soit la brûler, soit la tuer.
55 – Je la toucherai de la pierre, dit Mélion. Je n'y manquerai pas.

– Vous n'en ferez rien ! ordonna le roi Arthur. Au nom de vos beaux enfants, je vous conjure d'y renoncer !

Tous les seigneurs le priant de n'en rien faire, Mélion se rendit à leurs prières. Le roi Arthur séjourna suffisamment de temps pour faire cesser
60 toutes les hostilités. Il repartit dans son pays, emmenant Mélion avec lui. Celui-ci, parfaitement heureux et plein d'entrain, abandonna sa femme en Irlande tout en la vouant à tous les diables. Elle ne serait plus jamais aimée de lui après tout ce qu'elle lui avait fait, comme ce récit vient de vous le raconter.
65 Il ne voulut jamais la reprendre et l'eût plutôt laissé brûler ou pendre.

Mélion dit : « Qui fera confiance à une femme ne manquera pas d'en être la victime. Il ne faut point croire tout ce qu'elle dit. »

Le lai de Mélion est véridique et tous les seigneurs en sont convaincus.

Lais anonymes des XIIᵉ et XIIIᵉ siècles, édition critique de quelques lais bretons, trad. P. O'Hara Tobin, Droz, 1976.

Lecture

Pour bien lire

1 Qui sont « les deux souverains » (l. 2) ? « celui qui avait amené sa femme » (l. 7-8) ? la dame de la ligne 26 ?

2 Que fait Mélion dans le deuxième paragraphe ? Que risque-t-il ?

3 Quel est le rôle du roi dans le récit ?

4 Comment l'histoire se termine-t-elle pour Mélion ? pour la femme ?

Pour approfondir

5 Relisez les lignes 12 à 20 : en quoi le roi Arthur se distingue-t-il alors des autres personnages présents ?

6 a. Quel est le premier souhait de Mélion à propos de sa femme ?
b. Pourquoi le roi le fait-il changer d'avis ?

7 « Le roi Arthur séjourna suffisamment de temps pour faire cesser toutes les hostilités. »
a. Pour quelle raison le roi était-il venu en Irlande ?
b. Où a-t-il aussi ramené l'ordre et la paix ?

8 Quelle image a-t-on du roi, dans ce récit ?

Écriture

Résumer un texte (5)
Résumez le texte en une douzaine de phrases.

Découvrir

À l'aide du lien suivant, lisez l'histoire du jugement de Salomon : quels points communs le roi Salomon a-t-il avec le roi Arthur ?
www.universdelabible.net/lire-la-segond-21-en-ligne/ref,1+Rois%203.16-28

Le cadrage au cinéma

Le cadrage, c'est ce que l'on choisit de mettre dans l'image. Il peut passer par différents plans.

- **Le plan d'ensemble** capte une large portion de décor autour des personnages.

- **Le gros plan** se concentre sur un visage, un détail.

- **Le plan moyen** se situe entre les deux.

- Le cadrage délimite **le champ de l'image**, c'est-à-dire ce qu'on voit, **et le hors champ**, ce qu'on choisit de garder en dehors de l'image. L'un et l'autre créent des effets précis.

Par exemple, choisir de laisser hors champ le personnage au pistolet permet de créer une attente.

- **Les jeux de champ et de contrechamp** permettent de traduire différents points de vue.

Par exemple, dans cette scène, on voit tour à tour chaque personnage comme si on était à la place de son interlocuteur.

- On peut choisir de diriger la prise de vue vers le bas (**plongée**) ou vers le haut (**contre-plongée**). La plongée a tendance à rendre les personnages plus petits, alors que la contre-plongée, au contraire, donne l'impression qu'ils sont plus grands.

- On peut aussi analyser le choix des **couleurs**, le jeu des **lumières**, la **musique** ou la **bande son**.

La Belle et la Bête
de Jean Cocteau

En 1946, Jean Cocteau adapte au cinéma *La Belle et la Bête*. Quelle lecture fait-il de ce conte et quels moyens se donne-t-il pour traduire le merveilleux au cinéma ?

A   Entre fidélité et liberté

1 Comparez l'histoire du livre et l'histoire du film : quels sont les points communs dans l'intrigue ?

2 Comparez les dialogues entre la Bête et le père, au moment de leur rencontre, puis entre la Belle et la Bête, lors de leur premier souper, dans le livre d'une part et le film d'autre part : sont-ils très différents ?

3 **a.** Quels personnages du film n'existent pas ou presque pas dans le livre ?
b. Quels sont les traits de caractère de ces personnages ?
c. Quel est leur rôle dans l'action ?
d. Quel est l'intérêt d'avoir créé ces personnages ?

B   Deux mondes qui s'opposent

1 Quels sont les deux lieux principaux dans lesquels se passe l'histoire ?

2 Associez chacun de ces lieux à un des qualificatifs suivants : *sombre – lumineux – familier – mystérieux – nocturne – diurne – réaliste – empreint de magie – agité – plein de calme et de gravité*. Que constatez-vous ?

3 Comparez les images 1 et 2. Quels sont les points communs dans le sujet ? les costumes ? le point d'où vient la lumière ?

4 **a.** Quelles sont les préoccupations des sœurs de la Belle dans le film ?
b. Quelles sont les préoccupations du frère et d'Avenant ?
c. Comment le frère et les sœurs se comportent-ils envers leur père ? Donnez des exemples précis.
d. Dans quel but le frère et Avenant se rendent-ils chez la Bête ?

5 **a.** Que représente l'univers du frère et des sœurs de la Belle ?
b. En quoi l'univers de la Bête est-il différent ?

Le Verre de vin, **Johannes Vermeer, huile sur toile**, 1658-1659 (Gemäldegalerie, Berlin).

1

C   La mise en scène du merveilleux

1 Comment la grâce de la Belle et le caractère effrayant de la Bête sont-ils soulignés ?

2 Faites la liste des éléments merveilleux dans le livre d'une part et dans le film d'autre part.

3 a. Quels objets magiques Jean Cocteau a-t-il ajoutés ?
b. Connaissez-vous d'autres contes où des objets s'animent ?
c. Connaissez d'autres contes avec des miroirs magiques ? Quel est alors leur rôle ?
d. Connaissez-vous d'autres contes où une clé joue un rôle très important ? À votre avis, que représente la clé ?

4 Comment passe-t-on du monde de la Belle au monde de la Bête ? Soyez attentif à l'espace qui les sépare, au moment où les personnages passent de l'un à l'autre et aux objets qui permettent le voyage.

5 a. Lisez la biographie de Jean Cocteau, p. 79. Pourquoi Cocteau s'est-il beaucoup intéressé aux rêves ?
b. Quels passages du film peuvent faire penser à des rêves ? Pourquoi ?

6 a. Qu'est-ce qu'un prologue ?
b. Expliquez cette phrase du prologue du film : « Laissez-moi vous dire quatre mots magiques, véritable "sésame ouvre-toi" de l'enfance : Il était une fois... »
c. À quoi le réalisateur nous invite-t-il, avec ce film ?

1 a. Quel lieu le père traverse-t-il pour arriver au château ?

b. Comment le caractère mystérieux de ce lieu est-il renforcé ? Pour répondre, observez le cadrage choisi, le travail de la lumière et la bande son.

c. Comment l'idée d'un passage vers un lieu merveilleux est-elle suggérée ?

2 a. Quels sont les premiers détails du château que l'on aperçoit ? Que vous évoquent-ils ?

b. Observez l'image du père au pied de l'escalier, puis faisant face à la porte : comment ces deux scènes sont-elles dramatisées ? Pour répondre, soyez attentif à la composition des images et à la bande son.

c. Comparez les vues du château et les gravures p. 60 et 81 : de quel artiste Jean Cocteau s'est-il inspiré pour la création de son décor ?

3 Depuis l'entrée du père dans le domaine de la Bête jusqu'à son installation à table, comment l'idée d'une présence mystérieuse est-elle suggérée ?

4 a. Comment la bande son évolue-t-elle à partir du moment où le père entre dans le château ? Analysez tout ce que l'on entend jusqu'au moment où le père s'endort.

b. Quelle impression cette bande son produit-elle ?

5 Comment le réalisateur fait-il comprendre qu'une nuit s'est écoulée ?

6 À partir du réveil du père et jusqu'à l'arrivée de la Bête, quels sont les différents éléments qui introduisent le thème de la sauvagerie ? Pour répondre, soyez attentifs aux images et au son.

« Le Loup-garou »
de Michel Ocelot

« Le Loup-Garou » est un court métrage des *Contes de la nuit*, une série de films d'animation réalisée d'abord pour la télévision et portée à l'écran en 2011. Il est fortement inspiré par le *Lai de Mélion*. Comment Michel Ocelot crée-t-il une histoire originale à partir des récits célèbres du Moyen Âge ?

A   Une adaptation personnelle

1 Avez-vous aimé ce film ? Pourquoi ?

2 « Le loup-garou » est un court-métrage. Quel est le sens de ce mot ?

3 **a.** Comparez l'histoire à celle du *Lai de Mélion* : quels changements Michel Ocelot a-t-il apportés ?
b. Appréciez-vous ces changements ? Pourquoi ?

4 Connaissez-vous d'autres contes qui mettent en scène des sœurs rivales ?

5 **a.** Faites la liste des personnages : que savez-vous sur le caractère de chacun d'eux ?
b. Quelle est la technique utilisée pour représenter ces personnages ? Que vous évoque-t-elle ?
c. Cette technique, qui montre peu de détails, vous paraît-elle bien adaptée pour de tels personnages ? Pourquoi ?

B   Un théâtre d'ombres

1 Observez les différentes images tirées du film.
a. Qu'est-ce qui met les ombres en valeur ?
b. A-t-on une impression de profondeur des décors ? Pourquoi ?
c. Dans quelle position, par rapport au spectateur, les personnages sont-ils le plus souvent représentés ? À votre avis, pourquoi ?

2 Observez la composition de ces mêmes images.
a. Y a-t-il des plongées, contre-plongées ? La position de la caméra change-t-elle ?
b. Quelle impression cela donne-t-il ?

3 Soyez attentif à l'animation des personnages : qu'est-ce qui, dans leur mouvement, rappelle des marionnettes ?

①

C Le récit d'une création

1 Qui sont les personnages qui racontent l'histoire du loup-garou ?

2 Quelle phrase prononcée au tout début du film leur permet d'entrer dans le jeu ?

3 De quelles œuvres s'inspirent-ils pour imaginer leur histoire ?

4 Présentez les documents 3 et 4 : de quelle époque datent-il ?

5 Observez l'image 2.
a. Quels éléments des documents 3 et 4 cette image reprend-elle ?
b. Pourquoi peut-on dire que cela transporte le spectateur dans un autre temps ?
c. Les éléments qui composent le décor sont-ils nombreux ?
d. À quelle sorte de spectacle ce décor fait-il penser ?

Les Très Riches Heures du Duc de Berry, 1412-1486 (BNF, Paris).

Frise enluminée, livre d'heures d'Amiens, 1430-1440 (The British Library).

I. Mi-hommes, mi-bêtes

1 Qu'appelle-t-on une métamorphose ? Quelle métamorphose les personnages principaux de ces contes ont-ils subie ?

2 Quels sont les points communs entre les apparences des deux personnages ?

3 Mélion et la Bête vous semblent-ils monstrueux ? effrayants ? cruels ? Discutez et nuancez vos réponses.

II. Qui est le monstre ?

4 a. Qui est responsable de la métamorphose de la Bête ? Et de celle de Mélion ?
b. Lisez l'histoire de Lycaon, p. 150 : pourquoi celui-ci est-il métamorphosé en loup ?
c. La Bête ou Mélion ont-ils commis une faute ?

5 Quels personnages permettent de mettre fin à cette métamorphose ? Grâce à quelles qualités ?

6 a. Selon vous, quels personnages de *La Belle et la Bête* et du *Lai de Mélion* font preuve de monstruosité ? Discutez et justifiez vos réponses.
b. Quelle est l'apparence de ces personnages ?
c. Quelle conclusion peut-on en tirer ?

7 a. D'après ces lectures, qu'est-ce qui rend un être véritablement humain ?
b. Quelle définition peut-on donner du monstre ?

III. Lire d'autres récits de métamorphose

A *Pinocchio*, Collodi (voir p. 75)

8 Comment Pinocchio se comporte-t-il au début de son existence ? De quels défauts fait-il preuve ? De quelle qualité ? Donnez des exemples précis.

9 Que demande Pinocchio à la fée ? Quelle condition celle-ci met-elle à la réalisation de son vœu ?

10 Quelles sont les deux métamorphoses que Pinocchio subit ? Sont-elles positives ou négatives ? Quelle est la cause de chacune d'elle ?

11 a. Quelles différentes épreuves Pinocchio subit-il ?
b. Pourquoi peut-il finalement devenir un être humain ?

B *La Petite Sirène*, Andersen

12 Pourquoi la Petite Sirène veut-elle devenir humaine ?

13 Quelles sont les qualités de la Petite Sirène ?

14 Quelles épreuves accepte-t-elle ?

15 Quel est le résultat de ces sacrifices ?

16 De quels défauts le prince fait-il preuve ? En est-il responsable ?

17 Comparez la fin avec celle du *Lai de Mélion* ou de *La Belle et la Bête* : en quoi est-elle différente ?

La Belle et la Bête, **illustration de Walter Crane**, 1900 (bibliothèque des Arts décoratifs, Paris).

Adapter une œuvre au cinéma

🦅 Raconter par l'image

✳ Lorsqu'un **réalisateur** décide d'adapter au cinéma une œuvre littéraire, il doit utiliser les moyens propres au cinéma pour raconter l'histoire.

✳ Le film traditionnel suppose le choix d'un **décor**, naturel ou en studio, et de **lumières** qui vont mettre en valeur ce décor et créer des **atmosphères**. Ainsi, Jean Cocteau joue beaucoup sur les lumières pour opposer le monde banal, quotidien de la famille de Belle au monde merveilleux de la Bête, plein d'ombres et de mystère. Des **acteurs** doivent incarner les personnages. Le choix du même acteur pour jouer la Bête et Avenant interpelle le spectateur sur la question des apparences.

Jean Cocteau sur le tournage de *La Belle et la Bête* en 1946.

🦅 Un langage spécifique

✳ La **photographie** est essentielle : la mise en scène de lieux évocateurs, la beauté des images, l'utilisation d'effets comme la contre-plongée se mettent au service du récit. Mais le cinéma est un art de l'image en mouvement : le **montage** est aussi important que le **cadrage**. L'enchaînement des plans est la **grammaire du cinéma**, qui permet de comprendre l'enchaînement des actions et de faire des liens entre les images. Par exemple, un fondu au noir suggère le temps qui passe. Pour créer certains effets spéciaux, comme les bougies qui s'allument seules ou le couple qui s'envole, les images sont montées à l'envers.

✳ Enfin, la **bande son**, qui orchestre dialogues, silences, bruits, musique, voix off, est essentielle. Chez Jean Cocteau comme chez Michel Ocelot, le choix d'une diction lente est au service de la poésie.

🦅 Une œuvre originale

✳ Même si elle s'appuie sur une œuvre antérieure, une adaptation cinématographique est toujours une **œuvre originale**. L'auteur peut modifier légèrement (comme Cocteau) ou fortement (comme Ocelot) le récit dont il s'inspire, en ajoutant ou supprimant des personnages, en modifiant l'époque, la fin...

✳ En mettant en scène l'histoire, il l'interprète à sa manière, il lui donne un sens qui n'existait pas toujours dans l'œuvre littéraire. Ainsi, le film de Jean Cocteau est aussi une **réflexion sur la poésie** et la capacité à s'émerveiller, loin des tracasseries quotidiennes. Michel Ocelot joue sur les grandes figures du conte et une **technique d'animation à la fois ancienne et spectaculaire** pour créer une histoire familière et exotique.

Des mots pour parler d'une œuvre

1 a. Qu'appelle-t-on l'*intrigue* d'un livre ou d'un film ?
b. Qu'est-ce que le *scénario* d'un film ?

2 Le mot *synopsis* est utilisé dans le domaine du cinéma pour désigner les grandes lignes de l'histoire. Il vient des racines grecques *syn*, qui signifie « ensemble », et *opsis*, « voir, la vue ».
a. Donnez un synonyme de *synopsis*.
b. À l'aide de la racine *syn* et de l'autre racine indiquée entre parenthèses, formez des mots correspondant aux définitions.
1. Formation musicale où de nombreux instruments jouent ensemble. (*phono*)
2. Action de régler exactement au même moment. (*chronos*)
3. Sentiment éprouvé pour quelqu'un qu'on apprécie. (*pathos*)
4. Noms qui ont le même sens. (*onyma*)
c. Trouvez deux autres mots français, formés sur la racine grecque *opsis* ou *opt*, en rapport avec la vue.

3 a. Qu'est-ce que le *genre* d'une histoire ? Son *thème* ?
b. Classez les indications suivantes selon qu'elles portent sur le genre ou le thème d'un film.
amitié – conte – merveilleux – fantastique – guerre – historique – policier – amour – enfance

4 On emploie souvent l'image du fil pour parler de l'intrigue d'un livre ou d'un film. Expliquez le sens des expressions suivantes.
le fil de l'histoire – un scénario mal ficelé – perdre le fil – une histoire décousue – un récit cousu de fil blanc

5 Reliez chaque adjectif au nom qu'il peut qualifier.

une intrigue •	• attachant
un suspense •	• bouleversante
un personnage •	• haletant
un décor •	• pittoresque
un rythme •	• sombre
une atmosphère •	• trépidant

6 Reliez chaque adjectif à son antonyme.

lent •	• banal
palpitant, captivant •	• éculé
original •	• ennuyeux
pittoresque •	• invraisemblable
crédible •	• simple
alambiqué •	• trépidant

7 Recopiez les phrases suivantes en remplaçant les expressions en gras par un antonyme.
1. Une princesse qui attend le prince charmant, quelle idée **originale** ! – **2.** Ces péripéties sont toujours **crédibles**. – **3.** L'action progresse à un rythme **trépidant** et **emporte** le lecteur. – **4.** Le scénario est **simple** mais les personnages **pittoresques** sont **attachants**.

8 Complétez le texte avec les mots suivants.
intrigue – pittoresque – suspense – trépidant

Le dernier livre de Jeanne Delaplume est enfin sorti. Une … pleine de rebondissements vous transportera de l'Amérique à la Russie en passant par le Japon. Le rythme … ne laisse pas de répit au lecteur. Le … le tient en haleine du début jusqu'à la fin. Les personnages … achèvent de donner à ce livre un exotisme qui vous fera rêver longtemps.

9 En vous aidant de la page 98, trouvez la définition de tous les mots suivants.
montage – contrechamp – hors champ – plan d'ensemble – plan fixe – travelling – plongée – cut – fondu enchaîné

1. Vue qui embrasse un espace large, voire tout un paysage. – **2.** Prise de vue depuis le haut. – **3.** Mouvement de caméra horizontal ou vertical. – **4.** Passage progressif d'une vue à une autre, par superposition. – **5.** Séquence tournée depuis un point fixe. – **6.** Manière dont on va assembler les prises de vue. – **7.** Ce qui est absent de l'image – **8.** Coupure nette entre deux prises de vues. – **9.** Vue correspondant à l'opposé du champ, généralement ce que voit un personnage que l'on a montré avant.

10 Utilisez les mots ci-dessous pour compléter le texte de façon à décrire l'image ci-contre.
cadrage – champ – contraste – fondu – gros – mystérieuse

Le réalisateur utilise le … pour mettre en valeur ses personnages et leurs émotions. Il a choisi un … plan pour que l'on voie bien les visages, qui remplissent tout le …. Le … fort entre le noir et le blanc souligne les expressions. L'absence de décor, … dans le noir, crée une atmosphère ….

La Belle et de Jean Co

Exprimer son opinion sur une œuvre

1 Lisez le texte ci-dessous.

L'histoire d'abord m'a conquise. **Certes**, elle diffère beaucoup du dessin animé mais ce n'est pas un mal. J'ai surtout aimé les relations entre tous les membres de la famille que nous décrits l'auteure. Les méchantes sœurs ne sont pas une nouveauté **mais** j'ai beaucoup aimé leur utilisation dans ce conte. La romance entre la Belle et la Bête m'a moins convaincue **cependant** (oui pas assez romantique pour moi), **néanmoins**, s'agissant là d'un conte pour enfants, relativement court, je comprends que l'auteure n'a pas voulu ou pu développer plus l'histoire d'amour. J'ai **également** beaucoup aimé la plume de cette dame. Le texte est travaillé et très beau à lire.

www.babelio.com.

a. Faites la liste des points que cette lectrice a aimés et la liste de ceux qu'elle a moins aimés.
b. Quels arguments avance-t-elle ?

2 Reliez chaque affirmation à sa justification.

On entre facilement dans l'histoire • • car ceux-ci récitent avec peu de naturel.

La fin est décevante • • parce qu'on devine ce qui va se passer.

La lecture est difficile • • à cause du nombre de personnages.

L'intrigue est compliquée • • car le vocabulaire est riche.

Je n'ai pas apprécié le jeu des acteurs • • car on est tout de suite plongé dans l'action.

3 Parmi les affirmations suivantes portant sur les textes de ce chapitre, recopiez celles avec lesquelles vous êtes d'accord et justifiez-les.
1. Les personnages sont émouvants. Par exemple, ...
2. Les personnages manquent d'épaisseur. Ainsi, ...
3. L'atmosphère est poétique, les décors merveilleux. En effet, ...
4. La fin est surprenante, car ....

4 Choisissez un livre que vous avez aimé et répondez à cinq des questions suivantes. Choisissez les questions qui vous paraissent les plus adaptées à votre livre.
1. Quelles émotions avez-vous ressenti à la lecture de ce livre ? Pourquoi ?

2. Ce livre vous a-t-il fait rêver ? Pourquoi ?
3. Y a-t-il du suspense ? Avez-vous eu peur ?
4. Le livre est-il drôle ? Pourquoi ?
5. Vous a-t-il donné à réfléchir sur des événements ou des situations de la vie actuelle ?
6. Vous a-t-il fait découvrir une époque ou un pays que vous ne connaissiez pas ?
7. Avez-vous trouvé la lecture facile ? Pourquoi ?
8. Êtes-vous entré facilement dans l'histoire ?
9. Avez-vous aimé les personnages ? Pourquoi ?
10. Qu'avez-vous pensé de la fin ?

5 a. Relisez le texte 1 : quel est le rôle des mots en gras ?
b. Replacez ces mots dans le texte suivant.

Walt Disney a porté à l'écran le célèbre roman de Victor Hugo, *Notre-Dame de Paris*. ...., cette adaptation n'est guère fidèle au roman. .... elle n'en est pas moins une réussite. Bien sûr, le happy end peut agacer. ...., l'atmosphère sombre et trouble qui baigne tout le dessin animé est très fidèle, elle, à l'œuvre d'Hugo. Les amateurs apprécieront .... la musique, véritable symphonie.

6 À partir de vos réponses aux questions de l'exercice 4, et à l'aide des mots de l'exercice précédent, rédigez un petit paragraphe pour critiquer le livre que vous avez choisi.

7 a. Les lignes suivantes constituent le premier paragraphe d'une critique de film. Relevez toutes les expressions qui peuvent susciter l'intérêt du lecteur.

Les Contes de la nuit sont peuplés de bien étranges personnages : cheval sentimental, fille-biche, loup-garou amoureux... Des silhouettes noires, toutes noires, fantômes ciselés au cou gracieux, au long corps souple, aux gestes doux. Elles jouent pour nous une véritable sarabande, en six histoires courtes. C'est le petit théâtre d'ombres de Michel Ocelot, [...] pures merveilles graphiques qu'il manipule avec délicatesse depuis son tout premier court métrage, *Les Trois Inventeurs*, en 1980.

C. MURY, critique parue dans *Télérama* n° 3210 du 20 juillet 2011.

b. À votre tour, rédigez une amorce à la critique de votre livre, en énumérant tous les éléments capables d'intéresser vos camarades.

Écrire une critique littéraire ou cinématographique

1. Écrire une critique

Choisissez un livre que vous avez lu récemment ou un film que vous avez vu, et rédigez sa critique pour vos camarades en vous aidant de la méthode ci-dessous.

2. Présenter un passage d'un livre

> Oral

Si vous travaillez sur un livre, choisissez un passage que vous avez aimé, d'une page et demie maximum, et préparez-en la lecture à voix haute pour vos camarades. Avant de commencer à lire, résumez l'intrigue et situez votre passage.

Affiche du film d'animation *Les Contes de la nuit*, de Michel Ocelot, 2011.

Méthode — Rédiger une critique

Présenter l'œuvre

– Présentez le livre ou le film choisi en commençant par son titre, l'auteur, l'année de parution.
– Vous pouvez ajouter quelques phrases sur l'auteur en citant par exemple une ou deux autres de ses œuvres.
– Vous pouvez aussi citer les récompenses obtenues par le livre ou le film.

Résumer l'intrigue

– En quelques lignes, présentez l'intrigue. Votre résumé doit permettre de comprendre où et quand se passe l'histoire, qui sont les personnages principaux. Il doit aussi donner une idée du récit et du genre auquel il appartient. Mais ne dévoilez surtout pas la fin : votre présentation doit donner envie de lire le livre, de voir le film.
– Vous pouvez faire précéder le résumé par une accroche (voir ex. 7 p. 107).

Exprimer son opinion sur l'œuvre

– En six à dix phrases, exprimez votre avis sur l'œuvre. Si cet avis est personnel, il doit s'appuyer sur des éléments précis : longueur, vocabulaire, genre, personnages, fin, émotions procurées...
– Sélectionnez trois à cinq éléments que vous voulez évoquer et rédigez une à deux phrases pour chaque point, de façon à justifier votre opinion (voir ex. 1 à 6 p. 107).

Des livres

Contes de Grimm,
Hachette, « Biblio collège », 2003.

Une sélection variée qui permet de découvrir l'univers des frères Grimm, plein de métamorphoses, dans une édition annotée accessibles aux jeunes enfants.

Casse-Noisette, E.T.A. Hoffmann,
Gallimard jeunesse,
« Folio Junior », 2009.

C'est la nuit de Noël. Marie, une petite fille, se réveille, découvre que ses jouets se sont animés et que Casse-Noisette, son pantin, se lance dans une grande équipée pour sauver une princesse victime d'une malédiction. Marie décide de le suivre...

10 Contes des Mille et Une nuits,
Michel Laporte,
Flammarion jeunesse, 2010.

Les plus célèbres récits des *Mille et Une Nuits* rassemblées en un seul volume. Princesses promises à la mort, génies, assassins sans scrupules et servantes rusées, métamorphoses : tout est réuni pour vous faire rêver.

Des films

Peau d'Âne,
réalisé par Jacques Demy,
1970, DVD.

Jacques Demy s'empare du conte de *Peau d'Âne* et apporte à sa féerie la légèreté de la comédie musicale.

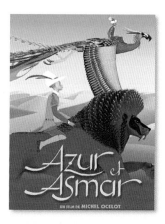

Azur et Asmar, réalisé
par Michel Ocelot, 2006, DVD.

Michel Ocelot se nourrit de la tradition artistique de deux grandes cultures pour écrire ce conte superbe, une quête de deux frères qui part de l'Europe médiévale et s'achève dans l'Orient des *Mille et Une Nuits*. C'est aussi une magnifique fable sur la tolérance.

Les Aventures de Pinocchio,
réalisé par Luigi Comencini,
1975, DVD .

Le pauvre Gepetto en voit de toutes les couleurs avec ce fils tantôt pantin, tantôt vrai petit garçon. Le réalisateur mêle habilement le réalisme du cinéma italien et le merveilleux du conte.

Récits de création

> *Comment les récits de création nous parlent-ils du monde et des hommes qui l'habitent ?*

Repères **Récits de la nuit des temps** 112

Textes et images

La mythologie grecque

Texte audio « De la naissance du monde au partage de Prométhée »,
La Création du monde, Claudie Obin 114

1. « Le Déluge », *Les Métamorphoses*, Ovide 115

2. « Phaéton et le char du soleil », d'après Ovide, *Les Métamorphoses* 117

Repères **Qu'est-ce que la Bible ?** 120

Textes et images

La Bible

3. « La Genèse » 122

4. « Adam et Ève » 124

5. « L'arche de Noé » 126

6. « La tour de Babel » 128

Lecture d'image *La Tour de Babel*, Brueghel 129

7. « Une figure de patriarche : Abraham » 130

Atelier de lecture **Comparer deux récits de création** 132

Synthèse **Qu'est-ce qu'un mythe ?** 133

Vers l'écriture

• Vocabulaire : Le temps 134

• **Apprendre à rédiger :** Structurer un récit 135

• À vos plumes ! Réécrire le récit du déluge 136

Coin lecture, coin cinéma 137

Le Dieu architecte, **William Blake**, 1827 (British Museum, Londres).

Lire une image

1 Décrivez l'image : comment est-elle composée ? Quelles sont les différentes parties qui s'opposent ?

2 Décrivez le personnage. Que tient-il dans sa main ?

3 À votre avis, que fait-il ? Justifiez votre réponse.

Récits de la nuit des temps

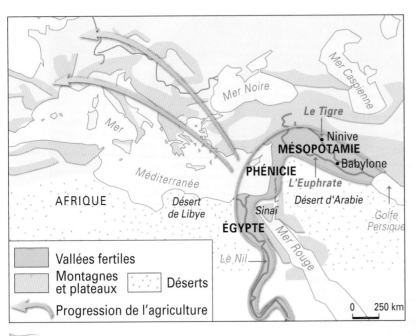

Le Croissant fertile, grand foyer de civilisation au IIᵉ millénaire avant J.-C.

Les premières civilisations

• Environ 5000 ans avant notre ère se développent les **premières grandes civilisations** : civilisation sumérienne en Mésopotamie, égyptienne le long du Nil, crétoise dans les îles grecques…

• Partout, les hommes se sont organisés en **sociétés régies par des lois**. Avec les progrès techniques, les villes se sont développées et fortifiées. Entre les cités, les **échanges commerciaux**, mais aussi les rivalités et les **guerres**, s'intensifient. Le développement du commerce et la nécessité de tenir une comptabilité des échanges vont favoriser l'**invention de l'écriture**.

Questions

1 À l'aide de la carte, citez deux grandes villes de Mésopotamie.

2 Recherchez à quels pays correspond aujourd'hui ce territoire appelé « Croissant fertile ».

Soldats armés d'une fronde, détail d'un bas-relief du palais d'Assurbanipal, roi d'Assyrie, VIIᵉ siècle avant Jésus-Christ.

Mythes et religions

• Toutes ces civilisations ont un point commun : ce sont des **civilisations agricoles** qui vivent au rythme de la nature et sont très dépendantes des éléments. Pour tenter de se concilier ces forces qui les dépassent, les hommes vont bientôt leur rendre un culte : les premières religions, **polythéistes**, se mettent en place. Partout, on érige des temples à la gloire des dieux. Fêtes religieuses et agricoles rythment le calendrier.

• Avec les dieux naissent les récits qui relatent leurs aventures et justifient ces rites. Ce sont les **mythes**.

Poséidon, Apollon et Artémis au Parthénon, sur la frise des « Panathénées », grande fête donnée en l'honneur d'Athéna, Ve siècle avant J.-C. (musée de l'Acropole, Athènes).

Questions

3 Que signifie le mot *polythéiste* ? Comment est-il formé ?

4 Quelle déesse célébrait-on lors des Panathénées ?

Les premiers textes littéraires

• Les mythes parlent de la vie en collectivité, des rapports de l'homme avec les dieux, les lois, la nature. Ce sont d'abord des **récits oraux**. Mais l'invention de l'écriture, vers 3500 avant Jésus-Christ, va permettre de **fixer ces récits**.

• Hésiode, poète grec du VIIIe siècle avant Jésus-Christ, est le premier à mettre par écrit une grande part de la **mythologie grecque**.

Question

5 Observez le document ci-contre : que fait le roi Hammourabi pour la première fois dans l'histoire des sociétés humaines ?

En 1750 avant J.-C., le roi mésopotamien Hammourabi est le premier à rédiger des lois écrites. Le texte est gravé sur cette stèle qui représente le roi recevant du dieu Shamash l'ordre de répandre la justice (musée du Louvre, Paris).

Vers 5000 av. J.-C.

Premières grandes civilisations

Vers 2000 av. J.-C.

Épopée de Gilgamesh

70 - 19 av. J.-C.

Virgile

Invention de l'écriture
Vers 3500 av. J.-C.

Hésiode **Homère**
VIIIe siècle av. J. C.

Ovide
43 av. J.-C. - 17 ap. J.-C.

De la naissance du monde au partage de Prométhée

Lisez d'abord le questionnaire, écoutez le récit de Claudie Obin puis répondez aux questions.

I. Du chaos aux premiers dieux

1 D'après les Grecs, qu'y a-t-il au commencement du monde ?

2 Qui sont Gaïa et Ouranos ?

3 **a.** Qui sont les différents enfants de Gaïa et Ouranos ?
b. Notez leurs caractéristiques physiques : que remarquez-vous ?

4 **a.** Pourquoi Ouranos a-t-il peur de ses propres enfants ?
b. Que leur fait-il subir ?

5 **a.** Qu'appelle-t-on une génération ?
b. Pourquoi peut-on dire qu'à ce moment du monde, les générations ne peuvent pas se succéder ?

6 **a.** Qui chasse Ouranos et prend sa place ?
b. Que signifie son nom, en grec ? Pour répondre, aidez-vous des mots français dans lesquels on retrouve ce nom : *chronologie, chronomètre…*
c. Pourquoi peut-on dire qu'à la fin de cette période, le temps se met en marche ?

II. Les Titans

1 **a.** Cronos est un Titan. Rappelez la caractéristique physique de ces êtres.
b. Que fait Cronos de ses enfants ?

2 Comment Zeus échappe-t-il à ce sort ?

3 **a.** Qu'est-ce que Zeus donne à boire à son père ?
b. Qui l'a aidé à préparer cette boisson ? À votre avis, que représente ce personnage ?

4 Qu'arrive-t-il à Cronos lorsqu'il avale cette boisson ?

5 **a.** Qui déclare la guerre aux dieux ?
b. Qui remporte la victoire ?

6 **a.** Comment Zeus, Hadès et Poséidon se répartissent-ils les territoires suivants : terre, ciel, enfers ?
b. Que deviennent les Titans et autres créatures monstrueuses des premiers temps ?
c. Quelles créatures échappent à ce sort ? Pourquoi ?

7 Reprenez l'ensemble du récit pour mettre en évidence la succession des différents règnes. Quelle évolution le monde a-t-il subi entre le début et la fin de cette histoire ?

III. Les hommes

1 Qu'est-ce qui caractérise l'âge d'or ?

2 Qui est Prométhée ?

3 **a.** Que crée-t-il ?
b. Qu'est-ce qui lui sert de modèle ?
c. Quelle déesse l'aide dans cette création ?

4 **a.** Qu'est-ce que Prométhée apprend aux hommes ?
b. À votre avis, que représente ce personnage ?

5 **a.** Pourquoi Zeus prend-il peur des hommes ?
b. Que demande-t-il alors à Prométhée ?

6 Comment Prométhée et les hommes s'y prennent-ils pour tromper les dieux ?

7 Quelle punition Zeus inflige-t-il aux hommes ?

8 Quelle autre transgression Prométhée commet-il ?

9 Quelle punition Zeus inflige-t-il à Prométhée ? Et aux hommes ?

10 **a.** Comment les hommes vivaient-ils avant le partage de Prométhée ?
b. Après le partage de Prométhée, qu'est-ce qui change dans la vie des hommes ?

11 **a.** Avant le partage de Prométhée, en quoi la vie des hommes ressemblait-elle à celle des dieux ?
b. En quoi est-elle différente ensuite ?
c. Pourquoi peut-on dire qu'avec ce partage, la séparation des éléments et la mise en ordre du monde se poursuit ?

IV. Le déluge

1 Quels défauts des hommes transforment leur vie ?

2 Est-ce encore l'âge d'or ? Pourquoi ?

3 Quel châtiment les dieux infligent-ils alors aux hommes ?

4 Écoutez la description du déluge : quelle période du monde évoque-t-elle ? Pourquoi ?

5 Quelle conclusion peut-on en tirer sur les conséquences de la violence et des défauts humains ?

Le Déluge

Ovide

(43 av. J.-C.–17 ap. J.-C.)
Ce poète latin est célèbre
pour ses poèmes d'amour
et surtout pour son œuvre
Les Métamorphoses qui
rassemble de nombreux
mythes grecs et romains.

Les dieux se rendent compte que les hommes respectent de moins en moins les lois et décident de détruire leur race malfaisante.

Soudain dans les antres d'Éole [Zeus] enferme l'Aquilon[1] et tous les vents dont le souffle impétueux dissipe les nuages. Il commande au Notus, qui vole sur ses ailes humides : son visage affreux est couvert de ténèbres ; sa barbe est chargée de brouillards ; l'onde coule de ses che-
5 veux blancs ; sur son front s'assemblent les nuées, et les torrents tombent de ses ailes et de son sein. Dès que sa large main a rassemblé, pressé tous les nuages épars dans les airs, un horrible fracas se fait entendre, et des pluies impétueuses fondent du haut des cieux. La messagère de Junon, dont l'écharpe est nuancée de diverses couleurs, Iris, aspire les eaux de
10 la mer, elle en grossit les nuages. Les moissons sont renversées, les espérances du laboureur détruites, et, dans un instant, périt le travail pénible de toute une année. Mais la colère de Jupiter n'est pas encore satisfaite ; Neptune son frère vient lui prêter le secours de ses ondes ; il convoque les dieux des fleuves, et, dès qu'ils sont entrés dans son palais : « Maintenant,
15 dit-il, de longs discours seraient inutiles. Employez vos forces réunies ; il le faut : ouvrez vos sources, et, brisant les digues qui vous arrêtent, abandonnez vos ondes à toute leur fureur. »

Il ordonne : les fleuves partent, et désormais sans frein, et d'un cours impétueux, ils roulent dans l'océan. Neptune lui-même frappe la terre de
20 son trident ; elle en est ébranlée, et les eaux s'échappent de ses antres profonds. Les fleuves franchissent leurs rivages, et se débordant dans les campagnes, ils entraînent, ensemble confondus, les arbres et les troupeaux, les hommes et les maisons, les temples et les dieux. Si quelque édifice résiste à la fureur des flots, les flots s'élèvent au-dessus de sa tête, et les plus hautes
25 tours sont ensevelies dans des gouffres profonds.

Déjà la terre ne se distinguait plus de l'océan : tout était mer, et la mer n'avait point de rivages. L'un cherche un asile sur un roc escarpé, l'autre se jette dans un esquif[2], et promène la rame où naguère il avait conduit la charrue : celui-ci navigue sur les moissons, ou sur des toits submergés ;
30 celui-là trouve des poissons sur le faîte[3] des ormeaux[4] ; un autre jette

1. **L'Aquilon** : vent d'été, tiède et doux.
2. **Esquif** : barque, embarcation légère.
3. **Faîte** : toit, sommet.
4. **Ormeaux** : jeunes arbres.

Les Chevaux de Neptune, **Walter Crane**, huile sur toile, 1892 (Nouvelle Pinacothèque, Munich).

l'ancre qui s'arrête dans une prairie. Les barques flottent sur les coteaux
qui portaient la vigne : le phoque pesant se repose sur les monts où paissait la chèvre légère. Les néréides s'étonnent de voir, sous les ondes, des
bois, des villes et des palais. Les dauphins habitent les forêts, ébranlent
35 le tronc des chênes, et bondissent sur leurs cimes. Le loup, négligeant sa
proie, nage au milieu des brebis ; le lion farouche et le tigre flottent sur
l'onde : la force du sanglier, égale à la foudre, ne lui est d'aucun secours ;
les jambes agiles du cerf lui deviennent inutiles : l'oiseau errant cherche en
vain la terre pour s'y reposer ; ses ailes fatiguées ne peuvent plus le sou-
40 tenir, il tombe dans les flots.

L'immense débordement des mers couvrait les plus hautes montagnes ;
alors, pour la première fois, les vagues amoncelées[5] en battaient le sommet. La plus grande partie du genre humain avait péri dans l'onde, et la
faim lente et cruelle dévora ceux que l'onde avait épargnés.

OVIDE, *Les Métamorphoses*, trad. Georges Lafaye

5. **Amoncelées :**
accumulées.

Parcours de lecture 1

1 Résumez l'action du texte en une ou deux phrases.

2 Associez chaque personnage à son domaine et à son rôle dans l'action. Justifiez vos réponses à l'oral, en vous appuyant sur le texte.

Iris	roi des dieux	enferme les vents qui chassent les nuages
Jupiter	la déesse arc-en-ciel	fait gonfler les nuages
Neptune	dieu des mers et des fleuves	fait déborder les rivières

3 Relisez les lignes 2 à 8.
a. À votre avis, qui est le Notus ? Justifiez votre réponse.
b. Quelle impression son portrait vous fait-elle ?

4 **a.** Le spectacle décrit dans le troisième paragraphe est-il terrifiant ? amusant ? fascinant ? Justifiez votre réponse.
b. Pourquoi peut-on dire que le monde décrit dans ce paragraphe est un monde bouleversé ?

5 Qu'arrive-t-il alors aux bâtiments ? Aux êtres vivants ?

Parcours de lecture 2

1 Qui sont les personnages qui déclenchent le déluge ? Pour quelle raison le font-ils ?

2 Dans le deuxième paragraphe, relevez les verbes qui traduisent les mouvements de l'eau comment la violence de l'action est-elle soulignée ?

3 **a.** « brisant les digues » (l. 16) : qu'est-ce qu'une digue ? Quel est le rôle de cette construction ?
b. « la mer n'avait point de rivages » (l. 26-27) quel rôle joue le rivage par rapport à un fleuve ou la mer?
c. « sans frein » (l. 18) : quelle est l'idée commune entre cette expression et les deux précédentes ?

4 Quelle est la caractéristique du monde décrit dans le troisième paragraphe ? Pour répondre, soyez attentif à la place à laquelle se retrouvent les différents êtres vivants.

5 D'après ce texte, quelles sont les conséquences sur l'ordre du monde lorsque l'on ne respecte plus certaines limites ?

Vocabulaire

Voici plusieurs mots extraits du portrait du Notus :
ténèbres – nuées – onde – torrent – fracas.

1 Vérifiez leur sens et employez chacun d'eux dans une phrase.

2 Ces mots appartiennent-ils au langage courant ?

3 Quel est leur degré d'intensité ?

Écriture

Sur le modèle du portrait du Notus, imaginez le portrait d'un jeune dieu du feu ou d'une déesse des forêts.

– Choisissez quelques détails saisissants qui marqueront le lecteur.

– Évitez les verbes *être* et *avoir*, préférez des verbes d'action.

Phaéton et le char du soleil

Phaéton vient d'apprendre de sa mère que son père n'est autre que le grand Phébus, le dieu Soleil qui conduit son char de feu à travers le ciel. Bouleversé, le jeune homme se rend au palais de Phébus pour demander au dieu une preuve de sa paternité.

Phaéton conduisant le char du soleil, **Nicolas Bertin** (1668-1736), huile sur toile (musée du Louvre, Paris).

Le Soleil enleva les rayons brûlants qui ornaient sa tête et fit signe au jeune homme d'approcher.

« Tu es bien mon fils, lui dit-il en le serrant dans ses bras. Ta mère t'a dit la vérité sur ton origine. Et pour que tu n'en doutes pas, en guise de preuve,
5 demande-moi ce que tu veux, je te l'accorderai. J'en prends pour témoin le Styx, le marais infernal que je ne connais pas et par lequel jurent les dieux.

– Mon père !... Puisqu'il en est ainsi, prête-moi ton char et laisse-moi le conduire toute une journée à travers le ciel. »

Phaéton n'avait pas plus tôt prononcé ces mots que le Soleil se repen-
10 tait de la promesse qu'il venait de faire si imprudemment.

« Si seulement je pouvais rompre mon serment, fit-il en secouant la tête, c'est la seule chose, mon fils, que je te refuserais. Hélas ! il ne m'est pas permis de revenir sur ma parole ! Je peux du moins te déconseiller une tentative si dangereuse. Toi qui n'es qu'un enfant, tu n'as ni les forces ni
15 l'expérience nécessaires pour accomplir une tâche qu'aucun mortel, aucun dieu – même pas Jupiter – ne peut accomplir à ma place. Tu n'imagines pas comme le chemin à suivre est difficile. Au départ, le matin, la pente est si raide que les chevaux, pourtant fringants[1], ont de la peine à la gravir. Au milieu du jour, la route franchit de tels sommets que moi-même,

1. Fringants : énergiques.

20 en voyant la terre et la mer de si haut, j'en tremble d'épouvante. À la fin de
la journée, la descente est vertigineuse, et Tĕthys, l'épouse de l'Océan, qui
m'accueille au sein de ses flots, craint chaque soir que je ne me fracasse.
[…] Mon enfant, vois dans quelle angoisse tu me plonges ! N'est-ce pas
une preuve suffisante de ma paternité ? Renonce à ton projet, demande-

25 moi autre chose, n'importe quoi… Choisis parmi les richesses du monde…
Tu ne veux pas ? Pourquoi, jeune fou, te pends-tu à mon cou ? C'est vrai
que j'ai promis d'exaucer ta demande. Pourtant, écoute-moi, je t'en prie,
montre-toi raisonnable… »

Mais Phaéton ne voulut rien entendre et persista dans son projet. […]
30 Cependant l'Aurore ouvrait les portes de ses jardins de roses. Lucifer,
l'étoile du matin, rassemblait le troupeau des autres étoiles et s'éloignait
avec elles. Le croissant de la Lune pâlissait, le monde entier prenait une
couleur de rose.

Phébus alors ordonna aux Heures d'aller chercher ses chevaux dans leur
35 écurie, où ils s'étaient gorgés d'ambroisie, la nourriture céleste des dieux.
Ils sortirent, vomissant des flammes. Phébus enduisit le visage de son fils
d'une lotion destinée à le protéger des brûlures et fixa sur sa chevelure
une couronne de rayons. Puis il lui fit ses dernières recommandations, en
soupirant, car il pressentait un malheur.

40 « Ne te sers pas de l'aiguillon pour piquer mes chevaux. Ils n'ont pas
besoin qu'on les presse, il faut au contraire les freiner. Pour maîtriser leur
fougue, tiens fermement les rênes. Ne traverse pas le ciel en ligne droite.
Prends le chemin oblique qui décrit une large courbe. Comme je passe
toujours par là, tu n'auras qu'à suivre la trace des roues.

45 Évite les pôles, ne va ni trop haut, ni trop bas : trop haut, tu risque-
rais d'incendier les demeures divines, trop bas, de faire flamber la Terre…
Mais tandis que je parle, la Nuit s'achève, l'Aurore luit. Nous ne pouvons
attendre plus longtemps. Va, mon enfant, que la Fortune te protège ! »

Phaéton s'élance donc sur le char de son père. Mais, incapable de le maîtriser,
il se déroute et, passant trop près de la Terre, embrase celle-ci.

C'est alors que la peau des Éthiopiens noircit, que la Libye se trans-
50 forme en désert et que le Nil, épouvanté, s'enfuit au bout du monde pour
cacher sa source, en laissant ses sept embouchures devenir sept vallées de
sable. Tandis que les nymphes pleurent leurs sources perdues, les grands
fleuves de l'univers s'assèchent et fument au milieu de leurs eaux taries.
Même le Tartare, le pays sombre et souterrain des Morts, est atteint par
55 la lumière qui se faufile par les fissures du sol. Et le roi des Enfers a peur.

[…] Jupiter, le père tout-puissant, prend à témoin les dieux, tous les
dieux, même le Soleil, que l'univers est en danger, qu'il doit agir pour le
sauver. Il gagne le sommet du ciel, brandit sa foudre et la lance sur Phaéton, lui faisant perdre à la fois l'équilibre et la vie. Puis il arrête l'incendie.

60 Les chevaux tombent, tentent de se redresser, s'arrachent au joug,
s'échappent. Dans l'espace roulent et s'éparpillent rênes, débris du char,
rayons des roues brisées, tandis que Phaéton, la chevelure en flammes,
dans sa chute traverse toute l'étendue du ciel, en laissant au passage une
trace lumineuse, comme le font certaines étoiles.

C'est l'Éridan, un fleuve d'Italie, qui le recueille, loin de sa patrie. Les nymphes des eaux baignent son corps fumant, l'ensevelissent et gravent ces vers sur son tombeau :

> *Ci-gît Phaéton l'audacieux,*
> *Qui voulut traverser les cieux*
> *Sur le char du Soleil.*
> *Il ne sut pas le diriger :*
> *Son mérite est d'avoir tenté*
> *Un exploit sans pareil.*

FRANÇOISE RACHMUHL,
16 métamorphoses d'Ovide,
© Flammarion, 2003.

La Chute de Phaéton,
James Ward,
huile sur toile, 1808
(Tabley House Collection,
University of Manchester).

Lecture

Pour bien lire

1 Que demande Phaéton à son père ?

2 a. Reformulez trois des arguments que Phébus donne à Phaéton pour le faire changer d'avis.
b. Que lui propose-t-il à la place ?

3 Pourquoi finit-il par céder ?

4 Quelles sont les deux conséquences graves de l'obstination du jeune homme ?

5 Qui punit Phaéton ? Comment ?

Pour approfondir

6 Quelle faute Phaéton commet-il en tant que fils ? Quelle faute commet-il en tant que mortel ?

7 « Ne va ni trop haut, ni trop bas » conseille Phébus (l. 45).
a. Pourquoi peut-on dire que, dans cette histoire, Phaéton a visé trop haut ?
b. Quelle morale peut-on tirer de cette histoire sur la place de l'homme et sur son comportement ?

8 Débat Phaéton a payé son obstination de sa vie. L'image finale que l'on a de lui est-elle positive ou négative ? Donnez votre point de vue en vous appuyant notamment sur la dernière phrase du texte.

Vocabulaire

1 Recherchez des synonymes et des antonymes du verbe *modérer*.

2 Donnez le sens exact du mot *téméraire*, puis cherchez des synonymes et des antonymes. Classez chacun de ces mots selon qu'ils expriment une qualité ou un défaut.

3 Comment comprenez-vous le proverbe latin suivant : *Mediocritas aurea* (« le juste milieu est d'or ») ?

Écriture

1 Lignes 30 à 35, quels sont les différents éléments personnifiés ? Expliquez la manière dont sont représentés ces éléments.

2 Sur le même modèle, racontez l'arrivée de la nuit en personnifiant les éléments. Que fait le Soleil de son char, de ses chevaux ? Que font la Lune, les Heures ? Que fait la Nuit ? Que fait Lucifer, la première étoile ?

Qu'est-ce que la Bible ?

Bible hébraïque, Livre d'Esther, écrit sur peau et roulé sur un axe de bois, XVIIᵉ siècle (Bibliothèque nationale de France, Paris).

Ancien et Nouveau Testaments

• En grec, *biblia* signifie « livres ». **La Bible est donc un ensemble de livres.**

• La Bible comporte deux grandes parties : L'**Ancien Testament**, commun aux juifs et aux chrétiens, et le **Nouveau Testament**, qui n'est reconnu que par les chrétiens.

• La partie la plus importante de l'Ancien Testament est constituée par la **Torah**, c'est-à-dire, en hébreu, la « Loi ». Il s'agit donc d'un ouvrage moral fondé sur les commandements de Dieu.

• Le Nouveau Testament se compose principalement des **quatre Évangiles** qui relatent la vie et l'enseignement de **Jésus**, considéré par les chrétiens comme l'envoyé de Dieu.

Questions

❶ Cherchez dans le dictionnaire la définition du mot *genèse* : que peut raconter cette partie de la Bible ?

❷ Recherchez combien il y a de commandements dans la Bible. À qui Dieu remet-il les tables de la Loi ?

Christ en majesté (Jésus), miniature du XIᵉ siècle (BNF, Paris).

L'histoire des patriarches

• La Bible raconte aussi l'histoire du **peuple hébreu** et des **grands prophètes**. Les principaux personnages de la Bible sont choisis par Dieu pour guider son peuple : Noé, Abraham, Moïse, Salomon... Ils sont appelés les patriarches car ils sont considérés comme **les pères du judaïsme**, mais aussi des deux autres grandes religions monothéistes : le **christianisme** et l'**islam**.

• On retrouve d'ailleurs dans le **Coran** les principaux personnages de la Bible, y compris Jésus qui porte alors le nom d'Issa.

Question

❸ Sur quelles racines le mot *patriarche* est-il formé ?

Les Prophètes (détail), **Fra Angelico**, 1447 (cathédrale d'Orvieto).

Scène du film *Les Dix commandements*, de Cécil B. DeMille, avec Charlton Heston dans le rôle de Moïse, 1956.

Qui a écrit la Bible ?

• La tradition attribue la rédaction de l'Ancien Testament à **Moïse**, mais on sait que ces textes furent mis à l'écrit entre le VIIᵉ et le IIIᵉ siècle avant notre ère, alors que les Hébreux étaient en exil à Babylone : ce peuple qui avait tout perdu, sa terre, son roi, son temple, avait besoin d'affirmer sa culture.

• En s'inspirant de **récits antérieurs**, ce peuple a écrit son histoire, fondée sur l'idée qu'un dieu le soutenait à travers ses épreuves. Ainsi retrouve-t-on dans la Bible des thèmes et des récits présents dans d'**autres civilisations**.

Questions

❹ Que savez-vous sur Moïse ?

❺ Quel rôle joue-t-il dans l'histoire des Hébreux ? Aidez-vous de l'image ci-dessus pour répondre.

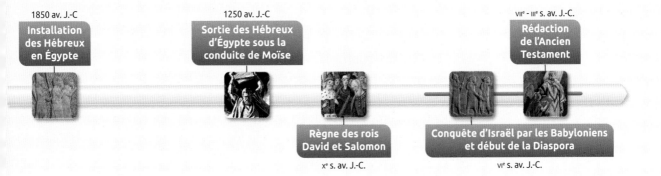

1850 av. J.-C — Installation des Hébreux en Égypte

1250 av. J.-C — Sortie des Hébreux d'Égypte sous la conduite de Moïse

Règne des rois David et Salomon — Xᵉ s. av. J.-C.

Conquête d'Israël par les Babyloniens et début de la Diaspora — VIᵉ s. av. J.-C.

VIIᵉ - IIIᵉ s. av. J.-C. — Rédaction de l'Ancien Testament

La Genèse

Au commencement, Dieu créa les cieux et la terre. La terre était informe et vide : il y avait des ténèbres à la surface de l'abîme, et l'esprit de Dieu se mouvait au-dessus des eaux.

Dieu dit : « Que la lumière soit ! » Et la lumière fut. Dieu vit que la
5 lumière était bonne ; et Dieu sépara la lumière d'avec les ténèbres. Dieu appela la lumière « jour », et il appela les ténèbres « nuit ». Ainsi, il y eut un soir, et il y eut un matin : ce fut le premier jour.

Dieu dit : « Qu'il y ait une étendue entre les eaux, et qu'elle sépare les eaux d'avec les eaux. » Et Dieu fit l'étendue, et il sépara les eaux qui sont
10 au-dessous de l'étendue d'avec les eaux qui sont au-dessus de l'étendue. Et cela fut ainsi. Dieu appela l'étendue « ciel ». Ainsi, il y eut un soir, et il y eut un matin : ce fut le second jour.

Dieu dit : « Que les eaux qui sont au-dessous du ciel se rassemblent en un seul lieu, et que le sec paraisse. » Et cela fut ainsi. Dieu appela le sec
15 « terre », et il appela l'amas des eaux « mers ». Dieu vit que cela était bon. Puis Dieu dit : « Que la terre produise de la verdure, de l'herbe portant de la semence, des arbres fruitiers donnant du fruit selon leur espèce et ayant en eux leur semence sur la terre. » Et cela fut ainsi. La terre produi-sit de la verdure, de l'herbe portant de la semence selon son espèce, et des
20 arbres donnant du fruit et ayant en eux leur semence selon leur espèce. Dieu vit que cela était bon. Ainsi, il y eut un soir, et il y eut un matin : ce fut le troisième jour.

Dieu dit : « Qu'il y ait des luminaires dans l'étendue du ciel, pour séparer le jour d'avec la nuit ; que ce soient des signes pour marquer les époques,
25 les jours et les années ; et qu'ils servent de luminaires dans l'étendue du ciel, pour éclairer la Terre. » Et cela fut ainsi. Dieu fit les deux grands lumi-naires, le plus grand luminaire pour présider au jour, et le plus petit lumi-naire pour présider à la nuit ; il fit aussi les étoiles. Dieu les plaça dans l'étendue du ciel, pour éclairer la terre, pour présider au jour et à la nuit,
30 et pour séparer la lumière d'avec les ténèbres. Dieu vit que cela était bon. Ainsi, il y eut un soir, et il y eut un matin : ce fut le quatrième jour.

Dieu dit : « Que les eaux produisent en abondance des animaux vivants, et que des oiseaux volent sur la terre vers l'étendue du ciel. » Dieu créa les grands poissons et tous les animaux vivants qui se meuvent, et que
35 les eaux produisirent en abondance selon leur espèce ; il créa aussi tout oiseau ailé selon son espèce. Dieu vit que cela était bon. Dieu les bénit, en disant : « Soyez féconds, multipliez, et remplissez les eaux des mers ; et que les oiseaux multiplient sur la terre. » Ainsi, il y eut un soir, et il y eut un matin : ce fut le cinquième jour.

40 Dieu dit : « Que la terre produise des animaux vivants selon leur espèce, du bétail, des reptiles et des animaux terrestres, selon leur espèce. » Et cela fut ainsi. Dieu fit les animaux de la terre selon leur espèce, le bétail selon son espèce, et tous les reptiles de la terre selon leur espèce. Dieu vit que cela était bon.

La Création du monde,
**fresque de Giusto
de Menabuoi,**
1374-1376 (monastère
du Dôme de Padoue).

45 Puis Dieu dit : « Faisons l'homme à notre image, selon notre ressemblance, et qu'il domine sur les poissons de la mer, sur les oiseaux du ciel, sur le bétail, sur toute la terre, et sur tous les rep- 50 tiles qui rampent sur la terre. » Dieu créa l'homme à son image, il le créa à l'image de Dieu, il créa l'homme et la femme. Dieu les bénit, et Dieu leur dit : « Soyez féconds, multipliez, rem- 55 plissez la terre, et l'assujettissez[1] ; et dominez sur les poissons de la mer, sur les oiseaux du ciel, et sur tout animal qui se meut sur la terre. » Et Dieu dit : « Voici, je vous donne toute herbe por- 60 tant de la semence et qui est à la sur- face de toute la terre, et tout arbre ayant en lui du fruit d'arbre et portant de la semence : ce sera votre nourriture. Et à tout animal de la terre, à tout oiseau 65 du ciel, et à tout ce qui se meut sur la terre, ayant en soi un souffle de vie, je donne toute herbe verte pour nour- riture. » Et cela fut ainsi. Dieu vit tout ce qu'il avait fait et voici, cela était très bon. Ainsi, il y eut un soir, et il y eut un matin : ce fut le sixième jour.

La Bible de Jérusalem, Genèse, trad. de l'École biblique et archéologique de Jérusalem © Éditions du Cerf, 1998.

---

1. **L'assujéttissez** : dominez-la.

Lecture

Pour bien lire

1 a. Combien de jours la création de l'univers dure-t-elle ?
b. Faites la liste de tout ce qui est créé jour après jour.

2 Comment Dieu fait-il pour créer une nouvelle chose ?

Pour approfondir

3 a. Quelles phrases sont répétées d'un paragraphe à l'autre ?
b. Que mettent-elles en avant ?

4 Relevez, dans le premier paragraphe du texte, un adjectif qui qualifie la Terre, analysez-le et déduisez-en son sens.

5 Lignes 5 à 10, quel geste permet à Dieu de former les diffé- rents éléments ? Pour répondre, observez les répétitions.

6 Dans les lignes 32 à 39, comment le sentiment de vie et d'abondance est-il suggéré ?

7 Quelle est la caractéristique de l'homme qui le différencie des autres êtres vivants ?

Vocabulaire

1 Rappelez le sens des mots *ténèbres* et *abîme* (l. 2).

2 a. Donnez l'infinitif et le sens du verbe *se mouvait* (l. 3).
b. Retrouvez ce verbe dans le dernier para- graphe du texte : à quel temps est-il employé ?

3 Cherchez un synonyme et un antonyme de *fécond*. Faites une phrase avec le mot *fécond* et une avec son antonyme.

Découvrir

Dans la Bible, que fait Dieu le septième jour ?

Adam et Ève

Dieu place l'homme et la femme dans un jardin merveilleux, le jardin d'Éden, où ils trouvent en abondance tout ce dont ils ont besoin. Seul le fruit d'un arbre leur est interdit.

Le serpent était le plus rusé de tous les animaux des champs, que le Seigneur Dieu avait faits. Il dit à la femme : « Dieu a-t-il réellement dit : Vous ne mangerez pas de tous les arbres du jardin ? » La femme répondit au serpent : « Nous mangeons du fruit des arbres du jardin. Mais quant
5 au fruit de l'arbre qui est au milieu du jardin, Dieu a dit : Vous n'en mangerez point et vous n'y toucherez point, de peur que vous ne mouriez. » Alors le serpent dit à la femme : « Vous ne mourrez point ; mais Dieu sait que, le jour où vous en mangerez, vos yeux s'ouvriront, et que vous serez comme des dieux, connaissant le bien et le mal. » La femme vit que
10 l'arbre était bon à manger et agréable à la vue, et qu'il était précieux pour ouvrir l'intelligence ; elle prit de son fruit, et en mangea ; elle en donna aussi à son mari, qui était auprès d'elle, et il en mangea. Les yeux de l'un et de l'autre s'ouvrirent, ils connurent[1] qu'ils étaient nus, et ayant cousu des feuilles de figuier, ils s'en firent des ceintures. Alors ils entendirent la
15 voix du Seigneur Dieu, qui parcourait le jardin vers le soir, et l'homme et sa femme se cachèrent loin de la face du Seigneur Dieu, au milieu des arbres du jardin. Mais le Seigneur Dieu appela l'homme, et lui dit : « Où es-tu ? […] Est-ce que tu as mangé de l'arbre dont je t'avais défendu de manger ? » L'homme répondit : « La femme que tu as mise auprès de
20 moi m'a donné de l'arbre, et j'en ai mangé. » Et le Seigneur Dieu dit à la femme : « Pourquoi as-tu fait cela ? » La femme répondit : « Le serpent m'a séduite, et j'en ai mangé. » Le Seigneur Dieu dit au serpent : « Puisque tu as fait cela, tu seras maudit entre tout le bétail et entre tous les animaux des champs, tu marcheras sur ton ventre, et tu mangeras de la poussière
25 tous les jours de ta vie. »

Il dit à la femme : « J'augmenterai la souffrance de tes grossesses, tu enfanteras avec douleur, et tes désirs se porteront vers ton mari, mais il dominera sur toi. » Il dit à l'homme : […] « C'est à la sueur de ton visage que tu mangeras du pain, jusqu'à ce que tu retournes dans la terre, d'où
30 tu as été pris[2] ; car tu es poussière, et tu retourneras dans la poussière. »

Le Seigneur Dieu fit à Adam et à sa femme des habits de peau, et il les en revêtit. Le Seigneur Dieu dit : « Voici, l'homme est devenu comme l'un de nous, pour la connaissance du bien et du mal. Empêchons-le maintenant d'avancer sa main, de prendre de l'arbre de vie, d'en manger, et de
35 vivre éternellement. » Et le Seigneur Dieu le chassa du jardin d'Éden, pour qu'il cultivât la terre, d'où il avait été pris.

La Bible de Jérusalem, Genèse 3,
trad. de l'École biblique et archéologique de Jérusalem
© Éditions du Cerf, 1998.

1. Connurent : découvrirent.

2. D'où tu as été pris : Dieu a créé l'homme avec de la terre.

La Chute, **Hugo Van der Goes**, huile sur toile, vers 1480 (Kunsthistorisches Museum, Vienne).

Pour bien lire

1 Qu'est-ce que Dieu a formellement interdit à l'homme et à la femme ?

2 Quel animal va les convaincre de désobéir ?

3 Quelle punition Dieu inflige-t-il au serpent ? À la femme ? À l'homme ?

Pour approfondir

4 Recopiez et complétez le tableau suivant :

Consommation du fruit	Avant	Après
Quelle est la tenue de l'homme et de la femme ?		
Comment trouvent-ils leur nourriture ?		
Que comprennent-ils du bien et du mal ?		
Que savez-vous de la manière dont ils naissent, vivent et meurent ?		

5 En quoi ce texte se rapproche-t-il d'un conte explicatif ?

Du texte à l'image

1 Observez le tableau de Van der Goes.
a. Qui sont les personnages ? Que font-ils ?
b. Que remarquez-vous dans la représentation du serpent ? Comment l'expliquez-vous ?

2 Aujourd'hui, que symbolise le serpent ?

3 Faites une recherche sur la légende de saint George ou de saint Michel : quel animal combattent-ils ? Pourquoi ? Quel point commun cet animal a-t-il avec le serpent ?

Écriture

Le texte ne relate pas le dialogue entre l'homme et la femme, au moment où la femme convainc son mari de manger du fruit. Écrivez ce dialogue en quelques lignes.

– Pour imaginer ce que la femme dit à l'homme, vous pouvez vous aider des arguments que donne le serpent.

– Faites très attention à la ponctuation.

L'arche de Noé

**ΚΑΙ ΑΝΕCΤΡΕΨΕ ΠΡΟC ΑΥΤΟΝ Η ΠΕΡΙCΤΕΡΑ
...ΚΑΙ ΕΙΧΕ ΦΥΛΛΟΝ ΕΛΑΙΑC ΚΑΡΦΟC
ΕΝ ΤΩ CΤΟΜΑΤΙ
ΑΥΤΗC.**

Η ΚΙΒΩΤΟC ΤΟ ΝΩΕ

L'Arche de Noé, mosaïque, XIIe–XIIIe siècle
(monastère de Kykkos, Chypre).

« Yahvé vit que la méchanceté de l'homme était grande sur la Terre » : il décide donc de détruire toute vie. « Mais Noé avait trouvé grâce aux yeux de Yahvé » : Dieu ordonne à celui-ci de bâtir une arche et d'y faire monter un couple de chaque espèce animale. Noé obéit.

Au bout de sept jours, les eaux du déluge vinrent sur la Terre. […] Il y eut le déluge pendant quarante jours sur la Terre ; les eaux grossirent et soule-
5 vèrent l'arche, qui fut élevée au-dessus de la Terre. Les eaux montèrent et grossirent beaucoup sur la Terre et l'arche s'en alla à la surface des eaux. Alors périt toute chair qui se meut sur la Terre :
10 oiseaux, bestiaux, bêtes sauvages, tout ce qui grouille sur la Terre, et tous les hommes. Ils furent effacés de la Terre et il ne resta que Noé et ce qui était avec lui dans l'arche. La crue des eaux sur la
15 Terre dura cent cinquante jours.

Alors Dieu se souvint de Noé et de toutes les bêtes sauvages et de tous les bestiaux qui étaient avec lui dans l'arche : Dieu fit passer un vent sur la Terre et les
20 eaux désenflèrent. Les eaux baissèrent au bout de cent cinquante jours et, au septième mois, au dix-septième jour du mois, l'arche s'arrêta sur les monts d'Ararat.

25 Au bout de quarante jours, Noé ouvrit la fenêtre qu'il avait faite à l'arche et il lâcha le corbeau, qui alla et vint en attendant que les eaux aient séché sur la Terre. Alors il lâcha d'auprès de lui la colombe pour voir si les eaux avaient diminué à la surface du sol.
30 La colombe, ne trouvant pas un endroit où poser ses pattes, revint vers lui dans l'arche, car il y avait de l'eau sur toute la surface de la Terre ; il étendit la main, la prit et la fit rentrer auprès de lui dans l'arche. Il attendit encore sept autres jours et lâcha de nouveau la colombe hors de l'arche. La colombe revint vers lui sur le soir et voici qu'elle avait dans le bec un
35 rameau tout frais d'olivier ! Ainsi Noé connut que les eaux avaient diminué à la surface de la Terre. Il attendit encore sept autres jours et lâcha la

colombe, qui ne revint plus vers lui. C'est en l'an six cent un de la vie de Noé, au premier mois, le premier du mois, que les eaux séchèrent sur la Terre.

40 Noé sortit avec ses fils, sa femme et les femmes de ses fils ; et toutes les bêtes sauvages, tous les bestiaux, tous les oiseaux, toutes les bestioles qui rampent sur la Terre sortirent de l'arche, une espèce après l'autre.

Noé construisit un autel à Yahvé, il prit de tous les animaux purs et de tous les oiseaux purs et offrit des holocaustes[1] sur l'autel. Yahvé respira 45 l'agréable odeur et il se dit en lui-même : « Je ne maudirai plus jamais la Terre à cause de l'homme, parce que les desseins du cœur de l'homme sont mauvais dès son enfance ; plus jamais je ne frapperai tous les vivants comme j'ai fait. »

Dieu parla ainsi à Noé et à ses fils : « J'établis mon alliance avec vous : 50 il n'y aura plus de déluge pour ravager la Terre. » Et Dieu dit : « Voici le signe de l'alliance que j'institue[2] entre moi et vous et tous les êtres vivants qui sont avec vous, pour les générations à venir : je mets mon arc dans la nuée et il deviendra un signe d'alliance entre moi et la Terre. »

La Bible de Jérusalem, Genèse 6-9, trad. de l'École biblique et archéologique de Jérusalem © éditions du Cerf, 1998.

1. **Holocaustes :** sacrifices.

2. **Instituer :** créer, mettre en place.

Lecture

1 **a.** Quel paragraphe fait le récit du déluge proprement dit ?
b. La description de la Terre submergée est-elle détaillée ?

2 Comment Noé comprend-il que le déluge est terminé ?

3 Relisez les lignes 43 à 48. À votre avis, pourquoi Dieu a-t-il épargné Noé ?

4 **a.** Quelle promesse Dieu fait-il à la fin de l'extrait ?
b. Que crée-t-il pour rappeler aux hommes cette promesse ?

Vocabulaire

1 Rappelez le sens des mots *se meut* (l. 9) et *nuées* (l. 53).

2 Donnez un synonyme de *desseins* (l. 46).

Écriture

Développez le premier paragraphe du texte en ajoutant, avant « Alors périt toute chair… », six à huit phrases décrivant la Terre ravagée.

1 Utilisez des verbes d'action pour donner de la force à votre texte. Vous pouvez exprimer l'action de l'eau sur les bâtiments, les paysages, les réactions des êtres vivants. Employez les verbes suivants : *rouler – dévaler – dévaster – submerger – ravager – renverser – ébranler – déborder – recouvrir – abattre…*

2 Utilisez le champ lexical de l'eau : *eau – onde – mer – vagues – lames – fleuves – rivières…*

Du texte à l'image

Observez l'image ci-contre.

1 D'où vient-elle ? Quelle est la technique utilisée ?

2 Qu'est-ce qui permet d'identifier le bateau comme l'arche de Noé ?

3 D'après le texte, que symbolise l'arc-en-ciel ?

4 Que symbolisent aujourd'hui la colombe et l'olivier ?

5 Divisez l'image en deux parties et justifiez ce découpage. Qu'est-ce qui oppose ces deux parties ?

La tour de Babel

Tout le monde se servait d'une même langue et des mêmes mots. Comme les hommes se déplaçaient à l'orient, ils trouvèrent une vallée au pays de Shinéar et ils s'y établirent. Ils se dirent l'un à l'autre : Allons ! Faisons des briques et cuisons-les au feu ! La brique leur servit de pierre et
5 le bitume leur servit de mortier[1]. Ils dirent : « Allons ! Bâtissons-nous une ville et une tour dont le sommet pénètre les cieux ! Faisons-nous un nom et ne soyons pas dispersés sur toute la Terre ! Or Yahvé descendit pour voir la ville et la tour que les hommes avaient bâties. Et Yahvé dit : Voici que tous font un seul peuple et parlent une seule langue, et tel est le début
10 de leurs entreprises ! Maintenant, aucun dessein ne sera irréalisable pour eux. Allons ! Descendons ! Et là, confondons[2] leur langage pour qu'ils ne s'entendent plus les uns les autres. Yahvé les dispersa de là sur toute la face de la Terre et ils cessèrent de bâtir la ville. Aussi la nomma-t-on Babel, car c'est là que Yahvé confondit le langage de tous les habitants de la Terre et
15 c'est de là qu'il les dispersa sur toute la face de la Terre.

La Bible de Jérusalem, Genèse 11, trad. de l'École biblique
et archéologique de Jérusalem © Éditions du Cerf, 1998.

1. **Mortier :** mélange servant de liant dans les matériaux de construction.
2. **Confondons :** mélangeons.

Lecture

1 D'après ce texte, quelle est la situation de l'ensemble des hommes au début du récit ?

2 Pourquoi Dieu se met-il en colère contre les hommes ?

3 Quel est le châtiment infligé aux hommes ?

4 De quelle caractéristique humaine ce récit explique-t-il l'origine ?

Vocabulaire

1 Rappelez le sens du mot *desseins* (l. 10).

2 Donner le sens de *s'établir* (l. 3) et un nom de la même famille.

3 a. Quel est ici le sens du mot *entreprises* (l. 10) ?
b. De quel verbe ce nom vient-il ? Précisez le sens de ce verbe et réemployez-le dans une phrase qui mettra son sens en valeur.

Du texte à l'image

Pieter Brueghel, dit Brueghel l'Ancien, né vers 1525 et mort en 1569, est un peintre flamand. Son œuvre témoigne des activités des hommes de son temps et intègre de nombreux éléments symboliques.

Un châtiment célèbre

1 De quel défaut les hommes font-ils preuve dans leur projet ?

2 Observez la peinture de Brueghel : comment le peintre traduit-il ce défaut ? Pour répondre, observez la composition et les lignes utilisées.

Un hommage à l'esprit humain

3 a. Que voit-on au premier plan ?
b. Cherchez tous les détails qui montrent les moyens techniques déployés pour construire la tour : que nous disent-ils sur l'esprit humain ?
c. Quels autres détails du tableau évoquent les activités humaines ?

4 Observez le paysage autour de la tour : s'en dégage-t-il une impression de violence et de destruction ? Pourquoi ?

La Tour de Babel, Brueghel

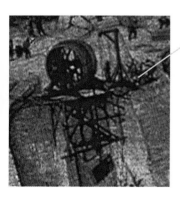

La Tour de Babel,
Pieter Brueghel l'Ancien,
huile sur bois, 1563
(Kunsthistorisches Museum, Vienne).

Une figure de patriarche : Abraham

Abraham est considéré comme le père du peuple juif : c'est lui qui, sur ordre de Dieu, emmène sa famille dans le pays appelé Canaan, l'actuel Israël. Dieu lui a promis de lui donner un fils, mais il est maintenant bien vieux…

Lorsqu'Abram fut âgé de quatre-vingt-dix-neuf ans, l'Éternel apparut à Abram, et lui dit : [...] « On ne t'appellera plus Abram ; mais ton nom sera Abraham, car je te rends père d'une multitude de nations. J'établirai mon alliance entre moi et toi, et tes descendants après toi, selon leurs
5 générations : ce sera une alliance perpétuelle, en vertu de laquelle je serai ton Dieu et celui de ta postérité[1] après toi. [...] Vous vous circoncirez ; et ce sera un signe d'alliance entre moi et vous. [...] Sara, ta femme, t'enfantera un fils ; et tu l'appelleras du nom d'Isaac.

L'enfant annoncé naît et grandit. C'est maintenant un jeune homme très aimé de son père.

Après ces choses, Dieu mit Abraham à l'épreuve, et lui dit : « Abraham ! »
10 Et il répondit : « Me voici ! » Dieu dit : « Prends ton fils, ton unique, celui que tu aimes, Isaac ; va t'en au pays de Morija[2], et là offre-le en holocauste sur l'une des montagnes que je te dirai. »
Abraham se leva de bon matin, sella son âne, et prit avec lui deux serviteurs et son fils Isaac. Il fendit du bois pour l'holocauste, et partit pour
15 aller au lieu que Dieu lui avait dit. [...] Abraham prit le bois pour l'holocauste, le chargea sur son fils Isaac, et porta dans sa main le feu et le couteau. Et ils marchèrent tous deux ensemble. Alors Isaac, parlant à Abraham, son père, dit : « Mon père ! » Et il répondit : « Me voici, mon fils ! » Isaac reprit : « Voici le feu et le bois ; mais où est l'agneau pour l'holocauste ? »
20 Abraham répondit : « Mon fils, Dieu se pourvoira[3] lui-même de l'agneau pour l'holocauste. » Et ils marchèrent tous deux ensemble.
Lorsqu'ils furent arrivés au lieu que Dieu lui avait dit, Abraham y éleva un autel, et rangea le bois. Il lia son fils Isaac, et le mit sur l'autel, par-dessus le bois. Puis Abraham étendit la main, et prit le couteau, pour égor-
25 ger son fils. Alors l'ange de l'Éternel l'appela des cieux, et dit : « Abraham ! Abraham ! » Et il répondit : « Me voici ! » L'ange dit : « N'avance pas ta main sur l'enfant, et ne lui fais rien ; car je sais maintenant que tu crains Dieu, et que tu ne m'as pas refusé ton fils, ton unique. »
Abraham leva les yeux, et vit derrière lui un bélier retenu dans un buis-
30 son par les cornes ; et Abraham alla prendre le bélier, et l'offrit en holocauste à la place de son fils.

La Bible de Louis Segond, Genèse 17 et 22, 1910.

1. Postérité : descendance.

2. Morija : nom de la région de Jérusalem.

3. Se pourvoira : se munira.

Hospitalité d'Abraham et Sacrifice d'Isaac,
mosaïque byzantine, VIᵉ siècle (basilique Saint Vital, Ravenne).

Lecture

Pour bien lire

1 Qui est L'Éternel ?

2 Quels sont les deux signes de l'alliance de Dieu avec Abram ?

3 Quel miracle Dieu accomplit-il pour bénir Sara et Abraham ?

4 Quelle épreuve Dieu inflige-t-il à Abraham ?

Pour approfondir

5 « Prends ton fils, ton unique, celui que tu aimes, Isaac. »
a. Quelles sont les différentes expressions qui qualifient « ton fils » ?
b. Quel effet produit cette accumulation ?

6 **a.** Quelles paroles sont répétées au début et à la fin de l'histoire d'Isaac ?
b. De quelle attitude Abraham fait-il preuve dans ses réponses à Dieu ?

7 À votre avis, pourquoi dieu met-il ainsi Abraham à l'épreuve ? Que veut-il vérifier ? Pourquoi ?

Vocabulaire

1 Donnez un synonyme du mot *holocauste* (l. 15).

2 Qu'est-ce qu'un *autel* (l. 23) ?

3 « Dieu *fait subir une épreuve* à Abraham » : recopiez cette phrase en remplaçant l'expression en italique par un verbe de la famille d'*épreuve*.

Découvrir

1 Les Grecs racontaient une histoire assez proche de celle d'Isaac : cherchez pourquoi Agamemnon voulut sacrifier sa propre fille, Iphigénie. La jeune fille fut-elle sacrifiée ? Pourquoi ?

2 Quelle grande fête musulmane commémore le sacrifice d'Abraham (Ibrahim dans le Coran) ?

Atelier de lecture

Comparer deux récits de création

I. La naissance du monde

Le poème grec qui raconte la naissance du monde s'appelle *La Théogonie* (écrit par Hésiode).

La partie de la Bible qui fait le récit de la création de l'univers s'intitule *La Genèse*.

Théogonie et *Genèse* sont formés sur la même racine grecque : *gen-*, *gon-*, qui signifie « naissance ».

1 **a.** Analysez la formation du mot *théogonie* : que signifie exactement ce titre ?

b. Dans quels autres mots retrouvez-vous la racine *théo-* ? Expliquez leur sens.

2 On retrouve la racine *gen-* dans de nombreux mots français. Retrouvez ces mots à partir de leurs définitions

a. Verbe. Donner naissance à, créer. → gén....

b. Nom. Ensemble de personnes nées à une même période. → gén....

c. Adjectif. Se dit d'une maladie que l'on a dès la naissance, qui est transmise par les parents. → gén....

II. La naissance d'un ordre

Comparez le récit de la naissance du monde chez les Grecs et dans la Bible.

3 **a.** Qu'est-ce qui caractérise l'univers avant l'apparition de la Terre et de son environnement ?

b. Et après ?

4 Qui organise l'univers dans l'un et l'autre texte ?

5 **a.** Dans la Bible, à qui Dieu remet-il ses Commandements ? Où peut-on lire ces Commandements ?

b. Les règles des dieux grecs sont-elles aussi claires ? Sont-elles écrites quelque part ?

III. Des hommes et des dieux

6 **a.** Quel modèle Prométhée prend-il lorsqu'il crée l'homme ?

b. À qui l'homme créé par Dieu, dans la Bible, ressemble-t-il ?

7 **a.** Pourquoi Zeus redoute-t-il les hommes après que Prométhée leur a apporté toutes sortes de connaissances ?

b. Relisez le texte p. 124, lignes 7 à 9 et 32 à 35 : qu'est-ce que le fruit défendu a apporté à Adam et Ève ? Pourquoi cela inquiète-t-il Dieu ?

8 D'après ces récits, en quoi la connaissance est-elle positive pour l'homme ? En quoi est-elle négative ?

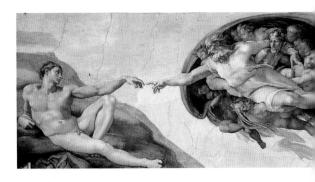

La *Création d'Adam*, **plafond de la chapelle Sixtine, Michel-Ange**, 1508-1512 (musée du Vatican, Rome).

IV. Chacun à sa place

9 **a.** À votre avis, que représentent les premières créatures nées du Chaos, chez les Grecs ? Justifiez vos réponses.

b. Que se passe-t-il lorsque ces créatures se retrouvent confrontées aux dieux olympiens ?

c. Quelle place leur est finalement réservée ? À votre avis, pourquoi ?

10 **a.** À quel moment hommes et dieu(x) vivent-ils ensemble dans des conditions similaires chez les Grecs ? Et dans la Bible ?

b. Quel événement met fin à cette vie commune dans chacun des cas ?

c. Quel est le rôle attribué à la femme dans les deux cas ?

11 Quelle est ensuite la place des hommes ? Celle des dieux ? Qu'est-ce qui distingue leurs conditions de vie ?

V. La menace du chaos

12 **a.** Citez une grande catastrophe dont on trouve le récit aussi bien chez les Grecs que dans la Bible.

b. Quels défauts des hommes ont entraîné cette catastrophe ?

13 **a.** Citez un épisode de la mythologie grecque et un épisode biblique où des hommes essaient de prendre la place de dieu.

b. Quelles sont alors les conséquences ?

14 Quelle morale commune peut-on tirer de ces deux grands récits de création ?

Qu'est-ce qu'un mythe ?

Définition

✳ Le mot *mythe* vient du grec *mythos* qui signifie « fable, **récit imaginaire** ». Le mythe est donc un récit qui cherche à expliquer le monde, son origine, les **phénomènes naturels** auxquels l'homme est sans cesse confronté (la foudre, les tempêtes, l'alternance du jour et de la nuit, des saisons…), mais aussi les **attitudes humaines** (la coquetterie des femmes, l'orgueil des hommes…).

✳ **Transmis oralement**, ces récits se sont propagés sur de vastes territoires, **se transformant peu à peu** au fil de leur voyage. C'est ainsi que l'on retrouve des épisodes très proches, comme celui du déluge, dans des traditions différentes.

Une réflexion sur l'homme et la société

✳ Les mythes mettent en scène les hommes et les **dieux**. Ils se rattachent aux cultes des différentes civilisations.

✳ En effet, les mythes ne se contentent pas d'expliquer le monde, ils **illustrent et justifient les règles et les interdits qui organisent la vie collective** : il faut être juste, modéré ; le crime, la violence, mais aussi la démesure, le non-respect des dieux et de leurs lois sont punis. Voilà ce que l'on comprend à la lecture des mythes. D'après ces récits, les règles sont importantes parce qu'elles assurent l'ordre du monde mais aussi parce qu'elles viennent des dieux.

La spécificité de la Bible

✳ Avec la Bible, le récit de création s'inscrit dans un contexte nouveau : celui du **monothéisme**. Aux différents dieux qui incarnent des forces de la nature se substitue un dieu unique animé d'une volonté et d'**un projet pour l'homme**.

✳ Contrairement aux dieux païens, le Dieu de la Bible entretient des relations permanentes avec l'homme, conformément à **l'alliance qu'il a formée avec lui**. Il lui donne directement ses commandements et lui promet une vie meilleure à ses côtés après la mort s'il respecte cette loi.

✳ Cette relation personnelle de Dieu avec l'homme est un élément que l'on retrouve dans les trois grandes religions monothéistes : le judaïsme, le christianisme et l'islam.

La Nuit et l'Aurore, **Jean-Baptiste de Champaigne**, 1668 (musée du Louvre, Paris).

Le temps

1 **a. Sur quelle racine les mots suivants sont-ils construits ? Que signifie cette racine ?**

chronomètre – chronologie – chronique – anachronisme – synchroniser

b. Recherchez le sens de chacun de ces mots.

c. Rappelez le nom du dieu qui dévorait ses enfants. Sachant que ce dieu symbolise le temps, quelle nouvelle signification pouvons-nous donner à ce mythe ?

2 **a. D'où vient le nom des *Cyclopes*, que vous avez rencontrés dans le texte d'Hésiode ?**

b. Qu'est-ce qu'un *cycle* ? Citez des phénomènes temporels *cycliques*.

c. Recherchez des mots dans lesquels on reconnaît la même racine.

3 **Faites des recherches et classez les périodes historiques suivantes de la plus ancienne à la plus récente.**

âge classique – Antiquité – époque contemporaine – Moyen Âge – Préhistoire – Renaissance – temps modernes

4 **Associez à chaque définition (A) l'adjectif (B) qui lui correspond.**

A. définitions : du printemps – de l'été – de l'hiver – du Moyen Âge – du matin – du soir – du jour – de la nuit – d'un siècle ou plus – de nos ancêtres

B. adjectifs : ancestral – diurne – estival – hivernal – matinal – médiéval – nocturne – printanier – séculaire – vespéral

5 **Quel moment de la journée les mots suivants désignent-ils ?**

l'aube – l'aurore – le crépuscule – le passage au zénith – entre chien et loup

6 **Associez chaque mot de la liste A à son antonyme (mot de sens contraire) dans la liste B.**

A. antérieur – précéder – permanent – bref

B. long – postérieur – provisoire – succéder

7 **Formez des adverbes à partir des adjectifs suivants et employez-les dans des phrases. Vérifiez dans le dictionnaire le sens de ces adjectifs et l'orthographe des adverbes.**

périodique – ultérieur – long – récent – constant – précédent

8 *Aujourd'hui, demain, la semaine prochaine* ne peuvent être employés que dans les dialogues, pas dans les récits. Recopiez les phrases suivantes en remplaçant les mots en gras par l'expression qui convient.

1. Il l'avait rencontrée **aujourd'hui** et voulait l'épouser dès **demain**. – **2.** C'était l'homme qu'il avait vu **la semaine dernière**. – **3. Aujourd'hui**, Robin était bien sombre : il ne pouvait s'empêcher de penser aux événements d'**hier**. – **4.** Il lui donna rendez-vous **dans trois jours**. – **5.** Par chance, un bateau partait **après-demain**. – **6.** Le mariage fut repoussé au mois **prochain**.

9 **a. Classez les expressions suivantes selon qu'elles désignent le présent, le passé ou l'avenir.**

<u>actuellement</u> – autrefois – bientôt – <u>d'antan</u> – <u>désormais</u> – dorénavant – jadis – maintenant – <u>naguère</u> – <u>récemment</u>

b. Employez dans une phrase celles qui sont soulignées.

10 **a. Expliquez le sens des mots suivants.**

les aïeux – les ancêtres – nos contemporains – des descendants – un prédécesseur – un successeur

b. Qu'est-ce que la *postérité* ? Une gloire *posthume* ?

c. Les mythes remontent à des temps *immémoriaux* : que signifie *immémoriaux* ?

11 **Recopiez et complétez les phrases avec l'un des mots suivants.**

bicentenaire – bimensuel – bimestriel – hebdomadaire – périodes – quotidienne – solstice – trimestres

1. L'année scolaire est divisée en .... – **2.** Le journal télévisé de 20 heures est une émission .... – **3.** Un journal qui paraît toutes les semaines est un .... – **4.** Ce magazine paraît tous les deux mois : c'est un ... ; celui-là paraît tous les quinze jours : c'est un .... – **5.** Le 21 décembre, c'est le ... d'hiver. – **6.** En 1989, on a fêté le ... de la Révolution française. – **7.** La Terre a connu plusieurs ... glaciaires.

12 **Classez les périodes suivantes de la plus courte à la plus longue.**

siècle – lune – saison – ère – décennie – millénaire – génération – semestre – décade

Structurer un récit

→ Commencer un récit

1 Lisez le sujet p. 136 et indiquez si les débuts proposés conviennent pour ce sujet. Justifiez.

1. Il était une fois des hommes qui ne respectaient pas les dieux. – **2.** En ce temps-là, les hommes vivaient dans le confort et l'abondance. – **3.** C'était au temps où les dieux vivaient non loin des hommes, sur le Mont Olympe. – **4.** Zeus se mit en colère parce que les hommes ne respectaient pas ses lois. – **5.** En 750 avant J.-C., les hommes se rebellèrent. – **6.** Il y a bien longtemps, les hommes déclenchèrent la colère des dieux.

2 Sur le modèle des phrases correctes de l'exercice précédent, faites trois phrases commençant par trois indices de temps différents, qui pourraient constituer la première phrase de cette rédaction.

3 Pour chaque phrase, ajoutez une précision sur le moyen employé par le personnage en utilisant le participe présent.

Exemple : *Notos fit tomber sur la Terre une pluie diluvienne.* → *Pressant entre ses mains les nuages, Notos fit tomber sur la Terre une pluie diluvienne.*

1. Phébus mit le feu aux forêts. – **2.** Éole attisa les flammes. – **3.** Héphaïstos réveilla les volcans.

→ Utiliser des mots de liaison

4 Recopiez et complétez les phrases par une conjonction de coordination.

1. Zeus convoqua Prométhée, ... celui-ci refusa d'obéir. – **2.** Zeus leva sa large main ... le tonnerre se mit à gronder. – **3.** Zeus avait découvert la supercherie des hommes. Il décida ... de les punir. – **4.** Les hommes essayèrent de lutter contre l'incendie. ... les flammes avançaient trop vite. – **5.** Les hommes avaient pillé un temple. ... ce temple était consacré à Zeus.

5 Recopiez et complétez le texte avec : *ainsi – aussi – mais – or*.

Depuis le partage de Prométhée, hommes et dieux semblaient vivre en paix. ... les hommes commençaient à se rebeller secrètement contre les lois des dieux. ..., ils refusaient dorénavant de leur sacrifier les os et les entrailles des animaux. ... c'était là la part qui revenait aux dieux. ... les dieux se mirent-ils en colère.

6 a. Relevez les mots de liaison.

D'abord, les hommes pensèrent qu'il s'agissait d'une crue un peu abondante. Mais, très vite, l'eau dépassa les limites de toutes les inondations connues. Peu à peu, elle approcha des premières habitations. Bientôt, une vaste nappe d'eau se répandit dans les rues. Et elle continua de monter. Elle engloutit progressivement les maisons les plus basses. Soudain, la digue qui protégeait le village céda. Alors, une vague immense submergea tout ce qui subsistait.

b. En utilisant les mêmes mots dans le même ordre, rédigez un petit paragraphe racontant l'avancée des flammes au milieu d'une ville.

→ Développer ses phrases

7 Pour donner davantage de rythme à l'action, enchaînez plusieurs verbes dans une même phrase et supprimez la répétition du sujet.

Exemple : *L'homme court. Il tombe. Il se relève.* → *L'homme court, tombe, se relève.*

1. Poséidon pousse un cri terrible qui fait trembler la terre. Il saisit son trident. Il en frappe le sol.
2. Les vagues gonflent. Elles roulent sur elles-mêmes. Elles se précipitent hors du fleuve.
3. L'eau se rue sur la ville. Elle pénètre dans les maisons. Elle renverse tout sur son passage.

8 Sur le modèle ci-dessous, décrivez en trois phrases la réaction des hommes face aux flammes. Utilisez les pronoms suivants : *l'un, l'autre – celui-ci, celui-là – un autre*.
L'un cherche un asile sur un roc escarpé, **l'autre** se jette dans un esquif, et promène la rame où naguère il avait conduit la charrue ; **celui-ci** navigue sur les moissons, ou sur des toits submergés ; **celui-là** trouve des poissons sur le faîte des ormeaux ; **un autre** jette l'ancre qui s'arrête dans une prairie.

9 Transformez les phrases selon ce modèle.

Exemple : *Zeus était furieux, alors il décida de les punir.* → *Zeus, furieux, décida de les punir.*

1. Les autres dieux avaient été avertis par Zeus alors ils unirent leurs forces pour l'aider. – **2.** Les flammes étaient devenues aussi hautes que les plus hauts arbres, alors elles engloutirent tout. – **3.** Les hommes étaient affolés, alors ils couraient dans tous les sens.

Réécrire le récit du déluge

SUJET

Et si, au lieu de l'eau, Zeus avait utilisé le feu pour détruire la Terre ?

Imaginez et racontez en une page environ le spectacle de cette destruction. Pour cela, suivez les étapes décrites dans l'encadré de méthode ci-dessous.

Conseils de rédaction

Choisissez votre vocabulaire.

1 Faites une phrase avec chacun des mots suivants : *flamme – étincelle – braise – brasier – flammèche.*

2 Employez chacun des verbes suivants dans des phrases qui auront pour sujet des mots évoquant le feu : *bondir – s'élever – crépiter – dévorer – lécher – ravager – couver – embraser – jaillir – se consumer.*

Mars, **Hans Thoma** (1839-1924), gravure colorisée (coll. privée, Leipzig).

Méthode · Faire un plan

Votre récit doit être organisé en trois paragraphes environ, correspondant plus ou moins au début, au milieu et à la fin de l'histoire. Avant de rédiger, réfléchissez au contenu et au volume de chaque paragraphe.

Paragraphe 1

Le début doit permettre de comprendre où et quand se passe l'histoire (voir ex. 1 p. 135) et mettre en route l'action. Comment l'action débute-t-elle ? Qui commence à embraser la Terre ? Comment ? D'autres dieux l'aident-ils ? Quel est le rôle de chacun ?

Paragraphe 2

C'est le cœur de votre récit, à développer. Que se passe-t-il ? Comment le feu se répand-il à travers toute la Terre ? Racontez en ménageant une progression dans le récit : ne commencez pas par évoquer un violent incendie ; on doit passer peu à peu de petits feux à un immense brasier. Utilisez le vocabulaire ci-dessus de façon ordonnée.

Paragraphe 3

Il faut terminer le récit. Quel est le résultat de l'action des dieux ? Dans quel état la Terre est-elle ? Donnez des détails sur ce que l'on peut voir, entendre, sentir.

Des livres

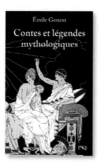

Contes et légendes de la Bible, tomes 1 et 2, Michèle Kahn, Pocket Junior, 2003.

Retrouvez, sous la forme d'un récit vivant, toute l'histoire des patriarches (Noé, Isaac, Jacob, Moïse), des rois et des prophètes.

Contes et Légendes, La Mythologie grecque, Claude Pouzadoux, Nathan, 2010.

Retrouvez Pandore, Cronos, Zeus, Cerbère, Hercule et d'autres héros de la mythologie dans sept contes adaptés pour la jeunesse.

Contes et légendes mythologiques, Émile Genest, PKJ, 1999.

Ce livre retrace l'histoire de tous les dieux romains, leurs aventures, leurs amours.

Sur les traces des... dieux grecs, Marie-Thérèse Davidson, Gallimard Jeunesse, 2005.

Découvrez les dieux et déesses de la mythologie grecque à travers 10 récits entrecoupés de pages documentaires sur la civilisation grecque et les récits des origines.

Des films

Les Dix Commandements, réalisé par Cécil B. DeMille, 1956, DVD.

Un récit épique de la vie de Moïse.

Ben-Hur, réalisé par William Wyler, 1959, DVD.

L'histoire se passe en Judée au début de notre ère. Trahi par son meilleur ami, le prince Ben-Hur rêve de vengeance. Sa route va croiser celle de Jésus de Nazareth.

La Guerre du Feu, réalisé par Jean-Jacques Annaud, 1981, DVD.

Ce film, qui se passe au temps de la Préhistoire, met en scène deux acquisitions fondamentales de l'humanité : le feu et la parole.

La Prophétie des Grenouilles, réalisé par Jacques-Rémy Girerd, 2003, DVD.

Une relecture moderne et poétique du mythe du déluge.

Les civilisations latines et grecques ont nourri notre culture et notre langue. Ce dossier vous permettra de découvrir cet héritage, à travers l'étude d'œuvres artistiques inspirées directement par la mythologie gréco-romaine, mais aussi par une initiation à la langue latine.

Les dieux de la mythologie grecque

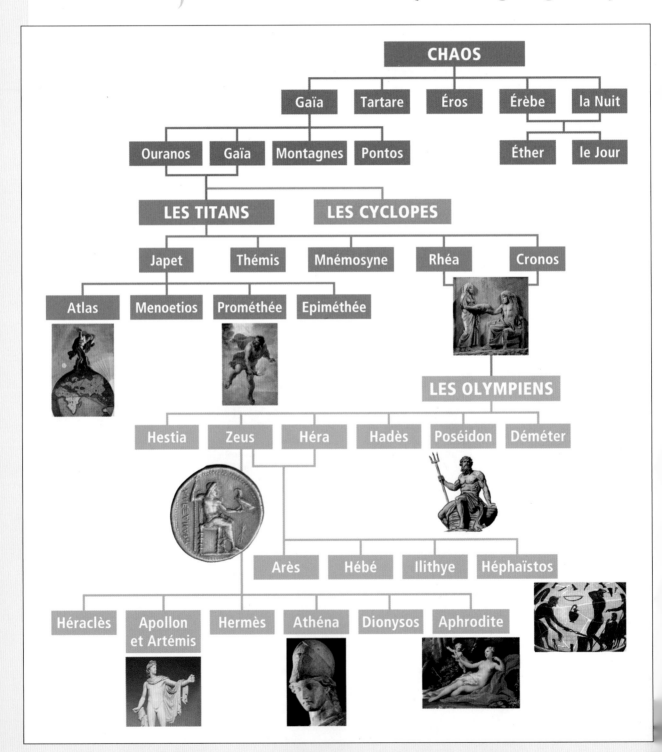

CHAOS

Gaïa — Tartare — Éros — Érèbe — la Nuit

Ouranos — Gaïa — Montagnes — Pontos

Éther — le Jour

LES TITANS — **LES CYCLOPES**

Japet — Thémis — Mnémosyne — Rhéa — Cronos

Atlas — Menoetios — Prométhée — Epiméthée

LES OLYMPIENS

Hestia — Zeus — Héra — Hadès — Poséidon — Déméter

Arès — Hébé — Ilithye — Héphaïstos

Héraclès — Apollon et Artémis — Hermès — Athéna — Dionysos — Aphrodite

Nom du dieu	Domaine	Élément associé	Attribut
• Zeus	• Déesse de l'amour et de la beauté	• Soleil	• Trident
• Héra	• Déesse de la végétation et de la fertilité	• Lune	• Lyre et Laurier
• Athéna	• Messager des dieux, dieu du commerce et des voleurs		• Sceptre et foudre
• Poséidon	• Roi des dieux, maître du ciel et de l'orage	• Colombe	• Casque et bouclier
• Aphrodite		• Chouette	• Casques et armes
• Arès	• Dieu du vin et de l'excès		• Thyrse, vigne et lierre
	• Dieu du feu et des forgerons	• Biche	
• Hermès	• Dieu des mers et des océans		• Caducée et sandales ailées
• Dionysos	• Dieu de la guerre	• Aigle	• Couronne et sceptre
• Déméter	• Déesse du mariage		
	• Dieu des arts, de la musique et de la divination	• Paon	• Marteau et enclume
• Apollon			• Miroir
• Artémis	• Déesse de la protection armée et de la sagesse	• Bouc	• Épis de blé
• Héphaïstos	• Déesse de la chasse et de la nature	• Cheval	• Arc et flèches

Questions

1 Faites une recherche pour rendre à chaque dieu son domaine et ses attributs : que symbolisent ces derniers ?

2 Recherchez le nom de ces dieux dans la mythologie romaine.

Arts et mythologie

Questions

1 Présentez les différentes œuvres des deux pages : nom de l'artiste, titre, époque, technique utilisée.

2 **a.** Identifiez les personnages des documents 2 et 3 : quels détails vous permettent de le faire ?
b. Dans quelle tenue les personnages sont-ils représentés le plus souvent ?
c. À votre avis, quelles caractéristiques de ces personnages l'artiste a-t-il mises en avant ? Par quels moyens ?
d. Quelle impression se dégage de chaque personnage ?

1

Apollon et Daphné, **Le Bernin**, marbre, 1622-1625 (galerie Borghèse, Rome).

2

Jupiter et Thétis, **Ingres**, huile sur toile, 1811 (musée Granet, Aix-en-Provence).

Questions

3 **a.** Faites une recherche sur Daphné et Apollon d'une part, et sur Amour et Psyché d'autre part.
b. Connaissez-vous des contes qui reprennent des éléments de l'histoire d'Amour et Psyché ? Lesquels ?

4 **a.** Quel moment de l'histoire l'artiste a-t-il représenté ?
b. Comment la brièveté de ce moment est-elle suggérée ? Pour répondre, observez le mouvement des personnages, leur expression, les lignes de la sculpture.

5 Quels sentiments animent les différents personnages ? Par quels moyens ces sentiments sont-ils mis en avant ?

3

La Naissance de Vénus, **Sandro Botticelli**, huile sur toile, 1482 (galerie des Offices, Florence).

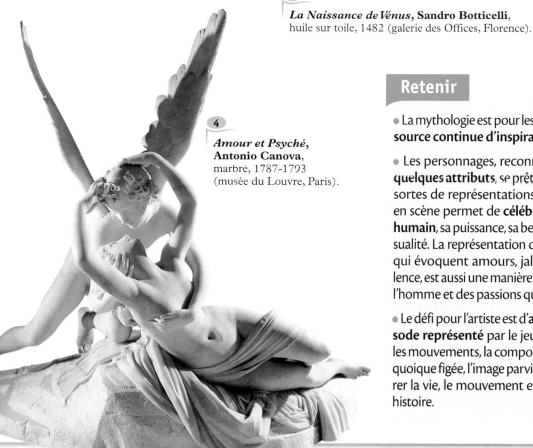

4

Amour et Psyché, **Antonio Canova**, marbre, 1787-1793 (musée du Louvre, Paris).

Retenir

● La mythologie est pour les artistes **une source continue d'inspiration**.

● Les personnages, reconnaissables à **quelques attributs**, se prêtent à toutes sortes de représentations. Leur mise en scène permet de **célébrer le corps humain**, sa puissance, sa beauté, sa sensualité. La représentation de ces récits, qui évoquent amours, jalousies, violence, est aussi une manière de parler de l'homme et des passions qui l'animent.

● Le défi pour l'artiste est d'**animer l'épisode représenté** par le jeu des lignes, les mouvements, la composition. Ainsi, quoique figée, l'image parvient à suggérer la vie, le mouvement et toute une histoire.

Découvrir le latin

Qu'est-ce que le latin ?

- Durant l'Antiquité, les **Romains** ont conquis tout le pourtour méditerranéen et y ont importé leur culture et leur langue : **le latin**. Cette **langue ancienne** n'est plus parlée de nos jours, mais **l'héritage culturel** des Romains continue de nous influencer.

- Évoluant au fil des siècles, le latin a donné naissance aux **langues romanes** comme l'italien, l'espagnol ou le français. Étudier le latin, c'est donc remonter aux **racines** de notre langue, en découvrir l'**étymologie** et mieux comprendre sa **grammaire**.

- C'est aussi découvrir l'**histoire** et le **mode de vie** des Romains, leur **littérature et leur mythologie**. Cette **culture générale** permet d'élargir sa réflexion et de mieux lire les textes qui font souvent référence à l'Antiquité.

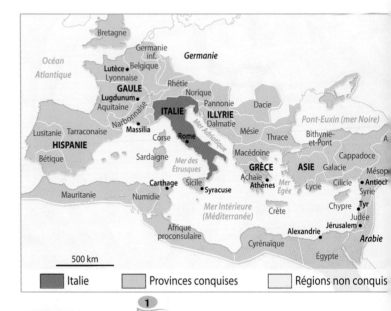

1 L'expansion de l'Empire romain au IIe s. après

Questions

1 Savez-vous situer certains pays actuels sur cette carte ? Comment ces régions étaient-elles appelées à l'époque romaine ?

2 Quels détails architecturaux remarquez-vous sur le monument de la page 143 ? À quoi servait-il dans l'Antiquité ?

Observer

Lupus agnum vorat.
Agnum lupus vorat. } Le loup dévore l'agneau.

1. *Lupus* signifie « le loup ». Quel mot français n'est pas traduit en latin ?
2. Les deux phrases latines ont la même signification. Qu'est-ce qui change à chaque fois ? Qu'est-ce qui ne change pas ?
3. Quel point commun observez-vous entre l'orthographe de *loup* et de *lupus* ?

Lupum agnus vorat.
Agnus lupum vorat. } L'agneau dévore le loup.

4. Qu'est-ce qui a changé en latin dans les deux phrases ci-dessus par rapport aux précédentes ?
5. Observez les quatre phrases : quelles terminaisons indiquent qui fait l'action et qui la subit ?
6. Quel mot latin est le verbe ? Par quelle lettre se termine-t-il ? Déduisez-en sa personne.

Leçon

- Les noms latins ne sont pas précédés d'un déterminant. *Exemple* : *lupus* → le/un loup.

- En latin, la place des mots dans la phrase n'est pas essentielle : c'est la terminaison qui indique la fonction du nom. Par exemple, la terminaison *-us* indique que le nom *lupus* est de fonction sujet (ou attribut du sujet) et *-um* indique que le nom *lupum* est de fonction COD.

- Le verbe latin n'est pas précédé par un pronom personnel. C'est sa terminaison qui indique sa personne. *Exemple* : *voras* → tu dévores ; *vorat* → il dévore ; *vorant* → ils dévorent.

- Voici quelques formes du verbe *être* au présent : *es* → tu es ; *est* → il est ; *sunt* → ils sont.

2
Maison carrée de Nîmes.

Exercices

→ Vocabulaire et étymologie

1 **a.** Dévorer se dit *vorare* en latin. Quel adjectif français qualifie « celui qui dévore » ?
b. Trouvez des mots français provenant des mots latins suivants. Vous devez retrouver la même racine.
numerus (le nombre) – *cura* (le soin, le souci) – *audire* (écouter) – *femina* (la femme) – *hortus* (le jardin) – *aqua* (l'eau) – *ante* (avant) – *post* (après) – *equus* (le cheval)

2 **Cherchez, dans le dictionnaire, le sens des expressions latines suivantes.**
in extremis – *nota bene* (N.B.) – *post-scriptum* (P.-S.) – *et caetera* (etc.) – *curriculum vitae* (C.V.) – *ex aequo*

3 **Quels prénoms français proviennent de ces noms et adjectifs latins ?**
leo (le lion) – *Romanus* (romain) – *regina* (reine) – *maximus* (très grand) – *albus* (blanc) – *laurus* (laurier) – *flos* (fleur) – *lux* (lumière) – *victor* (vainqueur) – *clarus* (éclatant)

→ Grammaire et traduction

4 **Mettez la bonne terminaison à ces verbes latins en cherchant la personne à laquelle ils sont conjugués (aidez-vous de la leçon).**
1. il donne → *da...* – ils donnent → *da...* – tu donnes → *da...* – **2.** tu vois → *vide...* – il voit → *vide...* – ils voient → *vide...* – **3.** ils aiment → *ama...* – tu aimes → *ama...* – il aime → *ama...*

5 **Sur le modèle du travail d'observation, traduisez les phrases suivantes. Choisissez bien la bonne terminaison (*-us* ou *-um*) !**
Exemple : Le cheval **dévore** le coq. → *Equus gallum* **vorat**.
1. Le coq dévore l'agneau. – **2.** L'agneau dévore l'âne. – **3.** L'âne dévore le cochon. – **4.** Le cochon dévore le cheval.
(Le cheval : *equus* – le coq : *gallus* – l'âne : *asinus* – le cochon : *porcus*.)

6 **Indiquez la fonction (sujet, attribut du sujet ou COD) du nom *loup* dans les phrases suivantes, puis traduisez-le en choisissant la bonne terminaison : *lupus* ou *lupum*.**
1. Le loup (*lup...*) court dans la forêt. **2.** – La louve aime le loup (*lup...*). – **3.** Cet animal féroce est un loup (*lup...*). – **4.** As-tu vu le loup (*lup...*) ? – **5.** Où est le loup (*lup...*) ? – **6.** Le chasseur n'a pas tué le loup (*lup...*) parce que le loup (*lup...*) a su s'échapper.

7 **Traduisez les phrases suivantes en vous aidant de la leçon. Attention : on ne trouve pas un COD après le verbe *être* mais un attribut du sujet. Choisissez la bonne terminaison !**
1. Tu es un loup. – **2.** Tu dévores un loup. – **3.** Ils dévorent un agneau. – **4.** Il est un âne.

8 **Traduisez les phrases suivantes.**
a. Pour cela, cherchez dans chaque phrase la personne à laquelle le verbe est conjugué et la fonction des noms (sujet, attribut du sujet ou COD) pour trouver la terminaison qui convient (*-us* ou *-um*).
b. Pour le vocabulaire, aidez-vous des exercices 4 et 5. « Et » se traduit en latin par « *et* » (Ex. : le loup et l'agneau → *lupus et agnus*.).
1. Le loup aime l'agneau. – **2.** Ils aiment le coq. – **3.** Le coq voit le cochon. – **4.** L'âne et le cochon voient le loup et l'agneau. – **5.** Tu donnes un cheval et un âne.

9 **Traduisez après avoir analysé les terminaisons.**
1. *Gallus et asinus equum amant.* – **2.** *Agnus es.* – **3.** *Agnum vides.* – **4.** *Agnum et gallum lupus videt.*

→ Civilisation

10 **Menez quelques recherches pour trouver la bonne réponse.**
1. Le fondateur de Rome fut (*Jules César/Romulus/Rémus*). – **2.** Le premier empereur fut (*Octave Auguste/Romulus/Jules César*). – **3.** Le dieu de la guerre était (*Jupiter/Vulcain/Mars*). – **4.** Les combats de gladiateurs avaient lieu (*dans l'arène/sur le forum/aux thermes*). – **5.** Le symbole de Rome est (*la chouette/la louve/le coq*).

11 **Même exercice.**
1. Hercule est connu pour (*son odyssée/son triomphe/ses Douze Travaux*). – **2.** Le vainqueur de Vercingétorix fut (*Jules César/Néron/Cicéron*). – **3.** Le Vésuve, entré en éruption en l'an 79, ensevelit sous la cendre brûlante la ville de (*Carthage/Lutèce/Pompéi*). – **4.** César est mort assassiné au sénat. On prétend que ses derniers mots auraient été : (« *Alea jacta est.* »/« *Veni, vidi, vici.* »/« *Tu quoque, mi fili !* »). – **5.** Virgile est l'auteur de (*L'Énéide/L'Iliade/Les Métamorphoses*).

Face au monstre

> ▶ *Qu'est-ce qui caractérise le monstre antique ?*
> ▶ *Quels rapports entretient-il avec le héros ?*

Textes et images

1. « Les Hécatonchires », *Le Feuilleton d'Hermès*, Murielle Szac 146
   Lecture d'image *Saturne dévorant un de ses fils*, Goya 149
2. « Lycaon », *Les Métamorphoses*, Ovide 150
3. « Le combat contre le Minotaure », *Le Premier Livre des Merveilles*,
   Nathaniel Hawthorne 151
4. « Bellérophon et la Chimère », *Mythes et légendes de la Grèce antique*,
   Eduard Petiska 155
5. « La mort d'Hector », *L'Iliade*, Homère 158

Synthèse

- **Étrangers à l'homme...** 161

Vers l'écriture

Éducation aux médias

- **Vocabulaire :** Le vocabulaire de la mythologie 162
- **Apprendre à rédiger :** Bien relier ses phrases 163
- **À vos plumes !** Amplifier un récit héroïque 164

Coin lecture, coin cinéma 165

L'*Odyssée*, **Léon Carré**, 1923 (coll. privée).

Les Hécatonchires

Hermès, dieu de la ruse, encore enfant, demande à sa nourrice Pausania pourquoi il y a des volcans et des tremblements de terre. Pausania le ramène alors aux premiers temps du monde…

Lorsqu'Hermès rouvrit les yeux, la vallée dans laquelle il se trouvait était calme et verdoyante. On entendait le gazouillis des oiseaux, le chant cristallin d'une cascade, le doux murmure de la mer tout près. L'air était empli de l'odeur des fleurs qui s'ouvraient pour la première fois. L'univers
5 semblait en ordre. Calme et apaisé, enfin sorti du Chaos.

Quand soudain, braoum ! braoum ! Le sol trembla violemment sous les pieds d'Hermès. Un gros bruit sourd se rapprochait, se rapprochait… Braoum ! Braoum ! Un peu effrayé, Hermès se cacha derrière un gros rocher. Il s'était à peine dissimulé que trois Géants monstrueux apparais-
10 saient. Ils étaient horribles à voir. Ils avaient chacun cinquante têtes et cent bras. Et leurs bras s'agitaient en tous sens autour d'eux, tapant, cognant, tirant, jetant tout ce qui passait à leur portée ! Après leur passage, il ne restait plus que des ruines. Arbres déracinés, herbe piétinée, fleurs arrachées, pierres projetées en tous sens. Un gigantesque désordre. « Je te présente
15 Gygès, Briarée et Cottos, les Géants aux cent bras. Ce sont les premiers enfants de Gaïa et Ouranos », chuchota Pausania. Le jeune dieu se serra contre elle, très soulagé de la sentir auprès de lui.

Ainsi, après avoir fait naître les montagnes, les fleuves, les océans, les plantes et les animaux, Gaïa avait continué de peupler l'univers, en s'unis-
20 sant avec Ouranos. Mais la déesse-Terre avait mis au monde des êtres terrifiants.

Hermès se recroquevillait derrière son rocher en espérant de tout son cœur échapper aux Géants aux cent bras. Mais les trois Géants décidèrent de rester sur place. Ils venaient d'inventer une nouvelle occupation. Cha-
25 cun à tour de rôle saisissait un rocher avec l'un de ses bras et le projetait de toute sa force dans la mer. Leurs bras étaient si puissants que le rocher, en s'enfonçant dans les flots, faisait se dresser des vagues de plusieurs mètres à la surface de l'eau. Ces vagues débordaient sur les terres et engloutissaient tout ce qui venait à peine d'éclore. Plus les gerbes d'écume étaient hautes,
30 plus les Géants riaient. Plus la mer dévastait la Terre, plus les Géants se frottaient les mains. Rien ne les réjouissait plus que de semer la pagaille avec ces monstrueux raz de marée.

Hermès assistait impuissant à la destruction de cette harmonie terrestre. Tous les rochers autour de lui volaient dans l'océan. Bientôt le rocher
35 qui l'abritait allait subir le même sort. Hermès ne tenait pas du tout à se retrouver projeté au fin fond de l'océan agrippé à son gros caillou. Il eut soudain une idée. Les Géants étaient aussi forts qu'ils étaient redoutablement bêtes. Il prit une pierre et la jeta en direction d'une des nombreuses têtes de Gygès. Puis il se cacha aussitôt derrière le rocher. « Hé, beugla le
40 géant en se retournant vers ses frères Briarée et Cottos, ça va pas de me

La Chute des Titans **(détail), Giulio Pippi,** fresque, 1526 (palais du Të, Mantoue).

jeter des pierres, vous deux ! » « C'est pas nous ! » grondèrent les deux autres d'un ton menaçant. En un rien de temps, les trois frères se mirent à se bombarder de pierres. Une gigantesque bagarre s'engagea, et ils s'assommèrent les uns les autres ! Gygès, Briarée et Cottos étaient évanouis

45 sur le sol. Ouf, Hermès pouvait sortir de sa cachette. Pas si vite ! Car voici qu'Ouranos, excédé par les cris de ses trois fils, s'approchait à son tour. Découvrant ses trois fils assommés, il tapa du pied sur le sol, et la Terre s'ouvrit en deux. Un énorme gouffre apparut. « C'est le Tartare, murmura Pausania à l'oreille d'Hermès, l'une des régions les plus pro-

50 fondes des Enfers. Si tu jetais un énorme rocher au fond de ce trou, il lui faudrait neuf jours et neuf nuits pour toucher le fond... » À cet instant, Ouranos saisit ses fils endormis et il les projeta un par un au fond du gouffre. La terre se referma : les trois Géants étaient prisonniers du ventre de la Terre.

55 Ainsi c'étaient donc ces terribles monstres enfermés sous terre qui en frappant les murs de leur prison souterraine, ébranlaient le sol et faisaient cracher les montagnes. Mais Hermès n'allait pas tarder à découvrir que d'autres êtres effrayants étaient retenus dans les profondeurs du Tartare...

MURIELLE SZAC, *Le Feuilleton d'Hermès, La Mythologie grecque en cent épisodes,*
© Bayard Éditions, 2015.

Lecture

Pour bien lire

1 Quand cette histoire se passe-t-elle ? Justifiez votre réponse en vous appuyant sur une phrase du premier paragraphe.

2 Qui sont Hermès et Pausania ? Où se trouvent-ils ?

3 Qui sont Gygès, Briarée et Cottos ? Quelle est leur apparence ?

4 Quel jeu Gygès, Briarée et Cottos inventent-ils ? Pourquoi est-ce dangereux ?

5 **a.** Comment Hermès encore enfant parvient-il à les neutraliser ?
b. Que deviennent-ils alors ?

6 Connaissez-vous des contes où le héros doit neutraliser des géants ? Quelles sont, dans ces histoires, les caractéristiques de ces personnages ?

Pour approfondir

7 **a.** Rappelez qui est Chaos, dans la mythologie grecque.
b. Que signifie le mot *chaos*, en français ?

8 Relisez les paragraphes 1 et 2 : quels sont les éléments qui s'opposent ?

9 Pourquoi peut-on dire que les Géants menacent de ramener le monde au chaos ?

10 À votre avis, que représentent ces Géants ? Et Hermès ?

La Chute des Géants (Titans), **peinture de Le Guide**, 1636-1637 (Museo Civico, Pesaro).

Vocabulaire

1 *Hécatonchire* signifie, en grec, « cent mains ».
a. D'après votre lecture du texte, qui sont les Hécatonchires ?
b. Qu'est-ce qu'une *hécatombe* ? la *chiromancie* ? Quelles racines retrouvez-vous dans ces mots ?

2 Sur quel radical les mots *verdoyant* (l. 2) et *cristallin* (l. 3) sont-ils formés ? Déduisez-en leur sens.

3 Rappelez le sens des mots *flot* (l. 27) et *gouffre* (l. 48).

4 **a.** Quel est le sens premier du verbe *beugler* (l. 39) ? Quelle image ce verbe donne-t-il du personnage ?
b. Donnez deux synonymes de *beugler*.

Écriture

1 « Leurs bras étaient si puissants que le rocher, en s'enfonçant dans les flots, faisait se dresser des vagues de plusieurs mètres à la surface de l'eau. » (l. 26)
Sur le même modèle, complétez les phrases suivantes.
1. Chronos était si cruel que ....
2. Gygès, Briarée et Cottos étaient si lourds que ....
3. L'haleine du monstre était si pestilentielle que ....

2 « Leurs bras s'agitaient en tous sens autour d'eux, tapant, cognant, tirant, jetant tout ce qui passait à leur portée ! » (l. 11 à 13)
Sur le même modèle, précisez une action en accumulant les participes présents. Vous pouvez utiliser les verbes proposés entre parenthèses.
1. Pandore préparait la maison pour la fête (*ranger – nettoyer – décorer*).
2. Les nymphes s'occupaient avec soin du petit Zeus (*bercer – nourrir – jouer – consoler*).
3. À cette époque, hommes et dieux vivaient ensemble dans la paix et la joie (*festoyer – rire – se divertir*).

Saturne dévorant un de ses fils, Goya

Saturne dévorant un de ses fils, **Francisco de Goya**, peinture murale transférée sur toile, 1819-1823 (musée du Prado, Madrid).

Du texte à l'image

Francisco de Goya (1746-1828) est un peintre espagnol. Témoin des massacres perpétrés en Espagne par Napoléon, il dénonça dans ses œuvres la guerre et la violence humaine.

Puissance et faiblesse

1 Qu'est-ce qui vous frappe tout d'abord dans cette image ?

2 Observez bien les deux personnages et faites la liste de tout ce qui les oppose.

3 Quelle image a-t-on ici de la puissance ?

Une mise en scène expressive de la violence

4 Quels sont les détails qui accentuent le caractère bestial de Saturne ?

5 Quel effet produit le fait que le personnage excède le cadre ?

6 Le décor est absent, noyé dans l'obscurité. Quel est l'effet produit ? À votre avis, où peut se passer la scène ?

7 Que vous évoque la gamme de couleurs utilisée ?

Lycaon

Jupiter s'est rendu chez Lycaon, roi d'Arcadie célèbre pour sa cruauté. En particulier, Lycaon retient prisonniers des hommes d'un peuple voisin, les Molosses. À son retour, Jupiter raconte sa visite et fait le portrait de Lycaon.

Ovide

(43 av. J.-C. –17 ap. J.-C.)
Ce poète latin, contemporain de l'empereur Auguste, était très apprécié de la haute société romaine. Dans *Les Métamorphoses*, il relate de nombreuses légendes inspirées de la mythologie, dans lesquelles les personnages finissent métamorphosés en objet, plante ou animal.

Déjà le peuple prosterné m'adressait des vœux et des prières. Lycaon commence par insulter à sa piété[1] : « Bientôt, dit-il, j'éprouverai s'il est dieu ou mortel[2], et la vérité ne sera pas douteuse. » Il m'apprête un trépas funeste[3], pendant la nuit, au milieu du sommeil. Voilà l'épreuve qu'il entend
5 faire pour connaître la vérité : et, non content de la mort qu'il me destine, il égorge un otage que les Molosses lui ont livré. Il fait bouillir une partie des membres palpitants de cette victime, il en fait rôtir une autre ; et ces mets exécrables sont ensemble servis devant moi. Aussitôt, des feux vengeurs, allumés par ma colère, consument le palais et ses pénates[4] dignes
10 d'un tel maître. Lycaon fuit épouvanté. Il veut parler, mais en vain : ses hurlements troublent seuls le silence des campagnes. Transporté de rage, et toujours affamé de meurtres, il se jette avec furie sur les troupeaux ; il les déchire, et jouit encore du sang qu'il fait couler. Ses vêtements se convertissent en un poil hérissé ; ses bras deviennent des jambes : il est changé
15 en loup, et il conserve quelques restes de sa forme première : son poil est gris comme l'étaient ses cheveux ; on remarque la même violence sur sa figure ; le même feu brille dans ses yeux ; tout son corps offre l'image de son ancienne férocité.

OVIDE, *Les Métamorphoses*, trad. G. T. Villenave (1806)

---

1. Insulter à sa piété : se moquer de son respect des dieux.

2. J'éprouverai s'il est dieu ou mortel : je vérifierai si c'est un dieu.

3. Il m'apprête un trépas funeste : il prépare ma mort.

4. Pénates : dieux du foyer, représentés par des statuettes de bois.

Lecture

Pour bien lire

1 Qui raconte cette histoire ?

2 **a.** Pourquoi Lycaon se moque-t-il de son peuple ?
b. De quel défaut fait-il preuve ?

3 Comment veut-il vérifier si Jupiter est bien un dieu ?

4 Quels autres actes horribles commet-il ?

5 Comment Jupiter punit-il Lycaon ?

Pour approfondir

6 Pourquoi l'attitude de Lycaon peut-elle être qualifiée de monstrueuse ?

7 La punition infligée par Jupiter vous paraît-elle bien choisie ? Pourquoi ?

8 **a.** Qu'est-ce qu'une *métamorphose* ?
b. Qui ordonne la métamorphose ? Dans quel but ?

Le combat contre le Minotaure

L'Amour dans un enchevêtrement, **Edward Burne-Jones**, aquarelle, 1882-1898 (The Trustees of the British Museum).

À la suite d'une guerre qu'elle a perdue, Athènes a été condamnée par Minos, le roi de Crète, à livrer régulièrement en pâture au Minotaure sept jeunes gens et sept jeunes filles, tirés au sort parmi la population. Ce monstre, qui se nourrit de chair humaine, est le propre fils du roi Minos que ce dernier n'a pas eu le cœur de tuer, mais qu'il garde enfermé dans un lieu mystérieux, le Labyrinthe. Parvenu à l'âge d'homme, Thésée, le fils du roi d'Athènes, se porte volontaire pour prendre place parmi les tributs[1], bien décidé à affronter et à vaincre le Minotaure. Arrivé en Crète, il rencontre Ariane, la fille du roi, qui tombe amoureuse de lui et décide de lui venir en aide.

Ariane mena Thésée jusqu'à un bois ténébreux, où les rayons de la lune se perdaient sur le sommet des arbres sans pénétrer à travers leur feuillage et sans éclairer les sentiers de la moindre lueur. Après avoir marché quelque temps au milieu de cette obscurité, ils se trouvèrent au pied d'un
5 grand mur de marbre tout hérissé de plantes grimpantes. On n'y apercevait aucune porte, ni aucune espèce d'ouverture ; c'était une construction escarpée[2], solide et mystérieuse. Impossible de la franchir ou de pénétrer au travers. Néanmoins, Ariane n'eut qu'à presser d'un de ses doigts délicats un certain bloc de marbre, aussi massif en apparence que le reste de
10 la muraille. À son contact, cette enceinte s'entrouvrit assez pour les laisser passer tous les deux, et aussitôt le bloc retomba à sa place, en remplissant entièrement le vide.

« Nous voici maintenant, dit Ariane, dans le fameux Labyrinthe[3] que construisit Dédale avant de se fabriquer une paire d'ailes et de s'envoler
15 de notre île comme un oiseau. Ce Dédale est un très habile artiste ; mais, de toutes les œuvres de son génie, ce Labyrinthe est la plus surprenante. Nous n'aurions qu'à avancer de quelques pas, et nous pourrions errer

1. Tribut : victime désignée pour un sacrifice.

2. Escarpée : en pente raide.

3. Labyrinthe : construction édifiée par Dédale, si compliquée qu'il est impossible d'en sortir.

toute notre vie sans retrouver notre chemin. Au milieu se tient le Minotaure, et c'est là, Thésée, qu'il vous faut aller le rencontrer.

20   – Mais comment me sera-t-il possible de le trouver, s'il est si facile de
s'égarer ? »

Il fut interrompu par un bruit sourd, assez semblable au mugissement
d'un taureau, mais qui cependant avait quelque rapport avec la voix
humaine. Thésée crut distinguer dans la vibration de cette voix sauvage

25   l'effort fait par un monstre pour articuler quelques paroles.

« C'est le cri du Minotaure, dit tout bas Ariane, en serrant convulsive-
ment la main de son protégé, et en portant la sienne sur son cœur qui battait d'effroi. Laissez-vous guider par cette voix en suivant les détours du
Labyrinthe, et dans peu vous trouverez le monstre. Attendez ! prenez un

30   bout de ce peloton[4] de soie ; j'en tiendrai l'autre dans ma main ; et alors, si
vous triomphez, le fil vous ramènera près de moi. Adieu, valeureux Thésée. »

Le jeune héros prit l'extrémité du fil de soie dans sa main gauche, dans
la droite son glaive à poignée d'or tiré du fourreau, et il s'avança avec intrépidité[5] dans les mystérieux détours.

35   Quel était le plan de ces voies entrelacées les unes dans les autres ? C'est
ce que je ne saurais dire. On n'a jamais vu, et l'on ne verra jamais dans le
monde un travail d'une combinaison aussi embrouillée.

Thésée n'avait pas fait cinq pas qu'il avait déjà perdu Ariane de vue : à
peine en eut-il fait cinq autres qu'il se sentit tout étourdi à force de tourner.

40   Il continua à marcher, tantôt rampant sous une voûte basse, tantôt ayant
à franchir des degrés[6], parfois rencontrant un passage tortueux[7], puis un
autre, dont les sinuosités[8] le menaient devant une porte ouverte qui se
refermait immédiatement sur lui...

Et tout en suivant ces défilés[9] déserts, il ne cessait d'entendre les cris

45   du Minotaure, tantôt près de l'endroit où il se trouvait, tantôt à une plus
grande distance.

Il s'avançait toujours. Tout d'un coup, les nuages s'amoncelèrent devant
l'astre de la nuit, et le Labyrinthe devint tellement sombre, que notre hardi
voyageur n'avait plus conscience de sa marche cent fois égarée. Il se fût

50   souvent cru perdu sans espoir de jamais retrouver son chemin, s'il n'eût
senti, à certains petits mouvements imprimés au fil par la main de la tendre
Ariane, qu'une douce sympathie veillait sur lui....

Thésée poursuivait fermement sa marche dans la direction des épouvantables rugissements qui devenaient de plus en plus bruyants, et si écla-

55   tants qu'à chaque nouveau détour il s'attendait à voir le monstre surgir
devant lui.

À la fin, il arriva dans un espace ouvert, au centre même du Labyrinthe,
et la hideuse créature apparut à ses yeux.

Oh ! mes amis, quel horrible spectacle ! Sa tête seule armée de cornes le

60   faisait ressembler à un taureau ; le reste de son corps rappelait à peu près
la structure de cet animal quoiqu'il marchât sur ses jambes de derrière. Si
on le considérait d'un autre côté, c'était tout à fait une forme humaine ;
mais l'ensemble composait un être réellement monstrueux....

Thésée fut-il épouvanté ? Point du tout. Quoi ! un héros d'une si haute

65   vaillance ! Le Minotaure eût-il eu vingt têtes de taureau, il fût resté iné-

4. Peloton : petite
pelote.

5. Intrépidité : qualité
de celui qui ne tremble
pas, qui n'a pas peur.

6. Degré : ici, marche
d'escalier.

7. Tortueux : qui se
tord dans toutes
les directions,
courbé, tordu.

8. Sinuosité : boucle,
courbe, détour.

9. Défilé : ici, long
couloir.

branlable. Mais, tout intrépide qu'il fût, je crois pourtant que son grand cœur redoubla d'ardeur quand il sentit une tremblante vibration communiquée au fil de soie toujours serré dans sa main gauche. Ariane lui transmettait tout ce qu'elle avait de force et de résolution. S'il faut tout dire,

70 ce secours ne lui était pas superflu[10] ; car alors le Minotaure, se tournant subitement, aperçut Thésée et abaissa ses cornes aiguës, comme fait un taureau furieux quand il s'apprête à **fondre sur** son ennemi. En même temps, il poussa un rugissement **formidable** dans lequel il y avait comme des éclats de voix humaine, mais qui se brisaient et restaient inarticulés en

75 passant par la gorge de cette bête furieuse.

Sans plus de mots et de cris de part et d'autre, commença entre Thésée et le Minotaure le combat **le plus acharné**. Je ne sais vraiment pas ce qui serait advenu si le monstre, dans son premier bond, n'eût manqué Thésée de l'épaisseur d'un cheveu et **fracassé** une de ses cornes contre le mur.

80 À ce choc inattendu, il éclata en beuglements **si épouvantables** qu'une partie du Labyrinthe s'écroula…. Irrité par la douleur, il se mit à galoper autour de l'espace vide d'une manière si pesante et si maladroite que, bien des années plus tard, Thésée ne pouvait s'empêcher d'en rire, quoiqu'il n'en eût pas envie au moment même. Après cela, les

85 deux ennemis se regardèrent face à face, et luttèrent corne contre glaive pendant longtemps.

À la fin, le Minotaure, **s'élançant** sur Thésée, effleure son bras gauche et le fait rouler à terre. Pensant qu'il lui a percé le cœur, il ouvre ses

90 mâchoires dans toute leur largeur et se prépare à **trancher** d'un coup de dent la tête de son adversaire abattu ; mais celui-ci se relève soudain. Il **brandit** son glaive de toute la vigueur de son bras, atteint le taureau à l'encolure[11]

95 et lui fait sauter la tête à plus de quinze pieds de haut, tandis que le tronc à forme humaine retombe à plat sur le terrain.

Ainsi se termine ce combat désespéré.

NATHANIEL HAWTHORNE,
Le Premier Livre des Merveilles,
© PKJ, 2014.

10. Superflu : inutile.

11. Encolure : chez certaines bêtes, partie du corps correspondant au cou.

Thésée combattant le Minotaure,
Antoine-Louis Barye,
bronze, XIXᵉ siècle (musée Mohammed Khalil, Le Caire).

Parcours de lecture 1

1 Remettez dans l'ordre les étapes du récit en précisant à quelles lignes elles correspondent.
1. Thésée erre dans le Labyrinthe à la recherche du Minotaure.
2. Ariane et Thésée parviennent au Labyrinthe.
3. Thésée affronte le Minotaure.
4. Ariane donne des conseils à Thésée pour surmonter les épreuves.

2 Quel objet Ariane remet-elle à Thésée ? Dans quel but ?

3 Dans les lignes 22 à 56, relevez les phrases qui mentionnent ce qu'entend Thésée : quel est leur rôle ?

4 **a.** Relisez les lignes 59 à 63 : quelle est l'apparence physique du Minotaure ?
b. Relisez les lignes 72 à 75 : comment cette apparence se traduit-elle dans son cri ?

5 Dans les lignes 76 à 97, relevez les groupes nominaux qui désignent le Minotaure et ceux qui désignent Thésée : comment ces groupes créent-ils du suspense ?

6 Quels sentiments éprouvez-vous face au Minotaure ? Et pour Thésée ? Pourquoi ?

Vocabulaire

1 Analysez la formation des mots *mugissement* (l. 22), *rugissements* (l. 54) et *beuglements* (l. 80) et déduisez-en leur sens.

2 En vous aidant des notes du texte, associez chaque adjectif à son antonyme.
A. escarpé – infranchissable – ténébreux – tortueux
B. accessible – clair – droit – doux

3 Complétez les phrases avec un des adjectifs de la première liste. Attention aux accords.
1. Nous avancions lentement sur cette pente ….
2. Même Hercule n'entrait jamais sans peur dans cette forêt ….
3. Les arbres tordaient au-dessus de nos têtes leurs branches ….
4. Ce torrent constituait un obstacle ….

4 Dans les phrases suivantes, remplacez le mot souligné par un synonyme de sens plus fort.
1. Hercule <u>prend</u> sa massue.
2. Il <u>coupe</u> une des têtes de l'hydre.
3. La queue du monstre <u>casse</u> tout autour d'elle.
4. Le monstre poussa alors un cri <u>effrayant</u>.

Parcours de lecture 2

1 Quel est le but de Thésée ? Quels sont les deux dangers que Thésée doit affronter pour cela ?

2 Qui l'aide, dans sa tâche ? Comment ?

3 Relisez les lignes 38 à 43 : comment l'auteur nous donne-t-il l'impression de nous perdre dans le Labyrinthe ? Pour répondre, observez la longueur des phrases, les verbes employés, les détails donnés sur les lieux.

4 On appelle *hybride* une créature née du mélange de deux êtres de nature différente. Pourquoi peut-on dire que le Minotaure est un être *hybride* ? Pour répondre, appuyez-vous sur des citations précises du texte.

5 Dans le récit du combat, comment la violence et le danger sont-ils soulignés ? Pour répondre, soyez attentifs au vocabulaire employé (observez notamment les mots en gras dans le texte), aux temps verbaux et à la longueur des phrases.

6 Selon vous, qu'est-ce qui fait du Minotaure une créature monstrueuse ? En quoi Thésée est-il un héros ?

Écriture

Réécrivez les lignes 40 à 43 en imaginant que Thésée progresse non pas dans un labyrinthe, mais dans une épaisse forêt pleine d'obstacles (fourrés, ronces, racines, arbres déracinés, sentiers qui disparaissent sous les feuilles…). Gardez la structure des phrases : changez seulement certains verbes et les détails caractéristiques du lieu décrit.

Le Minotaure,
coupe en céramique
(détail), Grèce,
vers 515 avant J.-C.

Bellérophon et la Chimère

La Chimère d'Arezzo, bronze étrusque, vers 400-380 av. J.-C. (musée archéologique, Florence).

Bellérophon, noble et beau jeune homme, descendant du dieu Océan, est accueilli à la cour du roi Proétos. La reine tombe vite amoureuse de lui, mais comme il repousse ses avances, elle l'accuse de conspirer en secret contre le roi et demande à Proétos de le mettre à mort. Celui-ci, n'osant frapper lui-même son hôte sous son toit – ce qui était un crime pour les Grecs –, envoie Bellérophon porter un message à son ami le roi Iobatès, message qui demande de faire tuer le jeune homme.

Iobatès était un vieux roi très bon. Il reçut chaleureusement le voyageur sans lui demander d'où il venait. Il organisa même en son honneur des fêtes qui durèrent neuf jours.
5 Les bonnes manières du jeune homme suffisaient à prouver une noble origine. Ce n'est que le dixième jour qu'il lui demanda l'objet de sa visite.

Bellérophon lui dit d'où il venait et lui tendit la tablette[1]. À sa lecture, le roi fut hor-
10 rifié. Il s'était pris d'amitié pour le jeune homme et ne pouvait admettre l'idée de lui faire du mal. Aussi imagina-t-il un moyen d'éviter de rendre cet atroce service à son parent : il jugea plus équitable de charger Bellérophon d'une mission dangereuse dont l'issue[2] dépendrait de son cou-
15 rage. À cette époque, un étrange monstre vivait dans le royaume. C'était la Chimère. De face, elle ressemblait à un lion, de dos à un dragon et ses flancs étaient ceux d'un bouc. Elle avait trois têtes : une de lion, une de bouc et une de dragon. De plus elle crachait du feu et une fumée suffo-cante. « Bellérophon, dit Iobatès, tu es jeune et fort, pourtant tu n'as encore
20 accompli aucune action héroïque. Va à la recherche de la Chimère, tue-la et reviens en guerrier victorieux. »

Il ne fallut pas davantage de paroles pour que le téméraire jeune homme prenne son épée, une lance, un arc et des flèches et se mette en route vers l'endroit d'où une colonne de fumée s'élevait vers le ciel. Cet indice
25 désignait le lieu où se tenait le monstre. Chemin faisant, Bellérophon se disait : « La Chimère est forte et rapide. Si j'arrive à trancher une des têtes, les deux autres vont se retourner contre moi. Et même si j'évite les flammes qu'elle lance, l'odeur me fera suffoquer. » Pourtant son pas ne ralentissait pas tandis qu'il s'engageait dans la région montagneuse où
30 vivait le monstre.

1. **Tablette** : tablette d'argile sur laquelle on écrivait.
2. **Issue** : ici, le résultat.

Soudain, il vit une source qui jaillissait de sous un rocher. Et, s'abreuvant dans cette source limpide, il reconnut le cheval ailé Pégase, qui s'était échappé de la gorge de Méduse[3]. « Si je pouvais monter sur cet animal, se dit Bellérophon, j'attaquerais la Chimère par les airs et je serais plus
35 vif qu'elle. » Caché par les buissons, il s'approcha doucement de Pégase. Il allait le saisir lorsque le cheval, sentant une présence étrangère, déploya ses ailes et s'envola.

Fort contrarié, le jeune audacieux se coucha sur l'herbe à côté de la source et s'endormit. Alors la déesse Athéna lui apparut en rêve, lui tendit
40 une superbe bride richement décorée d'or et lui dit : « Réveille-toi, sacrifie un taureau au roi Poséidon ; tu arriveras aisément à attraper le cheval ailé avec la bride que je te donne. » À demi réveillé, Bellérophon tendit les mains pour recevoir le cadeau divin. Mais celui-ci était déposé près de lui et jetait des éclats d'or. Il s'en empara promptement et, réconforté par
45 l'aide d'Athéna, se hâta d'accomplir le sacrifice à Poséidon. Par gratitude envers la déesse, il lui érigea aussi un autel.

Dans la soirée, il revint à la source et attendit le retour du cheval. Bientôt il entendit un battement d'ailes et Pégase se posa pour étancher sa soif. Le jeune homme s'approcha avec la bride d'or et cette fois l'animal
50 merveilleux ne put lui échapper. Bellérophon le sella, sauta sur son dos et lui indiqua la direction où il devait aller. Aussitôt Pégase s'envola et ils se mirent à planer au-dessus des prés et des bois. Ils tournèrent quelque temps au-dessus du défilé infesté de fumée, puis le héros prit une flèche dans son carquois et descendit à la vitesse d'un éclair pour attaquer le
55 monstre. Il banda son arc et laissa filer le premier trait. Les trois têtes se dressèrent contre lui, mais, monté sur Pégase, il était hors de leur portée. L'une après l'autre, ses flèches percèrent la Chimère jusqu'à ce qu'elle perde ses trois vies. Un dernier nuage de fumée s'éleva, puis une dernière flamme, et le monstre tomba au fond du défilé.

60 Bellérophon dépouilla la Chimère, enfourcha Pégase et retourna chez le roi Iobatès. Celui-ci tout émerveillé à la vue du cheval et de la peau de l'horrible bête, comprit que son jeune invité était protégé par les dieux et ne pouvait pas être un criminel. Il lui offrit la main de sa fille et bientôt le héros devint roi.

65 Mais lui aussi se mit bientôt à croire qu'il était capable de jouer des tours aux dieux : n'était-il pas le petit-fils du rusé Sisyphe ? « Puisque je possède le cheval ailé, pourquoi n'irais-je pas voir l'Olympe ? » se dit-il un jour. Aussitôt il enfourcha Pégase et le dirigea vers les hauteurs éternelles. Mais le cheval n'était pas de son avis : lorsqu'il se fut suffisamment élevé
70 dans le ciel, il désarçonna le vaniteux cavalier d'une bonne ruade. À l'issue d'un saut vertigineux, Bellérophon se retrouva dans un marécage qui amortit sa chute et lui sauva la vie. Honteux devant les dieux et devant les hommes, il ne reparut jamais dans son royaume, mais vécut en solitaire et finit par mourir, seul.

EDUARD PETISKA, *Mythes et légendes de la Grèce antique*
© Gründ, 1998

3. Allusion à l'histoire du cheval, né du sang de Méduse après que Persée lui a tranché la tête.

Bellérophon chevauchant Pégase et luttant contre la Chimère, mosaïque du IIe siècle (musée Rolin, Autun).

Lecture

Pour bien lire

1 Pourquoi Iobatès envoie-t-il Bellérophon combattre la Chimère ?

2 Quelle difficulté cette mission présente-t-elle ?

3 Qui vient en aide à Bellérophon ? Comment ?

4 Quelle est la récompense de Bellérophon après la victoire ?

5 En quoi le dernier paragraphe est-il surprenant ?

Pour approfondir

6 Quels points communs la Chimère a-t-elle avec le Minotaure ?

7 **a.** Quelle est la faute commise par Bellérophon ? **b.** Quelle en est la conséquence ?

8 **Débat** Selon vous, Bellérophon est-il héroïque, dans ce récit ? Discutez vos réponses.

Écriture

Et si, au lieu de la Chimère, Iobatès avait envoyé Bellérophon combattre Scylla, le monstre marin ? Poséidon aurait alors envoyé à son secours Triton, le dieu dauphin. Pour raconter cette version, recopiez les lignes 47 à 59 en apportant toutes les modifications nécessaires sur le cadre, les bruits, les personnages et leurs mouvements.

Vocabulaire

1 **a.** Cherchez les différents sens du verbe *dépouiller* (l. 60).
b. À votre avis, quel est le sens du mot dans le texte ? Justifiez votre réponse en vous appuyant sur les lignes suivantes.

2 **a.** Où la Chimère vit-elle ?
b. En vous aidant de la note p. 152, déduisez le sens qu'a ici le mot *défilé* (l. 59).

3 Dans les lignes 51 à 59, relevez un synonyme du mot *flèche*.

4 Cherchez le sens de *téméraire* (l. 22) : selon vous, est-ce une qualité ou un défaut ?

5 **a.** Relevez dans le dernier paragraphe un adjectif qui exprime le défaut de Bellérophon.
b. Trouvez le nom correspondant.

La mort d'Hector

*L'*Iliade *fait le récit de la guerre de Troie, au cours de laquelle s'affrontent les plus valeureux guerriers grecs et troyens. Achille est le plus puissant et le plus redouté des guerriers grecs. En effet, fils de la déesse Thétis, il a hérité de sa mère une force surhumaine ; de plus, pour le rendre invulnérable, celle-ci l'a plongé à sa naissance dans le Styx, dont les eaux rendent immortel : le talon par où elle le tenait est désormais son seul point faible. Pendant longtemps, Achille s'est tenu éloigné des batailles. Mais voilà qu'Hector, prince de Troie, a tué au combat Patrocle, l'ami intime d'Achille. Celui-ci, fou de colère, jure la perte d'Hector et le poursuit sans relâche. Dans un premier temps, Hector parvient à fuir Achille, mais il décide enfin de mettre un terme à cette guerre en affrontant Achille – sans savoir que les dieux ont d'ores et déjà décidé de la victoire des Grecs.*

Le grand Hector au casque étincelant alors, le premier, dit :

– Je ne veux plus te fuir, fils de Pélée : c'est fini. Je t'aurai, ou tu m'auras. Allons ! prenons ici les dieux pour garants. Si Zeus m'octroie[1] de tenir bon et de t'arracher la vie, quand je t'aurai pris tes armes illustres, j'en-
5 tends rendre ton corps, Achille, aux Achéens[2]. Fais donc, toi, de même.

Achille aux pieds légers sur lui lève un œil sombre et dit :

– Hector, ne viens pas, maudit, me parler d'accords. Il n'est pas de pacte loyal entre les hommes et les lions, pas plus que loups ni agneaux n'ont des cœurs faits pour s'accorder. Rappelle-toi donc toute ta vaillance : c'est
10 bien maintenant qu'il te faut être un guerrier intrépide.

Il dit, et, brandissant sa javeline, il la lance en avant. Mais l'illustre Hector la voit venir et l'évite ; la pique de bronze passe, dans son vol, au-dessus de lui et va se ficher au sol. Pallas Athéné aussitôt la saisit et la rend à Achille, sans être vue d'Hector, le pasteur d'hommes.

15 – Manqué ! Évite, toi, ma javeline de bronze. Ah ! si tu pouvais donc l'emporter, toute, dans ta peau ! La guerre serait moins lourde aux Troyens, si tu étais mort : pour eux, tu es le pire des fléaux.

Il dit, et, brandissant sa longue javeline, il la lance en avant. Et il atteint le Péléide[3] au milieu de son bouclier, sans faute. Mais la lance est rejetée
20 bien loin de l'écu[4], et Hector s'irrite de voir qu'un trait rapide est parti pour rien de sa main. Il n'a plus de pique de frêne. Hector en son cœur comprend, et il dit :

– Hélas ! point de doute, les dieux m'appellent à la mort. Eh bien ! non, je n'entends pas mourir sans lutte ni sans gloire, ni sans quelque haut fait
25 dont le récit parvienne aux hommes à venir.

Il dit, et il tire le glaive aigu suspendu à son flanc ; puis, se ramassant, il prend son élan. Achille aussi bondit ; son cœur se remplit d'une ardeur sauvage ; il couvre sa poitrine de son bel écu ouvragé ; sur son front oscille son casque étincelant où voltige la crinière d'or splendide, qu'Héphaïstos
30 a fait tomber en masse autour du cimier[5]. Comme l'étoile qui s'avance entourée des autres étoiles, au plein cœur de la nuit, ainsi luit la pique acérée qu'Achille brandit dans sa droite[6], méditant la perte du divin Hector.

Homère

(VIIIe s. av. J.-C.)
Ce poète grec a-t-il vraiment existé ? La tradition lui attribue deux longs poèmes épiques : L'*Iliade*, qui fait le récit de la guerre de Troie, et L'*Odyssée*, qui raconte le retour du héros Ulysse dans son île natale (voir chapitre 6).

1. **M'octroie** : m'accorde.

2. **Achéens** : autre nom des Grecs.

3. **Le Péléide** : Achille (fils de Pélée).

4. **Écu** : bouclier.

5. **Cimier** : Ornement placé sur le sommet du casque.

6. **Sa droite** : sa main droite.

**La déesse Athéna luttant
entre Hector et Achille**,
vase grec du VIᵉ s. avant J.-C.
(musée archéologique de Catalogne,
Barcelone).

et cherchant des yeux, sur sa belle chair, où elle offrira le moins de résistance. Un seul point se laisse voir, celui où la clavicule sépare l'épaule du
35 cou. C'est là que le divin Achille pousse sa javeline. La pointe va tout droit
à travers le cou délicat. Et cependant qu'Hector s'écroule dans la poussière, le divin Achille triomphe :

— Hector tu croyais peut-être, quand tu dépouillais Patrocle, qu'il ne
t'en coûterait rien ; j'étais si loin ! Pauvre sot !... Les chiens, les oiseaux te
40 mettront en pièces outrageusement, tandis qu'à lui les Achéens rendront
les honneurs funèbres.

D'une voix défaillante, Hector au casque étincelant répond :

— Je t'en supplie, par ta vie, par tes genoux, par tes parents, ne laisse
pas les chiens me dévorer ; accepte les présents que t'offriront mon père
45 et ma digne mère ; rends-leur mon corps, afin que les Troyens et femmes
des Troyens au mort que je serai donnent sa part de feu[7].

Achille aux pieds rapides vers lui lève un œil sombre et dit :

— Non, chien. Aussi vrai que je voudrais voir ma colère et mon cœur
m'induire[8] à couper ton corps pour le dévorer tout cru ; non, quoi qu'on
50 fasse, ta digne mère ne te placera pas sur un lit funèbre, pour pleurer celui
qu'elle a mis au monde, et les chiens, les oiseaux te dévoreront tout entier.

7. Afin que les Troyens
puissent brûler mon
corps sur le bûcher.

8. M'induire :
me pousser.

Et Hector, mourant, Hector au casque étincelant répond :

– Oui, oui, je n'ai qu'à te voir pour te connaître ; je ne pouvais te per-suader, un cœur de fer est en toi.

55 – À peine a-t-il parlé : la mort, qui tout achève, déjà l'enveloppe. Son âme quitte ses membres et s'en va, abandonnant la force et la jeunesse.

Achille retire du mort sa pique de bronze, qu'il laisse de côté ; puis, des épaules, il détache les armes sanglantes. Les fils des Achéens de tous côtés accourent. Ils admirent la taille, la beauté enviable d'Hector.

60 Au divin Hector Achille prépare un sort outrageux. À l'arrière des deux pieds, il lui perce les tendons entre cheville et talon ; il y passe des cour-roies et il les attache à son char, en laissant la tête traîner. Puis il monte sur le char, emportant les armes illustres ; d'un coup de fouet, il enlève ses chevaux, et ceux-ci, pleins d'ardeur, s'envolent. Un nuage de poussière

65 s'élève autour du corps ainsi traîné ; ses cheveux sombres se déploient ; sa tête gît toute dans la poussière – cette tête jadis charmante et que Zeus maintenant livre à ses ennemis, pour qu'ils l'outragent à leur gré sur la terre de sa patrie.

HOMÈRE, L'*Iliade*, trad. P. Mazon © Les Belles Lettres, Paris, 1992.

Lecture

Pour bien lire

1 a. Qui sont les deux guerriers qui s'affrontent dans ce texte ?
b. Quelles armes utilisent-ils ?
c. L'un et l'autre sont-ils d'habiles combattants ? Justifiez votre réponse en vous appuyant sur les lignes 11 à 21.

2 À quel moment le combat bascule-t-il ? Pourquoi ?

3 Quel traitement Achille inflige-t-il au corps de son ennemi après l'avoir tué ? Qu'en pensez-vous ?

Pour approfondir

4 De quelles qualités Hector fait-il preuve, dans ce texte ? et Achille ?

5 a. Achille est un demi-dieu : que signifie cette expression ? Aidez-vous de l'introduction pour répondre.
b. Lignes 27 à 37, quels sont les moyens employés par l'auteur pour sou-ligner la beauté et la force de ce personnage ?

6 a. De quels défauts Achille fait-il preuve ?
b. Quelles lois sacrées Achille viole-t-il dans ce passage ?

7 a. Pourquoi le héros, dans ce texte, peut-il être qualifié de monstrueux ?
b. Comment l'expliquez-vous ?

Vocabulaire

1 À l'aide de l'image p. 159, repérez et nommez les différents éléments de l'équipement des guerriers.

2 Donnez le sens du mot *trait* (l. 20).

3 Quel est ici le sens du verbe *dépouiller* ? (l. 38)

4 « Au divin Hector Achille pré-pare un sort outrageux. » (l. 60)
a. Remplacez *outrageux* par un synonyme.
b. Cherchez dans la suite du texte un mot de la même famille : que signifie-t-il ?

5 Cherchez dans le dictionnaire un nom de la famille de *sacré* qui signifie « transgression d'une règle sacrée », puis employez-le dans une phrase qui parlera d'Achille.

Étrangers à l'homme...

Les caractéristiques du monstre

✴ Dans la Grèce antique, le monstre porte plusieurs traits caractéristiques : par son apparence, c'est souvent une **créature hybride**, composée, comme la Chimère, de parties d'animaux différents, ou encore **mi-homme, mi-bête**, comme le Minotaure. Le monstre peut encore se caractériser par une taille hors du commun qui le rend menaçant, ou un nombre **disproportionné** de bras ou de têtes, qui l'éloigne du genre humain.

✴ **Étranger au genre humain**, le monstre l'est aussi par son **mode de vie** : contrairement aux hommes, il vit souvent seul et se nourrit de chair humaine ; il méprise les lois et les dieux. Moralement, il est cruel sans aucune limite, insensible qu'il est à la pitié.

Ce que représente le monstre

✴ Refusant toutes les lois humaines, ne connaissant que la force brutale, le monstre est une **figure de la barbarie**, le contraire de la civilisation. Il dit à l'homme ce qui l'attend s'il refuse les règles de la cité.

✴ La cruauté du monstre associée à sa force en fait une créature redoutable. Sa puissance incontrôlable peut entraîner, comme avec les Hécatonchires, le retour du monde au chaos. Ces monstres primitifs enfermés à l'intérieur de la Terre, mais provoquant toujours des catastrophes, symbolisent les **tendances violentes** de l'homme, qui menacent toujours de l'entraîner vers le chaos.

Monstres et héros

✴ Face au monstre, le héros est celui qui se dresse pour **rétablir l'ordre** et **préserver l'harmonie** du monde. Ainsi les héros sont-ils souvent des **personnages civilisateurs** : on dit qu'après avoir vaincu le Minotaure, Thésée a unifié la région d'Athènes et instauré une période de paix et de prospérité. Cadmos, après avoir vaincu un dragon, en sème les dents et fait naître la cité de Thèbes...

✴ Mais le héros grec est lui aussi un être hybride puisque c'est un **demi-dieu**. Aussi le héros est-il doté de **qualités extraordinaires** qui lui permettent d'affronter les monstres et de réaliser des exploits. Mais il peut être tenté de transgresser lui aussi les limites humaines, créant à son tour des catastrophes. Ainsi monstres et héros sont-ils également étrangers à l'homme, qui occupe un **juste milieu** entre les deux.

Héraclès amenant Cerbère à Eurysthée, vase du VIᵉ siècle avant J.-C. (musée du Louvre, Paris).

Le vocabulaire de la mythologie

1 a. **Qui étaient les personnages suivants ?**

les Titans – Hercule – les Harpies – Cerbère – Mentor – les Muses

b. **Que désignent ces noms quand on les emploie comme des noms communs ?**

2 **Complétez les phrases avec un des mots suivants et expliquez le sens des expressions employées.**

chimère – dédale – homérique – odyssée – pomme de discorde – talon d'Achille – Titan – tonneau des Danaïdes

1. Impossible de retrouver son chemin : ce quartier est un véritable ....

2. Il a accompli un travail de ....

3. Nous ne viendrons jamais à bout de cette tâche : c'est le ....

4. Dans la famille de Sophie, la question de l'argent de poche est une véritable ....

5. Notre voyage a été toute une ....

6. Jacques est très fort mais il se fatigue vite : le souffle est son ....

7. Tu ne pourras jamais y arriver : ce projet est une ....

8. Marc est très drôle : il transforme le moindre événement en récit ....

3 **Sur Internet, retrouvez l'épisode à l'origine des expressions suivantes et donnez-en le sens.**

1. Tomber de Charybde en Scylla.

2. Se croire sorti de la cuisse de Jupiter.

3. S'attirer les foudres de quelqu'un.

4 **À l'aide de ces explications, essayez de retrouver le sens de certaines expressions.**

1. Athéna, déesse de la guerre et de la sagesse, est souvent appelée « Athéna à l'égide » : l'égide est un bouclier, c'est un des attributs d'Athéna. Que signifie l'expression « se placer sous l'égide de quelqu'un » ?

2. La Sibylle (les Grecs l'appelaient la Pythie) était une prêtresse d'Apollon qui aurait reçu du dieu le pouvoir de dire l'avenir. On venait donc la consulter de loin. Hélas, elle répondait souvent aux questions qu'on lui posait par des énigmes. Qu'appelle-t-on des paroles *sibyllines* ?

3. Méduse était une sorcière dont le regard suffisait à changer en pierre ceux qui prétendaient la combattre. Elle fut finalement vaincue par Persée qui utilisa son bouclier comme miroir. Que signifie le verbe *méduser* ?

4. Arachné était une jeune fille qui tissait merveilleu-sement bien. Elle se vantait même de tisser mieux que la déesse Athéna elle-même. Pour punir son insolence, la déesse la métamorphosa en araignée, condamnée à tisser sa toile tout au long de sa vie. Qu'est-ce qu'un ouvrage *arachnéen* ?

5 a. **Retrouvez les noms propres qui sont à l'origine des adjectifs présents dans les expressions suivantes.**

un calme olympien – une humeur joviale – une boisson aphrodisiaque – une allure martiale – un projet chimé-rique – un paysage chaotique – des cultures céréalières – une taille herculéenne – un travail titanesque – un être cupide – une peur panique

b. **Donnez le sens de chaque expression.**

6 **Chacun des noms propres suivants a deux défini-tions. Associez chaque nom propre à ce qu'il désigne.**

Apollon – Chaos – Europe – Faune – Flore – Mégère – Naïade – Zéphyr

1. Nom d'un dieu et d'un petit vent doux.

2. Dieu primitif et grand désordre.

3. Nom d'une créature mi-homme, mi-bouc qui désigne aussi l'ensemble des animaux d'une région.

4. Dieu et jeune homme d'une grande beauté.

5. Princesse enlevée par Zeus et région du monde.

6. Déesse et ensemble des végétaux d'une région.

7. Nymphe vivant dans les sources et belle femme à moitié nue.

8. Déesse de la vengeance et femme méchante.

7 **Proverbes**

• Les Grecs condamnaient toute forme d'excès, de démesure. Sur le temple de Delphes étaient inscrits certains commandements. Les deux plus célèbres sont « γνῶθι σεαυτόν » (*gnôthi seauton*), « Connais-toi toi-même » et « μηδὲν ἄγαν » (*mêden agan*), « Ne fais rien d'excessif ».

• Les Latins reprendront cette idée avec le proverbe *mediocritas aure* qui veut dire : « Le juste milieu est d'or. »

Aujourd'hui, plusieurs proverbes reprennent cette idée ancienne qu'il n'est jamais bon de vouloir dé-passer certaines limites. Complétez ces proverbes et expliquez leur sens.

1. Qui veut faire l'ange fait ....

2. Le mieux est l'ennemi du ....

Bien relier ses phrases

→ Utiliser les mots de liaison

1 Dans les phrases suivantes, relevez les mots de liaison. Expliquez pourquoi ils ne conviennent pas et proposez-en d'autres qui conviennent.

1. Il entre dans la maison puis prend une poire ; ensuite le monstre attaque.

2. Ulysse et ses compagnons naviguent en pleine mer. Brutalement surgit des profondeurs un énorme monstre marin.

3. Il ne sait pas quoi faire, donc il s'enfuit.

2 Complétez le texte ci-dessous par des mots de liaison choisis dans la liste suivante.

alors – aussi – aussitôt – d'abord – donc – mais (deux fois) – soudain

Les principaux chefs achéens étaient en train de se partager des prisonniers. .... , au milieu de ces prisonniers, Achille reconnut la belle Briséis. .... , il conçut pour elle un violent amour. .... le roi Agamemnon réclama Briséis pour lui-même. .... , Achille entra dans une grande colère : il refusa de combattre aux côtés d'Agamemnon. Il resta .... enfermé dans sa tente toute la journée du lendemain. .... , les Achéens crurent à un caprice qui ne durerait pas. .... les jours passaient et Achille demeurait inflexible. .... Agamemnon se résigna-t-il à lui rendre Briséis.

3 Recopiez le texte ci-dessous en remplaçant, chaque fois que nécessaire, le pronom « il » par l'un des groupes nominaux suivants pour désigner Silène.

le fils d'Hermès – le modeste satyre – notre héros – le malheureux jeune homme

Silène était un satyre particulièrement laid. Il était pourtant d'une grande intelligence et d'une belle sensibilité. Un jour, Silène et quelques amis festoyaient près d'une rivière. Soudain, ils entendirent des cris : une belle jeune fille était emportée par une barque dont elle avait perdu les rames. Aussitôt, il se jeta à l'eau pour lui porter secours. Fort comme il était, il ramena sans peine la jeune fille sur le rivage. Mais au lieu de le remercier, celle-ci, en voyant son visage, s'enfuit aussitôt. Il resta seul au milieu des rires de ses camarades. Blessé, il s'enfuit à son tour et se mit à longer la rivière. Le cours d'eau, en cet endroit, était bordé de roseaux. Il en cueillit une tige, la sculpta et y

souffla, en tirant des son mélodieux : la flûte venait d'être inventée. Il joua longtemps, apaisant ainsi son chagrin. Zeus entendit cette mélodie et en fut touché. À cause de ses nombreuses qualités, il fut choisi pour devenir le précepteur des petits dieux.

→ Donner de la force au récit

4 Transformez chaque couple de phrases en une seule, comme dans l'exemple, en vous servant des conjonctions proposées.

tandis que – comme – alors que – au moment où

Exemple : Les Troyens dormaient. Les Grecs sortirent de leur cachette. → Tandis que les Troyens dormaient, les Grecs sortirent de leur cachette.

1. Achille franchit la porte. Le sol se met à trembler.

2. Les Troyens étaient en train de festoyer. Achille arriva.

3. Les Grecs s'enfuyaient de tous côtés. Achille fit face aux ennemis.

4. Le navire coulait. Les hommes se jetèrent à la mer.

5 Donnez plus de rythme au récit en enchaînant les actions, sans employer « et ». Corrigez la ponctuation en conséquence.

1. La déesse aux yeux bleus sort de l'eau et elle s'avance vers Achille et elle saisit une boucle de ses cheveux et elle la lui donne.

2. Achille s'avance vers le monstre et il se jette sur lui et il lui plante son poignard dans l'œil et il appuie de toutes ses forces et le monstre s'effondre.

6 Remplacez les mots soulignés par un synonyme plus fort, choisi dans la liste suivante.

asséna – brandit – dégaina – étincelantes – frappa – fureur – se jeta sur – s'enfuit – projeta – ruisselait – sanglants – saisit – trancha – transperça

1. La colère d'Achille n'avait plus de limites.

2. Il revêtit ses armes brillantes.

3. Il prit son épée et la leva pour montrer sa colère.

4. Il sortit son épée, courut vers son ennemi et lui mit un coup terrible.

5. Achille tapa son ennemi et lui coupa la tête d'un seul coup.

6. Saisi de peur à sa vue, Astyanax courut.

7. Il lança son javelot de toutes ses forces.

8. Le javelot traversa son cou.

9. Hector levait vers lui ses bras blessés.

10. Le sang coulait de ses blessures.

Travail de groupe

Amplifier un récit héroïque

Par groupes, votre classe va rédiger son « Herculéide », récit de la vie d'Hercule.

Éducation aux médias

A Découvrir les exploits d'un héros

À l'aide d'Internet, recherchez des informations sur la vie d'Hercule et les différentes prouesses qu'il a accomplies, ses fameux travaux, mais aussi ses autres exploits.

Vous pouvez utiliser les sites suivants :

– mythologica.fr ;

– wikipedia.org ;

– www.les-12-travaux-hercule.fr

Choisissez l'exploit que vous avez envie de raconter.

B Amplifier un récit

Les informations que vous trouvez sur ces sites vont à l'essentiel. À vous de transformer ces notices en récits vivants, pleins de suspense et d'émotion.

Hercule combattant le lion de Némée, **Rubens**, huile sur toile, XVIIe siècle (coll. privée).

Méthode — Amplifier un récit

Gardez la même trame

Amplifier un récit, c'est partir d'un récit existant et le développer en ajoutant des détails, des descriptions, des commentaires qui vont rendre le récit plus riche, plus vivant. En d'autres termes, racontez les mêmes choses, dans le même ordre.

Cherchez quels éléments vous allez pouvoir développer

– Ajoutez des détails aux descriptions de monstre.

– Traduisez l'émotion du personnage devant le monstre.

– Développez les étapes des combats ou des épreuves, ménagez du suspense.

– Rédigez des dialogues.

– Multipliez les détails concrets, sans craindre de faire appel à votre imagination : comment imaginez-vous la reine Hippolyte ? De quelle couleur sont les juments de Diomède ? Etc.

Ne perdez jamais le fil du récit que vous suivez

Vous pouvez reprendre certaines phrases du texte d'origine, mais reformulez-en le plus possible.

Des livres

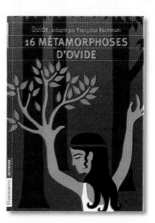

Fables mythologiques,
« Des héros et des monstres »,
« Amours, ruses et jalousies »,
Michel Piquemal,
Albin Michel, 2006.

Les plus grands récits mythologiques racontés dans une langue simple et claire : les amours de Zeus, les exploits d'Achille et d'Hercule, le destin d'Orphée...

Le Feuilleton de Thésée,
Murielle Szac,
Bayard Jeunesse, 2011.

Après *Le Feuilleton d'Hermès*, Murielle Szac continue à raconter d'autres histoires de la mythologie, centrées, pour ce volume, sur ses grands héros : Héraclès, Thésée, Œdipe...

16 Métamorphoses d'Ovide,
Françoise Rachmuhl,
« Castor Poche »,
Flammarion Jeunesse, 2010.

Réécrits dans une langue adaptée aux jeunes lecteurs, ces seize récits permettent de découvrir les aventures de héros mythologiques tels que Phaéton, Bacchus, Persée, Orphée...

Des films

King Kong,
réalisé par Merian Caldwell Cooper, 1933, DVD.

Le célèbre gorille géant qui détruit tout sur son passage est devenu l'emblème du monstre au cinéma.

Harry Potter à l'école des sorciers,
réalisé par Chris Columbus, 2001, DVD.

Les aventures du célèbre sorcier remettent en scène des monstres sortis tout droit de la mythologie grecque.

Le Hobbit,
réalisé par Peter Jackson, 2012, DVD .

Bilbo, modeste semi-homme, fort peu héroïque a priori, doit affronter la démesure d'êtres épris de puissance.

L'*Odyssée*, d'Homère
ÉTUDE D'UNE ŒUVRE INTÉGRALE

Quel est le sens de l'errance d'Ulysse ?

Repères

- **Homère et ses héros** 168

Textes et images

1. « Au pays des Cyclopes » 170
2. « Circé la magicienne » 174
3. « Les Sirènes » 177
4. « Chez Alkinoos » 179
5. « L'épreuve de l'arc » 181
6. « Les retrouvailles » 184

Pour étudier l'œuvre 185

Synthèse

- **L'épopée d'Ulysse** 187

Vers l'écriture

- **Vocabulaire** : La langue de l'épopée 188
- **Apprendre à rédiger** : Écrire un récit épique 189
- **À vos plumes !** Inventer un épisode de L'*Odyssée* 190

Coin lecture, coin cinéma 191

Charybde et Scylla, **Alessandro Allori,** fresque du cycle d'Ulysse, vers 1515 (palais Salviati, Florence).

Lire une image

1 Présentez l'œuvre ci-dessus.

2 Décrivez l'image : que voyez-vous au premier plan ? Au second plan ?

3 Que pouvez-vous imaginer des aventures d'Ulysse à partir de cette image ?

Homère et ses héros

La guerre de Troie : de l'Histoire à la légende

• Environ 2 000 ans avant J.-C., un peuple indo-européen se répand dans tout le Péloponnèse : les **Achéens**. Ils fondent un puissant empire dont la capitale est **Mycènes**. Cette civilisation prospère jusqu'au **XIIIᵉ siècle avant J.-C.** À cette époque règne le légendaire roi **Agamemnon**. Mais de l'autre côté de la Méditerranée, une riche cité, **Troie**, menace la puissance mycénienne. La rivalité entre les deux villes va donner lieu à une guerre sans merci, à l'issue de laquelle Troie sera complètement détruite.

• D'après la légende, la guerre de Troie aurait une autre origine : **Pâris**, prince de Troie, avait séduit la belle **Hélène**, l'épouse du roi achéen Ménélas, frère d'Agamemnon, et avait regagné Troie avec elle. C'est donc pour récupérer la belle Hélène et laver l'honneur de leur chef que les Achéens seraient partis en guerre contre Troie.

Le site d'Hissarlik (Turquie), découvert en 1870 par l'archéologue Heinrich Schliemann, et identifié comme celui de la ville de Troie.

Question

1 Quel archéologue a découvert les ruines de Troie ?

Un aède nommé Homère

• **Homère**, qui raconte l'histoire de la guerre de Troie, a vécu beaucoup plus tard, **au VIIIᵉ siècle avant J.-C.**, période au cours de laquelle s'organisent progressivement les **cités grecques**. C'était un **aède**, c'est-à-dire un poète qui se déplaçait de ville en ville pour animer les festins de ses récits. On lui attribue la création de *L'Iliade* et de *L'Odyssée*. On ne sait presque rien de sa vie.

• Certains disent qu'il était aveugle, d'autres affirment qu'il n'a jamais existé, que *L'Iliade* et *L'Odyssée* sont des œuvres imaginées par différents auteurs. En tout cas, une chose est sûre : ces poèmes ont longtemps été transmis oralement avant d'être **mis par écrit au VIᵉ siècle avant J.-C.**

Masque mortuaire en or,
dit « masque d'Agamemnon »
(1550 av. J.-C.), découvert à Mycènes par Heinrich Schliemann.

Un héros nommé Ulysse

• *L'Iliade* fait le récit de la **guerre de Troie** : Ulysse, roi d'Ithaque et l'un des plus valeureux guerriers achéens, y participe aux côtés d'Agamemnon.

• Après cette guerre, Ulysse aspire à rentrer chez lui. Mais il erre dix années encore et connaît bien des **aventures** avant de retrouver enfin son pays, sa femme et son fils.

• Ulysse est un **héros très célèbre**. Il incarnait pour les Grecs des valeurs importantes, aussi les petits écoliers de la Grèce antique étudiaient-ils, comme vous, les œuvres d'Homère.

Questions

2 Situez dans le temps les événements suivants :
a. la guerre de Troie ;
b. la vie d'Homère ;
c. la mise à l'écrit de *L'Odyssée*.

3 Que savez-vous d'Ulysse ?

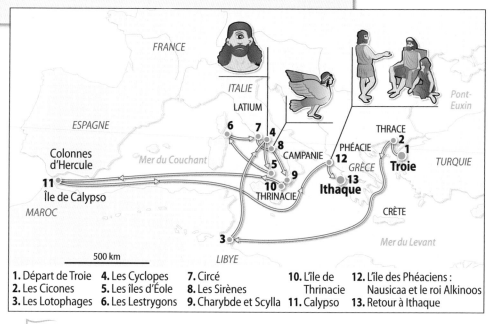

1. Départ de Troie   **4.** Les Cyclopes   **7.** Circé   **10.** L'île de Thrinacie   **12.** L'île des Phéaciens : Nausicaa et le roi Alkinoos
2. Les Cicones   **5.** Les îles d'Éole   **8.** Les Sirènes
3. Les Lotophages   **6.** Les Lestrygons   **9.** Charybde et Scylla   **11.** Calypso   **13.** Retour à Ithaque

De Troie à Ithaque, le retour d'Ulysse.

Au pays des Cyclopes

Parvenu après un naufrage chez le roi Alkinoos, Ulysse fait le récit de ses aventures : ses compagnons et lui arrivent au pays des Cyclopes.

Homère

Cet auteur a peut-être vécu au VIIIe siècle avant J.-C., mais il existe surtout par les deux œuvres qu'on lui attribue : *L'Iliade* et *L'Odyssée*. Ces deux longs poèmes épiques sont en effet les premiers connus de la littérature grecque.

Là séjournait un homme de taille prodigieuse qui, seul et loin de tous, menait paître ses troupeaux, sans fréquenter d'autres gens : il vivait à l'écart et ne connaissait pas la justice. C'était un monstre prodigieux, qui ne ressemblait pas à un homme mangeur de pain, mais au sommet boisé
5 d'une haute montagne, que l'on voit se dresser tout seul, loin des autres sommets.

Ulysse et ses compagnons entrent dans la grotte et y prennent de quoi se restaurer. Arrive le Cyclope : Ulysse le supplie de leur accorder l'hospitalité.

C'est ainsi que je parlai, mais lui, avec son cœur cruel, ne répondit rien. Il se précipita sur mes compagnons, les mains tendues, et en saisit deux qu'il écrasa contre la terre comme des petits chiens. Leur cervelle jaillit et
10 coula sur la terre. Il les découpa membre à membre, et en fit son repas : il les dévora comme un lion nourri sur la montagne, sans rien laisser, ni leurs entrailles, ni leurs chairs, ni leurs os pleins de moelle. Nous pleurions et levions nos mains vers Zeus en voyant ces horreurs.

Quand le Cyclope eut empli son immense panse en mangeant les chairs
15 humaines et en buvant par-dessus du lait non mélangé, il se coucha de tout son long dans l'antre, au milieu des troupeaux.

Le lendemain, tandis que le Cyclope mène paître ses troupeaux, Ulysse et ses compagnons fabriquent un pieu qu'ils dissimulent dans la paille. Le soir, le Cyclope revient.

Il a de nouveau saisi deux de mes compagnons et en a fait son repas. C'est alors que, tenant dans mes mains un vase de vin noir, je me suis approché du Cyclope et lui ai dit :
20 « Cyclope, prends, bois du vin après avoir mangé de la chair humaine ; tu sauras ainsi quelle boisson contenait notre navire. Je l'avais apportée pour faire une libation¹ en ton honneur, espérant que tu aurais pitié de moi et que tu me ferais escorter jusqu'à mon pays […]. »

Ainsi parlai-je. Il prit le vase et le vida, buvant le doux breuvage avec
25 une délectation suprême. Et il m'en redemanda une seconde fois :
« Donne-m'en encore, sois gentil, et dis-moi tout de suite ton nom, pour que je t'offre un cadeau d'hospitalité² qui te fasse plaisir. […] »

Ainsi parla-t-il, et je lui servis de nouveau du vin couleur de feu. Je lui en offris trois fois, et trois fois il le but d'un trait, sans réfléchir. Et dès
30 que le vin eut enveloppé son esprit, je lui adressai ces paroles mielleuses :
« Cyclope, tu me demandes mon nom glorieux : eh bien, je vais te le dire. Mais toi, donne-moi le cadeau d'hospitalité que tu m'as promis. Mon nom est "Personne". Mon père et ma mère, et tous mes compagnons me nomment "Personne". »

1. Libation : offrande de vin faite aux dieux.

2. Hospitalité : devoir sacré dans la Grèce antique. À cette occasion, l'hôte offrait un cadeau à son invité.

35 　Ainsi parlai-je, et aussitôt, d'un cœur impitoyable, il me répondit : « Eh bien c'est "Personne" que je mangerai en dernier, après ses compagnons, les autres passeront avant lui. Ce sera ton cadeau d'hospitalité ! »

　Ainsi parla-t-il, et il tomba à la renverse sur le dos. […] De sa gorge jaillirent le vin et des morceaux de chair humaine : il vomissait, enivré par
40 le vin. Aussitôt je mis l'épieu sous la cendre pour le chauffer […]. Quand l'épieu d'olivier, bien qu'encore vert, fut sur le point de s'enflammer dans le foyer et qu'il se mit à briller terriblement, je le retirai du feu et l'apportai en courant. Mes compagnons étaient autour de moi : une divinité ranimait leur courage. Ils saisirent l'épieu d'olivier au bout aiguisé et l'enfoncèrent
45 dans l'œil du Cyclope. Moi, pesant de tout mon poids à l'autre extrémité, je le faisais tourner […] ; et le sang jaillissait de son œil échauffé ; la vapeur lui brûlait tout autour les paupières et les sourcils pendant que sa prunelle fondait. […] Le Cyclope poussa un hurlement horrible qui fit retentir les rochers. Épouvantés, nous reculâmes. Pendant ce temps, il arracha de son
50 œil l'épieu tout souillé de sang, et le jeta au loin en agitant furieusement les bras. À grands cris, il appelait les Cyclopes qui habitaient les cavernes des environs […]. En entendant sa voix, ils accoururent de tous côtés, et, debout autour de l'antre, ils lui demandaient quel était son souci :

　« Pourquoi donc, Polyphème, pousses-tu de pareils cris de souffrance
55 dans la nuit divine et nous réveilles-tu ? Quelqu'un parmi les mortels t'a-t-il enlevé tes brebis contre ton gré ? Quelqu'un veut-il te tuer par ruse ou par force ? »

　Le puissant Polyphème leur répondit du fond de son antre :

　« "Personne", mes amis, me tue par ruse et non par force. »
60 　Ils lui répondirent en lui adressant ces paroles ailées :

　« Si personne ne te fait violence et que tu es seul, c'est donc une maladie envoyée par le grand Zeus, impossible d'y échapper ! C'est à ton père, le seigneur Poséidon, que tu dois adresser ta prière. »

　Ainsi parlèrent-ils et ils s'en allèrent. Moi, je ris de tout mon cœur, en
65 voyant que mon nom les avait trompés, ainsi que ma ruse irréprochable.

Ulysse et Polyphème,
Pellegrino Tibaldi, 1554
(palais de l'Université,
Bologne).

Mais le Cyclope, gémissant et en proie à de cruelles douleurs, tâtonna avec les mains pour ôter le rocher de l'entrée. Lui-même s'assit en travers de l'entrée, les bras tendus pour attraper celui de nous qui voudrait franchir l'entrée avec les brebis [...]. Pendant ce temps, je songeais pour ma part à trouver le moyen le meilleur pour sauver de la mort mes compagnons et moi-même. [...]

Voici alors le plan qui parut le meilleur à mon cœur. Il y avait des béliers bien nourris, à l'épaisse toison, beaux et grands, avec une laine de couleur violette. Sans bruit, je les attachai avec l'osier souple sur lequel dormait le Cyclope monstrueux sans foi ni loi, en les liant trois par trois. Celui du milieu porterait un de mes compagnons, et les deux autres, de chaque côté, le cacheraient. Ainsi, trois béliers portaient chaque fois un seul homme. Vint alors mon tour : il y avait là un bélier, le plus vigoureux de tous. Je le saisis par le dos et me recroquevillai, immobile, sous son ventre laineux. Je m'accrochai de toutes les forces de mes mains à sa laine merveilleuse, et je tins bon, le cœur patient. Alors, nous attendîmes en gémissant la divine Aurore.

Dès qu'apparut Aurore aux doigts de rose, fille du matin, les mâles du troupeau s'élancèrent au pâturage. [...] Leur maître, accablé de douleurs, palpait le dos de tous les béliers debout devant lui. Dans sa naïveté, il ne s'aperçut pas que mes compagnons étaient attachés sous le ventre des béliers laineux. [...]

À peine étions-nous éloignés de la caverne et de la cour, que je me détachai le premier de sous le bélier et détachai mes compagnons. Nous poussâmes devant nous au plus vite les troupeaux aux pattes grêles, chargés de graisse, en faisant de nombreux détours, pour arriver à notre navire. [...] Aussitôt mes compagnons embarquèrent et s'assirent sur les bancs de rameurs ; installés en rangs, ils se mirent à frapper de leurs rames la mer qui blanchissait.

Mais dès que nous fûmes à la distance où la voix porte encore, j'adressai au Cyclope ces paroles railleuses :

« Cyclope, il n'était pas dit que tu mangerais les compagnons d'un homme sans courage, dans ta caverne creuse, avec violence et brutalité : elle devait te tomber dessus la punition de tes mauvaises actions, malheureux, puisque tu n'as pas craint de manger tes hôtes dans ta demeure. C'est pourquoi Zeus et les autres dieux t'ont puni. »

Fou de colère, Polyphème arrache le sommet d'une montagne qu'il lance dans la mer, soulevant une vague énorme qui ramène le navire d'Ulysse vers la terre ferme. Ses compagnons prennent peur.

« Malheureux ! pourquoi veux-tu donc exciter cet homme, un sauvage qui en projetant à l'instant un projectile dans la mer a ramené notre navire vers la côte ! Nous avons bien cru périr sur place ! Et s'il t'avait entendu pousser un cri ou émettre une parole, il aurait brisé nos têtes et le bois de notre navire en projetant un rocher bien pointu, tant il a de force pour lancer loin ! »

Ainsi parlèrent-ils, mais ils ne persuadèrent point mon cœur vaillant, et je m'adressai de nouveau au Cyclope, le cœur plein d'irritation :

110 « Cyclope, si quelqu'un parmi les hommes mortels t'interroge sur la perte de ton œil qui te défigure, dis que c'est Ulysse le destructeur de cités qui t'a complètement aveuglé, le fils de Laërte qui habite Ithaque. »

[…] Ainsi parlai-je, et, aussitôt, il supplia le seigneur Poséidon, en tendant les mains vers le ciel étoilé :

115 « Entends-moi, Poséidon aux cheveux bleu sombre, maître de la terre ! Si je suis réellement ton fils, et si tu te glorifies d'être mon père, accorde-moi qu'Ulysse le destructeur de cités, le fils de Laërte, qui habite Ithaque, ne rentre pas dans sa maison. Mais si sa destinée est de revoir ses amis et de rentrer dans sa maison bien construite et dans la terre de sa patrie,
120 qu'il mette longtemps à y parvenir, péniblement, après avoir perdu tous ses compagnons, sur un navire étranger, et que même dans sa maison il trouve des souffrances. »

Ainsi parla-t-il en suppliant, et le dieu aux cheveux bleu sombre l'entendit.

HOMÈRE, L'*Odyssée*, chant IX, trad. S. Perceau © Nathan, 2006.

Ulysse sous le bélier, sculpture en pierre, Ier siècle ap. J.-C. (galerie Doria Pamphili, Rome).

Vocabulaire

1 a. Quel est le sens du mot *hôte* (l. 100) ?
b. Le même mot peut avoir un sens quasi opposé : lequel ?
c. Cherchez, ligne 26 à 29, un mot de la même famille.

2 a. Que signifie le verbe *paître* (l. 2) ?
b. Dans les lignes 83 à 87, trouvez un mot de la même famille et expliquez-le.
c. Qu'est-ce qu'un *pâtre* ?

Parcours de lecture 1

1 Qui dit « je » dans ce texte ?

2 À quelle sorte de personnage Ulysse et ses compagnons sont-ils confrontés ?

3 Remettez dans l'ordre les actions du récit et précisez à quels passages du texte elles correspondent.
a. Ulysse défie le Cyclope et le Cyclope maudit Ulysse.
b. Ulysse et ses compagnons fabriquent un épieu pointu et l'enfoncent dans l'œil du Cyclope.
c. Ulysse pousse le Cyclope à boire.
d. Le Cyclope est décrit.
e. Ulysse et ses compagnons s'enfuient en se dissimulant au milieu des moutons du Cyclope.
f. Malgré les prières d'Ulysse, le Cyclope dévore deux de ses compagnons.

4 Lignes 7 à 16, relevez tous les détails qui créent l'effroi.

5 Cet épisode se termine-t-il tout à fait bien pour Ulysse ? Justifiez votre réponse.

Parcours de lecture 2

1 Quelles sont les différentes ruses utilisées par le héros pour vaincre le monstre ?

2 a. Dans les lignes 7 à 13, comment l'auteur rend-il le récit de la mort des compagnons d'Ulysse particulièrement horrible ?
b. Quel autre passage inspire également de l'horreur ? Pourquoi ?

3 Toujours dans les lignes 7 à 13, relevez une comparaison : quelle image donne-t-elle du Cyclope ?

4 Dans le premier paragraphe, relevez les détails que l'on vous donne sur l'apparence physique du Cyclope, ainsi que sur son mode de vie : quelle impression vous donnent-ils ?

5 Dans les lignes 95 à 101, comment Ulysse explique-t-il sa victoire sur le Cyclope ?

6 a. D'après les croyances des Grecs, il était absolument nécessaire, pour lancer une malédiction, de connaître le nom de la personne que l'on voulait maudire. Montrez qu'au dernier moment, Ulysse manque à la prudence.
b. Quel défaut conduit Ulysse à cette imprudence et justifie le châtiment qui l'attend ?

Circé la magicienne

Après bien des aventures, Ulysse et ses compagnons abordent l'île de Circé, une terrible magicienne. Les compagnons d'Ulysse partent en reconnaissance.

Dans une vallée ils ont trouvé la maison de Circé, construite en pierres polies dans un lieu découvert. Tout autour vivaient des loups montagnards et des lions que Circé avait ensorcelés avec des drogues nuisibles : au lieu de se jeter sur mes hommes, ils se sont approchés d'eux et les ont caressés de
5 leurs longues queues, comme les chiens entourent et caressent leur maître lorsqu'il revient d'un banquet, car il leur rapporte toujours des douceurs qui plaisent à leur cœur. De même les loups aux griffes robustes et les lions entouraient, caressants, mes compagnons. Eux, pris de peur à la vue de ces terribles bêtes énormes, se sont arrêtés devant la porte de la déesse aux
10 belles tresses et ont entendu Circé chanter à l'intérieur d'une belle voix ; elle tissait une grande toile, immortelle, comme sont les ouvrages légers, gracieux et brillants des déesses. […] Ils se sont fait entendre en appelant. Elle est sortie aussitôt, a ouvert les portes brillantes et les a invités. Tous avec imprudence l'ont suivie. Euryloque**1** est resté seul dehors, car il soup-
15 çonnait le piège. Elle les a fait entrer, les a fait asseoir sur des sièges et des fauteuils et a mixé pour eux du fromage, de la farine et du miel frais dans du vin de Pramnos ; elle a mélangé à cette mixture des drogues aux effets redoutables, pour leur faire oublier complètement leur terre paternelle. Elle leur a offert cette potion, et ils l'ont bue d'un trait. Aussitôt, elle les a
20 frappés d'une baguette et les a enfermés dans la porcherie. Ils avaient la tête, la voix, le corps et les soies**2** du porc, mais leur intelligence était res-tée la même qu'auparavant. Aussi pleuraient-ils d'être ainsi enfermés. […]

Alors Euryloque est revenu vers le noir navire rapide pour nous donner des nouvelles de nos compagnons et pour annoncer leur triste sort. […]

Ulysse décide alors de se rendre chez Circé pour délivrer ses compagnons.

25 J'étais sur le point d'arriver à la grande demeure de Circé aux multi-ples drogues quand Hermès**3** à la baguette d'or est venu à ma rencontre, au moment où j'approchais de la demeure. Il avait pris l'apparence d'un jeune homme dont la barbe commence à pousser et qui est dans toute la grâce de l'adolescence. Il m'a pris la main, et m'a dit :
30 « […] Je vais te dire tous les projets pernicieux**4** de Circé : elle va te pré-parer une potion où elle jettera des drogues, mais elle ne pourra pas t'en-sorceler par ce moyen, car la remarquable drogue que je vais te donner ne le permettra pas. Je vais te dire tous les détails. Au moment où Circé te frappera de sa longue baguette, tire du long de ta cuisse ton épée pointue
35 et jette-toi sur elle, comme si tu voulais la tuer. […] »

Après ces paroles, le dieu aux rayons lumineux m'a fourni la drogue qu'il a arrachée de terre. […] Moi, je me suis dirigé vers la demeure de Circé. Tout en marchant, j'avais le cœur qui bouillonnait.

Je me suis arrêté devant la porte de la déesse aux belles tresses et, posté

1. Euryloque : l'un des compagnons d'Ulysse.

2. Soies : poils.

3. Hermès : le messager des dieux.

4. Pernicieux : dangereux.

Circé et les compagnons d'Ulysse transformés en animaux, **Alessandro Allori**, fresque, 1580 (palais Salviati, Florence).

40 là, j'ai poussé un cri. Elle a entendu ma voix et est sortie aussitôt, a ouvert les portes brillantes et m'a invité. Je l'ai suivie, le cœur affligé. Elle m'a fait entrer, puis asseoir sur un beau fauteuil à clous d'argent, bien travaillé. Un escabeau était posé sous mes pieds. Aussitôt elle a préparé dans une coupe d'or la potion que je devais boire, et, le cœur plein de mauvaises 45 pensées, elle y a jeté la drogue. Elle me l'a offerte et j'ai bu d'un trait, sans que le charme agisse. Elle m'a alors frappé de sa baguette et m'a dit en détachant ses mots :

« Va maintenant dans la porcherie coucher avec tes compagnons. »

Ainsi parla-t-elle. Mais moi, tirant mon épée pointue du long de ma 50 cuisse, je me suis jeté sur elle comme si je voulais la tuer. Alors, elle a poussé un grand cri, s'est effondrée et a saisi mes genoux.

Tout se passe comme prévu par Hermès. Circé se rend à Ulysse et lui offre l'hospitalité. Mais Ulysse pense à ses compagnons.

« Circé, quel homme, s'il a le cœur juste, supporterait d'absorber nourriture ou boisson, avant d'avoir délivré ses compagnons et de les avoir vus de ses propres yeux ? Si c'est de bon cœur que tu veux que je boive 55 et que je mange, délivre mes fidèles compagnons pour que je les voie de mes yeux ! »

Ainsi parlai-je. Circé a traversé la salle, sa baguette à la main, et a ouvert les portes de la porcherie. Elle en a fait sortir mes compagnons qui ressemblaient à des porcs gras de neuf ans. Ils se sont mis debout devant elle ;

Circé, Edmond Dulac,
L'Illustration, 1911.

60 passant parmi eux, elle a frotté chacun avec
une nouvelle drogue. Alors, de leurs membres
sont tombés les poils qu'avait fait pousser la
drogue funeste donnée par la vénérable Circé ;
ils sont redevenus des hommes, plus jeunes
65 qu'avant, beaucoup plus beaux et plus grands
à voir. Ils m'ont reconnu, et m'ont tous serré
la main. Une douce envie de pleurer les a saisis tous ensemble, et la demeure s'est mise à
résonner de leurs pleurs.

HOMÈRE, L'*Odyssée*, chant X,
trad. Sylvie Perceau © Nathan, 2006.

Vocabulaire

1 Quel est ici le sens du mot *charme* (l. 46) ? Répondez en proposant plusieurs synonymes.

2 **a.** Quels sont les mots du texte qui désignent les
substances magiques que fabrique Circé ?
b. Cherchez dans le dictionnaire d'autres mots qui
désignent des boissons magiques.

3 **a.** Recopiez la deuxième phrase du texte en remplaçant *nuisible* par un mot de sens proche.
b. Sur quel verbe l'adjectif *nuisible* est-il formé ? Vérifiez
le sens de ce verbe et employez-le dans une phrase qui
parlera de Circé.

4 Donnez un synonyme d'*affligé* (l. 41).

Lecture

Pour bien lire

1 Chez quelle sorte de personnage les compagnons
d'Ulysse sont-ils entrés ?

2 Que leur arrive-t-il à cause de ce personnage ?

3 Comment réagit Ulysse quand il est averti de la
situation ?

4 Qui lui vient en aide ? Comment ?

5 Comment se termine cette aventure pour les
compagnons d'Ulysse ?

Pour approfondir

6 **a.** Quels sont les animaux qui entourent la
demeure de Circé ?
b. En quoi leur attitude est-elle inattendue ?
c. Que pouvez-vous en conclure sur l'identité réelle
de ces animaux ?

7 **a.** L'apparence de Circé est-elle celle d'une sorcière ? Et ses gestes, son accueil ?
b. Comparez le lieu où elle habite à la grotte du
Cyclope : que constatez-vous ?

8 Pourquoi peut-on dire que, dans cet épisode,
Ulysse ramène l'ordre dans un univers bouleversé ?

Écriture

1 Lignes 45 à 51 (« Elle me l'a offerte... et a saisi mes
genoux »), relevez les mots de liaison qui organisent les
actions.

2 Utilisez les mêmes mots de liaison pour rédiger en
4 ou 5 phrases une courte scène dans laquelle l'action
d'un monstre ne tourne pas comme prévu. Vous pouvez choisir un des sujets suivants :
a. La Gorgone veut jeter son regard sur Persée et rencontre son bouclier.
b. Le monstre marin s'apprête à dévorer Andromède
quand Persée le transperce de sa lance.
c. L'hydre de Lerne attaque Hercule qui tranche toutes
ses têtes d'un seul coup.

Les Sirènes

Circé révèle à Ulysse les épreuves qui l'attendent encore avec ses compagnons et lui donne des conseils pour les surmonter. Ils doivent, entre autres, éviter les Sirènes qui attirent par leurs chants les marins sur des rochers où ils font naufrage. Circé envoie ensuite un vent favorable qui pousse leur navire vers le large.

Alors, le cœur affligé, je m'adressai à mes compagnons :

« Mes amis, il ne faut pas qu'un seul homme, ou même deux, ait connaissance des prédictions de Circé la toute divine ; je vais vous les dire, pour que, en connaissance de cause, ou bien nous mourions, ou bien, évitant le
5 danger, nous échappions aux coups de la mort. D'abord, elle nous recommande de fuir le son de la voix des divines Sirènes et leur prairie fleurie : à moi seul elle a recommandé d'écouter leur voix ; mais attachez-moi avec des liens solides, pour que je reste sur place immobile, bien droit contre le mât, et que le bout des liens y soit fixé. Et si je vous supplie et vous
10 ordonne de me délier, alors, au contraire, resserrez encore plus les liens. »

Pendant que je révélais chacune des prédictions à mes compagnons, le navire bien construit approchait rapidement de l'île des deux Sirènes, car un vent favorable nous poussait. Mais soudain le vent cessa, et ce fut le calme plat : une divinité avait endormi les vagues. Alors, mes compa-
15 gnons se levèrent, plièrent les voiles et les déposèrent dans le navire creux ; ils s'assirent aux rames et firent blanchir l'eau avec le sapin poli[1]. Quant à moi, à l'aide du bronze tranchant de mon épée, je découpai un grand bloc de cire rond en petits morceaux que je pressai dans mes fortes mains, La cire s'amollit sous l'effet de ma grande vigueur et des rayons du
20 Soleil, seigneur fils d'Hypérion[2]. Je bouchai les oreilles de tous mes compagnons l'un après l'autre avec la cire. Eux, dans le navire, m'attachèrent à la fois les pieds et les mains, bien droit contre le mât, et le bout des liens y était fixé. Puis ils s'assirent et frappèrent de leurs rames la mer qui blanchissait.
25 Dès que le navire fut à la portée d'une voix, ils augmentèrent leur vitesse. Mais les sirènes, apercevant le navire rapide qui filait tout près d'elles, entonnèrent un chant mélodieux.

« Viens ici, Ulysse tant célébré, grande gloire des Achéens. Arrête ton navire, pour écouter nos deux voix. Aucun homme jamais n'a dépassé
30 notre île sur son navire noir avant d'écouter la voix douce comme le miel qui sort de notre bouche ; au contraire, c'est rempli de plaisir qu'il repart, avec davantage de connaissances. Nous savons, en effet, tout ce que les Achéens et les Troyens ont subi devant la grande Troie par la volonté des dieux, et nous savons aussi tout ce qui arrive sur la terre nourricière. »
35 Ainsi parlaient-elles en laissant sortir leur magnifique voix. Mon cœur voulait les écouter et, en remuant les sourcils, j'ordonnai à mes compagnons de me détacher ; mais eux, courbés sur les rames, continuaient à avancer. Et aussitôt Périmède et Euryloque[3] se levèrent et resserrèrent encore plus les liens.

1. **Sapin poli :** rames (qui sont en sapin).
2. **Hypérion :** père du Soleil et de la Lune.
3. **Périmède et Euryloque :** deux compagnons d'Ulysse.

40   Nous dépassâmes les Sirènes. Nous n'entendions plus leur voix et leur chant ; alors mes fidèles compagnons retirèrent la cire dont j'avais bouché leurs oreilles et me détachèrent de mes liens.

> **HOMÈRE**, L'*Odyssée*, chant XII,
> trad. Sylvie Perceau © Nathan, 2006.

Ulysse et les Sirènes,
scène de L'*Odyssée* représentée sur un vase grec,
vers 480-470 avant J.-C.
(British Museum, Londres).

Lecture

Pour bien lire

1 **a.** Quelles nouvelles créatures Ulysse rencontre-t-il dans cet épisode ?
b. Pourquoi sont-elles dangereuses ?
c. Ces créatures sont-elles effrayantes ? Développez et justifiez vos réponses.

2 **a.** Comment Ulysse protège-t-il ses compagnons du danger ?
b. Comment les compagnons protègent-ils Ulysse ?

3 Qui a aidé Ulysse à surmonter cette épreuve ?

Pour approfondir

4 À votre avis, pourquoi Ulysse ne se bouche-t-il pas les oreilles comme ses compagnons ?

5 **a.** Que disent les Sirènes à Ulysse pour l'attirer à elles ?
b. À votre avis, ces promesses sont-elles bien choisies ? Pourquoi ?

6 Quelles sont les qualités d'Ulysse qui lui permettent de réussir cette épreuve ?

7 Comparez les Sirènes à Circé. Qu'ont-elles en commun ?

Vocabulaire

1 **a.** Rappelez le sens de l'adjectif *affligé* (l. 1).
b. Donnez un nom de la même famille et employez-le dans une phrase.

2 **a.** Sans recourir au dictionnaire, mais seulement à l'aide du contexte, donnez le sens du mot *liens* (l. 8).
b. Relevez, dans les lignes qui suivent, un verbe de la même famille et trouvez son sens en analysant sa formation.

3 Donnez un synonyme de *vigueur* (l. 19).

4 Analysez la formation du mot *prédictions* (l. 3) puis donnez des mots formés avec le même préfixe.

Écriture

1 Lignes 11 à 15 (« Pendant que je révélais… dans le navire creux »), relevez les mots de liaison qui organisent les actions.

2 Utilisez les mêmes mots de liaison pour raconter en 3 ou 4 phrases l'apparition d'un nouveau danger sur la mer, tandis qu'Ulysse et ses compagnons poursuivent leur voyage.

Chez Alkinoos

Au terme de nombreuses aventures, Ulysse, dont le navire a été détruit par une tempête, échoue seul, nu et sale, au pays des Phéaciens. Le roi Alkinoos lui offre l'hospitalité.

Alors Alkinoos prit la parole et dit :
« Écoutez, chefs et conseillers des Phéaciens. Notre hôte me semble plein de sagesse. Allons ! Il convient de lui offrir les cadeaux d'hospitalité. Douze rois des plus remarquables, douze chefs commandent ce peuple,
5 et moi-même je suis le treizième. Apportez-lui, chacun, un manteau bien lavé, une tunique et un talent[1] d'or précieux. Apportons vite ces présents tous ensemble : ainsi notre hôte, quand il les aura en sa possession, pourra aller au repas le cœur en joie. [...] »

Les chefs Phéaciens apportent alors de magnifiques cadeaux d'hospitalité à Ulysse.

Alkinoos dit à Arètè[2] :
10 « Femme, apporte ici un coffre remarquable entre tous, le meilleur que tu aies. Place toi-même dedans un manteau bien lavé et une tunique. [...] Moi, je lui offrirai cette très belle coupe d'or, afin qu'il se souvienne de moi tous les jours, quand il fera, dans sa grande salle, des libations en l'honneur de Zeus et des autres dieux. »

15 Ainsi parla-t-il. Arètè demanda aux servantes de mettre au plus vite un grand trépied[3] sur le feu. [...] Puis, l'intendante[4] invita Ulysse à entrer dans la baignoire pour prendre un bain. C'est le cœur plein de joie qu'il vit l'eau chaude, car il y avait longtemps qu'on ne s'était pas occupé de lui [...]. Les servantes le baignèrent, le frottèrent d'huile et le revêtirent d'une
20 tunique et d'un beau manteau. Il sortit alors de la baignoire et revint au milieu des hommes buveurs de vin. [...]

Il s'assit sur un siège près du roi Alkinoos. Déjà les hommes distribuaient les parts et mélangeaient le vin. Le héraut[5] s'approcha, conduisant le fidèle aède Dèmodokos, honoré par le peuple. Il le fit asseoir au
25 milieu des convives, appuyé contre une haute colonne. Alors Ulysse aux multiples ruses coupa un gros morceau du dos d'un porc aux blanches dents, qui était enveloppé de graisse des deux côtés[6] et il dit au héraut :

« Prends, héraut, et donne ce morceau de viande à manger à Dèmodokos. Moi aussi, malgré mon affliction, je veux lui montrer mon amitié. Les
30 aèdes reçoivent leur part d'honneur et de respect parmi tous les hommes qui vivent sur la terre, car la Muse leur a enseigné le chant, et elle aime la race des aèdes. » [...]

Alors, tous étendirent les mains vers la nourriture toute prête placée devant eux.

Pour animer le festin, Dèmodokos se met à chanter les héros de la guerre de Troie. Cette évocation ravive les souvenirs douloureux d'Ulysse.

1. **Talent** : pièce de monnaie.

2. **Arètè** : femme d'Alkinoos.

3. **Trépied** : chaudron à trois pieds.

4. **Intendante** : servante chargée de la bonne marche de la maison.

5. **Héraut** : serviteur chargé d'introduire les invités.

6. C'est l'un des meilleurs morceaux.

Flûtiste, détail d'une scène de banquet, vase grec du IVe siècle avant J.-C. (musée du Louvre, Paris).

---

7. **Phorminx** : instrument de musique à cordes.

8. **Suppliant** : personne qui supplie qu'on lui porte secours.

35 Mais Ulysse se décomposait, et, sous ses paupières, les larmes lui arrosaient les joues, tout comme une femme effondrée pleure son mari bien-aimé tombé devant sa cité, devant son peuple, alors qu'il tentait de repousser le jour fatal pour sa ville et ses enfants […] ; de même Ulysse versait des larmes
40 pitoyables sous ses paupières. C'est donc à l'insu de tous qu'il versait des larmes. Seul Alkinoos le vit, car il était assis près de lui et l'entendit pousser de lourds gémissements. Aussitôt, il dit aux Phéaciens habiles à manier les avirons :

« Écoutez, chefs et conseillers des Phéaciens ! Il faut que
45 Dèmodokos arrête sa phorminx[7] au son clair. Ce qu'il chante ne plaît peut-être pas à tout le monde. Depuis que nous avons soupé et que le divin aède a commencé à chanter, notre hôte n'a pas cessé de sangloter de désespoir ; l'affliction semble avoir envahi son cœur. Que Dèmodokos arrête donc, pour
50 que nous qui accueillons notre hôte, et notre hôte lui-même, ayons tous un plaisir égal. […] Un hôte, un suppliant[8], sont comme un frère pour tout homme qui a un minimum de sagesse. Aussi, ne me cache rien, par ruse, de tout ce que je vais te demander : il vaut mieux que tu me parles. Dis-moi
55 comment te nommaient ta mère, ton père, ceux qui habitaient ta ville et les environs. […] Dis-moi aussi quel est ton pays, ton peuple, ta cité, afin que nos navires qui voguent avec intelligence puissent t'y conduire. »

Ulysse lui fait alors le récit de ses aventures, que vous venez de lire. Ensuite, l'ayant comblé de cadeaux, Alkinoos arme un navire pour ramener chez lui le héros d'Ithaque.

➤➤ **HOMÈRE**, L'*Odyssée*, chant VIII, trad. Sylvie Perceau © Nathan, 2006.

Lecture

Pour bien lire

Comparez cet épisode avec celui d'Ulysse au pays des Cyclopes p. 170.

1 Quels sont les points communs à la situation d'Ulysse quand il se présente au Cyclope et quand il arrive à la cour d'Alkinoos ?

2 Comment chacun des deux personnages accueille-t-il le suppliant ? Comparez, en particulier, les cadeaux d'hospitalité faits par chacun d'eux à Ulysse.

3 Les deux épisodes racontent un repas. Comparez les deux scènes : quel en est le cadre ? Que mange-t-on ? Que boit-on ? Quels détails font du repas chez Alkinoos un festin raffiné ? Quels détails font du repas du Cyclope un horrible carnage ?

4 Quels sentiments Alkinoos manifeste-t-il envers Ulysse ? Et le Cyclope ?

5 Que représentent le Cyclope d'une part, et Alkinoos d'autre part ?

Pour approfondir

L'épisode du Cyclope se situe au début des aventures d'Ulysse, celui-ci à la fin.

6 Dans quel état Ulysse arrive-t-il chez Alkinoos ?

7 Peut-on dire que l'orgueil du héros a été puni ? Pourquoi ?

8 Pourquoi peut-on dire que, dans ce passage, Ulysse revient dans le monde des humains ?

L'épreuve de l'arc

*Ulysse regagne enfin Ithaque mais, soucieux de découvrir ce que sont deve-
nus, en son absence, sa femme Pénélope, son fils Télémaque, et son royaume, il se
déguise en mendiant et s'introduit dans son propre palais sans y être reconnu.
Il apprend alors que sa femme, qui lui est restée fidèle pendant toutes ces années,
est sommée de se remarier par les grands seigneurs du royaume, lesquels, en l'absence du roi, pillent les ressources du palais. Ne pouvant repousser plus longtemps
leurs exigences, Pénélope décide de départager les prétendants au trône par une
épreuve : ils doivent tendre l'arc d'Ulysse et tirer une flèche à travers les trous de
fixation de haches alignées. Mais aucun des prétendants n'est capable de tendre
la corde de l'arc. Ulysse demande alors la permission de tenter l'épreuve. Antinoos, le chef de file des prétendants, l'humilie alors et le menace de mort, mais
Pénélope prend sa défense et autorise le mendiant à passer l'épreuve.*

Athéna casquée,
sculpture grecque
du IVe siècle avant J.-C.
(musée du Louvre, Paris).

Ulysse manipulait l'arc, le tournait de tous les côtés examinant ici et là
si les vers n'avaient pas rongé la corne pendant l'absence du maître. [...]
Ulysse aux multiples ruses acheva de tâter le grand arc et de l'examiner
de tous côtés ; puis, comme lorsqu'un homme, expert à la phorminx et au
5 chant tend facilement une corde autour de la cheville neuve en attachant
des deux bouts le boyau bien tordu d'un mouton, de même Ulysse tendit
sans effort le grand arc ; de la main droite il prit la corde et l'essaya. Elle
se mit alors à chanter d'une voix semblable à l'hirondelle. Une grande
affliction saisit les prétendants, et ils changèrent tous de couleur. Zeus
10 tonna fortement : c'était manifestement un signe. Alors le divin Ulysse
tant éprouvé se réjouit parce que le fils de Cronos[1] aux pensées tortueuses
lui avait envoyé ce signe. [...] Alors donc, il saisit la flèche qu'il plaça sur
le coude de l'arc, il tira la corde et l'encoche de la flèche sans quitter son
siège ; visant le but, il lança la flèche et ne manqua pas le premier manche
15 de la série des haches ; la flèche alourdie par sa pointe de bronze traversa
tous les manches, avant de ressortir. Alors, Ulysse dit à Télémaque :

« Télémaque, l'étranger assis dans ton palais ne te fait pas honte ! Je n'ai
pas manqué le but et je ne me suis pas fatigué longtemps à tendre cet arc.
Ma vigueur est encore intacte. [...] »

20 Ainsi parla-t-il, et il fit un signe avec ses sourcils. Télémaque, le cher fils
du divin Ulysse, ceignit[2] son épée pointue, saisit une lance dans sa main,
et se plaça, armé du bronze flamboyant, près du fauteuil d'Ulysse.

Alors, se dépouillant[3] de ses haillons, Ulysse aux multiples ruses sauta sur
le grand seuil, tenant dans ses mains l'arc et le carquois plein de flèches. [...]
25 « Voilà cette compétition décisive accomplie ! Maintenant, je viserai un
autre but qu'aucun homme n'a jamais touché. J'espère pouvoir l'atteindre
et qu'Apollon me donne la gloire de ce succès ! »

Il dit, et contre Antinoos[4] il dirigea une flèche amère. Celui-ci allait soulever une belle coupe d'or à deux anses et déjà il la tenait dans ses mains
30 pour boire le vin, sans avoir dans le cœur le moindre souci de sa fin. Qui
aurait cru en effet, qu'en plein milieu des convives, un homme seul contre

1. Fils de Cronos :
Zeus, le roi des dieux.

2. Ceindre : mettre
à sa ceinture.

3. Se dépouillant de :
enlevant.

4. Antinoos : meneur
des prétendants.

Ulysse tirant la corde de l'arc, **Thomas Degeorge,**
huile sur toile, 1812 (musée Roger Quillot, Clermont-Ferrand).

tous, même très fort, allait lui envoyer la mort mauvaise et le noir trépas ?
Mais Ulysse le frappa de sa flèche à la gorge, et la pointe traversa de part
en part le cou délicat. Antinoos tomba à la renverse, et la coupe s'échappa
35 de sa main, sous le coup ; aussitôt un flot épais sortit de sa narine : du
sang humain ; un coup lancé par son pied repoussa brusquement la table
loin de lui et les aliments se répandirent à terre : pain et viandes rôties,
tout était gâché.

Les prétendants sont pris de peur et menacent Ulysse.

Les regardant par en-dessous, Ulysse aux multiples ruses leur dit :
40 « Chiens ! Vous ne pensiez pas que je reviendrais du pays des Troyens.
Et c'est pourquoi vous dévoriez ma maison, vous couchiez de force avec
mes servantes, et moi vivant, vous courtisiez ma femme, sans redouter
les dieux qui occupent le large Ciel, ni l'indignation des hommes à venir !
Maintenant, la mort fatale est au-dessus de vous tous ! »
45 Ainsi parla-t-il, et une peur verte s'empara de tous : chacun regardait
de tous côtés, cherchant par où échapper au précipice de la mort. [...]

Eurymaque[5] tira son épée pointue en bronze, aiguisée des deux côtés, et se rua sur Ulysse en poussant un cri horrible ; mais le divin Ulysse prévint[6] le coup et lança une flèche qui lui perça la poitrine près du sein ;
50 le trait rapide s'enfonça dans le foie. L'épée tomba de sa main à terre, et tournoyant sur lui-même, il s'écroula sur une table, et les aliments se répandirent à terre, avec la coupe à deux anses ; il heurta du front le sol, le cœur tourmenté, et les coups lancés par ses deux pieds repoussèrent le fauteuil. L'obscurité se répandit sur ses yeux. [...]
55 Alors Athéna, du haut du plafond, secoua l'égide[7] tueuse d'hommes, et l'esprit des prétendants fut pris d'épouvante. Effrayés, ils se dispersèrent dans la salle comme un troupeau de bœufs que harcèle de ses assauts un taon au vol rapide, au printemps, quand les jours sont longs. [...] C'est ainsi que les compagnons d'Ulysse se ruaient à travers la demeure sur les
60 prétendants et frappaient dans tous les sens. Un horrible gémissement s'élevait des têtes fracassées ; et partout le sol bouillonnait de sang.

Plein de fureur, Ulysse veut poursuivre les survivants jusqu'à travers la ville et les massacrer jusqu'au dernier. Mais Athéna intervient pour lui ordonner de mettre fin à la violence et de rétablir la paix en Ithaque. Ulysse se plie aux volontés des dieux, fait la paix avec les seigneurs d'Ithaque et règne dans la joie aux côtés de Pénélope.

▸ **HOMÈRE**, L'*Odyssée*, chant XXII, trad. Sylvie Perceau © Nathan, 2006.

---

5. Eurymaque : un des prétendants.

6. Prévenir : ici, esquiver.

7. Égide : bouclier.

Lecture

Pour bien lire

1 Quels sont les problèmes qu'Ulysse rencontre à son retour chez lui ? Pour répondre, appuyez-vous sur l'introduction du texte, mais aussi sur les lignes 40 à 44.

2 a. Sous quelle apparence Ulysse se présente-t-il devant les prétendants ?
b. À quel moment révèle-t-il son identité ? Pourquoi ?

3 Pourquoi Ulysse massacre-t-il les prétendants ? Quel rôle remplit-il alors ?

Pour approfondir

`Tâche complexe`

4 Relisez les lignes 47 à 61 : quelle impression le combat contre les prétendants fait-il au lecteur ? Comment cette impression est-elle créée ?

▸ **Coup de pouce**
Observez les verbes employés, les détails sonores et visuels, le choix du vocabulaire.

5 Relisez le résumé de la fin de L'*Odyssée* : de quelles qualités Ulysse fait-il preuve à la fin ? En quoi ces qualités sont-elles dignes d'un roi ?

Vocabulaire

1 Rappelez le sens d'*affliction* (l. 9) et de *vigueur* (l. 19).

2 Donnez un synonyme de *haillons* (l. 23).

3 Qu'est-ce que le *trépas* (l. 32) ? Donnez un verbe de la même famille.

4 Dans les lignes 47 à 54, quel mot désigne la flèche ?

Écriture

Transformez les phrases selon le modèle suivant.
Exemple : *Antinoos voulait boire, mais Ulysse lui décocha une flèche.* → *Antinoos allait boire quand Ulysse lui décocha une flèche.*

1. Le monstre voulait se jeter sur Ulysse, mais Euryloque lui trancha la queue.
2. Ulysse voulait boire à la coupe empoisonnée, mais Hermès lui envoya un signe.
3. Ulysse voulait se jeter à l'eau, mais ses compagnons le rattrapèrent.

Les retrouvailles

Ulysse retrouve donc Pénélope. Mais celle-ci hésite à le reconnaître. En effet, Athéna a rendu à Ulysse l'apparence qu'il avait au moment de son départ pour Troie, vingt ans auparavant. Pénélope demande alors à la nourrice de dresser leur lit hors de la chambre.

Ulysse, indigné, s'adressa à sa femme aux pensées prudentes :
« Femme ! [...] Qui donc a déplacé mon lit ? Même pour un homme tout à fait habile, il aurait été très difficile de le faire. [...] Ce lit, c'est moi qui l'ai fabriqué, et personne d'autre. Un buisson d'olivier au long feuillage
5 poussait dans l'enceinte, vigoureux, plein de force ; il était épais comme un pilier. Eh bien moi, j'ai disposé autour de l'olivier des pierres bien emboîtées pour construire la chambre à la perfection ; puis je l'ai bien recouverte avec un toit ; j'ai ajouté des portes soudées, ajustées et bien emboîtées. Alors, j'ai coupé les branches de l'olivier au long feuillage, j'ai taillé le
10 tronc à partir de la racine [...]. Je suis parti de ce pied pour fabriquer le lit à la perfection, l'ornant d'or, d'argent et d'ivoire. [...] Voilà le signe secret que je révèle pour toi. Mais je ne sais pas, femme, si mon lit est encore fixé à sa place, ou si un autre homme l'a déjà déplacé, après avoir coupé par en-dessous le tronc de l'olivier. »

15 Ainsi parla-t-il. Alors le cher cœur et les genoux de Pénélope se brisèrent en reconnaissant les signes que lui révélait Ulysse avec exactitude. Elle se mit à pleurer et courut vers Ulysse, jeta ses bras autour de son cou, couvrit sa tête de baisers [...].

Ulysse pleurait en serrant dans ses bras la femme de son cœur, aux
20 pensées si prudentes. Quand la terre apparaît, elle fait la joie des naufragés dont Poséidon a détruit en mer le navire bien construit, battu par le vent et par les vagues énormes. [...] Comme la terre pour ces naufragés la vue de son mari faisait la joie de Pénélope qui ne pouvait détacher ses bras blancs de son cou.

25 Aurore aux doigts de rose serait apparue au milieu de leurs sanglots, si la déesse Athéna aux yeux clairs n'avait eu une autre idée. Elle retint la nuit au bord extrême du ciel pour l'allonger et elle arrêta dans l'océan Aurore au trône d'or, en l'empêchant d'atteler ses chevaux rapides qui portent la lumière aux hommes [...].

HOMÈRE, L'*Odyssée*, chant XXIII, trad. Sylvie Perceau © Nathan, 2006

Les retrouvailles d'Ulysse et de Pénélope, gravure d'Isaac Taylor, XIXe siècle.

Lecture

Pour bien lire

1 Pourquoi Pénélope hésite-t-elle à reconnaître Ulysse ?

2 Comment s'assure-t-elle de son identité ? De quelles qualités fait-elle preuve ?

Pour approfondir

3 En quoi l'histoire du lit complète-t-elle le portrait d'Ulysse ?

4 Le couple que forment Ulysse et Pénélope vous semble-t-il bien assorti ? Justifiez votre réponse.

I. Comprendre l'organisation du récit

1 a. Relisez le début de L'*Odyssée* : à quelle personne le récit commence-t-il ?
b. Dans quel épisode de L'*Odyssée* le narrateur change-t-il ? Pourquoi ?
c. À quel moment revient-on au premier narrateur ? Pourquoi ?

2 Remettez les aventures dans l'ordre chronologique.
1. Ulysse est prisonnier de la nymphe Calypso.
2. Ulysse entend les Sirènes.
3. Ulysse manque de périr noyé dans une tempête.
4. Les compagnons d'Ulysse sont changés en porcs par Circé.
5. Ulysse affronte le Cyclope.
6. Ulysse est accueilli par Alkinoos.
7. Le roi des Lestrygons dévore des compagnons d'Ulysse.
8. Les compagnons d'Ulysse consomment du Lotos et perdent la mémoire.
9. Les compagnons d'Ulysse ouvrent les outres d'Éole.
10. Ulysse affronte les monstres Charybde et Scylla.
11. Ulysse rentre chez lui et affronte les hommes de son pays.

3 Les dieux interviennent beaucoup dans L'*Odyssée*. Pour chacun des dieux suivants, dites s'il est un allié ou un ennemi d'Ulysse, et justifiez votre réponse par une référence précise au récit.
Athéna – Hermès – Poséidon – le Soleil – Zeus

II. Un apprentissage de l'humanité

A Aux limites de l'humanité

1 Au cours de son voyage, Ulysse essuie deux tempêtes.
a. À quel moment la première tempête intervient-elle ? Et la deuxième ?
b. Quelles sortes de créatures Ulysse rencontre-t-il entre les deux tempêtes ? Et ensuite ?
c. Quel autre univers interdit aux mortels Ulysse visite-t-il ?

2 a. Qu'ont en commun les monstres que rencontre Ulysse ? De quoi se nourrissent-ils ? Comment vivent-ils ? Quel trait de caractère ont-ils en commun ?
b. Qu'apprend Ulysse à leur contact ?

3 Au cours de son voyage, Ulysse fréquente deux déesses : Circé puis Calypso.
a. En quoi Circé tente-t-elle de transformer Ulysse ?
b. Que Calypso offre-t-elle à Ulysse ?
c. À votre avis, pourquoi refuse-t-il ?

Scylla, vers 450 avant J.-C. (British Museum, Londres).

B La mise à l'épreuve

4 Ulysse a-t-il, comme Achille ou Hercule, des pouvoirs extraordinaires ?

5 Dans plusieurs passages, Ulysse souffre, pleure ou se lamente.
a. Citez deux de ces passages.
b. Quelle image avez-vous alors du héros ?

6 Dans plusieurs épisodes, Ulysse ou ses compagnons sont soumis à la tentation.
a. Citez deux de ces épisodes.
b. En quoi Ulysse se distingue-t-il alors de ses compagnons ?

7 a. En vous aidant de la liste ci-contre, retrouvez les épreuves qu'Ulysse surmonte seul : à quelle place se situent-elles dans le récit ?
b. Quelles qualités permettent alors à Ulysse de s'en sortir ?

8 a. Au cours des autres épreuves, qui vient en aide à Ulysse ? De quelle manière ?
b. Quelles sont alors les qualités dont Ulysse doit faire preuve ?

C De la guerre à la paix

9 D'où Ulysse part-il ? Que faisait-il là-bas ?

10 a. Quel est le premier peuple chez qui Ulysse et ses compagnons débarquent après leur départ ?
b. Comment se comportent-il alors ?

11 a. D'après Tirésias, à quelle condition Ulysse et ses compagnons pourront-ils rentrer chez eux sains et saufs ?
b. Ces conditions sont-elles respectées ?

12 a. Où Ulysse retrouve-t-il Achille ?
b. L'image d'Achille est-elle toujours celle d'un guerrier redoutable et intrépide, préférant la gloire à toute chose ? Justifiez votre réponse par une citation précise du texte.

Pour étudier l'œuvre

13 a. Quand Ulysse rentre à Ithaque, pourquoi massacre-t-il les prétendants ?
b. Quel rôle remplit-il alors ?

14 Relisez le résumé de la fin de L'*Odyssée* dans votre manuel, p. 183.
a. Qu'est-ce que les dieux ordonnent à Ulysse ?
b. Celui-ci obéit-il ?
c. En quoi le vainqueur de Troie a-t-il changé ?

III. Les femmes dans L'*Odyssée*

A Sous le signe du charme

1 Qui sont les différentes créatures féminines qu'Ulysse rencontre au cours de son voyage ?

2 Sont-elles repoussantes ou attirantes ?

3 Comment se comportent-elles envers Ulysse ?

4 a. Résumez en quelques mots l'histoire de la femme d'Agamemnon telle que celui-ci la raconte.
b. Quelle morale en tire-t-il ?

5 Quelle image a-t-on des femmes, dans L'*Odyssée* ?

B Pénélope, femme d'exception

6 À quelle difficulté Pénélope est-elle confrontée en l'absence d'Ulysse ?

7 Quel moyen Pénélope invente-t-elle pour repousser cette difficulté ?

8 Comment s'assure-t-elle de l'identité d'Ulysse à la fin ?

9 Comment Pénélope se comporte-t-elle envers le mendiant qui frappe à sa porte ? Pourquoi ?

10 En quoi Pénélope est-elle une femme digne d'Ulysse ?

Pénélope et ses prétendants, **John William Waterhouse,**
huile sur toile, 1912 (musée d'Aberdeen, Écosse).

L'épopée d'Ulysse

 ## Une épopée

✳ L'**Odyssée** est une épopée, c'est-à-dire un poème qui fait le **récit des exploits d'un héros** aux prises avec des êtres fabuleux. **Les dieux interviennent** directement dans ces aventures où le **merveilleux** tient une place importante.

✳ La langue de l'épopée est **une langue poétique**. Les **nombreuses répétitions** donnent sa **musicalité** au poème, comme autant de refrains. **L'action est rendue dans toute sa violence** : les mots sont choisis pour leur intensité ; les détails, parfois crus, et les nombreuses comparaisons rendent le **récit épique très vivant et très imagé**.

 ## Le plus humain des héros

✳ Contrairement à la plupart des héros, Ulysse n'est pas un demi-dieu : il n'a pour s'en sortir que les ressources de tout homme : intelligence, prudence, habileté...

✳ Mais au fil de ses aventures, Ulysse voyage au-delà des limites du monde humain. Il rencontre des créatures brutales et incontrôlables qui menacent toute vie. Confronté aussi à des déesses qui lui offrent l'immortalité à condition de renoncer à sa femme et à son royaume, il est obligé de faire des choix et de réfléchir à ce qui fait la richesse de sa vie humaine. Ainsi, **entre dieux et monstres, Ulysse s'interroge sur sa place d'être humain**.

 ## Une réflexion sur la civilisation

✳ Cette odyssée est donc l'occasion d'**un véritable apprentissage**. Face à des monstres sanguinaires qui ne connaissent ni lois ni sentiments humains, n'ayant pour soutien que quelques dieux qui mettent à l'épreuve son obéissance, Ulysse apprend les vertus des règles et la nécessité de la pitié. Cet apprentissage lui permet de **passer de la figure du guerrier**, glorieux mais sanguinaire, **à la figure du roi**, garant de la justice mais aussi de l'ordre.

✳ Ainsi, à travers L'**Odyssée**, la Grèce **célèbre les valeurs** qui fondent sa civilisation : respect des dieux, des règles de la Cité, justice, courage, sociabilité... – valeurs dont nous sommes les héritiers.

Diane de Versailles (**Artémis**),
IVᵉ siècle avant J.-C.
(musée du Louvre, Paris).

La langue de l'épopée

1 **a. Retrouvez dans le texte de** *L'Odyssée* **tous les termes relatifs à l'armement.**

b. Quel autre mot désigne la flèche ?

2 **Trouvez dans le texte un équivalent dans la langue soutenue des mots suivants.**

craindre – mortel – brouter – caverne – boisson – habitation – invité – enlever – bateau – chagrin – hypocrites – force – cadeau

3 **Complétez les phrases avec un des mots suivants que vous accorderez comme il convient :** *blâmer – errer – impitoyable – nuire – pâturage – prétendant.*

1. Ulysse a dû … de longues années avant de pouvoir rentrer chez lui.
2. Ulysse a beaucoup … la bêtise de ses compagnons.
3. Le Cyclope était vraiment ….
4. Le berger conduit ses troupeaux dans les ….
5. Pénélope avait de nombreux ….
6. Circé a d'abord cherché à … à Ulysse.

4 **Les « épithètes homériques » sont utilisées pour désigner les personnages et mettre en valeur une de leurs caractéristiques. Qualifiez chaque nom avec une épithète homérique.**

Exemple : Ulysse aux mille ruses.

Nom	Épithète homérique
Le … Ulysse.	à la baguette d'or
La … Pénélope.	aux cheveux bleus
Poséidon … .	aux belles tresses
Hermès … .	aux doigts de rose
La déesse … .	ailées
La flèche … .	amère
Une … caverne.	divin
Une … montagne.	haute
Des paroles … .	profonde
Aurore … .	sage

5 **L'épopée se caractérise par le choix de mots forts. Pour chacun des mots suivants, proposez un ou plusieurs mots de sens proche, mais plus intense.**

Exemple : peur → terreur, épouvante.

le bruit – le noir – un cri – le mouvement – détruire – tuer – tomber – pleurer – courir – manger – jaillir – briller – effrayant – grand – beau – fort – brillant – dangereux – triste – choqué – méchant

6 **Testez votre connaissance de la culture grecque. Retrouvez la définition de ces mots tirés de** *L'Odyssée.*

muse – suppliant – libation – hospitalité – phorminx – aède – égide

1. Offrande de vin faite aux dieux.
2. Devoir sacré dans la Grèce antique.
3. Instrument de musique.
4. Divinité inspiratrice des poètes.
5. Cuirasse d'Athéna servant de bouclier.
6. Personne qui réclame la pitié.
7. Poète.

7 **Recopiez puis complétez cette grille de mots croisés.**

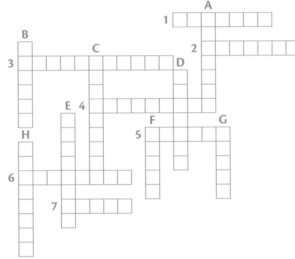

Horizontalement :

1. Monstre qui s'attaque à Ulysse et à ses compagnons
2. Se moquer.
3. Devoir obligeant à porter assistance aux étrangers de passage.
4. Grande peur.
5. Repas de fête.
6. D'une douceur trompeuse.
7. Berger.

Verticalement :

A. Massacre.
B. Sortilège.
C. Fils d'Ulysse.
D. Qui annonce la mort.
E. Femme d'Ulysse.
F. Mortel.
G. Faire du mal.
H. Rabaisser plus bas que terre.

Écrire un récit épique

→ Faire le portrait d'un monstre

1 Faites une phrase décrivant votre monstre avec chaque mot de la liste **A** associé à un verbe de la liste **B**.

A. sa gueule – ses yeux – ses dents – sa queue – ses griffes – son corps

B. bat(tent) – frappe(nt) – crache(nt) – se dresse(nt) – flamboie(nt) – lance(nt) des éclairs – luisent – tournoie(nt)

2 Ajoutez aux phrases que vous avez rédigées un adjectif choisi parmi les suivants, que vous accorderez comme il convient. Si nécessaire, vérifiez leur sens dans le dictionnaire.

acéré – sanguinolent – démesuré – repoussant – étincelant – difforme – crochu – gigantesque – pestilentiel – vorace – hideux – aiguisé

3 Imaginez des comparaisons.

a. Quelles parties du corps de votre monstre pourriez-vous comparer à une montagne ? un fouet ? une épée tranchante ? un gouffre sans fond ?

b. Intégrez au moins deux de ces comparaisons dans votre portrait.

→ Enchaîner les actions d'un récit

4 Dans chacune des phrases ci-dessous, expliquez le problème posé par l'emploi des pronoms, puis recopiez la phrase en la corrigeant.

1. Au moment où la bataille va s'achever, un centaure assomme Ulysse. Il est fait prisonnier.

2. La déesse donne à Ulysse une fiole pleine d'un liquide noir : elle permettra à Ulysse de ne pas être envoûté par le chant des sirènes.

3. Ulysse s'élance, il tranche une des têtes du monstre, alors il pousse un hurlement horrible.

4. Éole, de son souffle puissant, dirige Ulysse vers un pieu très pointu, qui le saisit.

5. Ulysse et Euryloque se séparent. Il prend le chemin de gauche et lui, il prend le chemin de droite.

5 Complétez les phrases suivantes par un pronom qui convient.

celui-ci – il – le – l'un (d'eux) – l'autre – les autres – qui

1. Le monstre se précipite sur Euryloque ... n'a pas le temps de réagir.

2. Zeus et Poséidon sont en désaccord : ... veut libérer Ulysse, ... veut augmenter ses souffrances.

3. Ulysse rassemble ses forces et son courage, ... s'élance et ... frappe le monstre de toutes ses forces. Mais la créature ... repousse violemment.

4. Ulysse réunit tous ses compagnons. Il prend ... avec lui, il envoie ... en direction du navire.

5. Télémaque attaque alors Antinoos, mais ... se jette sur l'enfant ... tombe à terre.

6 Évitez les répétitions en remplaçant les noms en gras par des pronoms.

Le monstre attaque les compagnons d'Ulysse. Il arrache le bras d'**un compagnon d'Ulysse**. **Un autre compagnon** attaque alors le monstre. Mais **le monstre** lui arrache la tête.

→ Employer les mots de liaison

7 Complétez les phrases avec un des mots de liaison suivants.

alors – d'abord – et – mais – puis – soudain

1. Ulysse supplie le Cyclope de les laisser repartir, ses compagnons et lui. – 2. ... le Cyclope reste impitoyable. – 3. ... Ulysse recourt à la ruse. ... il enivre le Cyclope. – 4. ... il fabrique une arme en secret. – 5. ... Ulysse pousse un cri de guerre. – 6. ... voilà ses hommes qui se lancent à l'assaut du monstre.

8 Ajoutez des mots de liaison entre les phrases.

Ulysse et ses compagnons débarquent sur une île pour chercher de l'eau. Ils ne trouvent pas de source. Ils aperçoivent une maison entourée d'un petit jardin planté de magnifiques pommiers. Ils appellent. Personne ne répond. Un groupe d'hommes décide d'entrer dans le jardin. L'un des compagnons y prend une pomme. Un monstre surgit de la maison.

9 Recopiez la phrase suivante en remplaçant les « alors » par des mots de liaison mieux choisis.

Ulysse s'élance, il tranche une des têtes du monstre alors celui-ci pousse un hurlement horrible. Alors il se jette sur Ulysse alors l'un des compagnons d'Ulysse lui coupe une autre tête. Alors le monstre se retourne contre lui et le tue. Alors Ulysse décide de faire appel à la ruse.

Inventer un épisode de L'*Odyssée*

Ulysse et ses compagnons vont devoir affronter un nouveau monstre. Imaginez et racontez cet épisode du début à la fin. Vous respecterez le plan suivant.

Conseils de rédaction
Vous raconterez cet épisode au passé, en réutilisant, autant que possible, le langage fort, propre à l'épopée (voir p. 188).

Tigre chimérique, *Passionate Instincts*, Alexis Hunter, 1985 (coll. privée).

→ Premier paragraphe

La rencontre d'un nouveau monstre

1 Décrivez la situation de départ. Où sont Ulysse et ses compagnons lorsqu'ils rencontrent le monstre ? Sont-ils en mer ? Sur une île ? Pourquoi ? Que font-ils ?

2 Comment rencontrent-ils le monstre ? Faites un portrait détaillé de celui-ci (p.189).

→ Deuxième paragraphe

Le monstre attaque

3 Décrivez cette attaque avec force et avec de nombreux détails. Aidez-vous des exercices préparatoires (p. 189).

→ Troisième paragraphe

Ulysse vainc le monstre

4 Comment Ulysse combat-il le monstre ? Est-ce par force ou par ruse ?

5 Qui vient l'aider ? Comment ? Ce personnage lui dévoile-t-il un secret pour vaincre le monstre ? Lui donne-t-il un objet magique ?

6 Racontez la scène jusqu'à la mort du monstre et le départ d'Ulysse.

Méthode   Commencer et finir un récit

Il est important, pour réussir une rédaction, de bien comprendre par quoi il faut commencer et finir son récit.

Relisez le sujet : à quel moment votre récit doit-il débuter ? Quelles informations faut-il donner au lecteur pour que la situation soit claire ? Quel événement va faire démarrer l'action ?

À quel moment faut-il terminer votre récit ? Discutez et justifiez vos propositions.

Coin lecture, coin cinéma

Des livres

L'Odyssée, L'Iliade,
Homère,
L'École des Loisirs, 1988.

Une version abrégée, accessible aux collégiens, du texte d'Homère.

Contes et Légendes : L'Iliade,
L'Odyssée,
Jean Martin, Nathan, 2010.

Pour les petits lecteurs, une réécriture plus accessible des grands récits d'Homère.

Sindbad le marin,
Les Mille et une nuits,
Antoine Galland, GF,
« Étonnants classiques », 2007.

Découvrez l'odyssée, tirée des *Mille et une Nuits,* d'un autre célèbre marin.

Des films

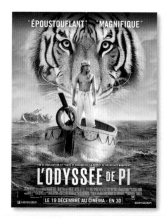

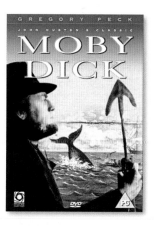

Princesse Mononoké,
réalisé par Hayao Miyazaki,
1997, DVD.

Après avoir tué le démoniaque dieu-sanglier, le prince Ashitaka est chassé de son village. Il entreprend un long voyage ponctué d'aventures pour échapper à la malédiction qui pèse désormais sur lui.

L'Odyssée de Pi,
réalisé par Ang Lee,
2012, DVD.

Piscine Molitor, dit Pi, se retrouve, après un naufrage, seul survivant, perdu au milieu de l'océan dans un simple canot de sauvetage. Enfin, seul, pas tout à fait, puisqu'il doit partager ce maigre espace avec un tigre affamé…

Moby Dick,
réalisé par John Huston,
1956, DVD .

Adapté du roman de Melville, ce film raconte la traque d'une mystérieuse baleine blanche par le célèbre capitaine Achab.

En route pour l'aventure !

> ► *Qu'est-ce qu'un roman d'aventure ?*
> ► *Comment l'auteur rend-il son récit palpitant ?*

Repères

- **Le roman d'aventure, la naissance d'un genre** 194

Textes et images

1. « Une irrésistible escapade », *L'Enfant et la Rivière*, Henri Bosco 196
2. « Pauvre petit », *Sans famille*, Hector Malot 199
3. « Un hôte peu recommandable », *Oliver Twist*, Charles Dickens 202
4. « La chasse au trésor », *Les Aventures de Tom Sawyer*, Mark Twain 205
5. « Sauve qui peut ! », *Bilbo le Hobbit*, J. R. R. Tolkien 208
6. « Une attaque de dinosaure », *Le Monde perdu*, Arthur Conan Doyle 210
7. « Un voyage mouvementé », *Le Temple du soleil*, Hergé 213

Synthèse

- **Les caractéristiques du roman d'aventure** 217

Vers l'écriture

- **Vocabulaire** : La nature 218
- **Apprendre à rédiger** : Faire une description expressive 219
- **À vos plumes !** Raconter une scène d'aventure 220

Coin lecture, coin cinéma 221

Étude de film *L'Odyssée de Pi*, Ang Li 222

Les Contes de Terremer, **film d'animation réalisé par Goro Miyazaki,** 2006.

Lire une image

1. Où se situe le personnage dans l'image ?

2. À votre avis, quel moment de la journée est représenté ? Justifiez votre réponse.

3. Quels sont les différents éléments de l'image qui suggèrent un départ ?

Le roman d'aventure, la naissance d'un genre

Oliver Twist, **film de Roman Polanski**, avec Barney Clarke dans le rôle d'Oliver, 2005.

Les spécificités du roman

• Si les mythes et les contes se déroulent dans un passé lointain et un lieu indéterminé, les romans mettent toujours en scène une histoire **ancrée dans une époque et un lieu précis**. *Oliver Twist*, par exemple, raconte l'histoire d'un jeune garçon vivant à Londres, au XIXᵉ siècle. L'univers romanesque est donc **réaliste**, c'est-à-dire qu'il a l'apparence de la réalité.

• Les **héros** de ces récits sont des personnages plus fouillés que ceux des contes : ils portent un prénom, mêlent qualités et défauts, éprouvent des sentiments complexes et s'interrogent sans cesse sur eux-mêmes et sur le monde.

Questions

① Par quelle formule la plupart des contes commencent-ils ? Cette formule pourrait-elle convenir pour un roman ? Justifiez votre réponse.

② Qu'est-ce qui différencie un personnage de conte d'un personnage romanesque ?

1812-1870
Charles Dickens

1835-1910
Mark Twain

1859-1930
Arthur Conan Doyle

1892-1973
J. R. R. Tolkien

1907-1983
Hergé

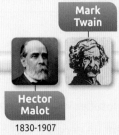

Hector Malot
1830-1907

Henri Bosco
1888-1976

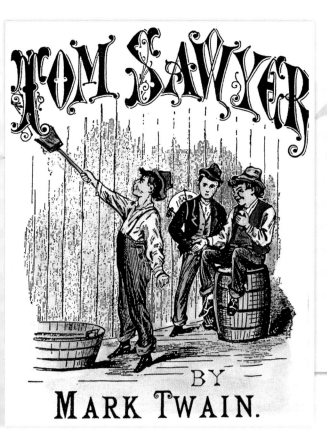

Tom Sawyer, **Mark Twain**,
édition de la fin du XIXe siècle.

Des romans pour faire rêver

• C'est au **XIXe siècle** que le genre romanesque prend véritablement son essor. À cette époque, grâce aux progrès scientifiques et techniques, l'**édition** devient une véritable industrie et les livres, ainsi que les journaux, sont de plus en plus accessibles. De nombreux auteurs vont donc publier des récits pour le grand public, souvent sous forme de **feuilletons**, dans les journaux.

• Afin de tenir les lecteurs en haleine, ces auteurs imaginent des histoires palpitantes, pleines de rebondissements et que l'on appelle à partir de 1865 des « romans d'aventure ». La trame de ces romans est tissée de tous les **motifs propres à faire rêver** : découvertes d'endroits fabuleux, rencontres improbables, événements étonnants.

Questions

3 Pourquoi les lecteurs sont-ils plus nombreux à partir du XIXe siècle ?

4 À votre avis, quel peut être l'intérêt d'un journal à publier un roman en feuilletons ?

5 Quelles seront les qualités recherchées pour le texte publié ?

6 Avez-vous déjà lu des romans d'aventure ? Lesquels ?

Les récits d'aventure aujourd'hui

• Ce genre a continué de se développer au XXe et au XXIe siècles, touchant un public toujours plus nombreux, notamment à travers la **bande dessinée** et le **cinéma**. Les codes sont toujours les mêmes et, qu'il s'agisse d'écrire, de mettre en images ou de mettre en scène, les auteurs ou les réalisateurs cherchent toujours à créer du suspens et des effets de surprise.

• Certains personnages sont même devenus de véritables **héros légendaires**, comme le célèbre détective Tintin, dont tous les jeunes lecteurs connaissent les aventures.

Blake et Mortimer, La Marque jaune,
Edgar P. Jacobs, Dargaud, 2013.

Une irrésistible escapade

Pascalet, un jeune garçon qui vit à la campagne avec ses parents, est fasciné par Bargabot, un vieux braconnier qui leur apporte du poisson. À son contact, l'enfant rêve d'aller à la rivière. La tentation est d'autant plus forte que l'endroit lui est interdit.

Henri Bosco

(1888-1976)
Issu d'une famille provençale et piémontaise, Henri Bosco a grandi à Avignon. Il y a enseigné par la suite l'italien. C'est essentiellement dans la Provence de son enfance qu'il a puisé son inspiration pour ses nombreux romans, dont les plus célèbres sont sans doute *Le Mas Théotime* et *L'Enfant et la Rivière*, tous deux publiés en 1945.

Un beau matin d'avril la tentation vint me trouver à l'improviste. Elle sut me parler. C'était une tentation de printemps, une des plus douces qui soient, je pense, pour qui est sensible au ciel pur, aux feuilles tendres et aux fleurs fraîchement écloses.

5   C'est pourquoi j'y cédai.

Je partis à travers les champs. Ah ! le cœur me battait ! Le printemps rayonnait dans toute sa splendeur. Et quand je poussai le portail donnant sur la prairie, mille parfums d'herbes, d'arbres, d'écorce fraîche me sautèrent au visage. Je courus sans me retourner jusqu'à un boqueteau[1].
10 Des abeilles y dansaient. Tout l'air, où flottaient les pollens, vibrait du frémissement de leurs ailes. Plus loin un verger d'amandiers n'était qu'une neige de fleurs où roucoulaient les premières palombes[2] de l'année nouvelle. J'étais enivré.

Les petits chemins m'attiraient sournoisement[3]. « Viens ! que t'importent
15 quelques pas de plus ? Le premier tournant n'est pas loin. Tu t'arrêteras devant l'aubépine. » Ces appels me faisaient perdre la tête. Une fois lancé sur ces sentes[4] qui serpentent entre deux haies chargées d'oiseaux et de baies bleues, pouvais-je m'arrêter ?

Plus j'allais et plus j'étais pris par la puissance du chemin. À mesure que
20 j'avançais, il devenait sauvage.

Les cultures disparaissaient, le terrain se faisait plus gras, et ça et là poussaient de longues herbes grises ou de petits saules. L'air, par bouffées, sentait la vase humide.

Tout à coup devant moi se leva une digue. C'était un haut remblai[5] de
25 terre couronné de peupliers. Je le gravis et je découvris la rivière.

Elle était large et coulait vers l'ouest. Gonflées par la fonte des neiges, ses eaux puissantes descendaient en entraînant des arbres. Elles étaient lourdes et grises et parfois sans raison de grands tourbillons s'y formaient qui engloutissaient une épave, arrachée en amont. Quand elles rencon-
30 traient un obstacle à leur course, elles grondaient. Sur cinq cents mètres de largeur, leur masse énorme, d'un seul bloc, s'avançait vers la rive. Au milieu, un courant plus sauvage glissait, visible à une crête[6] sombre qui tranchait le limon[7] des eaux. Et il me parut si terrible que je frissonnai.

En aval, divisant le flot, s'élevait une île. Des berges abruptes couvertes
35 de saulaies[8] épaisses en rendaient l'approche difficile. C'était une île vaste où poussaient en abondance des bouleaux et des peupliers. À sa pointe venaient s'échouer les troncs d'arbres que la rivière charriait[9].

Quand je ramenai mes regards vers le rivage, je m'aperçus que, juste à mes pieds, sous la digue, une petite anse abritait une plage de sable fin

1. Boqueteau : petit bois d'origine naturelle.

2. Palombe : variété de pigeon.

3. Sournoisement : en cachant sa véritable intention.

4. Sente : petit chemin.

5. Remblai : amas de terre.

6. Crête : ici, sommet d'une vague.

7. Limon : dépôt de terre accumulé au bord d'une rivière.

8. Saulaie : plantation de saules.

9. Charrier : emporter, entraîner.

40 Là les eaux s'apaisaient. C'était un point mort. J'y descendis. Des troènes, des osiers géants et des aulnes glauques[10] formaient une voûte au-dessus de ce refuge. Dans la pénombre mille insectes bourdonnaient.

Sur le sable on voyait des traces de pieds nus. Elles s'en allaient de l'eau vers la digue. Les empreintes étaient larges, puissantes. Elles avaient une
45 allure animale. J'eus peur. Le lieu était solitaire, sauvage. On entendait gronder les eaux. Qui hantait cette anse cachée, cette plage secrète ?

En face, l'île restait silencieuse. Son aspect cependant me parut menaçant. Je me sentais seul, faible, exposé. Mais je ne pouvais pas partir. Une force mystérieuse me retenait dans cette solitude. Je cherchai un buisson
50 où me dissimuler. Ne m'épiait-on pas ? Je me glissai sous un fourré épineux, à l'abri. Le sol doux y était couvert d'une mousse souple et moelleuse. Là, invisible, j'attendis, tout en surveillant l'île.

D'abord je ne vis rien. Sur moi s'étendait l'ombre des feuillages ; les insectes dansaient toujours ; parfois s'envolait un oiseau ; l'eau coulait,
55 ralentie par la sinuosité de la plage ; le temps passait, monotone, et l'air devenait tiède. Je m'assoupis.

Longtemps je dus rester dans le sommeil.

Comment fus-je éveillé ? Je ne sais. Quand j'ouvris les yeux, étonné de me retrouver sous ce buisson, le soleil était bas, et l'après-midi touchait
60 à sa fin. Rien ne semblait changé autour de moi. Et cependant je restais immobile, au fond de ma cachette, dans l'attente de quelque événement.

Tout à coup, au milieu de l'île, entre le feuillage des arbres, s'éleva un fil de fumée, pur, bleu. L'île était habitée. Mon cœur battit. J'observai avec attention le rivage opposé, mais vainement. Personne n'apparut. Au
65 bout d'un moment la fumée diminua ; elle semblait se retirer peu à peu dans les bouquets d'arbres, comme si la terre invisible l'eut absorbée. Il n'en resta rien.

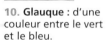
10. Glauque : d'une couleur entre le vert et le bleu.

Le soir tombait. Je sortis de ma
70 retraite et revins à la plage.

Ce que je découvris m'épouvanta. À côté des premières traces que j'avais relevées sur le sable, d'autres, encore fraîches, marquaient le sol. Ainsi pen-
75 dant que je dormais quelqu'un était passé près de mon refuge. M'avait-on vu ?

La nuit arrivait maintenant derrière les roseaux. Un oiseau s'envola brus-
80 quement du milieu des joncs. Il poussa un cri, et, de l'île, lui répondit un douloureux gémissement.

Je m'enfuis.

Je n'arrivai à la maison qu'à la nuit
85 close.

Saules au coucher du soleil (détail),
Vincent Van Gogh, huile sur toile, 1888
(musée Kröller-Müller, Otterlo).

HENRI BOSCO, *L'Enfant et la Rivière,*
© Éditions Gallimard, 1945.

***Le Pont à Grez*,**
Childe Hassam,
huile sur toile, 1910
(Mead Art Museum,
Amherst College).

Parcours de lecture 1

1 **a.** Qui est le narrateur ?
b. Par quoi se laisse-t-il tenter ?

2 Lignes 6 à 13.
a. Quelle atmosphère se dégage de la description de la nature ?
b. Dans quel état d'esprit le narrateur se trouve-t-il ? Relevez trois expressions qui le montrent.

3 Lignes 14 à 36.
a. Qu'est-ce qui paraît *terrible* (l. 33) au narrateur ?
b. En quoi l'atmosphère évoquée a-t-elle changé ? Pour répondre, appuyez-vous sur le vocabulaire.

4 Lignes 38 à 52.
a. Où le narrateur se trouve-t-il ? Que découvre-t-il ?
b. Expliquez sa réaction.

5 Lignes 58 à 77.
Pourquoi le narrateur est-il étonné ? Qu'est-ce qui l'épouvante ?

6 **a.** Combien de temps l'escapade a-t-elle duré ?
b. À votre avis, le narrateur gardera-t-il un souvenir agréable ou désagréable de cette aventure ? Justifiez votre réponse en vous appuyant sur des éléments du texte mais aussi sur votre expérience personnelle.

Parcours de lecture 2

1 Délimitez les différentes étapes de ce récit et donnez-leur un titre.

2 **a.** Ligne 16 : qu'est-ce qui *enivre* le narrateur ? Quelle expression reprend la même idée dans le paragraphe suivant ?
b. Quel rôle la nature joue-t-elle pour le narrateur ?

3 Lignes 1 à 46 : quels changements se produisent dans le paysage ?

4 Montrez comment, à partir de la ligne 43, l'escapade du narrateur se transforme en une aventure mystérieuse.

▶ **Coup de pouce**
1. Quel effet produisent les phrases interrogatives ?
2. Observez les différentes réactions du narrateur : que montrent-elles de son état d'esprit ?
3. Relevez, dans l'évocation de la nature, les éléments qui la rendent menaçante aux yeux du narrateur (aspect, bruit, lumière…)

Vocabulaire

1 Sachant que *aube* vient du latin *albus* qui signifie « blanc », expliquez la formation du mot *aubépine* (l. 16) : que cela nous apprend-il de cette plante ?

2 Que signifie *amont* (l. 29) ? Trouvez son antonyme dans le paragraphe suivant et expliquez sa formation.

3 **a.** Qu'est-ce qu'une *saulaie* (l. 35) ? **b.** Comment appelle-t-on une plantation de cerisiers ? de pommiers ? de sapins ?

4 Voici une liste d'arbres évoqués dans le texte : *amandier* (l. 11), *saule* (l. 22), *peuplier* (l. 25, 36), *bouleau* (l. 36), *troène* (l. 40), *aulne* (l. 41), *osier* (l. 41). Cherchez une illustration pour chacun.

⊙ **Éducation aux médias**

Écriture

Observez le premier paragraphe : à quoi voit-on qu'il s'agit du début d'une aventure ?

Récrivez ce passage en imaginant que l'aventure a lieu un soir d'automne.

Pauvre petit

Rémi vit paisiblement dans un petit village de la Creuse, avec mère Barberin, jusqu'au jour où Barberin, suite à un accident, rentre de Paris où il travaillait comme maçon. Rémi découvre alors qu'il est un enfant trouvé et que l'homme qu'il croyait être son père veut l'abandonner faute d'argent. Mère Barberin refuse mais le maçon vend l'enfant à Vitalis, un artiste ambulant, accompagné de chiens.

Hector Malot

(1830-1907)
Écrivain pour le jeune public notamment, Hector Malot s'investit également dans l'action pour l'amélioration des droits du travail, en particulier celui des enfants.

J'étais à deux genoux sur la terre, appuyé sur mes mains, le nez baissé dans mes topinambours, quand j'entendis crier mon nom d'une voix impatiente. C'était Barberin qui m'appelait.

Que me voulait-il ?

5 Je me hâtai de rentrer à la maison.

Quelle ne fut pas ma surprise d'apercevoir devant la cheminée Vitalis et ses chiens.

Instantanément je compris ce que Barberin voulait de moi.

Vitalis venait me chercher, et c'était pour que mère Barberin ne pût pas
10 me défendre que le matin Barberin l'avait envoyée au village.

Sentant bien que je n'avais ni secours ni pitié à attendre de Barberin, je courus à Vitalis :

– Oh ! monsieur, m'écriai-je, je vous en prie, ne m'emmenez pas.

Et j'éclatai en sanglots.

15 – Allons, mon garçon, me dit-il assez doucement, tu ne seras pas malheureux avec moi, je ne bats point les enfants, et puis tu auras la compagnie de mes élèves qui sont très amusants[1]. Qu'as-tu à regretter ?

– Mère Barberin ! mère Barberin !

– En tous cas, tu ne resteras pas ici, dit Barberin, en me prenant rude-
20 ment par l'oreille ; monsieur ou l'hospice[2], choisis !

– Non ! mère Barberin !

– Ah ! tu m'ennuies à la fin, s'écria Barberin, qui se mit dans une terrible colère ; s'il faut te chasser d'ici à coups de bâton, c'est ce que je vais faire.

– Cet enfant regrette sa mère Barberin, dit Vitalis ; il ne faut pas le battre
25 pour cela ; il a du cœur, c'est bon signe.

– Si vous le plaignez, il va hurler plus fort.

– Maintenant, aux affaires.

Disant cela, Vitalis étala sur la table huit pièces de cinq francs, que Barberin en un tour de main, fit disparaître dans sa poche.

30 – Où est le paquet ? demanda Vitalis.

– Le voilà, répondit Barberin en montrant un mouchoir en cotonnade bleue noué par les quatre coins.

Vitalis défit ces nœuds et regarda ce que renfermait le mouchoir ; il s'y trouvait deux de mes chemises et un pantalon de toile.

35 – Ce n'est pas de cela que nous étions convenus, dit Vitalis, vous deviez me donner ses affaires et je ne trouve là que des guenilles[3].

– Il n'en a pas d'autres.

– Si j'interrogeais l'enfant, je suis sûr qu'il dirait que ce n'est pas vrai.

1. Amusants : Vitalis parle ici de ses animaux, domptés pour les spectacles.

2. Hospice : établissement qui accueillait les enfants abandonnés, les infirmes et les malades.

3. Guenilles : vêtements déchirés, usés.

Vitalis, Rémi et les chiens sous la pluie, illustration pour *Sans famille* d'Hector Malot, édition Hetzel, 1882.

Mais je ne veux pas disputer là-dessus. Je n'ai pas le temps. Il faut se mettre
40 en route. Allons, mon petit. Comment se nomme-t-il ?

– Rémi.

– Allons, Rémi, prends ton paquet, et passe devant Capi[4], en avant, marche !

Je tendis les mains vers lui, puis vers Barberin, mais tous deux détour-
nèrent la tête, et je sentis que Vitalis me prenait par le poignet.

45 Il fallut marcher. [...] Heureusement il ne pressa point son pas, et même
je crois bien qu'il le régla sur le mien.

Le chemin que nous suivions s'élevait en lacets le long de la montagne,
et, à chaque détour, j'apercevais la maison de mère Barberin qui diminuait,
diminuait. Bien souvent j'avais parcouru ce chemin et je savais que quand
50 nous serions à son dernier détour, j'apercevrais la maison encore une fois,
puis qu'aussitôt que nous aurions fait quelques pas sur le plateau, ce serait
fini ; plus rien ; devant moi l'inconnu ; derrière moi la maison où j'avais
vécu jusqu'à ce jour si heureux, et que sans doute je ne reverrais jamais.

Heureusement la montée était longue ; cependant à force de marcher,
55 nous arrivâmes au haut. Vitalis ne m'avait pas lâché le poignet.

– Voulez-vous me laisser reposer un peu ? lui dis-je.

– Volontiers, mon garçon.

Et, pour la première fois, il desserra la main.

[...] Assis sur le parapet, je cherchai de mes yeux obscurcis par les
60 larmes la maison de mère Barberin. [...] Tout était là à sa place ordinaire,
et ma brouette, et ma charrue[5] faite d'une branche torse, et la niche dans
laquelle j'élevais des lapins quand nous avions des lapins, et mon jardin,
mon cher jardin.

Tout à coup dans le chemin qui du village monte à la maison, j'aperçus
65 au loin une coiffe[6] blanche. Elle disparut derrière un groupe d'arbres ;
puis elle reparut bientôt.

La distance était telle que je ne distinguais que la blancheur de la coiffe
qui comme un papillon printanier aux couleurs pâles, voltigeait entre les
branches.

70 Mais il y a des moments où le cœur voit mieux et plus loin que les yeux
les plus perçants : je reconnus mère Barberin ; c'était elle ; j'en étais certain ; je sentais que c'était elle.

4. Capi : chien de Vitalis.

5. Charrue : socle en fer qui sert à retourner la terre avant de semer.

6. Coiffe : petit bonnet en tissu que portaient autrefois les femmes à la campagne.

[…] Elle marchait à grands pas, comme si elle avait hâte de rentrer à la maison.

75 Arrivée devant notre barrière, elle la poussa et entra dans la cour qu'elle traversa rapidement.

Aussitôt je me levai debout sur le parapet, sans penser à Capi qui sauta près de moi.

Mère Barberin ne resta pas longtemps dans la maison. Elle ressortit et
80 se mit à courir de çà de là, dans la cour, les bras étendus.

Elle me cherchait.

Je me penchai en avant, et de toutes mes forces, je me mis à crier :

– Maman ! maman !

Mais ma voix ne pouvait ni descendre, ni dominer le murmure du ruis-
85 seau, elle se perdit dans l'air.

– Qu'as-tu donc, demanda Vitalis, deviens-tu fou ?

[…] Je criai plus fort, mais comme la première fois, inutilement.

Alors Vitalis, soupçonnant la vérité, monta aussi sur le parapet.

Il ne lui fallut pas longtemps pour apercevoir la coiffe blanche.

90 – Pauvre petit, dit-il à demi-voix.

– Oh ! je vous en prie, m'écriai-je encouragé par ces mots de compassion, laissez-moi retourner.

Mais il me prit par le poignet et me fit descendre sur la route.

– Puisque tu es reposé, dit-il, en marche, mon garçon.

HECTOR MALOT, *Sans famille*, 1878.

Lecture

Pour bien lire

1 Quelle est la situation de Rémi au début du texte ?

2 Que sait-on de Vitalis ? Comment l'enfant réagit-il lorsqu'il l'aperçoit ?

3 Qui l'enfant aperçoit-il au loin, lors de sa marche ?

4 Comparez l'attitude de Vitalis et celle de Barberin. Que constatez-vous ?

Pour approfondir

5 **a.** Relevez, dans les lignes 47 à 53, puis 59 à 63, les différents éléments qu'aperçoit Rémi lors de son trajet. Quel effet ces descriptions produisent-elles ?
b. Quelles expressions évoquent le chagrin de l'enfant ?

6 À partir de la ligne 64, comment l'auteur s'y prend-il pour dramatiser le récit ? Tâche complexe

▶ **Coup de pouce**

1. Relevez le mot de liaison employé au début du passage. Qu'exprime-t-il ?

2. De quelle manière la mère est-elle décrite ? Qu'est-ce qui montre son inquiétude ?

3. Faites une remarque sur la ponctuation et la longueur des phrases lignes 70 à 72. Qu'expriment-elles ?

4. Quelle phrase est mise en valeur dans ce passage ?

Vocabulaire

Regroupez les couples de synonymes.

chemin •   • virage

lacet •   • étendue plate en haut d'une montagne

plateau •   • groupe d'arbres

parapet •   • sentier

bosquet •   • mur destiné à protéger du vide

Écriture

Décrivez en un paragraphe un petit village que vous apercevez de loin.

Commencez ainsi : « Le chemin que je suivais s'élevait en lacets le long de la montagne, et, à chaque détour, j'apercevais… »

Un hôte
peu recommandable

Charles Dickens

(1812-1870)
Cet écrivain anglais, devenu populaire dans le monde entier, a beaucoup souffert de la pauvreté et des humiliations subies dans son enfance. Aussi a-t-il à cœur de dénoncer dans ses œuvres l'exploitation industrielle et la misère.

Dans l'Angleterre du XIXe siècle, Oliver, un orphelin maltraité par ses différentes familles d'accueil, décide un jour de fuir à Londres pour y gagner sa vie. Sans toit ni ressource, cet enfant de neuf ans pense mourir de faim et de froid lorsqu'il rencontre Le Filou, un garçon de son âge, qui lui propose de le conduire chez Fagin, son maître, lequel, dit-il, prendra soin de lui.

Entraîné par son compagnon, Oliver parvint tant bien que mal à gravir dans l'obscurité les marches d'un escalier en ruine. Son guide ouvrit la porte d'une pièce donnant sur l'arrière de la maison et y introduisit Oliver.

Les murs et le plafond étaient parfaitement noirs de crasse et de vieil-
5   lesse. Il y avait une table de bois blanc et, dessus, une chandelle plantée dans une bouteille, trois pots en étain, du pain, du beurre, une assiette. Dans une poêle posée sur le feu, et dont la queue était attachée avec une ficelle au manteau de la cheminée, des saucisses cuisaient. Penché sur elles, une longue fourchette à la main, se tenait un vieillard fripé et ridé dont
10   les traits repoussants de vieux scélérat[1] disparaissaient sous une masse de poils et de cheveux roux emmêlés.

Il était vêtu d'une robe de chambre graisseuse et semblait partager son attention entre le poêle et un séchoir où étaient étendus un grand nombre de mouchoirs de soie.

15   Plusieurs lits grossiers faits de sacs de pommes de terre étaient alignés côte à côte sur le plancher. Autour de la table, il y avait quatre ou cinq gamins pas plus âgés que Le Filou, qui fumaient des pipes en terre et buvaient de l'eau-de-vie avec des façons d'adultes.

– C'est lui, Fagin, dit Le Filou. Mon ami Oliver Twist.

20   Le vieil homme fit un grand salut à Oliver, vint lui serrer la main.

– Nous sommes vraiment enchantés de te voir, Oliver, dit-il. J'espère avoir l'honneur de devenir un de tes amis proches.

Sur quoi, les jeunes gens avec les pipes se mirent à secouer très énergiquement les mains d'Oliver jusqu'à ce que le vieillard les interrompe
25   dans leurs civilités par une distribution de coups de fourchette sur la tête et les épaules.

– Le Filou ! dit-il, sers donc les saucisses et tire un baquet près du feu pour notre ami. Ah ! Je vois que tu regardes les mouchoirs, hein ! mon petit. On vient juste de les trier et les voilà prêts pour la lessive. Y en a pas
30   mal, hein ?

Les protégés du joyeux vieillard accueillirent ces derniers mots avec des exclamations de joie et s'installèrent pour le souper.

Oliver mangea sa part ; on lui servit ensuite du gin[2] chaud mélangé avec de l'eau qu'il dut avaler vite parce qu'un autre convive avait besoin du
35   verre. Un instant plus tard, il se sentit porté jusqu'à un des sacs. Il sombra aussitôt dans un profond sommeil.

---
1. Scélérat : qui a des intentions criminelles.
2. Gin : alcool fort.

Le lendemain, la matinée était déjà avancée quand Oliver s'éveilla. Il n'y avait personne d'autre dans la pièce que le vieillard qui faisait du café dans une casserole en sifflotant. De temps à autre il s'interrompait pour 40 écouter puis revenait à son sifflement et au café.

Oliver n'était plus endormi, il n'était pas tout à fait éveillé, non plus. Il était dans cet état où, les yeux mi-clos, on rêve plus en cinq minutes que pendant cinq nuits de sommeil profond. Il voyait Fagin aller et venir, il l'entendait siffler, il percevait les bruits de la cuillère contre les bords de 45 la casserole et, en même temps, son esprit vagabondait.

Quand le café fut fait, Fagin posa la casserole sur le bord du foyer. Il resta un moment indécis, se tourna vers Oliver pour le regarder, l'appeler par son nom. Celui-ci ne répondit pas. Il présentait toutes les apparences du sommeil.

Le vieillard alla à la porte, la ferma à clef. Puis il sortit une boîte de ce 50 qui sembla être à Oliver une trappe dans le plancher et la posa, avec mille précautions, sur la table. Ses yeux brillaient quand il souleva le couvercle. Approchant une vieille chaise de la table, il s'assit et prit dans la boîte une montre en or tout étincelante de pierres précieuses.

– Ha ! Les sacripants[3], marmotta-t-il avec un hideux sourire, ils étaient 55 doués, tout de même ! Dire qu'ils n'ont jamais avoué où ils sont, pas même au prêtre. Bah ! À quoi ça leur aurait servi ? Ça aurait pas dénoué la corde autour de leur cou ! De bons petits gars, vraiment !

Tout en tenant ces propos, il tira encore une demi-douzaine de montres du coffret, et aussi des bagues, des broches, des bracelets, des bijoux de 60 toutes sortes, qu'il contempla avec extase.

Il remit le tout dans la boîte et continua ses réflexions à voix haute.

– Quelle belle chose, la peine capitale ! Les morts ne donnent pas leurs complices ! Cinq à la file, pendus à la même corde, et pas un qui reste pour dénoncer le vieux Fagin ! Idéal pour le commerce !

65 Il prononçait ces derniers mots quand son regard tomba sur le visage d'Oliver. Les yeux de l'enfant le fixaient, pleins d'une curiosité muette. Fagin ferma la cassette d'un coup sec, saisit un couteau à pain qui traînait sur la table et se leva d'un bond.

– Pourquoi tu m'espionnes, hein ! petit drôle ? Tu dormais pas ? T'as 70 vu quoi ? Dis-le-moi, hein ! et vite, si tu tiens à la vie ! Vite !

– Je ne pouvais plus dormir, monsieur, dit Oliver d'une voix presque imperceptible. Je suis désolé de vous avoir dérangé.

– Tu me regardes depuis longtemps ?

– Non ! Je viens tout juste de me réveiller !

75 – T'en es bien sûr ? Insista Fagin en le dévisageant férocement.

– Je vous jure, monsieur. Ma parole !

– Bon, bon ! mon petit. Ça va ! Dit Fagin en retrouvant brusquement sa cordialité habituelle. C'était pour rire.

Il joua un instant avec son couteau avant de le reposer comme s'il l'avait 80 pris seulement pour plaisanter.

– Je voulais juste te faire un petit peu peur, hein ! Mais t'es courageux ! T'es un vrai brave, hein ! Oliver.

Il se frotta les mains en gloussant de joie puis jeta un coup d'œil embarrassé vers la boîte, sur la table.

Photo du film
Oliver Twist,
réalisé par
Roman Polanski,
avec Barney Clark
dans le rôle d'Oliver,
2005.

3. **Sacripants :** canaille, vaurien. Expression que l'on utilise volontiers pour désigner amicalement des enfants turbulents.

85 — Tu as vu certaines des jolies choses qu'il y a dans la boîte ?

— Oui, monsieur.

— Ah ! fit Fagin en devenant plutôt pâle. C'est que… c'est ma petite cagnotte, hein ! Pour mes vieux jours. Tu vois, je suis économe.

Oliver se dit que le vieillard était plutôt un sacré avare pour vivre dans
90 une telle crasse en possédant autant de bijoux. Mais il songea qu'élever Le Filou et les autres garçons lui coûtait sans doute très cher, il se contenta de lui demander l'autorisation de se lever.

CHARLES DICKENS, *Oliver Twist* (1837), trad. Michel Laporte
© Le Livre de Poche Jeunesse, 2014.

**Photo du film *Oliver Twist*,
réalisé par Frank Lloyd,**
avec Ion Chaney
dans le rôle de Fagin, 1922.

Lecture

Pour bien lire

1 Quel est l'aspect du logis où Oliver est introduit ?

2 Qui sont les personnages qui y vivent ?

3 Qu'est-ce qui vous surprend dans la manière dont les enfants sont traités ?

4 Que découvre Oliver sur le vieux Fagin ? Comprend-il clairement la situation ?

Pour approfondir

5 a. Relevez les passages qui brossent le portrait physique de Fagin : qu'est-ce qui le caractérise ?
b. Relevez, dans les gestes et paroles de Fagin, toutes les marques d'extrême civilité.
c. Quel geste de Fagin vient contredire l'attitude accueillante dont il fait preuve ?

6 Relevez, dans les lignes 49 à 60, les expressions qui précisent les gestes et sentiments de Fagin. Que nous révèlent-ils ?

7 En quels termes Fagin parle-t-il des enfants qui ont volé pour lui les bijoux ? En quoi ces termes sont-ils choquants ?

8 En quoi Oliver se trouve-t-il dans une situation périlleuse ?

Vocabulaire

1 Cherchez, dans le dictionnaire, trois synonymes de l'adjectif *hideux* (l. 54).

2 a. Relevez le préfixe et le suffixe du mot *imperceptible* (l. 72), puis donnez-en le radical. Déduisez ensuite le sens de ce mot.
b. En utilisant ce préfixe et ce suffixe, trouvez les mots qui signifient : *qu'on ne peut pas vaincre – qu'on ne peut pas entendre – qu'on ne peut pas décrire – qu'on ne peut pas voir.*

Écriture

Et si Fagin était une femme ? Réalisez son portrait en insistant sur les caractéristiques repoussantes de ce personnage (six phrases).

La chasse au trésor

Tom et son ami Huck vivent dans le Mississipi à la fin du XIXe siècle. Ce sont des enfants turbulents qui se lancent dans toutes sortes d'aventures. Ce jour-là, ils se sont mis en tête de partir à la recherche d'un trésor. Ils se dirigent vers une maison que l'on dit hantée.

Mark Twain

(1835-1910)
Ce journaliste et écrivain américain a été orphelin de père à l'âge de 12 ans. Il a dû quitter l'école pour subvenir aux besoins de la famille. Il a exercé diverses activités : apprenti typographe, rédacteur d'articles, pilote de bateau à vapeur sur le Mississippi. À partir de 1864, il a travaillé en tant que reporter et a voyagé régulièrement en Europe. C'est avec *Les Aventures de Tom Sawyer* (1876) et *Les Aventures de Huckleberry Finn* (1884) qu'il est devenu célèbre.

Lorsqu'ils atteignirent la maison hantée, chauffée à blanc par le soleil, ils furent saisis par l'atmosphère étrange et le silence de mort qui l'entouraient. La sinistre désolation du lieu les impressionna à tel point qu'ils hésitèrent d'abord à entrer. Puis ils s'aventurèrent jusqu'à la porte et se risquèrent, en
5 tremblant, à jeter un coup d'œil à l'intérieur. Ils virent une pièce au sol de terre battue, aux murs de pierre nue, envahie par les mauvaises herbes, une cheminée délabrée[1], des fenêtres sans carreaux, un escalier en ruine et, partout, des toiles d'araignée qui s'effilochaient[2]. L'oreille tendue, le souffle court, prêts à battre en retraite à la moindre alerte, ils entrèrent à pas prudents.
10 Au bout d'un moment, ils s'habituèrent, leur crainte s'atténua, ils commencèrent à examiner la pièce en détail, non sans admirer beaucoup la hardiesse[3] dont ils faisaient preuve. Ensuite, l'idée leur vint de monter voir ce qui se trouvait dans les pièces du haut. C'était assez téméraire[4], car, en cas de danger, toute retraite leur serait coupée, mais ils se mirent mutuel-
15 lement au défi de le faire. Le résultat était prévisible : ils posèrent leurs outils dans un coin et commencèrent la périlleuse[5] ascension.

En haut, tout n'était également que décombres[6]. Ils découvrirent dans un coin un placard qui leur parut mystérieux. Déception : il était vide. Ayant recouvré tout leur courage, ils allaient redescendre et se mettre au
20 travail, quand...

« Chut ! fit Tom.

– Qu'y a-t-il ? murmura Huck, blême[7] de frayeur.

– Là. Tu entends ?

– Oui ! Oh ! mon Dieu, fichons le camp !

25 – Tiens-toi tranquille ! Ne bouge pas. Les voilà qui arrivent ! »

Les garçons s'allongèrent à plat ventre sur le plancher, l'œil collé à une fissure[8]. Ils grelottaient de peur.

« Ils se sont arrêtés... Non... Ils approchent... Les voilà ! Pas un mot, Huck. Oh ! mon Dieu ! Je voudrais bien être ailleurs. »

30 Deux hommes entrèrent. Chacun des garçons se dit en lui-même : « Tiens, je reconnais le vieux sourd-muet espagnol qui est venu au village une ou deux fois ces derniers temps. L'autre, je ne sais pas qui c'est. »

« L'autre », qui parlait à voix basse, était un individu malpropre et couvert de haillons dont la mine ne disait rien de bon. L'Espagnol était
35 drapé dans un serape[9]. Il avait d'épais favoris[10] tout blancs, de longs cheveux qui s'échappaient de dessous son sombrero et il portait des lunettes vertes. Les deux hommes allèrent s'asseoir contre le mur, face à la porte. « L'autre » parlait toujours, mais avec moins de précautions, et ses mots se firent plus distincts.

1. Délabré : en ruine, dans un très mauvais état.

2. S'effilochaient : dont les fils se défaisaient.

3. Hardiesse : audace, courage.

4. Téméraire : qui prend des risques.

5. Périlleuse : dangereuse.

6. Décombres : ce qui reste après la destruction d'un bâtiment.

7. Blême : blanc.

8. Fissure : petite fente.

9. Serape : couverture mexicaine qui sert de manteau, poncho.

10. Favoris : touffe de barbe qu'on laisse pousser sur le côté du visage.

40 « Tu sais, finit-il par dire, j'ai bien réfléchi. Ça ne me plaît pas. C'est trop dangereux.

– Dangereux ! bougonna le sourd-muet espagnol, à la grande stupeur des deux garçons. Froussard, va ! »

Tom et Huck se regardèrent, pâles d'effroi. Ils venaient de reconnaître
45 la voix de Joe l'Indien[11]. [...]

« Je tombe de sommeil, dit Joe. Je vais dormir un peu. Toi, tu monteras la garde. C'est ton tour. » Il se coucha en chien de fusil[12] sur les herbes folles et ne tarda pas à s'endormir. Son compagnon s'étira, bâilla de nouveau, ferma les yeux et, quelques instants plus tard, les deux hommes ronflaient
50 comme des bienheureux.

En haut, les deux garçons poussèrent un soupir de soulagement.

« C'est le moment de filer, glissa Tom à l'oreille de Huck. Viens.

– Non, je ne peux pas. J'ai trop peur. Pense un peu. Si jamais ils se réveillaient ! »

55 Tom insista. Huck résistait. Tom se leva et se mit en marche, lentement, précautionneusement. Dès le premier pas, le plancher vermoulu[13] rendit un son épouvantable. Notre héros crut mourir de peur. Il n'essaya pas une seconde fois.

Les deux amis restèrent là immobiles, comptant les secondes qui se traînaient comme si le temps s'était arrêté, cédant la place à une insuppor-
60 table éternité. À un moment, ils s'aperçurent avec joie que la nuit tombait.

En bas, Joe l'Indien s'agita et cessa de ronfler. Il se dressa sur son séant, regarda son camarade d'un air méprisant et lui décocha un coup de pied.

« Tu parles d'un veilleur !

– Quoi ! fit l'autre en se réveillant en sursaut. J'ai dormi ?

65 – On dirait. Dieu merci, il ne s'est rien passé. Allons, il est temps de partir. Qu'est-ce qu'on fait de notre magot ?

– Je n'en sais rien... Je crois qu'il vaut mieux le laisser ici. Nous l'emporterons quand nous partirons pour le Texas. Six cent cinquante dollars en argent, c'est lourd à transporter.

70 – Tu as raison... On sera obligés de remettre les pieds dans cette baraque. Tant pis.

– À condition de revenir la nuit. Pas de bêtises, hein !

– Écoute-moi. Je ne réussirai peut-être pas tout de suite mon coup. On ne sait jamais ce qui peut se passer. Ce serait peut-être plus prudent d'en-
75 terrer nos dollars à cet endroit.

– Bonne idée », fit le camarade du pseudo-sourd-muet qui traversa la pièce et s'agenouilla devant la cheminée, souleva une dalle et brandit un sac dont le contenu tinta agréablement.

Il l'ouvrit, en sortit pour son propre usage vingt ou trente dollars et en
80 donna autant à Joe, fort occupé à creuser le sol, à l'aide de son couteau.

En un clin d'œil, Tom et Huck oublièrent toutes leurs craintes. Le regard brûlant de convoitise, ils suivaient les moindres gestes des deux complices. Quelle chance ! Ça dépassait tout ce qu'il était possible d'imaginer. Six cent cinquante dollars ! Une fortune, de quoi rendre riche une bonne douzaine
85 de leurs camarades. Plus la peine de se fatiguer à chercher. Le trésor était là, à portée de leurs mains. Ils échangèrent une série de coups de coude éloquents[14], comme pour se dire : « Hein, tu n'es pas content d'être ici ? »

**Huck Finn,
illustration de E. W.
Kemble**, 1885.

11. Joe l'Indien est un assassin.

12. En chien de fusil : avec les jambes repliées.

13. Vermoulu : rongé par des insectes.

14. Éloquents : ici, qui sont expressifs, qui n'ont pas besoin de mots pour être compris.

Le couteau de Joe heurta quelque chose de dur.

« Hé ! dis donc ! fit-il.

90 – Qu'est-ce qu'il y a ? demanda son camarade.

– Une planche pourrie... Non, c'est un coffre, aide-moi. On va voir ce que c'est. »

Il plongea la main dans l'orifice qu'il avait pratiqué avec son couteau.

« Oh ! ça, par exemple ! De l'argent ! »

95 Les deux hommes examinèrent la poignée de pièces que Joe avait sorties du coffre. C'était de l'or. Tom et Huck étaient aussi émus que les deux bandits.

« Attends, fit « l'autre ». Ça ne va pas être long. Il y a une vieille pioche toute rouillée auprès de la cheminée. Je l'ai vue il y a une minute. »

Il courut à la cheminée et rapporta la pelle et la pioche abandonnées par

100 Tom et Huck. Joe prit la pioche, l'examina en fronçant les sourcils […].

« Il n'y a personne en vue, dit-il. Mais je me demande qui a bien pu apporter ces outils ici. Dis donc, ils sont peut-être en haut, qu'est-ce que tu en penses ? »

Tom et Huck en eurent le souffle coupé. Joe caressa le manche de son couteau, hésita un instant, puis se dirigea vers l'escalier.

Mark Twain, *Les Aventures de Tom Sawyer* (1876), trad. P. F. Caillé et Y. Dubois-Mauvais © Le Livre de Poche Jeunesse, 2015.

Parcours de lecture 1

1 Lisez le résumé suivant et recopiez les phrases du texte qui correspondent aux passages en gras.

Une fois entrés dans la maison, Tom et Huck examinent la pièce et **se décident à explorer l'étage**. Ils s'apprêtent à redescendre quand ils entendent du bruit. Effrayés, ils restent cachés en haut et **observent à travers le plancher**. Deux hommes entrent : ils reconnaissent d'abord l'Espagnol, **puis Joe l'Indien. Les deux malfrats se sont endormis**, Tom tente d'en profiter pour fuir mais, le plancher craquant sous ses pas, il n'ose pas poursuivre. La nuit venue, les deux hommes se réveillent et conviennent de cacher là leur argent **pour le reprendre plus tard**. Tom et Huck **les observent, tout excités**. En creusant, Joe l'Indien tombe sur **un coffre rempli de pièces d'or**. Intrigué par la présence d'outils laissés par les deux garçons, Joe l'Indien va voir, **couteau à la main**, si leur propriétaire n'est pas à l'étage.

2 Lignes 1 à 60 : relevez les expressions évoquant la peur et précisez pour chacune ce qui cause cette peur.

3 **a.** Pourquoi les deux garçons ont-ils « Le regard brûlant de convoitise » (l. 81-82) ?
b. Ont-ils toujours peur ? Pourquoi ?

4 À la suite de l'extrait, que risque-t-il de se produire ?

5 Selon vous, qu'est-ce qui fait l'intérêt de ce texte ?

Parcours de lecture 2

1 Qui sont Tom et Huck ? Que font-ils dans « la maison hantée » ?

2 **a.** Quel sentiment cette maison leur inspire-t-elle ? Relevez, dans le premier paragraphe, les éléments de description qui créent ce sentiment. **b.** Ce sentiment vous paraît-il fondé à ce moment du récit ? **c.** À quel moment les choses évoluent-elles ? Pourquoi ?

3 Lignes 17 à 45 : relevez les différents éléments qui permettent de créer du suspens.

4 **a.** Quels sont les deux rebondissements de cette aventure ? **b.** À partir de la ligne 81, quel nouveau sentiment apparaît alors chez Tom et Huck ?

5 Rédigez une synthèse d'un paragraphe : expliquez ce qui rend palpitante l'aventure de Tom et Huck.

Vocabulaire

1 **a.** Qu'est-ce que la *hardiesse* (l. 12) ? Donnez l'adjectif correspondant. **b.** Trouvez, dans le même paragraphe, un adjectif synonyme.

2 **a.** Sur quel nom l'adjectif *périlleux* (l. 16) est-il formé ? Donner le sens de l'adjectif et du nom. **b.** À l'aide du même suffixe, formez les adjectifs correspondant aux noms suivants : *astuce – audace – danger – aventure – ambition – merveille.*

3 Expliquez le sens d'*ascension* (l. 16) et donnez le plus possible de mots de la même famille.

Sauve qui peut !

Bilbo Baggins est un Hobbit, un petit homme qui aime avant tout la vie paisible et réglée de son comté. Un matin, le magicien Gandalf accompagné de treize nains entraîne Bilbo dans un périlleux voyage dont le but est d'exterminer un terrible dragon. Alors qu'ils viennent de s'échapper d'un repère de Gobelins[1], les voilà au cœur d'une forêt obscure.

John Ronald Reuel Tolkien

(1832-1898)
S'inspirant des anciennes mythologies, cet auteur anglais a consacré sa vie à la création d'un monde imaginaire très complet avec ses peuples, son histoire, ses langues. C'est dans cet univers que se développent deux célèbres récits : *Bilbo le Hobbit* et *Le Seigneur des anneaux*.

Illustration de Mikhail Belomlinsky pour *Le Hobbit*, 1976 (coll. privée).

Après un temps qui leur parut un siècle, ils arrivèrent soudain à un espace où ne poussait aucun arbre. La lune était levée et brillait dans la clairière. Quelque chose les frappa tous, leur donnant le sentiment que l'endroit n'était pas du tout agréable, bien qu'on n'y pût rien voir de mauvais.

5 Tout à coup, ils entendirent, venant d'assez loin en contrebas, un long hurlement à donner le frisson. Un autre y répondit à droite, beaucoup plus proche ; puis un autre, pas très loin sur la gauche. C'étaient des loups hurlant à la lune, des loups qui s'assemblaient !

Il n'y avait pas de loups près du trou de M. Baggins, là-bas, mais il
10 connaissait ce bruit. Il se l'était assez souvent fait décrire dans les contes. […]

« Qu'allons-nous faire ? Qu'allons-nous faire ? s'écria-t-il. Échapper aux Gobelins pour être attrapés par les loups ! dit-il, ce qui devait passer en proverbe, encore que nous disions maintenant "tomber de Charybde en Scylla" dans ce genre de situation très inconfortable.

15 – Dans les arbres, vite ! » cria Gandalf.

Et ils coururent aux arbres qui bordaient la clairière, cherchant ceux dont les branches étaient assez basses ou qui étaient assez minces pour permettre d'y grimper. Ils les trouvèrent avec toute la rapidité possible vous l'imaginez bien ; et ils montèrent aussi haut que l'autorisait la soli-
20 dité des branches. Vous auriez ri (à distance respectable) de voir les nains assis là-haut dans les arbres, la barbe pendante, comme de vieux messieurs retombés en enfance et jouant à chat perché. […]

Et Bilbo ? Il ne pouvait monter à aucun arbre, et il courait d'un tronc à l'autre comme un lapin pourchassé par un chien et qui aurait perdu son trou.

1. Gobelins : personnages monstrueux qui vivent sous terre et n'hésitent pas à torturer leurs victimes.

25 « Tu as encore laissé le cambrioleur[2] derrière ! dit Nori à Dori[3], regardant en bas.

– Je ne peux pas toujours porter des cambrioleurs sur mon dos le long des tunnels ou en montant aux arbres ! répliqua Dori. Pour qui me prends-tu ? Pour un portefaix[4] ?

30 – Il va être dévoré si nous ne faisons rien, dit Thorïn[5], car il y avait tout autour d'eux à présent des hurlements qui se rapprochaient toujours davantage. Dori ! appela-t-il (car Dori était le plus bas dans l'arbre le plus aisé d'accès), aide M. Baggins à monter. Fais vite ! »

Dori était vraiment un brave nain, en dépit de toutes ses grogneries. 35 Le pauvre Bilbo ne put atteindre sa main, même quand le nain descendit jusqu'à la dernière branche pour tendre le bras aussi loin qu'il lui était possible. Dori descendit donc jusqu'à terre afin de permettre à Bilbo de grimper sur son dos et de se dresser sur ses épaules.

Juste à ce moment, les loups débouchèrent, hurlant, dans la clairière. Tout 40 soudain, il y eut des centaines d'yeux qui les regardaient. Dori n'abandonna toutefois pas Bilbo. Il attendit que le Hobbit eût grimpé de ses épaules dans les branches et alors il y bondit lui-même. Il était temps ! Un loup, happant le pan de son manteau au moment même où il se hissait, faillit l'attraper. En un instant, il y eut toute une horde hurlant tout autour de l'arbre, et 45 bondissant le long du tronc, yeux flamboyants et langue pendante.

J. R. R. TOLKIEN, *Bilbo le Hobbit*, trad. F. Ledoux, Hachette, 1980.

2. Le cambrioleur : surnom donné par les nains à Bilbo.
3. Nori et Dori : deux des treize nains.
4. Portefaix : homme dont le métier était de porter des fardeaux.
5. Thorïn : l'un des treize nains et le chef de l'expédition.

Lecture

Pour bien lire

1 Qui est le héros de cette histoire ? Qui sont ses compagnons ? Quel est le but de leur expédition ?

2 À quel danger nos personnages viennent-ils d'échapper ? Quel nouveau péril les menace ?

3 De quelle manière tentent-ils de se protéger ? Bilbo y parvient-il ?

Pour approfondir
Tâche complexe

4 Lignes 1 à 8 et 39 à 45 : quels éléments créent une atmosphère inquiétante ?

5 **a.** Comment Bilbo a-t-il appris à reconnaître les loups ? Comment réagit-il lorsqu'il les entend ?
b. À quoi le Hobbit est-il comparé à la ligne 24 ?
c. A-t-on l'image d'un aventurier ?

6 Lignes 16 à 22 : relevez deux expressions par lesquelles l'auteur s'adresse au lecteur. Quel est l'effet produit ?

7 Le ton de ce passage vous paraît-il sérieux ou léger ? Justifiez votre réponse.

Vocabulaire

1 Sur quel radical le nom *clairière* (l. 3) est-il formé ? Que désigne-t-il ?

2 Donnez un adjectif de la famille de chacun des noms suivants : *crainte – épouvante – inquiétude – anxiété – terreur – frayeur – surprise – panique.*

Écriture

Un enfant s'est égaré en pleine forêt. La nuit commence à tomber… Racontez en six à huit phrases.

▶ **Coup de pouce**
1. Dans les phrases suivantes, encadrez les noms en gras par les adjectifs proposés entre parenthèses, placés dans l'ordre qui vous paraît le plus approprié.
Exemple : L'**enfant** avance à tâtons dans la nuit (craintif – petit).
→ *Le petit enfant craintif avance à tâtons dans la nuit.*
    1. Un **cri** immobilise le jeune garçon (long – lugubre).
    2. Un **chien** hurle à la lune (noir – énorme).
    3. Un **hibou** lance sans arrêt son appel monotone (vieux – solennel).
    4. Les **bois** cachent peut-être dans leurs fourrés des animaux dangereux (sombre – grand).
2. Utilisez les adjectifs de la question 2 de vocabulaire.

Une attaque de dinosaure

Le narrateur, Edward Malone, un jeune journaliste, fait partie d'une équipe de scientifiques dont le but est d'explorer une terre perdue au cœur de l'Amazonie, la terre de Maple White. Cet endroit mystérieux n'aurait pas suivi la même évolution que le reste de la planète et abriterait toute une faune préhistorique.

Arthur Conan Doyle

(1859-1930)
Cet écrivain et médecin écossais a créé des personnages à la fois savants et aventuriers, comme le professeur Challenger, qui est présent dans nombre de ses récits. Il a inventé le célèbre détective Sherlock Holmes.

Tout le jour nous demeurâmes au camp. Lord John[1] s'occupa à élever la hauteur et à renforcer l'épaisseur des murailles épineuses qui étaient notre unique protection. Je me rappelle que ce jour-là j'eus constamment l'impression que nous étions épiés ; mais je ne savais ni d'où ni par quel
5 observateur.

Cette impression était cependant si forte que j'en parlai au Pr Challenger[2], mais celui-ci la porta au crédit d'une excitation cérébrale causée par la fièvre[3]. À chaque instant, je regardais autour de nous, j'étais persuadé que j'allais apercevoir quelque chose ; en fait, je ne distinguais que
10 le bord de notre clôture ou le toit de verdure un peu solennel des arbres au-dessus de nos têtes. Et cependant, de plus en plus, mon sentiment se fortifiait : nous étions guettés par une créature malveillante et guettés de très près. Je méditai sur la superstition des Indiens relative à Curupuri, ce génie terrible errant dans les bois, et je commençai à me dire que sa pré-
15 sence sinistre devait hanter tous ceux qui envahissaient son sanctuaire[4].

Au soir de notre troisième jour sur la terre de Maple White, nous fîmes une expérience qui nous laissa un souvenir effroyable, et nous rendîmes grâce à lord John de ce qu'il avait fortifié notre refuge. Tous nous dormions autour de notre feu mourant quand nous fûmes réveillés, ou plutôt arra-
20 chés brutalement de notre sommeil, par une succession épouvantable de cris de terreur et de hurlements. Il n'y a pas de sons qui puissent se comparer à ce concert étourdissant qui semblait se jouer à quelques centaines de mètres de nous. C'était aussi déchirant pour le tympan qu'un sifflet de locomotive, mais le sifflet émet un son net, mécanique, aigu ; ce bruit était
25 beaucoup plus grave, avec les vibrations qui évoquaient irrésistiblement les spasmes[5] de l'agonie[6]. Nous plaquâmes nos mains contre les oreilles afin de ne plus entendre cet appel qui nous brisait les nerfs. Une sueur froide coula sur mon corps et mon cœur se souleva. Tous les malheurs d'une vie torturée, toutes ses souffrances innombrables et ses immenses chagrins
30 semblaient condensés dans ce cri mortel. Et puis une octave plus bas se déclencha et roula par saccades une sorte de rire caverneux, un gronde-ment, un gloussement de gorge qui servit d'accompagnement grotesque au hurlement. Ce duo se prolongea pendant trois ou quatre minutes, pen-dant que s'agitaient dans les feuillages les oiseaux étonnés. Il se termina
35 aussi brusquement qu'il avait commencé. Nous étions horrifiés, et nous demeurâmes immobiles jusqu'à ce que lord John jetât sur le feu quelques brindilles ; leur lumière crépitante éclaira les visages anxieux de mes com-pagnons, ainsi que les grosses branches qui nous abritaient.

– Qu'est-ce que c'était ? chuchotai-je.

1. Lord John : chasseur participant à l'expédition.

2. Pr Challenger : scientifique à l'origine de l'expédition.

3. Fièvre : le narrateur est fiévreux. Le professeur Challenger met donc son excitation sur le compte de la fièvre.

4. Sanctuaire : lieu à caractère sacré.

5. Spasmes : sursauts, convulsions.

6. Agonie : moment qui précède la mort.

40 – Nous le saurons ce matin, répondit lord John. C'était tout près.

– Nous avons eu le privilège d'entendre une tragédie préhistorique, quelque chose d'analogue aux drames qui se déroulaient parmi les roseaux au bord d'un lagon jurassique[7], lorsqu'un grand dragon par exemple s'abattait sur un plus petit, nous dit Challenger d'une voix beaucoup plus grave

45 qu'à l'accoutumée. Cela a été une bonne chose pour l'homme qu'il vienne plus tard dans l'ordre de la création ! Dans les premiers âges, il existait des puissances telles que ni son intelligence ni aucune technique n'auraient su prévaloir. Qu'auraient pu sa fronde, son gourdin ou ses flèches contre des forces dont nous venons d'entendre le déchaînement ? Même avec un

50 bon fusil, je parierais sur le monstre.

– Je crois que, moi, je parierais sur mon petit camarade, dit lord John en caressant son Express[8]. Mais la bête aurait certainement une bonne chance !

Summerlee[9] leva la main en l'air :

– Chut ! J'entends quelque chose…

55 Du silence total émergea un tapotement pesant et régulier. C'était le pas d'un animal : le rythme lourd et doux à la fois de pas précautionneux. Il tourna lentement autour de notre campement, s'arrêta près de l'entrée. Nous entendîmes un sifflement sourd qui montait et redescendait, le souffle de la bête. Seule notre faible clôture nous séparait de ce visiteur nocturne.

60 Nous avions tous empoigné un fusil, et Lord John avait légèrement écarté un buisson pour se tailler un créneau dans la clôture.

– Mon Dieu ! murmura-t-il. Je crois que je le vois !

Je m'accroupis et rampai jusqu'à lui ; par-dessus son épaule, je regardai par le trou. Oui, moi aussi je le voyais ! Dans l'ombre noire de l'arbre

65 à épices se tenait une ombre plus noire encore, confuse, incomplète, une forme ramassée, pleine d'une vigueur sauvage. Elle n'était pas plus haute qu'un cheval, mais son profil accusait un corps massif, puissant. Cette palpitation sifflante, aussi régulière qu'un moteur, suggérait un organisme monstrueusement développé. Une fois, je pense, je vis la lueur meurtrière,

70 verdâtre, de ses yeux. Il y eut un bruissement de feuillages, comme si l'animal rampait lentement vers nous.

[…]

– S'il saute par-dessus la haie, nous sommes faits ! dit Summerlee, dont la voix mourut dans un rire nerveux.

75 – Bien sûr, il ne faut pas qu'il saute ! fit lord John. Mais ne tirez pas encore. Je vais peut-être avoir raison de cette brute. En tout cas, je vais essayer.

Il accomplit l'action la plus courageuse que jamais homme risqua devant moi. Il se pencha vers le feu, prit une branche enflammée et se glissa à travers une ouverture de secours qu'il avait aménagée dans la porte. La

80 bête avança avec un grognement terrifiant. Lord John n'hésita pas une seconde, il courut vers elle et lui jeta à la gueule le brandon enflammé. L'espace d'une seconde, j'eus la vision d'un masque horrible, d'une tête de crapaud géant, d'une peau pleine de verrues, d'une bouche dégoûtante de sang frais. Aussitôt les fourrés retentirent de craquements, et l'appari-

85 tion sinistre s'évanouit.

ARTHUR CONAN DOYLE (1859-1930), *Le Monde perdu* (1929), trad. Gilles Vauthier © Robert Laffont, coll. « Bouquins », 1989.

7. Jurassique : période de la préhistoire qui se situe il y a 200 millions d'années.

8. Express : marque de révolver.

9. Summerlee : scientifique participant à l'expédition.

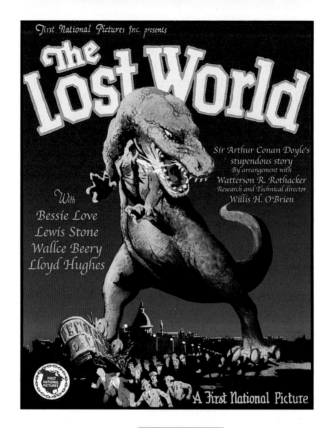

Le Monde perdu,
**film réalisé par
Harry O. Hoyt,** 1925.

Lecture

Pour bien lire

❶ Qui sont les différents personnages ? Où sont-ils ?

❷ Que se passe-t-il le troisième soir de leur séjour à Maple White ?

❸ Relevez les deux passages dans lesquels le narrateur décrit la bête.

❹ Quelle action héroïque Lord John Roxton accomplit-il ?

Pour approfondir

Tâche complexe

❺ Comment le narrateur s'y prend-il pour faire monter le sentiment de peur ?

▶ **Coup de pouce**

1. Relevez ce qui crée un sentiment d'inquiétude dès le début du texte.

2. Indiquez les termes employés par le narrateur pour décrire le premier cri puis le deuxième.

3. Lignes 16 à 39, relevez les expressions qui évoquent la peur des personnages.

4. Expliquez en quoi la réflexion de Challenger contribue à accroître ce sentiment de peur.

❻ Quel personnage se distingue des autres ? Pourquoi ? Justifiez votre réponse par des citations du texte.

Écriture

Vous campez avec quelques amis et, en pleine nuit, vous êtes réveillés par un bruit… Racontez l'épisode (huit phrases).

– Vous commencerez par la phrase suivante : « Au cœur de la nuit, nous fûmes réveillés par…, qui… »

– Vous emploierez le vocabulaire de la peur.

– Vous décrirez précisément ce bruit en vous aidant des mots de vocabulaire.

Vocabulaire

❶ Chercher dans un dictionnaire la définition du verbe *guetter* (l. 12), puis donnez trois mots de la même famille, que vous emploierez dans une phrase qui mettra leur sens en évidence.

❷ Donnez un nom et un adverbe de la même famille que chacun de ces adjectifs : *effroyable* (l. 17), *épouvantable* (l. 20), *terrible* (l. 13), *horrible* (l. 82).

❸ Voici des mots pour décrire des bruits. Classez-les selon l'impression positive ou négative qu'ils expriment : *mélodieux – aigre – funèbre – envoûtant – criard – nasillard – discordant – lancinant – lugubre – enchanteur – sépulcral – grinçant.*

❹ Trouvez un complément du nom approprié pour chaque terme suivant : *le clapotis – le grondement – le vacarme – le bruissement – le susurrement – le murmure – le tintamarre – le sifflement – le roulement – le tintement – le froissement – le fracas.*

Un voyage mouvementé

Hergé

(1907-1983)
Georges Remi de son nom véritable, il est considéré comme un des grands maîtres de la bande dessinée. *Les Aventures de Tintin* ont rendu célèbre cet auteur belge, également créateur de la série *Quick et Flupke*.

Le Temple du Soleil *fut d'abord publié dans* Le Journal de Tintin, *planche après planche, puis il parut sous forme d'album en 1949.*

Dans Les 7 Boules de cristal, *le professeur Tournesol, savant un peu distrait, a passé à son poignet le bracelet d'une momie inca. Considérant cet acte comme un sacrilège, des Incas ont enlevé le professeur et l'ont conduit, en secret, au Pérou, où il doit être sacrifié à titre de vengeance.*

Dans le second tome de cette aventure, Le Temple du Soleil, *Tintin et le capitaine Haddock, amis du professeur Tournesol, se sont lancés à sa poursuite et s'apprêtent à prendre le train pour Jauga, petite ville située dans la Cordillère des Andes, dans l'espoir de rattraper les ravisseurs.*

Lecture

Pour bien lire

1 Qui sont les personnages principaux dans ce passage ? Quel semble être leur état d'esprit dans la première planche ? Et dans les planches suivantes ?

2 **a.** Où l'action se situe-t-elle ?
b. Quels éléments placent le récit dans un cadre exotique pour le lecteur ?

3 Quels dangers les personnages courent-ils ? Pourquoi ?

Pour approfondir

4 **a.** Dans la première planche, montrez que le lecteur sait des choses que les personnages ignorent.
b. Montrez que chaque page s'achève sur du suspens.

5 Planche 3, bandes 1 et 2.
a. Comment la précipitation de Tintin est-elle montrée ?
b. Comment les émotions des personnages sont-elles représentées ?
c. Pourquoi nous montre-t-on le wagon plutôt que Tintin dans la dernière case ?

6 Comment la vitesse du train est-elle mise en valeur dans ces planches ? Tâche complexe

▶ **Coup de pouce**
1. Quels éléments du dessin montrent la vitesse du wagon ?
2. Planches 2 et 3 : comment la pente est-elle montrée ? Pour répondre, observez la direction des rails par rapport au sens de lecture.
3. Planche 2, bande 4 : quel est le rôle des cases noires ? Quelle partie du train montre-t-on avant et après ces cases ?

7 Comment la hauteur vertigineuse du viaduc est-elle mise en valeur ? Tâche complexe

▶ **Coup de pouce**
1. La conversation de Tintin et de Haddock, planche 1, semble-t-elle intéressante au premier abord ? Quelle est son utilité dans l'histoire ?
2. Planche 3, bande 3, case 3 : observez le sens, horizontal ou vertical, des lignes dessinées. Voit-on l'ensemble du viaduc ? Quel est l'effet produit ?
3. Planche 3, bande 3, case 3 : pourquoi repère-t-on difficilement Tintin ? Qu'est-ce qui change dans la case suivante ?
4. Planche 3, bande 3 : décrivez la position du lecteur par rapport à Tintin et au viaduc.

8 Quels éléments de cette bande dessinée peuvent faire penser au cinéma ?

9 **a.** Pourquoi la chute de Haddock est-elle comique ?
b. Comment l'héroïsme de Tintin est-il mis en valeur dans ces planches ?

Écriture

Racontez en quelques lignes la chute du capitaine Haddock (planche 2, bandes 1 et 2). Terminez par une phrase humoristique.

Heureusement que nous sommes arrivés bien à temps: le train va être bondé...

Mais voyons, ce que vous me demandez là est impossible...Je ne puis...

Obéis!...Tu sais ce qu'il en coûte de désobéir aux ordres de... qui tu sais...

Une demi-heure plus tard...

TUUUUT

Nous voilà partis...Curieux, il y avait tant de monde, et personne n'est monté dans notre compartiment...

VOITURE RÉSERVÉE

Bon voyage, señores...

Le train roule depuis plusieurs heures...

Excusez-moi: je reviens dans un instant...

C'est drôle...Figurez-vous que nous sommes absolument seuls dans notre wagon...

Curieux, en effet...Tiens, pendant votre absence, j'ai jeté un coup d'œil sur cette brochure...Savez-vous que cette ligne de chemin de fer atteint une altitude de 15.865 pieds sur 108 miles de trajet et qu'elle est la plus haute du monde?...

Ça ne m'étonne pas:nous grimpons sans arrêt...

Tiens! nous ralentissons...Sans doute arrivons-nous à une gare...

!

Vite, capitaine, vite, sautons!...
Notre wagon s'est détaché et va
redescendre la pente...

Sautez,
vite!...

À mon tour,
maintenant!...

Mon Dieu! j'al-
lais l'oublier!...

Eh bien! pourquoi ne saute-il pas,
mille millions de mille sabords?...

Zut! un
tunnel!...
Milou!...
Milou!

Aïe!...

Milou!...Milou!...

Le Temple du Soleil, © Hergé/Moulinsart 2016

Ça, par exemple! il dort!

Allons, vite!

Trop tard, maintenant!...Je me tuerais!

Le frein de secours!...
Je n'y avais pas pensé!

Allons-y: c'est notre dernière chance!

Du sabotage!...Je comprends tout, à présent!

Que faire?... Que faire?...

Un viaduc...Un cours d'eau...Milou, mon ami, il n'y a pas à hésiter...

Attention!...
C'est le moment!

Les caractéristiques du roman d'aventure

L'importance de l'intrigue

✳ Avec le roman d'aventure, l'**intrigue** occupe la place centrale. Il s'agit de démultiplier les actions en créant des rebondissements. Placés dans des **situations extrêmes**, les personnages sont ainsi précipités de péril en péril : ils affrontent un environnement hostile (ou vécu comme tel comme pour Pascalet), des bandits (comme Oliver Twist, Tom et Huck), des monstres (comme les personnages de Conan Doyle ou de Tolkien)… Le **suspens** et les **effets de surprise** tiennent le lecteur en haleine.

✳ Si ces multiples péripéties ne nous paraissent pas invraisemblables, c'est que l'auteur prend soin de nous donner un **sentiment de réalité**. D'où l'importance accordée aux **descriptions**, dont la précision des détails permet de nous représenter parfaitement le cadre de l'action, tout en créant une **atmosphère inquiétante**.

Le héros du roman d'aventure

✳ Le héros de roman d'aventure est souvent un **enfant** : enfant abandonné comme Rémi de *Sans famille* et Oliver Twist, ou bien petit aventurier en herbe comme Pascalet ou Tom et Huck. Il s'agit parfois d'un adulte inexpérimenté, comme Bilbo. Arraché à son quotidien, **il se confronte au vaste monde**, subit toutes sortes d'**épreuves** et doit trouver en lui la ressource nécessaire pour se tirer d'affaire.

✳ Mais on rencontre aussi dans ces récits de jeunes scientifiques épris de **voyages** et de **découvertes** et que leur curiosité entraîne jusqu'aux endroits les plus reculés du monde, comme dans les récits de Conan Doyle, ou bien d'intrépides reporters que leurs enquêtes vont jeter dans des **situations périlleuses**, comme le célèbre Tintin.

Le lecteur sur les traces du héros

Le Club des cinq d'Enid Blyton, illustration de Gino d'Achille, 1964 (coll. privée).

✳ S'il nous dépayse et nous fait rêver par ses palpitantes histoires, le roman d'aventure parle aussi des **difficultés de la vie réelle**, de tous les passages et transformations nécessaires, et des moyens que nous avons d'y faire face. Le lecteur suit les aventures du héros, partage ses émotions et profite des enseignements du récit.

✳ Ainsi, en nous identifiant aux héros, nous pouvons donner libre cours à nos propres angoisses face aux **épreuves de la vie** et nous projeter dans des situations de réussite : si le roman d'aventure est si plaisant, ce n'est pas seulement à cause de ses vertus divertissantes, c'est aussi parce que, par le biais de la fiction, il apaise nos angoisses et satisfait notre désir de succès et de reconnaissance.

La nature

1 Classez les termes suivants en deux colonnes selon qu'ils représentent un paysage plat ou un paysage escarpé : *vallée – pic – crête – lande – gorge – plateau – colline – plaine.*

2 a. Dans chaque expression, remplacez les noms par l'un des synonymes suivants : *paroi – crête – cime – brèche – précipice – couloir.*

1. Un sommet majestueux.

2. Un passage étroit.

3. Une large entaille.

4. Une arrête déchiquetée.

5. Une muraille vertigineuse.

6. Un abîme insondable.

b. Employez les expressions ainsi obtenues dans des phrases de votre invention.

3 Classez les expressions suivantes selon qu'elles évoquent un paysage normand, provençal ou montagnard : *des clos de pommiers – des routes ensoleillées – des forêts de sapins – des oliviers noueux – des torrents bondissants – de riches fermes – des vallées verdoyantes – des murs de pierres sèches – de gras pâturages.*

4 Remplacez chaque verbe en couleur par l'un des synonymes suivants : *couper – déboucher sur – s'élever – s'enfoncer – s'étaler – serpenter.*

1. Nous empruntâmes un charmant chemin qui aboutit à une agréable clairière.

2. Désert, le sentier se perdait dans les profondeurs du bois.

3. Le vieux chêne monte au-dessus des autres arbres.

4. La plaine immense s'étendait à perte de vue.

5. Il suivit un ruisseau qui zigzaguait parmi les herbes folles.

6. La petite troupe dut s'arrêter : un énorme tronc traversait la route.

5 Reliez chaque nom à sa définition.

Lieu où le bétail mange l'herbe. •	• friche
Dans une forêt, lieu dépourvu d'arbres. •	• marécage
Terre non cultivée. •	• clairière
Plantation d'arbres fruitiers. •	• lande
Terrain aride où ne poussent que des plantes sauvages. •	• prairie
Terrain très humide où l'on ne peut rien cultiver. •	• verger

6 Complétez les phrases à l'aide des mots suivants : *moussu – touffu – broussailleux – ombragé – aride – verdoyant.*

1. Ma balle est tombée dans le buisson et il est tellement ... que je ne la vois pas.

2. Ce terrain est particulièrement ... : il n'y a pas la moindre trace d'humidité.

3. Ils s'assirent sur l'herbe ..., moelleuse comme un coussin.

4. Quand il y a trop de soleil, j'aime me promener dans cette allée ....

5. Au printemps, la nature renaît, fraîche et ....

6. Ce jardin ... semble complètement abandonné.

7 Dessinez un arbre et placez en légende les mots suivants : *écorce – racines – tronc – feuillage – ramure – cime – souche.*

8 a. Reliez chaque nom à son expansion.

l'herbe •	• creux
des chemins •	• haute
un rideau •	• verdoyantes
des touffes •	• d'arbres
les vallées •	• de fougères

b. Employez trois de ces groupes nominaux dans des phrases de votre invention.

9 a. Associez chaque nom à un adjectif. Il peut y avoir plusieurs solutions.

A. **Noms :** écorce – feuillage – forêt – branche – bois.

B. **Adjectifs :** dense – noueux – sombre – rugueux – impénétrable.

b. Pour chaque adjectif, trouvez un synonyme et un antonyme.

10 Complétez les phrases suivantes avec le nom du vent ou de la pluie qui convient. Pensez à vous aider d'un dictionnaire.

Brise – orage – bruine – bise – ouragan – averse.

1. Une douce ... lui caressait le visage.

2. La ... lui glaçait les doigts.

3. Surpris par une ..., il se réfugia sous un arbre.

4. Soudain, un violent ... éclata.

5. Un ... avait tout ravagé sur son passage.

6. Une ... fine et légère la rafraîchit agréablement.

Faire une description expressive

→ Décrire

1 **Évitez « il y a » en employant les verbes suivants :** *s'étendre – border – serpenter – recouvrir – se dresser.*

Exemple : Il y avait de hautes vagues sur la digue. → De hautes vagues déferlaient sur la digue.

1. Il y avait une haute montagne à l'horizon.
2. Il y avait une rivière scintillante dans la vallée.
3. Il y avait de la neige sur les toits.
4. Il y avait des champs de blé à perte de vue.
5. Il y avait des peupliers le long du chemin.

→ Donner de l'intensité à son propos

Dans les textes que nous avons étudiés, les auteurs emploient fréquemment la comparaison ou le superlatif pour mettre en valeur certains détails. À votre tour de vous familiariser avec ces constructions.

2 **Transformez les phrases selon le modèle suivant.**

Exemple : Cette tempête fut désastreuse pour les habitants de l'île. → Cette tempête fut la plus désastreuse que les habitants de l'île connurent.

1. Cet orage est effrayant pour les enfants. – **2.** La chaleur était particulièrement accablante pour les touristes. – **3.** Cette grippe fut virulente pour les soldats de la Première Guerre mondiale. – **4.** Cet écueil est redoutable pour les navigateurs.

3 **Transformez les phrases avec un superlatif introduit par** *si... que.*

Exemple : Quand il me regarde, ses yeux sont très doux, alors je sens mon cœur battre. → Quand il me regarde, ses yeux sont si doux que je sens mon cœur battre.

1. L'après-midi était vraiment torride, alors ils remirent leur promenade au lendemain. – **2.** Magellan fut terriblement contrarié par l'absence de vent et décida de s'enfermer dans sa cabine pour réfléchir. – **3.** La soif qui l'accablait était tenace, alors il s'affala dans la première flaque. – **4.** Le vent soufflait violemment et emportait tout sur son passage.

4 **Pour donner de l'expressivité à son propos, on peut employer des tournures exclamatives : construisez des phrases nominales exclamatives commençant par** *quel* **(que vous accorderez).**

Exemple : Les berges de ce ruisseau forment un monde mystérieux. → Quel monde mystérieux que les berges de ce ruisseau !

1. C'est une chose étrange de voir la tempête se lever sur l'océan.
2. Cette pieuvre était un monstre gluant et sournois.
3. Les fonds sous-marins forment un monde fabuleux.
4. Cette ville aux multiples ruelles est un labyrinthe.

5 **Exprimez la comparaison en remplaçant le verbe** *ressemble à* **par l'un de ces outils :** *pareil à, comme, tel, ainsi que.* **Variez la place de la comparaison.**

Exemple : Les flots ressemblent à de vertes couleuvres et glissent le long du bord. → Telles de vertes couleuvres, les flots glissent le long du bord.

1. Les nuages parcourent le ciel et ressemblent à de grands oiseaux hagards. – **2.** Des rochers surgissent brusquement et ressemblent à de grands monstres marins. – **3.** Le navire est couché sur ses flancs et ressemble à un combattant à l'agonie. – **4.** À perte de vue s'étend un désert de sable rouge qui ressemble à une mer sans limite. – **5.** Les grands chênes tordaient leurs branches qui ressemblaient à des bras musculeux.

→ Mettre en relief les adjectifs

6 **Modifiez les phrases en mettant en tête l'adjectif et ses compléments et en supprimant le verbe** *être.*

Exemple : Le pilote fut assez habile pour éviter l'ouragan et changea de cap. → Assez habile pour éviter l'ouragan, le pilote changea de cap.

1. La bête de somme était trop chargée pour poursuivre une route si pénible et s'écroula à la fin de l'ascension.
2. La carte était bien trop illisible pour que nous puissions nous repérer, et elle nous mena très loin de notre destination.
3. La lune, ce soir-là, fut assez pleine pour éclairer la lande et parut nous guider dans notre périple.
4. Les vivres étaient beaucoup trop maigres pour nourrir l'équipage et ils diminuèrent de moitié en trois jours.

7 **La virgule sépare les adjectifs épithètes détachés. Placez-la correctement dans les phrases suivantes.**

1. Le gamin était parti heureux et fier de lui. – **2.** Lent et grave le capitaine se retourna une dernière fois vers le rivage. – **3.** La lune s'était levée au-dessus de la mer pure et translucide comme un diamant. – **4.** Au centre s'élevait abrupte déchiquetée une haute colline de verdure. – **5.** Ses cils un peu longs assombrissent encore son regard ténébreux.

Raconter une scène d'aventure

Tout juste arrivé en vacances dans un lieu qu'il ne connaît pas, un enfant décide de partir, de bon matin, explorer les environs. Alors qu'il est seul dans la nature, une rencontre inattendue va mettre à l'épreuve son courage. Racontez.

Forêt d'automne, **Mario Taglioli**, huile sur toile, 1968 (coll. privée).

A Trouver des idées

1 Déterminez le cadre de votre récit : la campagne, la montagne, une forêt, le bord d'une rivière... La scène se passe-t-elle de jour ou de nuit ? En quelle saison ? Quel temps fait-il ?

2 Choisissez le personnage qu'il rencontre : un animal sauvage, un personnage inquiétant, étrange... Que fait-il ? Menace-t-il l'enfant ? Semble-t-il commettre un crime ?...

3 Pour quelle raison l'enfant va-t-il devoir faire appel à son courage ?

4 Quelles vont être ses réactions ?

B Élaborer un plan

Vous suivrez le plan suivant.

• **Premier paragraphe : décrivez le cadre dans lequel se trouve l'enfant.**
– Introduisez dans votre description quelques éléments inquiétants.
– Terminez votre paragraphe en ménageant du suspens.
Exemples : Il avançait prudemment, quand...
Cette solitude commençait à lui peser. Soudain...
– Vous emploierez essentiellement l'imparfait.

• **Deuxième paragraphe : racontez la survenue de la menace.**
– Présentez le personnage en une à deux phrases montrant son caractère dangereux.
– Poursuivez avec les réactions de l'enfant, la peur qu'il ressent face à cette menace.

• **Troisième paragraphe : racontez la confrontation entre les deux personnages.**
– Insistez sur le courage de l'enfant qui parvient à surmonter sa peur.
– Vous emploierez essentiellement le passé-simple.

C Pour réussir

1 Pour la description de la nature, prenez soin d'employer un vocabulaire riche et précis.

2 Donnez de l'intensité à votre récit en employant la comparaison et le superlatif.

3 Pour donner plus d'expressivité, pensez à varier la ponctuation.

4 Mettez en valeur certaines qualités de l'enfant en détachant des adjectifs en tête de phrase.

Des livres

L'Auberge de la Jamaïque,
Daphné du Maurier,
1936.

À la mort de sa mère, Mary Yellan doit quitter le pays de son enfance pour aller vivre chez sa tante Patience, mariée à l'aubergiste Joss Merlyn. Dès son arrivée à l'Auberge de la Jamaïque, Mary soupçonne d'inquiétants mystères.

L'Affaire Caïus,
Henry Winterfeld,
Le Livre de poche, 2014.

Dans la Rome impériale au Ier siècle, l'aventure commence dans une salle de classe, où Rufus est accusé de sacrilège. Mais ses camarades, Mucius, Jules, Flavien, Publius et Antoine décident de démontrer son innocence. Un policier palpitant dans la Rome antique.

La Rivière à l'envers,
Jean-Claude Mourlevat,
PKJ, 2009.

Tomek part en voyage pour trouver la rivière qui coule à l'envers ; son eau aurait le pouvoir d'empêcher de mourir... Un très beau roman d'aventure, d'amitié et de voyage.

Langelot agent secret,
Vladimir Volkoff
(alias Lieutenant X),
Les Éditions
du Triomphe, 2000.

À peine ce sympathique blondinet a-t-il entrepris d'apprendre son métier d'agent secret qu'il doit déjouer un odieux complot ! L'ingénieux jeune homme ne reculera devant rien pour mener à bien sa mission !

Des films

Les Contrebandiers de Moonfleet,
réalisé par Fritz Lang,
1955, DVD.

Au XVIIIe siècle en Angleterre, John Mohune, un jeune orphelin, arrive dans le petit village de Moonfleet, repaire de contrebandiers.

*Le Seigneur des anneaux :
La Communauté de l'anneau*,
réalisé par Peter Jackson,
2002, DVD.

Le jeune Hobbit Frodon Sacquet suit les pas de son oncle Bilbo et part à l'aventure pour sauver le monde. Une adaptation de l'œuvre de Tolkien.

Cartouche,
réalisé par Philippe de Broca,
1962, DVD.

Au début du XVIIIe siècle, les aventures d'un voleur au grand cœur, entouré de ses fidèles compagnons.

L'Odyssée de Pi
d'Ang Lee

L'*Odyssée de Pi* est un film réalisé par Ang Lee et sorti en 2012, adapté d'un roman de l'auteur canadien Yann Martel (*L'Histoire de Pi*, 2001). Le film a été récompensé par quatre oscars en 2013.

A Une aventure formatrice

1 Lesquelles de ces émotions avez-vous ressenties à la vue du film ? À quels moments ?
beauté – peur – émerveillement – amusement – révolte

2 Lisez les propositions suivantes. Lesquelles sont vraies pour *L'Odyssée de Pi* ?
1. Le héros est un adolescent au seuil de l'âge adulte.
2. Il est séparé de sa famille.
3. Il découvre l'amour.
4. Il doit affronter toutes sortes de dangers.
5. Il doit apprendre à se débrouiller seul.
6. Il y a du suspense.
7. Le spectateur est dépaysé.

3 **a.** De quelle œuvre antique le titre du film est-il inspiré ?
b. Qu'est-ce qui justifie le choix de ce titre ?

4 D'après vos réponses précédentes, quels sont les éléments qui font de ce film un film d'aventure ?

B Une fable

Dompter la sauvagerie

1 **a.** Que symbolise le tigre dans l'imaginaire occidental ?
b. Citez une scène du film où le tigre illustre parfaitement cette caractéristique.

2 **a.** Quelles sont les relations entre Pi et le tigre au début de leur cohabitation sur la chaloupe ?
b. Comment cette relation évolue-t-elle au fil du temps ? Pourquoi ? Justifiez, développez et discutez vos réponses.

3 Résumez en quelques phrases les péripéties vécues par Pi à partir du naufrage, telles qu'il les raconte d'abord à l'hôpital.

4 **a.** Quelle est la deuxième version que Pi donne de son voyage ?
b. À votre avis, laquelle des deux fins est la vraie ? Discutez vos réponses en argumentant.

1

2

Manger ou être mangé

Le thème de la dévoration est au cœur du film. Livrés à eux-mêmes sans nourriture au beau milieu de l'océan, les personnages doivent lutter pour survivre, en commençant par trouver leur subsistance.

5 **a.** Les personnages et éléments du film se divisent entre végétariens et carnivores. À quel groupe appartiennent les éléments suivants ?
Pi et sa famille – le tigre – le cuisinier – le marin hindouiste – le zèbre – la hyène – les requins – la baleine – l'île flottante
b. À votre avis, quelle peut-être la raison pour laquelle un homme décide d'être végétarien ?

6 **a.** À quel moment Pi rompt-il avec le végétarisme ? Pourquoi ?
b. Quels sentiments ressent-il alors ? Pourquoi ?

7 **a.** Comment la hyène se nourrit-elle, sur la chaloupe ?
b. Si l'on admet l'interprétation selon laquelle les animaux représentent des personnages humains, que faut-il comprendre ?

8 Si l'on admet que le tigre est en fait Pi, quel sens peut-on donner à l'affrontement entre Pi et le tigre ?

9 **a.** Qu'est-ce qu'une fable ?
b. Quels éléments du film peuvent rappeler la fable ?
c. Quelle serait alors, selon vous, la morale de cette fable ?

La beauté contre la cruauté

10 Quels éléments de l'histoire de Pi rappellent le conte merveilleux ? Pensez aux personnages du récit et aux lieux que Pi traverse.

11 Observez les deux images.
a. La représentation de la mer est-elle réaliste ?
b. Qu'est-ce qui vous frappe dans ces images ? Observez les couleurs, la lumière, la limite entre la mer et le ciel.

12 **a.** À votre avis, pourquoi Pi raconte-t-il une histoire aussi invraisemblable ?
b. Pourquoi le réalisateur raconte-t-il une histoire aussi cruelle avec des images aussi belles ?

8 Le Livre de la jungle
ÉTUDE D'UNE ŒUVRE INTÉGRALE

> De quelle manière les aventures viennent-elles transformer le personnage qui s'y confronte ?

Repères

- **Découvrir** *Le Livre de la jungle* 226

Textes et images

Le Livre de la jungle, **Rudyard Kipling**

1. « Un petit d'homme au pays des loups » 228
2. « Au chaud cœur noir de la forêt » 231
3. « Les Maîtres Mots de la jungle » 234
4. « Le peuple sans loi » 236
5. « Maintenant, je vois que tu es un homme » 238
6. « Chassé du peuple des hommes » 241

Synthèse

- **Des aventures qui font grandir** 244
- « Si : Tu seras un homme, mon fils », Rudyard Kipling 245

Vers l'écriture

- **Vocabulaire :** Les sentiments 246
- **Apprendre à rédiger :** Exprimer un sentiment et éviter les répétitions 247
- **À vos plumes !** Raconter un épisode des aventures de Mowgli 248

Coin lecture, coin cinéma 249

Mowgli marchant avec les loups, illustration de Paul Jouve, 1919.

Lire une image

1. À votre avis, où se trouvent ces trois personnages ?

2. Quelle est l'attitude commune aux trois silhouettes ?

3. Quelle impression le rayonnement du soleil crée-t-il ?

4. Imaginez l'histoire de cet enfant.

Découvrir *Le Livre de la jungle*

Portrait de Rudyard Kipling, **Philip Burne-Jones**, 1899 (National Portrait Gallery, Londres).

L'auteur : Rudyard Kipling (1865-1936)

• De parents anglais, Rudyard Kipling naît en 1865 à **Bombay, en Inde**, qui est alors une colonie anglaise. Son enfance est abreuvée de contes, de légendes bouddhistes et de récits de chasseurs indiens. À six ans, il est envoyé en Angleterre pour parfaire son éducation et il vit très difficilement cette rupture, d'autant que la famille qui l'accueille se montre sévère à son égard. Ainsi Kipling perçoit-il l'Inde comme un paradis perdu.

• À partir de 1882, il retourne en Inde et y travaille comme **journaliste**. Il enchaîne alors voyages et publications jusqu'en 1892.

• Cette année-là, il se marie et s'établit aux États-Unis, où il peut satisfaire son goût pour la nature et les grands espaces. C'est là qu'il travaille à ce qui sera plus tard publié sous le titre *Le Livre de la jungle*. Il partage ensuite sa vie entre l'Angleterre et l'Afrique du Sud.

• Il publie des romans, des écrits politiques, des poèmes et reçoit, en 1907, le prix Nobel de littérature. Il meurt à Londres en 1936.

Questions

Lire une biographie pour mieux comprendre une œuvre

1 Qu'est-ce qui explique le goût de Rudyard Kipling pour l'Inde ?

2 Dans quel autre pays pourra-t-il satisfaire son goût pour la nature et les grands espaces ?

3 Quel genre de récit lui raconte-t-on durant son enfance ?

4 Pourquoi est-il particulièrement sensible aux problèmes d'éducation ?

5 En quoi cette biographie éclaire-t-elle les choix romanesques dans *Le Livre de la jungle* ?

Rue de Bombay, en Inde (coll. privée).

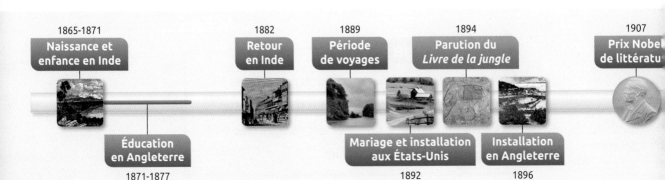

1865-1871	1882	1889	1894	1907
Naissance et enfance en Inde	**Retour en Inde**	**Période de voyages**	**Parution du *Livre de la jungle***	**Prix Nobel de littératu**

Éducation en Angleterre
1871-1877

Mariage et installation aux États-Unis
1892

Installation en Angleterre
1896

Rudyard Kipling
Le livre de la jungle

folio

Guide de lecture

→ Mowgli, mi-homme, mi-bête, un héros en quête d'identité

1re partie

1 Qui est Mowgli ? Qui lui a donné ce nom ?

2 Pourquoi l'enfant est-il en danger au début du récit ? Qui se charge de le protéger ?

3 Qui est Shere Khan ?

4 Pourquoi l'enfant doit-il être présenté au conseil du clan ?

5 Quels sont les deux animaux qui prennent partie pour l'adoption de Mowgli par le clan ?

6 Relevez les différentes lois qui régissent la vie des animaux de la jungle.

2e partie

7 Quelle sorte de vie Mowgli mène-t-il avec ses frères les loups ?

8 Qui est Akela ? Comment Shere Khan s'y prend-il pour prendre sa place ?

9 Pourquoi Mowgli quitte-t-il le clan ? Part-il vaincu ou la tête haute ?

3e partie

10 En quoi consiste l'enseignement que Baloo transmet à Mowgli ?

11 Quel peuple est appelé le « peuple sans loi » ?

12 Où ce peuple emmène-t-il Mowgli ?

13 Citez le nom des deux animaux qui aident Baloo et Bagheera à retrouver Mowgli.

4e partie

14 Comment se nomme la mère de Mowgli ?

15 Quel tâche les villageois confient-ils à l'enfant ?

16 Comment Mowgli s'y prend-il pour tuer Shere Khan ? Qui l'aide dans cette entreprise ?

17 Comment les villageois considèrent-ils Mowgli après le meurtre de Shere Khan ?

18 Où retourne-t-il alors ?

→ Découvrir les autres personnages

A Les noms des personnages

19 Associez à chaque personnage (A) le complément qui lui correspond (B).
A. Kaa – Mère Louve – Akela – Tabaqui – Shere Khan
B. le Lèche-Plat – le Boiteux – le Démon – le Solitaire – le Python de Rocher

B Des animaux aux caractéristiques bien humaines

Travail de groupe

20 Mettez-vous en groupes et choisissez d'élaborer une fiche d'identité pour l'un de ces personnages. Aidez-vous des questionnaires suivants.

• Shere Khan

a. Quels sont les différents noms que lui donne Mère-Louve p. 14 ? Qu'est-ce qui le caractérise ?
b. En quoi transgresse-t-il la loi de la jungle ? (p. 11 et 12)
c. Comment se comporte-t-il à l'égard d'Akela ?
d. Comment se comporte-t-il face à Mowgli au Rocher du Conseil p. 33 ?
e. Dans quelles conditions trouve-t-il la mort : où se trouve-t-il ? Que fait-il au moment de l'attaque ?

• Bagheera et Baloo

a. Relevez p. 18 le passage brossant le portrait de la panthère.
b. Pour quelles raisons Bagheera rachète-t-il la vie de Mowgli ? En échange de quoi ?
c. Qu'apprend-on sur le passé de ce personnage p. 24 ?
d. Quel rôle Baloo joue-t-il dans la jungle ? Relevez p. 39 deux adjectifs qui le qualifient.
e. Quelles valeurs ces deux personnages incarnent-ils ?

• Kaa

a. Qu'apprend-on à son sujet p. 51 ?
b. Qu'est-ce qui incite le serpent à sauver Mowgli du piège dans lequel il est tombé ?
c. Comment s'y prend l'animal pour combattre les singes ?
d. En quoi consiste la danse de la faim ?
e. Expliquez cette réplique de Baloo p. 69 : « Jamais plus je ne ferai alliance avec Kaa. »

Un petit d'homme au pays des loups

Dans la jungle, le tigre Shere Khan ne respecte aucune des lois que se sont imposées les animaux et notamment celle qui leur interdit de chasser l'homme. Il approche de la caverne des loups.

Père Loup sortit à quelques pas de l'entrée. [...]

– L'imbécile a eu l'esprit de sauter sur un feu de bûcherons et s'est brûlé les pieds ! gronda Père Loup. Tabaqui[1] est avec lui.

– Quelque chose monte la colline, dit Mère Louve en dressant une
5 oreille. Tiens-toi prêt.

Il y eut un petit froissement de buisson dans le fourré. Père Loup, ses hanches sous lui, se ramassa, prêt à sauter. Alors, si vous aviez été là, vous auriez vu la chose la plus étonnante du monde : le loup arrêté à mi-bond. Il prit son élan avant de savoir ce qu'il visait, puis tenta de se retenir. Il
10 en résulta un saut de quatre ou cinq pieds droit en l'air, d'où il retomba presque au même point du sol qu'il avait quitté.

– Un homme ! hargna-t-il[2]. Un petit d'homme. Regarde !

En effet, devant lui, s'appuyant à une branche basse, se tenait un bébé brun tout nu, qui pouvait à peine marcher, le plus doux et potelé petit
15 atome qui fût jamais venu la nuit à la caverne d'un loup. Il leva les yeux pour regarder Père Loup en face et se mit à rire.

– Est-ce un petit d'homme ? dit Mère Louve. Je n'en ai jamais vu. Apporte-le ici.

Un loup, accoutumé à transporter ses propres petits, peut très bien, s'il
20 est nécessaire, prendre dans sa gueule un œuf sans le briser. Quoique les mâchoires de Père Loup se fussent refermées complètement sur le dos de l'enfant, pas une dent n'égratigna la peau lorsqu'il le déposa au milieu de ses petits.

– Qu'il est mignon ! Qu'il est nu !... Et qu'il est brave ! dit avec dou-
25 ceur Mère Louve.

Le bébé se poussait, entre les petits, contre la chaleur du flanc tiède.

– Ah ! Ah ! Il prend son repas avec les autres... Ainsi, c'est un petit d'homme. A-t-il jamais existé une louve qui pût se vanter d'un petit d'homme parmi ses enfants ?

30 – J'ai parfois ouï parler de semblable chose, mais pas dans notre Clan[3] ni de mon temps, dit Père Loup. Il n'a pas un poil, et je pourrais le tuer en le touchant du pied. Mais, voyez, il me regarde et n'a pas peur !

Le clair de lune s'éteignit à la bouche de la caverne, car la grosse tête carrée et les fortes épaules de Shere Khan en bloquaient l'ouverture et
35 tentaient d'y pénétrer. Tabaqui, derrière lui, piaulait[4] :

– Monseigneur, Monseigneur, il est entré ici !

– Shere Khan nous fait grand honneur, dit Père Loup, les yeux mauvais. Que veut Shere Khan ?

1. Tabaqui : chacal, complice de Shere Khan.

2. Hargna : le verbe hargner est ici inventé par l'auteur à partir du nom hargne qui veut dire « agressivité verbale », « paroles méchantes ».

3. Le Clan : ici, groupement d'individus obéissant tous à un certain nombre de lois.

4. Piaulait : criait.

Romulus et Rémus,
Rubens, 1615-1616
(Pinacoteca Capitolina,
Rome).

– Ma proie. Un petit d'homme a pris ce chemin. Ses parents se sont
40 enfuis. Donnez-le-moi !

Shere Khan avait sauté sur le feu d'un campement de bûcherons, comme
l'avait dit Père Loup, et la brûlure de ses pattes le rendait furieux. Mais
Père Loup savait l'ouverture de la caverne trop étroite pour un tigre. Même
où il se tenait, les épaules et les pattes de Shere Khan étaient resserrées
45 par le manque de place, comme les membres d'un homme qui tenterait
de combattre dans un baril.

– Les loups sont un peuple libre, dit Père Loup. Ils ne prennent d'ordres
que du Conseil supérieur du Clan, et non point d'aucun tueur de bœufs plus
ou moins rayé. Le petit d'homme est à nous… pour le tuer s'il nous plaît.
50 – S'il vous plaît !… Quel langage est-ce là ? Par le taureau que j'ai tué,
dois-je attendre, le nez dans votre repaire de chiens, lorsqu'il s'agit de mon
dû le plus strict ? C'est moi, Shere Khan, qui parle.

Le rugissement du tigre emplit la caverne de son tonnerre. Mère Louve
secoua les petits de son flanc et s'élança, ses yeux, comme deux lunes vertes
55 dans les ténèbres, fixés sur les yeux flambants de Shere Khan.

– Et c'est moi, Raksha (le Démon), qui vais te répondre. Le petit d'homme
est mien, Lungri, le mien, à moi ! Il ne sera point tué. Il vivra pour courir avec le Clan, et pour chasser avec le Clan ; et, prends-y garde, chasseur de petits tout nus, mangeur de grenouilles, tueur de poissons ! Il te
60 fera la chasse, à toi !… Maintenant, sors d'ici, ou, par le Sambhur[5] que
j'ai tué – car moi je ne me nourris pas de bétail mort de faim, – tu retourneras à ta mère, tête brûlée de jungle, plus boiteux que jamais tu ne vins
au monde. Va-t'en !

Père Loup leva les yeux, stupéfait. Il ne se souvenait plus assez des jours
65 où il avait conquis Mère Louve, en loyal combat contre cinq autres loups,
au temps où, dans les expéditions du Clan, ce n'était pas par pure politesse qu'on la nommait le Démon. Shere Khan aurait pu tenir tête à Père
Loup, mais il ne pouvait s'attaquer à Mère Louve, car il savait que, dans
la position où il se trouvait, elle gardait tout l'avantage du terrain et qu'elle
70 combattrait à mort. Aussi se recula-t-il hors de l'ouverture en grondant ;
et, quand il fut à l'air libre, il cria :

Sambhur : cerf
u sud-est de l'Asie.

– Chaque chien aboie dans sa propre cour. Nous verrons ce que dira le Clan, comment il prendra cet élevage de petit d'homme. Le petit est à moi, et sous ma dent il faudra bien qu'à la fin il tombe, ô voleurs à queues
75 touffues !

Mère Louve se laissa retomber, pantelante[6], parmi les petits, et Père Loup lui dit gravement :

– Shere Khan a raison. Le petit doit être montré au Clan. Veux-tu encore le garder, mère ?

80 Elle haletait[7] :

– Si je veux le garder !… Il est venu tout nu, la nuit, seul et mourant de faim, et il n'avait même pas peur. Regarde, il a déjà poussé un de nos bébés de côté. Et ce boucher boiteux l'aurait tué et se serait sauvé ensuite vers la Waingunga[8], tandis que les villageois d'ici seraient accourus, à travers
85 nos reposées, faire une battue pour en tirer vengeance !… Si je le garde ? Assurément, je le garde. Couche-toi là, petite Grenouille… Ô toi, Mowgli car Mowgli la Grenouille je veux t'appeler, le temps viendra où tu feras la chasse à Shere Khan comme il t'a fait la chasse à toi !

Rudyard Kipling, *Le Livre de la jungle*, Mercure de France, 1899
(trad. française)

6. Pantelant : qui est en proie à une vive émotion.

7. Haleter : respirer à un rythme précipité.

8. Waingunga : fleuve qui parcourt la jungle.

Lecture

Pour bien lire

1 Qui sont les principaux personnages de ce texte ? Précisez le nom de chacun d'eux.

2 Comment le petit d'homme est-il accueilli par les deux loups ?

3 Pourquoi le tigre Shere Khan vient-il les menacer ?

4 Comment Mère Louve réagit-elle face aux menaces de Shere Khan ?

Pour approfondir

5 **a.** Quelles sont les expansions du nom *bébé* lignes 14 et 15 ?
b. Quelle caractéristique de l'enfant l'auteur cherche-t-il à mettre en évidence ?

6 **a.** Montrez, en citant le texte, que Père Loup et Mère Louve sont attendris par l'enfant.
b. Observez la peinture de Rubens (p. 229). Reconnaissez-vous, dans cette œuvre, une autre histoire où des enfants sont recueillis et élevés par des loups ?
c. Dans quelle réplique Père Loup fait-il allusion à cette histoire ?

7 Relevez la manière dont Père Loup s'adresse à Shere Khan lignes 37 et 38, puis la manière dont Shere Khan s'adresse à Père Loup lignes 50 à 52. Que constatez-vous ?

8 Relevez les différentes manières dont les loups nomment Shere Khan lignes 58 et 59. Que lui reprochent-ils ?

9 Le petit d'homme égaré dans la jungle arrive-t-il dans un monde sauvage ou dans un univers régi par des lois ? Justifiez votre réponse en citant le texte.

Écriture

1 **a.** Avec chacun des noms suivants, formez un adjectif que vous utiliserez dans une phrase de votre invention : *hospitalité – solidarité – serviabilité – inconvenance – bienveillance – barbarie – effronterie*.
b. Classez ces mots en deux colonnes selon qu'ils évoquent un comportement civil ou incivil.

2 **EMC** À vous d'imaginer les règles de civilité que les animaux de la jungle se sont données pour vivre ensemble.
a. Utilisez pour cela les mots de vocabulaire de l'exercice ci-dessus.
b. Chaque phrase énoncera une règle et sera rédigée au futur simple.
Exemple : **Règle 1.** *Les animaux devront faire preuve de bienveillance à l'égard des petits, quel que soit le clan auquel ils appartiennent.*

Au chaud cœur noir de la forêt

Bagheera, impression sur tissu (batik), 2011 (coll. Gamborg).

Maintenant, il faut vous donner la peine de sauter dix ou douze années entières, et d'imaginer seulement l'étonnante existence que Mowgli mena parmi les loups, parce que, s'il fallait l'écrire, cela remplirait je ne sais combien de livres. Il grandit avec les louveteaux, quoique, naturellement, ils
5 fussent devenus loups quand lui-même comptait pour un enfant à peine ; et Père Loup lui enseigna sa besogne, et le sens de toutes choses dans la jungle, jusqu'à ce que chaque frisson de l'herbe, chaque souffle de l'air chaud dans la nuit, chaque ululement des hiboux au-dessus de sa tête, chaque bruit d'écorce égratignée par la chauve-souris au repos un instant
10 dans l'arbre, chaque saut du plus petit poisson dans la mare prissent juste autant d'importance pour lui que pour un homme d'affaires son travail de bureau. Lorsqu'il n'apprenait pas, il se couchait au soleil et dormait, puis il mangeait, se rendormait ; lorsqu'il se sentait sale ou qu'il avait trop chaud, il se baignait dans les mares de la forêt, et lorsqu'il manquait de miel
15 (Baloo lui avait dit que le miel et les noix étaient aussi bons à manger que la viande crue), il grimpait aux arbres pour en chercher, et Bagheera lui avait montré comment s'y prendre. S'allongeant sur une branche, la panthère appelait : « Viens ici, Petit Frère ! » et Mowgli commença par grimper à la façon du *paresseux* ; mais par la suite il osa se lancer à travers les
20 branches presque aussi hardiment que le Singe Gris.

Il prit sa place au Rocher du Conseil, lorsque le Clan s'y assemblait, et, là, il découvrit qu'en regardant fixement un loup quelconque, il pou-

vait le forcer à baisser les yeux ; ainsi faisait-il pour s'amuser. À d'autres moments, il arrachait les longues épines du poil de ses amis, car les loups
25 souffrent terriblement des épines et de tous les aiguillons qui se logent dans leur fourrure. Il descendait, la nuit, le versant de la montagne, vers les terres cultivées, et regardait avec une grande curiosité les villageois dans leurs huttes ; mais il se méfiait des hommes, parce que Bagheera lui avait montré une boîte carrée, avec une trappe, si habilement dissimulée dans
30 la jungle qu'il marcha presque dessus, et lui avait dit que c'était un piège. Ce qu'il aimait par-dessus tout, c'était de s'enfoncer avec Bagheera au chaud cœur noir de la forêt, pour dormir tout le long de la lourde journée, et voir, quand venait la nuit, comment Bagheera s'y prenait pour tuer : de droite, de gauche, au caprice de sa faim, et de même faisait Mowgli – à
35 une exception près. Aussitôt l'enfant en âge de comprendre, Bagheera lui dit qu'il ne devrait jamais toucher au bétail, parce qu'il avait été racheté, dans le Conseil du Clan, au prix de la vie d'un taureau.

– La jungle t'appartient, dit Bagheera, et tu peux y tuer tout ce que tu es assez fort pour atteindre ; mais, en souvenir du taureau qui t'a racheté,
40 tu ne dois jamais tuer ni manger de bétail jeune ou vieux. C'est la Loi de la jungle.

Mowgli s'y conforma fidèlement.

Il grandit ainsi et devint fort comme fait à l'accoutumée un garçon qui ne va pas à l'école et n'a dans la vie à s'occuper de rien que de choses à
45 manger. Mère Louve lui dit, une fois ou deux, que Shere Khan n'était pas de ceux auxquels on dût se fier, et qu'un jour il lui faudrait tuer Shere Khan ; et sans doute un jeune loup se fût rappelé l'avis à chaque heure de sa vie, mais Mowgli l'oublia, parce qu'il n'était qu'un petit garçon – et pourtant il se serait donné à lui-même le nom de loup, s'il avait su parler
50 quelque langue humaine.

RUDYARD KIPLING, *Le Livre de la jungle*, Mercure de France, 1899
(trad. française)

Parcours de lecture 1

❶ Décrivez l'existence de Mowgli au cœur de la jungle.
a. Quelles sont ses différentes occupations (l. 4 à 12, 12 à 20, puis 31 à 35) ?
b. Cette existence vous fait-elle envie ? Justifiez votre point de vue en citant le texte.

❷ Observez le tableau et répondez aux questions « Du texte à l'image ».

❸ **a.** Quels sont les adultes qui accompagnent Mowgli ?
b. Quel rôle jouent-ils auprès de lui ?

❹ À quelles obligations Mowgli doit-il se soumettre ?

Parcours de lecture 2

❶ **a.** Relevez les différents groupes sujets du verbe *prissent* (l. 10).
b. Qu'apprend ici Père Loup à Mowgli ? Quels sont les sens sollicités dans cet apprentissage ?

❷ Relisez les lignes 12 à 17.
a. À quel temps les verbes sont-ils conjugués ? Quelle est la valeur de ce temps ?
b. Que remarquez-vous à propos de la construction de cette phrase Que nous montre-t-elle de l'existence menée par Mowgli ?

❸ Qu'évoque l'expression « au chaud cœur noir de la forêt » (l. 32) ?

❹ Relisez les lignes 35 à 50.
a. Quels devoirs impose-t-on à Mowgli ?
b. Quelle expression montre que Mowgli obéit à ses éducateurs ? Quelle expression montre l'insouciance de l'enfant ?

❺ Débat Comment qualifieriez-vous l'attitude des adultes qui entourent Mowgli ? Justifiez votre réponse.

Détail de la forêt vierge
(*Forêt vierge avec tigres et chasseurs*),
Henri J.-F. Rousseau (Le Douanier),
huile sur toile, 1907 (coll. privée).

Vocabulaire

1 Associez dans une phrase le verbe (A) et son sujet (B) en conjuguant le verbe au présent.
A. ululer – bêler – beugler – hennir – rugir – bourdonner – couiner
B. l'abeille – le lion – le cheval – la chouette – la souris – la brebis – le veau

2 Donnez pour chacun de ces verbes un nom de la même famille. Quel est le suffixe employé ?

Du texte à l'image

1 Observez cette peinture d'Henri J.-F. Rousseau. Quelle place la végétation occupe-t-elle ?

2 Distinguez-vous facilement les animaux de la végétation ?

3 Qu'éprouvez-vous à la contemplation de cette peinture ? Mettez cela en rapport avec le texte. Que constatez-vous ?

Les Maîtres Mots de la jungle

L'enfant savait grimper presque aussi bien qu'il savait nager, et nager presque aussi bien qu'il savait courir ; aussi Baloo, le Docteur de la Loi, lui apprenait-il les Lois des bois et des eaux : à distinguer une branche pourrie d'une branche saine ; à parler poliment aux abeilles sauvages quand il
5 rencontrait par surprise un de leurs essaims à cinquante pieds au-dessus du sol ; les paroles à dire à Mang, la chauve-souris, quand il la dérangeait dans les branches au milieu du jour ; et la façon d'avertir les serpents d'eau dans les mares avant de plonger au milieu d'eux. Dans la jungle, personne n'aime à être dérangé, et on y est toujours prêt à se jeter sur l'intrus. [...]
10 Tout cela vous donnera une idée de ce qu'il fallait à Mowgli apprendre par cœur : et il se fatiguait beaucoup d'avoir à répéter cent fois la même chose. Mais, comme Baloo le disait à Bagheera, un jour que Mowgli avait reçu la correction d'un coup de patte et s'en était allé bouder :

– Un petit d'homme est un petit d'homme, et il doit apprendre toute...
15 tu entends bien, toute la Loi de la jungle.

– Oui, mais pense combien il est petit, dit la Panthère Noire, qui aurait gâté Mowgli si elle avait fait à sa guise. Comment sa petite tête peut-elle garder tous tes longs discours ?

– Y a-t-il quelque chose dans la jungle de trop petit pour être tué ? Non
20 c'est pourquoi je lui enseigne ces choses, et c'est pourquoi je le corrige oh ! très doucement, lorsqu'il oublie.

– Doucement ! Tu t'y connais, en douceur, vieux Pied de fer, grogna Bagheera. Elle lui a joliment meurtri le visage, aujourd'hui, ta... douceur. Fi

– J'aime mieux le voir meurtri de la tête aux pieds par moi qui l'aime
25 que mésaventure lui survenir à cause de son ignorance, répondit Baloo avec beaucoup de chaleur. Je suis en train de lui apprendre les Maîtres Mots de la jungle appelés à le protéger auprès des oiseaux, du Peuple Serpent, et de tout ce qui chasse sur quatre pieds, sauf son propre Clan Il peut maintenant, s'il veut seulement se rappeler les mots, se réclamer
30 de toute la jungle. Est-ce que cela ne vaut pas une petite correction ? [...

Mowgli, voulant se faire entendre, tirait à pleines poignées sur l'épaule de Bagheera, et lui administrait de vigoureux coups de pied. Quand, enfin tous deux prêtèrent l'oreille, il cria très fort :

– Moi aussi, j'aurai une tribu à moi, une tribu à conduire à travers le
35 branches toute la journée.

– Quelle est cette nouvelle folie, petit songeur de chimères ? dit Bagheera

– Oui, et pour jeter des branches et de la crotte au vieux Baloo, continua Mowgli. Ils me l'ont promis. Ah !

– Whoof !
40 La grosse patte de Baloo jeta Mowgli à bas du dos de Bagheera, e l'enfant, tombé en boule entre les grosses pattes de devant, put voir qu l'Ours était en colère.

Shere Khan, illustration **de Pierre Falké**, 1934.

– Mowgli, dit Baloo, tu as parlé aux Bandar-Log, le Peuple Singe. Mowgli regarda Bagheera pour voir si la Panthère se fâchait aussi : les yeux de Bagheera étaient aussi durs que des pierres de jade.

45

– Tu as frayé avec le Peuple Singe… les singes gris… le peuple sans loi… les mangeurs de tout. C'est une grande honte.

– Quand Baloo m'a meurtri la tête, dit Mowgli (il était encore sur le dos), je suis parti, et les singes gris sont descendus des arbres pour s'apitoyer sur moi. Personne autre ne s'en souciait.

50

Il se mit à pleurnicher. […]

– Écoute, petit d'homme, dit l'Ours, – et sa voix gronda comme le tonnerre dans la nuit chaude – je t'ai appris toute la Loi de la jungle pour tous les Peuples de la jungle… sauf le Peuple Singe, qui vit dans les arbres.

55

Ils n'ont pas de loi. Ils n'ont pas de patrie. Ils n'ont pas de langage à eux, mais se servent de mots volés, entendus par hasard lorsqu'ils écoutent et nous épient, là-haut, à l'affût dans les branches. Leur chemin n'est pas le nôtre. Ils n'ont pas de chefs. Ils n'ont pas de mémoire. Ils se vantent et jacassent, et se donnent pour un grand peuple prêt à faire de grandes choses dans la jungle ; mais la chute d'une noix suffit à détourner leurs idées, ils rient, et tout est oublié.

60

RUDYARD KIPLING, *Le Livre de la jungle*, Mercure de France, 1899
(trad. française).

Lecture

Pour bien lire

1 Qu'apprend Mowgli auprès de Baloo ?

2 Sur quel sujet Baloo et Bagheera sont-ils en désaccord ?

3 De quelle manière Mowgli provoque-t-il ses éducateurs ? Comment réagissent-ils ?

4 Quel peuple Mowgli a-t-il fréquenté ? À quelle occasion ? Qu'apprend-on au sujet de ce peuple ?

Pour approfondir

Tâche complexe

5 Quelles sont les deux conceptions éducatives qui opposent Baloo et Bagheera ?

▶ **Coup de pouce**

1. Observez ce que Baloo cherche à transmettre à Mowgli à travers les *Maîtres Mots*.
2. Relevez ce que reproche Bagherra à Baloo.
3. Expliquez leur point de vue en reprenant, avec vos propres mots, leurs arguments.
Commencez ainsi : « Bagheera estime que… », « Baloo pense que … ».
4. Exprimez votre point de vue sur ce sujet.

6 Mowgli semble-t-il redouter ses deux éducateurs ? Justifiez votre réponse en citant le texte.

7 À partir de la ligne 40, relevez les expressions qui évoquent la colère de Baloo et Bagheera.

8 **a.** Lignes 55 à 61, quelle forme de phrase Baloo emploie-t-il pour décrire le Peuple Singe ?
b. Relevez les verbes à connotation péjorative.
c. Qu'est-ce qui caractérise ce peuple ?

Vocabulaire

1 Donnez deux synonymes au verbe *enseigner*.

2 Proposez pour chacun de ces verbes un nom de la même famille, dont vous soulignerez le suffixe.

Écriture

Employez des formules de politesse : atténuez les ordres suivants en employant la phrase interrogative.
Exemple : *Serpents, laissez-moi traverser ce lac à la nage.*
→ *Serpents, voudriez-vous me laisser traverser ce lac à la nage ?*

1. Abeilles, apportez-moi du miel de votre ruche.
2. Éléphant, emmène-moi sur ton dos.
3. Baloo, va me chercher cette noix de coco.

Le peuple sans loi

Mowgli se laisse enlever par le peuple des Bandar-Log et s'en amuse jusqu'au moment où il comprend dans quel piège il est tombé. Pendant ce temps, Bagheera et Baloo font appel au grand python Kaa pour organiser le sauvetage de l'enfant.

Babouin,
gravure de John Ihle,
XVIIIᵉ siècle.

Tout meurtri, las et à jeun qu'il fût, Mowgli ne put, malgré tout, s'empêcher de rire quand les Bandar-Log se mirent, par vingt à la fois, à lui remontrer combien ils étaient grands, sages, forts et doux, et
5 quelle folie c'était à lui de vouloir les quitter.

– Nous sommes grands. Nous sommes libres. Nous sommes étonnants. Nous sommes le peuple le plus étonnant de toute la jungle ! Nous le disons tous, aussi ce doit être vrai, criaient-ils. Maintenant,
10 comme tu nous entends pour la première fois, et que tu es à même de rapporter nos paroles au Peuple de la jungle afin qu'il nous remarque dans l'avenir, nous te dirons tout ce qui concerne nos excellentes personnes.

15 Mowgli ne fit aucune objection, et les singes se rassemblèrent par centaines et centaines sur la terrasse pour écouter leurs propres orateurs chanter les louanges des Bandar-Log, et, toutes les fois qu'un orateur s'arrêtait par manque de respiration, ils criaient tous ensemble :

20 – C'est vrai, nous pensons de même.

Mowgli hochait la tête, battait des paupières et disait : *Oui* quand ils lui posaient une question ; mais tant de bruit lui donnait le vertige.

Tabaqui, le Chacal, doit avoir mordu tous ces gens, songeait-il, et maintenant ils ont la rage. Certainement, c'est la *dezvanee*, la folie. Ne dor-
25 ment-ils donc jamais ?... Tiens, voici un nuage sur cette lune de malheur. Si c'était seulement un nuage assez gros pour que je puisse tenter de fuir dans l'obscurité. Mais... je suis si las.

Deux fidèles guettaient le même nuage du fond du fossé en ruine, au bas du mur de la ville ; car Bagheera et Kaa, sachant bien le danger que
30 présentait le Peuple Singe en masse, ne voulaient pas courir de risques inutiles. Les singes ne luttent jamais à moins d'être cent contre un, et peu d'habitants de la jungle tiennent à jouer semblable partie.

– Je vais gravir le mur de l'ouest, murmura Kaa, et fondre sur eux brusquement à la faveur du sol en pente. Ils ne se jetteront pas sur mon dos
35 à moi, malgré leur nombre, mais...

– Je le sais, dit Bagheera. Que Baloo n'est-il ici ! Mais il faut faire ce qu'on peut. Quand ce nuage va couvrir la lune, j'irai vers la terrasse : ils tiennent là une sorte de conseil au sujet de l'enfant.

– Bonne chasse, dit Kaa d'un air sombre.

40 Et il glissa vers le mur de l'ouest. C'était le moins en ruine, et le gros serpent perdit quelque temps à trouver un chemin pour atteindre le haut des pierres. Le nuage cachait la lune, et comme Mowgli se demandait ce qui allait survenir, il entendit le pas léger de Bagheera sur la terrasse. La Panthère Noire avait gravi le talus presque sans bruit, et, sachant qu'il 45 ne fallait pas perdre son temps à mordre, frappait de droite et de gauche parmi les singes assis autour de Mowgli en cercle de cinquante et soixante rangs d'épaisseur. Il y eut un hurlement d'effroi et de rage, et, comme Bagheera trébuchait sur les corps qui roulaient en se débattant sous son poids, un singe cria :

50 – Il n'y en a qu'un ici ! Tuez-le ! Tue !

Une mêlée confuse de singes, mordant, griffant, déchirant, arrachant, se referma sur Bagheera, pendant que cinq ou six d'entre eux, s'emparant de Mowgli, le remorquaient jusqu'en haut du pavillon et le poussaient par le trou du dôme brisé. Un enfant élevé par les hommes se fût 55 affreusement contusionné, car la chute mesurait quinze bons pieds ; mais Mowgli tomba comme Baloo lui avait appris à tomber, et toucha le sol les pieds les premiers.

– Reste ici, crièrent les singes, jusqu'à ce que nous ayons tué tes amis, et plus tard nous reviendrons jouer avec toi... si le Peuple Venimeux te 60 laisse en vie.

RUDYARD KIPLING, *Le Livre de la jungle*, Mercure de France, 1899
(trad. française).

Lecture

Pour bien lire

1 Au début du texte, où Mowgli se trouve-t-il et dans quel état ?

2 Pourquoi ne parvient-il pas à se sauver ?

3 Qui lui vient en aide ? Comment les singes réagissent-ils ?

Pour approfondir

4 **a.** Lignes 6 à 14, quels adjectifs les singes emploient-ils pour se qualifier ?
b. Relevez, lignes 17 et 18, une expression qui signifie « dire du bien de quelqu'un ».
c. En quoi cette scène vient-elle confirmer le discours de Baloo (texte 3) ?

5 « Nous le disons tous, aussi ce doit être vrai » : que pensez-vous de ce raisonnement ? Que montre-t-il du Peuple Singe ?

6 Comment évolue l'opinion de Mowgli à l'égard des singes ?

7 **a.** Relevez, lignes 51-52, une énumération de participes présents : comment les singes se comportent-ils lors du combat ?
b. Citez une phrase qui montre leur lâcheté.
c. De quelles qualités Bagheera et Kaa font-ils preuve ? Justifiez votre réponse.

Vocabulaire

Dans chaque phrase, remplacez le verbe prendre par un verbe plus précis de la liste suivante : *happer – attraper – empoigner – saisir – s'emparer de – dérober.*

1. Sans bruit le voleur ouvre le coffre et prend le collier.
2. Le chien prend avidement le morceau de lard qu'on lui lance.
3. Nicolas prend son ennemi par le collet et le jette à terre.
4. Dans un mouvement de colère, mon frère prend la lettre posée sur la table et la jette sur le sol.
5. Le blessé prend la corde que lui ont lancée les sauveteurs.
6. D'un geste vif et taquin, un camarade prend ma casquette.

Maintenant, je vois que tu es un homme

Mowgli a grandi. Akela, le chef du clan, s'affaiblit. Shere Khan, qui s'est attiré les faveurs des jeunes loups, espère le remplacer et ainsi assouvir sa vengeance en demandant au clan de lui livrer Mowgli. Si Akela prend la défense de l'enfant, la plupart des loups se rangent du côté de Shere Khan. Le petit d'homme, à qui Bagheera avait conseillé de s'emparer de la Fleur Rouge, se lève et prend la parole.

Écoutez ! Il n'y a pas besoin de criailler comme des chiens. Vous m'avez dit trop souvent, cette nuit, que je suis un homme (et cependant je serais resté un loup, avec vous, jusqu'à la fin de ma vie) ; je sens la vérité de vos paroles. Aussi, je ne vous appelle plus mes frères, mais sag (chiens),
5 comme vous appellerait un homme... Ce que vous ferez, et ce que vous ne ferez pas, ce n'est pas à vous de le dire. C'est moi que cela regarde ; et afin que nous puissions tirer la chose au clair, moi, l'homme, j'ai apporté ici un peu de la Fleur Rouge que vous, chiens, vous craignez.

Il jeta le pot sur le sol, et quelques charbons rouges allumèrent une touffe
10 de mousse sèche qui flamba, tandis que tout le Conseil reculait de terreur devant les sauts de la flamme.

Mowgli enfonça la branche morte dans le feu jusqu'a ce qu'il vît des brindilles se tordre et crépiter, puis il la fit tournoyer au-dessus de sa tête au milieu des loups qui rampaient de terreur.

15 – Tu es le maître ! fit Bagheera à voix basse. Sauve Akela de la mort. Il a toujours été ton ami.

Akela, le vieux loup farouche, qui n'avait jamais imploré de merci dans sa vie, jeta un regard suppliant à Mowgli, debout près de lui, tout nu, sa longue chevelure noire flottant sur ses épaules, dans la lumière de la branche
20 flamboyante qui faisait danser et vaciller les ombres.

– Bien ! dit Mowgli, en promenant avec lenteur un regard circulaire. Je vois que vous êtes des chiens. Je vous quitte pour retourner à mes pareils... si vraiment ils sont mes pareils... La jungle m'est fermée, je dois oublier votre langue et votre compagnie ; mais je serai plus miséricordieux que
25 vous : parce que j'ai été votre frère en tout, sauf par le sang, je promets lorsque je serai un homme parmi les hommes, de ne pas vous trahir auprès d'eux comme vous m'avez trahi.

Il donna un coup de pied dans le feu, et les étincelles volèrent.

– Il n'y aura point de guerre entre aucun de nous dans le Clan. Mais il
30 y a une dette qu'il me faut payer avant de partir.

Il marcha à grands pas vers l'endroit où Shere Khan couché clignait de l'œil stupidement aux flammes, et le prit, par la touffe de poils, sous le menton. Bagheera suivait, en cas d'accident.

– Debout, chien ! cria Mowgli. Debout quand un homme parle, ou je
35 mets le feu à ta robe !

Tigre se léchant une patte, **Eugène Delacroix**
(1798-1863), huile sur toile (coll. privée).

Les oreilles de Shere Khan s'aplatirent sur sa tête, et il ferma les yeux, car la branche flamboyante était tout près de lui.

– Cet égorgeur de bétail a dit qu'il me tuerait en plein Conseil, parce qu'il ne m'avait pas tué quand j'étais petit. Voici... et voilà... comment nous, 40 les hommes, nous battons les chiens. Remue seulement une moustache, Lungri, et je t'enfonce la Fleur Rouge dans la gorge !

Il frappa Shere Khan de sa branche sur la tête, tandis que le tigre geignait et pleurnichait en une agonie d'épouvante.

– Peuh ! chat de jungle roussi, va-t'en, maintenant, mais souviens-toi 45 de mes paroles : la première fois que je reviendrai au Rocher du Conseil, comme il sied que vienne un homme, ce sera coiffé de la peau de Shere Khan. Quant au reste, Akela est libre de vivre comme il lui plaît. Vous ne le tuerez pas, parce que je le défends. […]

Le feu brûlait furieusement au bout de la branche, et Mowgli frap-50 pait de droite et de gauche autour du cercle, et les loups s'enfuyaient en hurlant sous les étincelles qui brûlaient leur fourrure. […] Alors Mowgli commença de sentir quelque chose de douloureux au fond de lui-même, quelque chose qu'il ne se rappelait pas avoir jamais senti jusqu'à ce jour ; il reprit haleine et sanglota, et les larmes coulaient sur son visage.

55 – Qu'est-ce que c'est ? Qu'est-ce que c'est ? dit-il. Je n'ai pas envie de quitter la jungle… et je ne sais pas ce que j'ai. Vais-je mourir Bagheera ?

– Non, Petit Frère. Ce ne sont que des larmes, comme il arrive aux hommes, dit Bagheera. Maintenant, je vois que tu es un homme, et non plus un petit d'homme. Oui, la jungle t'est bien fermée désormais… Laisse-
60 les couler, Mowgli. Ce sont seulement des larmes.

RUDYARD KIPLING, *Le Livre de la jungle*, Mercure de France, 1899 (trad. française).

Mowgli combattant un tigre, **lithographie de Stuart Tresilian,** 1943 (coll. privée).

Lecture

Pour bien lire

1 Quelle place Shere Khan cherche-t-il à occuper au sein du clan ? Dans quel but ?

2 Quel objet permet à Mowgli d'affirmer son autorité au sein du clan ?

3 Quelle décision Mowgli prend-il ici ? Qu'éprouve l'enfant à la fin du texte ?

Pour approfondir

Tâche complexe

4 Comment Mowgli s'y prend-il pour dominer le clan ?

▶ **Coup de pouce**

1. Notez comment Mowgli nomme les loups et les surnoms qu'il donne à Shere Khan.
2. Relevez, parmi les répliques de Mowgli, celles qui montrent son autorité sur les bêtes présentes.
3. Indiquez les gestes qui montrent sa supériorité sur le clan.
4. Relevez, dans l'ensemble du texte, les expressions qui montrent la soumission des bêtes.

5 Comparez la dernière réplique de Mowgli avec toutes les précédentes. Que remarquez-vous ?

6 Pourquoi ce passage est-il une étape importante dans la vie de Mowgli ? Qu'y découvre-t-il de lui-même ? Quelles différentes émotions éprouvent-ils ? Répondez en un court paragraphe.

Vocabulaire

1 Proposez un synonyme à l'adjectif *flamboyant*.

2 Cherchez, dans les lignes 17 à 20, un verbe qui signifie « trembler, scintiller faiblement ». Donnez un adjectif de la même famille.

3 Donnez un adjectif et un verbe de la même famille que le mot *étincelle*. Conjuguez le verbe à toutes les personnes du présent de l'indicatif.

4 Complétez les phrases suivantes avec les adjectifs que vous avez trouvés aux questions précédentes.
1. Achille apparut dans son armure …
2. L'éclat … de l'incendie se reflétait jusqu'au village voisin.
3. Il écrivait à la lueur … de la bougie.

Chassé du peuple des hommes

Après sa querelle avec le Clan au Rocher du Conseil, Mowgli rejoint les hommes. Messua, une villageoise croit reconnaître en lui son fils enlevé par un tigre. Elle l'accueille et lui apprend les coutumes et la langue des hommes, mais l'enfant s'intègre mal et remet sans cesse en cause leurs croyances et leurs superstitions. On lui confie la garde du troupeau de buffles.

Alors que Shere Khan menace de le tuer, Mowgli décide de s'en débarrasser. Aidé de frère loup et d'Akela, il lance le troupeau de buffles sur Shere Khan endormi au fond d'un ravin.

Et le torrent de cornes noires, de mufles écumants, d'yeux fixes, tourbillonna dans le ravin, absolument comme roulent des rochers en temps d'inondation, les buffles plus faibles rejetés vers les flancs du ravin qu'ils frôlaient en écorchant la brousse. Ils savaient maintenant quelle besogne
5 les attendait en avant – la terrible charge des buffles à laquelle nul tigre ne peut espérer de résister. Shere Khan entendit le tonnerre de leurs sabots, se leva et rampa lourdement vers le bas du ravin, cherchant de tous côtés un moyen de s'enfuir ; mais les parois étaient à pic, il lui fallait rester là, lourd de son repas et de l'eau qu'il avait bue, prêt à tout plutôt que de
10 livrer bataille. Le troupeau plongea dans la mare, qu'il venait de quitter, en faisant retentir l'étroit vallon de ses mugissements. […]

Akela et Frère Gris coururent de côté et d'autre en mordillant les buffles aux jambes, et, bien que le troupeau fît d'abord volte-face pour charger de nouveau en remontant la gorge, Mowgli réussit à faire tourner Rama, et
15 les autres le suivirent aux marécages. Il n'y avait plus besoin de trépigner Shere Khan. Il était mort, et les vautours arrivaient déjà.

– Frères, il est mort comme un chien, dit Mowgli, en cherchant de la main le couteau qu'il portait toujours dans une gaine suspendue à son cou maintenant qu'il vivait avec les hommes. Mais il ne se serait jamais
20 battu… Wallah ! sa peau fera bien sur le Rocher du Conseil. Il faut nous mette à la besogne lestement.

Buldeo, le vieux chasseur du village veut récupérer la peau du tigre à la place de Mowgli, mais celui-ci le défie et envoie à ses trousses les deux loups.

Buldeo s'en alla clopin-clopant vers le village, aussi vite qu'il pouvait, regardant par-dessus son épaule pour le cas où Mowgli se serait métamorphosé en quelque chose de terrible. À peine arrivé, il raconta une his-
25 toire de magie, d'enchantement et de sortiège, qui fit faire au prêtre une mine très grave.

Mowgli continua sa besogne, mais le jour tombait que les loups et lui n'avaient pas séparé complètement du corps la grande et rutilante fourrure.

30   – Maintenant, il nous faut cacher ceci et rentrer les buffles. Aide-moi à les rassembler, Akela.

Le troupeau rallié s'ébranla dans le brouillard du crépuscule. En approchant du village, Mowgli vit des lumières, il entendit souffler et sonner les conques et les cloches. La moitié du village semblait l'attendre à la
35 barrière.

– C'est parce que j'ai tué Shere Khan ! se dit-il.

Mais une grêle de pierres siffla à ses oreilles, et les villageois crièrent :

– Sorcier ! Fils de loup ! Démon de la jungle ! Va-t'en ! Va-t'en bien vite, ou le prêtre te fendra ta forme de loup. Tire, Buldeo, tire !

40   Le vieux mousquet partit avec un grand bruit et un jeune buffle poussa un gémissement de douleur.

– Encore de la sorcellerie ! crièrent les villageois. Il peut faire dévier les balles... Buldeo, c'est justement ton buffle.

– Qu'est ceci maintenant ? demanda Mowgli stupéfait, tandis que les
45 pierres s'abattaient dru autour de lui.

– Ils sont assez pareils à ceux du Clan, tes frères d'ici ! dit Akela, en s'asseyant avec calme. Il me paraît que si les balles veulent dire quelque chose, on a envie de te chasser.

– Loup ! Petit de loup ! Va-t'en ! cria le prêtre en agitant un brin de la
50 plante sacrée, appelée tulsi.

– Encore ? L'autre fois, c'était parce que j'étais un homme. Cette fois, c'est parce que je suis un loup. Allons-nous-en, Akela.

Une femme – c'était Messua – courut vers le troupeau et pleura :

– Oh ! mon fils, mon fils ! Ils disent que tu es un sorcier qui peut se
55 changer en bête à volonté. Je ne le crois pas, mais va-t'en, ou ils vont te tuer. Buldeo raconte que tu es un magicien, mais moi je sais que tu as vengé la mort de Nathoo.

– Reviens, Messua ! cria la foule. Reviens, ou l'on va te lapider !

Mowgli se mit à rire, d'un vilain petit rire sec, une pierre venait de l'at-
60 teindre à la bouche :

– Rentre vite, Messua. C'est une de ces fables ridicules qu'ils répètent sous le gros arbre, à la tombée de la nuit. Au moins, j'aurai payé la vie de ton fils.

Adieu, et dépêche-toi, car je vais leur renvoyer le troupeau plus vite que
65 n'arrivent leurs tessons. Je ne suis pas sorcier, Messua. Adieu !

– Maintenant, encore un effort, Akela ! cria-t-il. Fais rentrer le troupeau.

Les buffles n'avaient pas besoin d'être pressés pour regagner le village. Au premier hurlement d'Akela, ils chargèrent comme une trombe à travers la barrière, dispersant la foule de droite et de gauche.

70   Faites votre compte, cria dédaigneusement Mowgli. J'en ai peut-être volé un. Comptez-les bien, car je ne serai plus jamais berger sur vos pâturages. Adieu, enfants des hommes, et remerciez Messua de ce que je ne vienne pas avec mes loups vous pour chasser dans votre rue !

Il fit demi-tour, et s'en fut en compagnie du Loup solitaire ; et, comme
75 il regardait les étoiles, il se sentit heureux.

     RUDYARD KIPLING, *Le Livre de la jungle*, Mercure de France, 1899 (trad. française).

Mowgli et les loups,
**illustration de Maurice
de Becque**, 1930 (BNF, Paris).

Lecture

Pour bien lire

1 Comment Mowgli se sent-il auprès des hommes ? Quelle tâche lui confie-t-on ?

2 Comment s'y prend-il pour se débarrasser de Shere Khan ? Qui l'aide dans cette entreprise ?

3 Comment est-il accueilli à son retour ?

Pour approfondir

4 Relevez, lignes 1 à 4, le champ lexical de l'eau. À quoi est comparée la charge des buffles ?

5 Dans quel état se trouve Shere Khan au moment de l'attaque ? À quelle sorte de mort Mowgli le condamne-t-il ?

6 **a.** Qu'entend et que voit Mowgli en s'approchant du village. À quoi s'attend-il ?
b. Quel mot de liaison montre qu'il se trompe ?

7 Comparez la manière dont Mowgli est exclu du peuple des hommes avec celle où il est exclu du clan (texte 5). Que remarquez-vous ?

> Tâche complexe

▶ **Coup de pouce**
1. Observez la manière dont les hommes chassent Mowgli. Qui les y incite ? Comparez avec la manière dont les loups l'ont chassé.
2. Des lignes 61 à 63, relevez le groupe nominal employé par Mowgli pour désigner les histoires que se racontent les hommes du clan.
3. Montrez en quoi Mowgli se montre plus malin que les adultes.
4. Observez avec qui Mowgli part à la fin. Réfléchissez à la manière dont il peut se sentir. À votre avis, pourquoi ?

Vocabulaire

1 Expliquez la construction du mot *ensorcellement*. En employant la même construction, trouvez un synonyme à partir du radical *chant*.

2 Le mot *carmen* en latin signifie « chant magique » et a donné le mot *charme*. Que signifie l'expression « jeter un charme sur quelqu'un » ?

3 Qu'est-ce que la *superstition* ? Donnez des exemples de croyance superstitieuse.

Écriture

Mowgli retrouve Bagheera et lui dit ce qu'il pense des hommes. Rédigez ce dialogue.

Dans les romans d'aventure, le personnage principal subit des épreuves qui le font changer. C'est ce qu'on appelle un récit initiatique.

Les étapes de cette initiation

A Le dénuement

1 « *Devant la porte s'appuyant sur une branche basse se tenait un petit tout nu qui pouvait à peine marcher.* » Dans quel état se trouve Mowgli au début de l'histoire ?

2 « *Il n'a pas un poil et je pourrais le tuer en le touchant du pied* », dit Père Loup. « *Le petit d'homme est à nous pour le tuer s'il nous plaît* », dit Mère Loup.
a. Qu'est-ce qui caractérise Père Loup et Mère Loup ?
b. Malgré cela, que se proposent-ils de faire de l'enfant ?

3 « *Emmenez-le et dressez-le comme un membre du peuple libre* », dit Akela. À partir de quel moment, l'identité de Mowgli est-elle reconnue par tous les loups ?

B L'apprentissage des lois

4 « *Donnez-moi la liberté de chasser ici. – Chasse donc pour ta faim et non pour ton plaisir.* » Qu'apprend Mowgli auprès de Baloo ?

5 À quoi lui servent les Maîtres Mots ?

C La tentation de l'interdit

« *… alors ils m'ont donné des noix et tout plein de bonnes choses à manger.* »

6 Que cherche Mowgli en rejoignant le Peuple Singe ?

7 Que trouve-t-il en réalité aux Grottes Froides ?

D Un premier arrachement

8 « *Remue seulement une moustache, Lungri, et je t'enfonce la Fleur Rouge dans la gorge !* », dit Mowgli à Shere Khan. Comparez la situation de Mowgli au moment où il prononce cette phrase avec celle de son arrivée à la grotte des loups : que remarquez-vous ?

9 « *Alors Mowgli commença à sentir quelque chose de douloureux au fond de lui-même [...] – Qu'est-ce que c'est, qu'est-ce que j'ai ? Vais-je mourir Bagheera ?* »
a. Que perd Mowgli en quittant la jungle ?
b. Qu'apprend-il auprès des hommes ?

Faith (« confianc foi »), sculpture d'Anton Smit, vignoble Delaire Afrique du Sud.

E La conquête de l'indépendance

10 « *Wallah ! sa peau fera bien sur le Rocher du Conseil.* » Que veut montrer Mowgli au Clan en y amenant la peau de Shere Khan ?

11 « *Je ne suis pas sorcier, Messua. Adieu !* » Pourquoi Mowgli ne s'est-il jamais intégré au peuple des hommes ? De quelle qualité fait-il preuve ?

12 Que gagne-t-il à être chassé du peuple des hommes ?

Les valeurs transmises par Kipling

Si : Tu seras un homme, mon fils

Si tu peux voir détruit l'ouvrage de ta vie
Et sans dire un seul mot te mettre à rebâtir,
Ou, perdre d'un seul coup le gain de cent parties
Sans un geste et sans un soupir ;

Si tu peux être amant sans être fou d'amour,
Si tu peux être fort sans cesser d'être tendre
Et, te sentant haï sans haïr à ton tour,
Pourtant lutter et te défendre ;

Si tu peux supporter d'entendre tes paroles
Travesties par des gueux pour exciter des sots,
Et d'entendre mentir sur toi leur bouche folle,
Sans mentir toi-même d'un seul mot ;

[…]

Si tu peux rencontrer Triomphe après Défaite
Et recevoir ces deux menteurs d'un même front,
Si tu peux conserver ton courage et ta tête
Quand tous les autres les perdront,

Alors, les Rois, les Dieux, la Chance et la Victoire
Seront à tout jamais tes esclaves soumis
Et, ce qui vaut mieux que les Rois et la Gloire,
Tu seras un Homme, mon fils.

RUDYARD KIPLING, trad. André Maurois, 1918.

1 À qui s'adresse ce poème ? Dans quel but ?

2 Quelles qualités sont décrites dans chacune de ces strophes ? À quels moments du récit Mowgli fait-il preuve de ces qualités ?

3 Lisez la dernière strophe : comment s'y prend le poète pour mettre en valeur ces qualités ?

Les sentiments

1 Recopiez et complétez la deuxième phrase par un adjectif de façon à exprimer le contraire du sentiment traduit dans la première.

1. Nous nous sommes bien amusés. → Nous nous sommes beaucoup ....

2. Nous étions pleins d'espérance. → Nous étions ....

3. J'étais enchanté de cette nouvelle. → J'étais ... de cette nouvelle.

4. Je ne devais pas participer à ce voyage. Comme j'étais déçu ! → J'allais participer à ce voyage. Comme j'étais ....

2 Recopiez et complétez la seconde phrase avec les mots suivants, de façon à traduire sous une autre forme le sentiment exprimé.

être exaspéré – dépité – révolté – interloqué – ahuri – frappé de stupeur

1. J'étais à la fois étonné et effrayé. → J'étais ....

2. J'étais si étonné que tout d'abord, je ne compris pas ce qui m'arrivait. → Je demeurai ....

3. Je fus si étonné de sa demande que je ne sus rien lui répondre. → J'étais ....

4. Devant une telle insistance, la colère me prit, je perdis patience. → J'étais ....

5. J'étais furieux devant une telle injustice. → J'étais ....

6. J'étais fâché et vexé, car la récompense que je croyais obtenir fut remise à mon camarade. → J'étais ....

3 **a.** Regroupez ces mots par couples d'antonymes (mots de sens contraires).

solitaire •	• indulgent
paisible •	• bourru
sévère •	• cupide
aimable •	• sociable
généreux •	• tourmenté

b. Recopiez et complétez les phrases suivantes par l'un des adjectifs ci-dessus.

1. À la fin de sa vie, Akela est devenu un animal ....

2. Lorsque Mowgli est chassé par les hommes, sa mère est ....

3. Bagheera accepte facilement que Mowgli se trompe. Elle se montre plus ... que Baloo.

4. Mon voisin ne dit jamais bonjour. Il est ....

5. Cet homme ... renferme ses trésors et en prive ses enfants.

4 Pour qui éprouvez-vous les sentiments suivants ?

admiration – tendresse – rancune – compassion – antipathie – gratitude

1. Votre petit frère qui n'a encore que quelques mois.

2. Le coureur qui a remporté le Tour de France.

3. Un élève qui médit souvent sur les autres.

4. Le pompier qui vous a sauvé de la noyade.

5. Ce camarade qui a trahi votre secret.

6. Votre grand-mère malade.

5 Classez les verbes suivants de manière croissante.

chérir – affectionner – aimer – adorer

6 Remplacez les verbes en gras par l'un des synonymes suivants.

serrer – ressentir – haïr – s'enfouir

1. Comme je les **maudis** de m'avoir laissé seul au milieu de cette ville !

2. Une angoisse m'**étreint** le cœur.

3. Je **me plonge** avec ravissement dans la contemplation de ce spectacle.

4. Il **éprouve** une grande affection pour cet ami.

7 Recopiez et complétez ces phrases par des mots de la famille de :

a. pitié

1. L'enfant sortit de la bagarre dans un état ... : son pantalon était déchiré et ses lunettes cassées.

2. L'... marâtre refusa à Cendrillon le droit de se rendre au bal.

3. Nous nous ... sur les souffrances de ces malades.

b. digne

1. Mon grand-père ... de notre manque de politesse.

2. Il garda son calme et sa ..., malgré l'affront qui lui était fait.

3. Elle nous a trahis, elle est ... de notre confiance.

8 **a.** Quel sentiment évoquent les verbes suivants ?

enrager – agacer – s'irriter – s'emporter

b. Recopiez et complétez les phrases suivantes à l'aide de ces verbes.

1. Le bourdonnement de l'insecte ... l'homme qui cherche le sommeil.

2. Elle manque de patience et ... de ne pas résoudre ce problème.

3. Mon père ... vite.

4. Shere Khan... de ne pouvoir tuer l'enfant.

Exprimer un sentiment et éviter les répétitions

→ Exprimer un sentiment

1 Voici deux manières de construire des phrases exclamatives :
– « Quelle belle chenille, grosse, velue, brune, avec ses points d'or et ses yeux noirs ! » (Renard)
– « Comme je les maudissais, comme je les détestais ! » (Daudet)

Transformez les phrases suivantes en employant l'une de ces formes exclamatives.

1. La pluie est triste, en hiver, lorsqu'elle tombe à travers les arbres dépouillés.
2. J'éprouverais un grand bonheur si je revoyais cet ami.
3. Lorsque je compris qu'ils organisaient cette fête sans moi, j'éprouvais une grande amertume.
4. Mowgli s'amuse beaucoup en parcourant la jungle sur le dos de Bagheera.
5. L'enfant a ressenti une peur vive à l'approche de ce serpent.

2 **Transformez les phrases selon le modèle.**
Exemple : C'est amusant de grimper aux arbres.
→ Rien n'est plus amusant que de grimper aux arbres !

1. C'est agréable d'entendre la pluie tomber sur les larges feuilles. – **2.** C'est effrayant d'imaginer tous les dangers que cache la jungle. – **3.** C'est désagréable d'entendre ce sorcier abreuver les villageois d'histoires mensongères. – **4.** C'est étonnant, cet enfant élevé par des loups.

3 **Pour donner plus d'intensité à une phrase déclarative, transformez-la en phrase interro-négative.**
Exemple : Ces villageois sont bien crédules.
→ Ne sont-ils pas crédules, ces villageois ?

1. Ce petit d'homme nu et potelé est bien mignon. – **2.** Le tigre se montre bien lâche face à la Fleur Rouge. – **3.** Mowgli s'est senti bien triste au moment où il fut chassé du clan. – **4.** Cette histoire est tout à fait étonnante. – **5.** Vous oubliez bien facilement l'origine de toute cette affaire.

4 **Transformez les phrases selon le modèle suivant.**
Exemple : Il a réussi grâce à sa persévérance.
→ C'est grâce à sa persévérance qu'il a réussi.

1. Le dévouement de Mère Loup l'a sauvé. – **2.** En faisant chaque jour de petits efforts, on arrive à de grands résultats. – **3.** Ils ont été avertis à temps grâce aux hurlements du loup. – **4.** Il a réalisé cette belle performance parce qu'il s'est longtemps entraîné. – **5.** Cette chanson a beaucoup de succès parce qu'elle est très émouvante.

→ Éviter les répétitions

5 **Pour chaque phrase, évitez les répétitions en employant des pronoms personnels.**

1. À peine Mowgli se dirigeait-il vers les murs de la ville que les singes tirèrent Mowgli en arrière, en disant à Mowgli que Mowgli ne connaissait pas son bonheur.
2. Lève ta main et donne-moi ta main afin que je te hisse de là.
3. Alors commença au milieu des arbres la fuite du Peuple Singe. Les singes ont, dans les arbres, leurs routes régulières et leurs chemins de traverse.

6 **Pour chaque phrase, évitez les répétitions en désignant le personnage d'une autre manière.**

1. Deux des singes les plus forts avaient empoigné Mowgli sous les bras. Seuls, ils auraient avancé deux fois plus vite, mais le poids de Mowgli le retardait.
2. Mowgli grimpait aux arbres pour chercher des noix et Bagheera lui montrait comment faire. S'allongeant sur une branche, Bagheera l'appelait : « Viens par ici, petit frère. »
3. Baloo et Bagheera partirent à la recherche de Kaa. Ils trouvèrent Kaa étendu sur une saillie de roc que chauffait le soleil.

7 **Réécrivez ce texte afin d'éviter les nombreuses répétitions. Vous emploierez des pronoms ou vous désignerez les personnages d'une autre manière.**

La tante Mélina était une très vieille et très méchante femme, qui avait une bouche sans dents et un menton plein de barbe. Quand Delphine et Marinette allaient la voir dans son village, la tante Mélina ne se lassait pas d'embrasser Delphine et Marinette, ce qui n'était pas très agréable, à cause de la barbe, et la tante Mélina en profitait pour pincer Delphine et Marinette et tirer les cheveux à Delphine et Marinette. Son plaisir était d'obliger Delphine et Marinette à manger d'un pain et d'un fromage que la tante Mélina avait mis à moisir en prévision de leur visite. En outre, la tante Mélina trouvait que Delphine et Marinette lui ressemblaient beaucoup et affirmait qu'avant la fin de l'année, Delphine et Marinette seraient devenues ses deux fidèles portraits, ce qui était effrayant à penser.

D'après **M. Aymé**, « La patte du chat »,
Les Contes du chat perché, © Éd. Gallimard.

Raconter un épisode des aventures de Mowgli

SUJET

Imaginez un nouvel épisode des aventures de Mowgli.

Alors qu'il vit dans la jungle, entouré de ses amis, il va subir une épreuve qui le fera grandir et au cours de laquelle il découvrira au choix l'un de ces sentiments : la compassion, la gratitude, la révolte.

Conseils de rédaction

• Commencez par décrire Mowgli dans une situation qui lui est habituelle (promenade seul ou avec Bagheera, leçon avec Baloo, jeux avec Frère Loup…).

• Imaginez ensuite un événement qui le met à l'épreuve.

• Décrivez le sentiment du personnage et son évolution.

Le Second Livre de la jungle, de R. Kipling, illustration de John Lockwood Kipling, 1895.

Méthode   Rédiger en décrivant des sentiments

Cherchez des idées

– Donnez des exemples de situations au cours desquelles on peut éprouver les sentiments évoqués dans le sujet.

– Choisissez le sentiment que le personnage va découvrir et imaginez la situation propre à faire naître ce sentiment.

– Réfléchissez aux personnages que votre héros rencontre dans cette aventure : sont-ce des animaux, des êtres humains ? Qu'est-ce qui les caractérise ?

Organisez votre récit

– 1er paragraphe : décrivez le héros dans une action qui lui est habituelle (promenade, jeux…).

– 2e paragraphe : racontez un événement qui vient perturber la situation de départ et qui met le héros à l'épreuve. Montrez les réactions des différents personnages.

– 3e paragraphe : racontez comment se résout l'événement et évoquez les enseignements que le héros en a tirés.

Rédigez

– Pensez à présenter correctement les parties dialoguées et à employer des verbes de parole variés.

– Employez le vocabulaire des sentiments étudié page 246.

– Donnez de l'intensité aux sentiments éprouvés en reprenant les formes de phrases rencontrées page 247.

– Évitez les répétitions en employant les pronoms ou en variant la manière de désigner vos personnages.

Des livres

🕯 *L'Enfant et la Rivière,*
Henri Bosco, 1945.

On a formellement interdit à Pascalet d'aller jouer près de la rivière, mais le garçon, qui rêve de découvrir ce lieu magique et sauvage, s'aventure un jour en barque jusqu'à une île où il fera de bien étranges rencontres…

🕯 *Les Chroniques de Narnia,*
Clive Staple Lewis,
Gallimard, « Folio Junior », 2008.

Cette œuvre littéraire, publiée entre 1950 et 1956, compte sept volumes. Voici le livre qui a inspiré le film. Le terrible roi Miraz a pris le pouvoir dans le pays de Narnia, et ce monde, autrefois merveilleux, est tout entier désolé…

🕯 *À la croisée des mondes,*
Philip Pullman,
Gallimard, « Folio Junior », 2007.

Cette œuvre de littérature jeunesse a également été adaptée au cinéma. En voici le premier volume. Lorsque son meilleur ami disparaît, Lyra se lance sur ses traces et dans un périlleux voyage vers le Grand Nord…

Des films

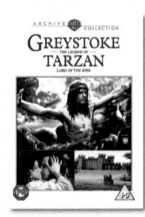

🕯 *Greystoke, la légende de Tarzan,*
réalisé par **Hugh Hudson**,
1984, DVD.

Après un naufrage, le comte et la comtesse de Greystoke meurent en pleine jungle, y laissant un bébé, qu'une guenon élèvera comme son fils. Bien des années plus tard, un explorateur belge rencontre ce jeune homme sauvage.

🕯 *La Forêt d'Émeraude,*
réalisé par **John Boorman**,
1985, DVD.

Le père de Tommy est ingénieur. Tandis qu'il participe à la construction d'un barrage au bord de la forêt amazonienne, son fils est enlevé par une tribu d'Indiens. Il vivra dix ans parmi eux.

🕯 *L'enfant qui voulait être un ours,*
Jannik Astrup, 2002, DVD.

L'enfant d'un couple inuit est enlevé par des ours qui l'élèvent comme leur fils. Lorsque ses parents le retrouvent, ce dernier a bien grandi et souhaite devenir un ours. Il s'échappe du village des hommes pour aller à la rencontre de l'esprit de la montagne.

9 Fables et fabliaux : Renard et ses compères

> *Comment les récits d'animaux, en particulier la figure du renard, permettent-ils de parler de l'homme ?*

Repères

- **Fables et fabliaux** 252

Textes et images

1. Fables

Lecture d'image *Le Corbeau et le Renard*, Benjamin Rabier 254

1. « Du Lion allant à la chasse avec d'autres bêtes », Ésope 255

2. « Le Loup et l'Agneau », La Fontaine 256

3. « Le Lion et le Rat », La Fontaine 258

4. « Le Corbeau et le Renard », La Fontaine 259

5. « Le Coq et le Renard », La Fontaine 260

2. Le *Roman de Renart*

6. « Les jambons d'Ysengrin » 262

7. « Renard jongleur » 264

8. « La pêche à la queue » 266

Synthèse

- **Masques et ruses : résister au plus fort** 269

Etude de film *Fantastic Mr. Fox*, Wes Anderson 270

Vers l'écriture

- **Vocabulaire :** Rusés animaux 272
- **Apprendre à rédiger :** Caractériser un personnage et lui donner la parole ... 273
- **À vos plumes !** Rédiger la suite d'une aventure de Renart
  Écrire à partir d'une image 274

Coin lecture, coin cinéma 275

Les Fables de la Fontaine, **mise en scène de Bob Wilson**,
avec Christian Blanc, Nicolas Lormeau, Christian Gonon, Comédie-Française, 2004.

Lire une image

❶ Présentez le document : que montre-t-il ? Quel genre littéraire illustre-t-il ? Justifiez votre réponse.

❷ Qui sont les personnages que vous voyez ? Discutez vos réponses.

❸ Quels récits connaissez-vous qui mettent en scène ces personnages précis ?

Fables et fabliaux

Pour commencer

1 Connaissez-vous des fables célèbres ? Connaissez-vous leur auteur ?

2 Cherchez l'étymologie du mot *fable* ainsi que des mots de la même famille.

Le château de Vaux-le-Vicomte, construit pour Fouquet entre 1657 et 1661.

La fable, de l'Antiquité à La Fontaine

• La fable est un **genre très ancien**, qui remonte à l'Antiquité. Déjà, en Grèce, au VIe siècle avant J.-C., **Ésope** amusait ses proches par ses récits courts, pleins de vie et d'humour. En France, c'est **Jean de La Fontaine** qui donne au genre ses lettres de noblesse.

• La Fontaine naît en Champagne en 1621. Il restera toujours attaché aux beautés de la nature dans laquelle il puise son inspiration. Il fait ses études à Paris, où il découvre la littérature, la poésie antique et la vie culturelle des salons.

• À partir de 1658, La Fontaine entre au service de **Fouquet**, haut responsable des finances du royaume, mais surtout grand **mécène** qui s'entoure, dans son château de Vaux-le-Vicomte, des plus grands artistes de son temps.

• Lorsque Louis XIV arrive au pouvoir en 1661, il n'apprécie pas l'éclat qui entoure Fouquet : il le fait emprisonner et confisque tous ses biens. Très marqué par cette arrestation injuste, La Fontaine restera toujours **méfiant envers le pouvoir**. D'ailleurs, malgré son succès, il refusera toujours de paraître à la Cour.

Questions

1 À quelle époque la fable apparaît-elle ?

2 Cherchez dans le dictionnaire le sens du mot *mécène*. D'où vient-il ?

3 À votre avis, pourquoi La Fontaine a-t-il si souvent dénoncé les puissants qui tyrannisent les plus faibles ?

Le Roman de Renart

• Le genre de la fable continue d'exister au Moyen Âge, mais il est alors concurrencé par une autre forme de récit court destiné à amuser, plus populaire : **le fabliau**.

• Si la plupart des fabliaux mettent en scène des personnages humains, les plus célèbres d'entre eux content les aventures d'un certain Renart. Ces récits divers, parfois inspirés par les fables, parfois inventés de toutes pièces entre 1170 et 1250, sont rassemblés par Pierre de Saint-Cloud sous le titre *Roman de Renart*. Ces aventures d'un goupil (c'est ainsi que l'on nomme le renard au Moyen Âge) rusé et sans scrupules connaissent un succès immédiat, au point que le nom de *Renart* va peu à peu remplacer celui de *goupil*.

Le roi Noble et sa cour, enluminure du *Roman de Renart*, XIVe siècle (BNF, Paris).

Questions

4 Qu'appelle-t-on un *goupil*, au Moyen Âge ?

5 Quelle est l'origine du mot *renard* ?

Illustration de Quentin Blake pour *Fantastique Maître Renard* de Roald Dahl, © Éditions Gallimard Jeunesse, 1970.

Une source continue d'inspiration

• Les récits animaliers, et en particulier la figure du renard, persistent jusqu'à nos jours. La **fable** est toujours un genre pratiqué par les écrivains, qui reprennent souvent celles de La Fontaine sur un ton parodique.

• Dans son roman pour la jeunesse *Fantastique Maître Renard*, publié en 1970, l'écrivain britannique **Roald Dahl** reprend la figure du renard rusé, menteur et voleur. En 2009, le réalisateur Wes Anderson adapte l'œuvre au cinéma : Renard et ses compère ne cessent ni de nous amuser, ni de nous donner à réfléchir...

Question

6 Observez l'image page suivante et expliquez ce qu'est une parodie.

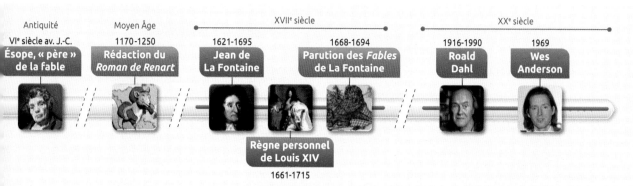

Antiquité	Moyen Âge	XVIIe siècle		XXe siècle	
VIe siècle av. J.-C.	1170-1250	1621-1695	1668-1694	1916-1990	1969
Ésope, « père » de la fable	**Rédaction du *Roman de Renart***	**Jean de La Fontaine**	**Parution des *Fables* de La Fontaine**	**Roald Dahl**	**Wes Anderson**

Règne personnel de Louis XIV
1661-1715

Le Corbeau et le Renard

LE RENARD. — Bonjour, monsieur du Corbeau !
Si votre ramage ressemble à votre plumage,
Vous êtes le phénix des hôtes de ces bois

Le corbeau prend le fromage dans sa patte et se met à chanter.

LE RENARD. — Zut !... Il a lu La Fontaine !!!

Le Corbeau et le Renard, Benjamin Rabier, *Les Scènes comiques dans la forêt*, Éd. Garnier, 192

Du texte à l'image

Benjamin Rabier (1864-1939) est un illustrateur français. Il est célèbre en particulier pour ses illustrations des *Fables* de La Fontaine et la création de La Vache qui rit.

Comprendre les références

1 Observez l'illustration ci-dessus : qui en est l'auteur ?

2 a. Qui sont les personnages ?
b. À quel récit célèbre l'image fait-elle référence ? Comment le voyez-vous ?

Comprendre la parodie

3 En quoi l'image est-elle amusante ?

4 Quelle pourrait être la morale de cette nouvelle histoire ?

5 Écriture Rédigez sous forme de texte l'histoire racontée par cette image. Vous pouvez vous inspirer du texte de La Fontaine.

Du Lion allant à la chasse avec d'autres bêtes

Ésope

(vıᵉ siècle av. J.-C.)
Fabuliste de la Grèce antique, cet ancien esclave aimait se moquer des puissants et mettre en scène, dans ses récits, les ressources des faibles.

Un Lion, un Âne et un Renard étant allés de compagnie[1] à la chasse, prirent un Cerf et plusieurs autres bêtes. Le Lion ordonna à l'Âne de partager le butin ; il fit les parts entièrement égales, et laissa aux autres la liberté de choisir. Le Lion, indigné de cette égalité, se jeta sur l'Âne et le
5 mit en pièces. Ensuite il s'adressa au Renard, et lui dit de faire un autre partage ; mais le Renard mit tout d'un côté, ne se réservant qu'une très petite portion.

– Qui vous a appris, lui demanda le Lion, à faire un partage avec tant de sagesse ?

10 – C'est la funeste aventure de l'Âne, lui répondit le Renard.

Ésope, *Fables*.

1. De compagnie : ensemble.

Vocabulaire

• Ces conseils donnés dans les fables, on les retrouve encore aujourd'hui dans les proverbes, des formules qu'on utilise lorsqu'on trouve nécessaire de rappeler à quelqu'un une vérité tirée de l'expérience quotidienne.

• Expliquez les proverbes suivants et imaginez dans quelle situation ils peuvent être énoncés.

1. Tout vient à point à qui sait attendre.
2. C'est en forgeant qu'on devient forgeron.
3. Il ne faut pas réveiller le chat qui dort.
4. On ne vend pas la peau de l'ours avant de l'avoir tué.
5. Qui aime bien châtie bien.
6. Au royaume des aveugles, les borgnes sont rois.
7. L'habit ne fait pas le moine.

Miniature des *Fables de Pilpay*,
xvᵉ siècle (musée Condé, Chantilly).

Lecture

Pour bien lire

1 Qui sont les personnages de cette histoire ? Que font-ils ?

2 Pourquoi le Lion dévore-t-il l'Âne ? Qu'est-ce qui lui permet de le faire ?

3 Quelle leçon le Renard tire-t-il de cette aventure ?

4 Quelle image avez-vous du Lion, dans cette fable ? Et du Renard ?

Pour approfondir

5 Pourquoi les noms *Lion, Âne, Renard*, ont-ils une majuscule ? Que représentent ces animaux ?

6 À votre avis, que veut nous apprendre Ésope, avec ce récit ?

Le Loup et l'Agneau

Jean de La Fontaine

(1621-1695)
Cet écrivain du XVIIᵉ siècle a su donner une forme poétique et surtout un naturel remarquable à ses fables, inspirées d'Ésope, de *Phèdre* et de la sagesse hindoue.

La raison du plus fort est toujours la meilleure :
    Nous l'allons montrer[1] tout à l'heure[2].

    Un Agneau se désaltérait[3]
    Dans le courant d'une onde[4] pure.
5 Un Loup survient à jeun qui cherchait aventure,
    Et que la faim en ces lieux attirait.
  « Qui te rend si hardi de troubler mon breuvage[5] ?
    Dit cet animal plein de rage :
    Tu seras châtié de ta témérité.
10 — Sire, répond l'Agneau, que Votre Majesté
    Ne se mette pas en colère ;
    Mais plutôt qu'elle considère
    Que je me vas désaltérant[6]
    Dans le courant,
15   Plus de vingt pas au-dessous d'elle ;
  Et que par conséquent, en aucune façon,
    Je ne puis troubler sa boisson.
  — Tu la troubles, reprit cette bête cruelle,
  Et je sais que de moi tu médis[7] l'an passé.
20 — Comment l'aurais-je fait si[8] je n'étais pas né ?
    Reprit l'Agneau ; je tette encor ma mère
    — Si ce n'est toi, c'est donc ton frère.
    — Je n'en ai point. — C'est donc quelqu'un des tiens :
    Car vous ne m'épargnez guère,
25   Vous, vos Bergers et vos chiens.
    On me l'a dit : il faut que je me venge. »
    Là-dessus, au fond des forêts
    Le loup l'emporte, et puis le mange,
    Sans autre forme de procès.

LA FONTAINE, *Fables*, Livre I, fable 10

---

1. Nous l'allons montrer : nous allons le montrer.

2. Tout à l'heure : tout de suite.

3. Se désaltérer : calmer sa soif.

4. Onde : terme poétique pour désigner l'eau.

5. Breuvage : boisson.

6. Je me vas (= vais) désaltérant : je suis en train de me désaltérer.

7. Médire : dire du mal.

8. Si : puisque.

Illustration de Le Rallic, vers 1938.

1 Donnez, pour chacun des mots suivants, un mot de la même famille : *châtier – hardi – témérité – à jeun – médire*.

2 Utilisez ces mots dans les phrases suivantes.

1. Pour avoir volé un pain, Jean Valjean fut envoyé au bagne : ce fut un terrible ... !

2. Les Musulmans observent un ... pendant le Ramadan.

3. Il montra beaucoup de ... en osant prendre la parole devant ce public impressionnant.

4. Cet alpiniste a fait preuve de ... en partant tout seul escalader ce pic.

5. Ces vieilles femmes jalouses répétaient toutes sortes de ....

Oral

Apprenez cette fable et récitez-la par groupes de trois, avec un narrateur, un loup et un agneau. Vous pouvez aussi la mettre en scène (voir p. 261).

Le Loup et l'Agneau,
illustration de Bouchot, XIXᵉ siècle.

Parcours de lecture 1

1 a. Qui sont les deux personnages de ce texte ?
b. Quel est le rapport habituel entre ces deux animaux ?

2 a. Que fait l'Agneau avant l'arrivée du Loup ? Quelle impression se dégage des vers 3 et 4 ?
b. Dans quel état le Loup arrive-t-il ? Citez le texte pour répondre.

3 Relisez le dialogue entre le Loup et l'Agneau :
a. Que fait le Loup ? Dans quel but ?
b. Qu'essaie de faire l'Agneau ?

4 Qui parle le plus au début ? Et à la fin ? Qu'est-ce que cela vous montre ?

5 a. Lequel des deux personnages est du côté de la vérité ? Lequel tient des propos mensongers ?
b. Lequel des deux l'emporte ? Pourquoi ?

6 Relevez les vers qui énoncent la morale de cette fable.

Parcours de lecture 2

1 a. Pourquoi les noms communs *Loup* et *Agneau* portent-ils une majuscule ?
b. Que représente chacun de ces animaux ?

2 a. Quel est le temps du verbe au vers 3 ? Et des verbes du vers 5 ?
b. À votre avis, pourquoi ce changement ?

3 Comparez les pronoms personnels employés par l'un et l'autre personnages : que remarquez-vous ?

4 a. Quels sont les trois reproches que le Loup formule à l'Agneau ?
b. Comment l'Agneau se défend-il ?
c. Pourquoi ne peut-il répondre à la dernière accusation ?

5 a. Où se trouve la morale de cette fable ?
b. Que pensez-vous de cette morale ?

6 À votre avis, que veut nous dire La Fontaine à propos des puissants ?

Le Lion et le Rat

Il faut, autant qu'on peut, obliger[1] tout le monde :
  On a souvent besoin d'un plus petit que soi.
De cette vérité deux fables[2] feront foi[3],
  Tant la chose en preuves abonde.
5   Entre les pattes d'un Lion
Un Rat sortit de terre assez à l'étourdie.
Le roi des animaux, en cette occasion,
Montra ce qu'il était, et lui donna la vie.
  Ce bienfait ne fut pas perdu.
10 Quelqu'un aurait-il jamais cru
  Qu'un Lion d'un Rat eût affaire ?
Cependant il advint qu'au sortir des forêts[4]
  Ce Lion fut pris dans des rets[5],
Dont ses rugissements ne le purent défaire.
15 Sire Rat accourut, et fit tant par ses dents
Qu'une maille rongée emporta tout l'ouvrage.

  Patience et longueur de temps
  Font plus que force ni que rage.

LA FONTAINE, *Fables*, Livre II, fable 11.

1. Obliger quelqu'un : rendre service à quelqu'un, lui être agréable.

2. La seconde fable est *La Colombe et la Fourmi.*

3. Faire foi : apporter la preuve.

4. Au sortir des forêts : en sortant des forêts.

5. Rets : filets.

Illustration de la fable *Le Lion et le Rat*, image d'Épinal (coll. privée).

Lecture

Pour bien lire

1 a. Qui est désigné par l'expression « Le roi des animaux » (v. 7) ?
b. Quelle caractéristique du personnage cette expression met-elle en avant ?
c. Qui est l'autre personnage de cette fable ?

2 a. Dans les vers 5 à 8, lequel des personnages est en position de faiblesse ? Pourquoi ?
b. Comment le plus fort se comporte-t-il alors ?

3 a. Comment la situation évolue-t-elle dans les vers 12 à 16 ?
b. Comment le Rat se comporte-t-il alors ?

4 a. Relevez la morale de la fable. Avez-vous tous la même réponse ?
b. Reformulez cette morale avec vos propres mots.

Pour approfondir

5 Comment la morale généralise-t-elle la leçon que l'on peut tirer de cette histoire ? Pour répondre, observez le temps des verbes et les pronoms choisis.

6 Quel est le vers utilisé dans les parties de la fable qui racontent l'histoire ? Et dans les parties qui commentent cette histoire ? À votre avis, quel est l'intérêt de ce changement ?

7 a. Cherchez le sens et l'étymologie de *magnanime* : auquel des personnages cet adjectif peut-il s'appliquer ? Pourquoi ?
b. « Le roi des animaux, en cette occasion, montra ce qu'il était » (v. 7-8) : d'après ce vers, quelle qualité permet de montrer la grandeur d'un roi ?

8 Dans cette fable, quel est le rapport établi entre puissants et faibles ? Comparez avec *Le Loup et l'Agneau*.

9 a. À votre avis, avec cette fable, à qui La Fontaine s'adresse-t-il ?
b. Pourquoi ne le fait-il pas directement ?

Écriture

La fable ne cite pas les dialogues entre le Lion et le Rat. Recopiez la fable en insérant ces deux dialogues. Vous pouvez écrire en vers, si vous vous en sentez capable.

Le Corbeau et le Renard

Maître Corbeau, sur un arbre perché,
    Tenait en son bec un fromage.
Maître Renard, par l'odeur alléché,
    Lui tint à peu près ce langage :
5   « Hé ! bonjour, monsieur du Corbeau.
Que vous êtes joli ! que vous me semblez beau !
    Sans mentir, si votre ramage[1]
    Se rapporte[2] à votre plumage,
Vous êtes le Phénix[3] des hôtes de ces bois. »
10 À ces mots le Corbeau ne se sent pas de joie ;
    Et pour montrer sa belle voix,
Il ouvre un large bec, laisse tomber sa proie.
Le Renard s'en saisit, et dit : « Mon bon monsieur,
    Apprenez que tout flatteur
15   Vit aux dépens de celui qui l'écoute :
Cette leçon vaut bien un fromage, sans doute. »
    Le Corbeau, honteux et confus,
Jura, mais un peu tard, qu'on ne l'y prendrait plus.

LA FONTAINE, *Fables*, Livre I, fable 2.

1. Ramage : chant.

2. Se rapporte à : est comparable à.

3. Phénix : oiseau mythologique, unique, d'une beauté exceptionnelle.

Le Corbeau et le Renard, **illustration d'Amrid Johnston**, 1945 (coll. privée).

Lecture

Pour bien lire

1 Pourquoi peut-on dire qu'au début de la fable, le Corbeau est dans une position supérieure à celle du Renard ?

2 **a.** Que veut le Renard ?
b. Comment l'obtient-il ?
c. De quelle qualité fait-il preuve ?

3 Relevez la morale de l'histoire : qui l'énonce ? En quoi est-ce cruel ?

Pour approfondir

4 Relevez les verbes au présent et précisez leur emploi.

5 Qui parle, dans cette fable ? Qui ne parle pas ? Pourquoi ?

6 **a.** Comparez la construction des vers 1 et 2, et des vers 3 et 4 : que remarquez-vous ?
b. Avec quel mot le mot *fromage* rime-t-il ?
c. Le Corbeau détient son fromage. Et le Renard, quel atout possède-t-il ?

7 Auquel des deux personnages votre sympathie va-t-elle ? Pourquoi ?

Vocabulaire

1 Cherchez les différents sens du mot *ramage* (v. 7) : quel est leur point commun ?

2 Expliquez l'expression « les hôtes de ces bois » (v. 9).

3 Trouvez dans le poème un synonyme de *confus* (v. 17).

Oral

Faites une lecture vivante de la fable. Vous pouvez y ajouter gestes et expressions.

Le Coq et le Renard

Sur la branche d'un arbre était en sentinelle
    Un vieux Coq adroit et matois[1].
« Frère, dit un Renard adoucissant sa voix,
    Nous ne sommes plus en querelle :
5   Paix générale cette fois.
Je viens te l'annoncer ; descends, que je t'embrasse ;
    Ne me retarde point, de grâce ;
Je dois faire aujourd'hui vingt postes[2] sans manquer.
    Les tiens et toi pouvez vaquer[3],
10   Sans nulle crainte, à vos affaires ;
    Nous vous y servirons en frères.
    Faites-en les feux[4] dès ce soir.
    Et cependant, viens recevoir
    Le baiser d'amour fraternelle.
15 – Ami, reprit le Coq, je ne pouvais jamais
Apprendre une plus douce et meilleure nouvelle
    Que celle
    De cette paix ;
    Et ce m'est une double joie
20 De la tenir de toi. Je vois deux lévriers[5],
    Qui, je m'assure, sont courriers[6]
    Que pour ce sujet on envoie :
Ils vont vite, et seront dans un moment à nous.
Je descends : nous pourrons nous entre-baiser tous.
25 – Adieu, dit le Renard ; ma traite[7] est longue à faire :
Nous nous réjouirons du succès de l'affaire
    Une autre fois. » Le galand aussitôt
    Tire ses grègues[8], gagne au haut[9],
    Mal content de son stratagème ;
30   Et notre vieux Coq en soi-même
    Se mit à rire de sa peur ;
Car c'est double plaisir de tromper le trompeur.
    le trompeur.

LA FONTAINE, *Fables*, Livre II, fable 15.

1. **Matois** : rusé.

2. **Poste** : ici, distance entre deux relais de poste, soit une dizaine de kilomètres.

3. **Vaquer** : aller à ses occupations.

4. **Les feux** : des feux de joie, pour fêter la nouvelle.

5. **Lévrier** : race de chien utilisé pour la chasse.

6. **Courriers** : messagers.

7. **Ma traite** : ma route.

8. **Tire ses grègues** : expression signifiant prendre ses jambes à son cou.

9. **Gagne au haut** : s'enfuit.

Lecture

Pour bien lire

1 **a.** Dans les vers 3 à 6, quelle nouvelle le Renard apporte-t-il au Coq ?
b. À votre avis, dit-il la vérité ? Justifiez votre réponse en cherchant un indice dans ces vers.

2 **a.** Quelle est la réponse du Coq ?
b. À votre avis, dit-il la vérité ? Justifiez votre réponse.

3 Comment l'aventure se termine-t-elle pour chacun des personnages ?

Pour approfondir

4 Quel moyen le Renard emploie-t-il pour atteindre son but ? Comparez avec *Le Corbeau et le Renard* : quels sont les points communs ? Quelles sont les différences ?

5 **a.** Relisez les vers 1 et 2 et relevez tous les termes qui évoquent la prudence.
b. En quoi le coq se montre-t-il habile ?

6 **a.** Relevez la morale et expliquez-la.
b. Qui rit du Renard, à la fin ?

Les Fables de La Fontaine, mise en scène de Bob Wilson, avec Christian Gonon (Renard) et Gérard Giroudon (Coq), Comédie-Française, 2004.

Découvrir

D'autres fables de La Fontaine

Choisissez une des morales qui suit, cherchez de quelle fable elle est tirée. Résumez cette fable pour vos camarades et expliquez le sens de la morale.

1. « Travaillez, prenez de la peine,
C'est le fonds qui manque le moins. »

2. « En toute chose, il faut considérer la fin. »

3. « Tel est pris qui croyait prendre. »

4. « Rien ne sert de courir, il faut partir à point. »

5. « Il se faut entraider, c'est la loi de nature. »

6. « Garde-toi tant que tu vivras
De juger les gens sur la mine. »

7. « L'avarice perd tout en voulant tout gagner. »

Oral

La Fontaine appelait l'ensemble de ses fables une « pièce aux cent actes divers ».
Qu'est-ce qui apparente cette fable à une petite scène de théâtre ?
Par deux, jouez cette fable comme une petite pièce.

Le *Roman de Renart*

Les jambons d'Ysengrin

Lettre ornée de *Renart le Nouvel*, de Jacquemart Gielée, XIIIᵉ siècle (BNF, Paris).

Renart, un matin, entra chez son oncle, les yeux troubles, la pelisse[1] hérissée. « Qu'est-ce, beau neveu ? Tu parais en mauvais point, dit le maître du logis ; serais-tu malade ?

– Oui ; je ne me sens pas bien.

5 – Tu n'as pas déjeuné ?

– Non, et même je n'en ai pas envie.

– Allons donc ! Çà, dame Hersent, levez-vous tout de suite, préparez à ce cher neveu une brochette de rognons et de rate[2] ; il ne la refusera pas. »

Hersent quitte le lit et se dispose à obéir. Mais Renart attendait mieux 10 de son oncle ; il voyait trois beaux bacons[3] suspendus au faîte[4] de la salle, et c'est leur fumée qui l'avait attiré.

« Voilà, dit-il, des bacons bien aventurés[5] ! Savez-vous, bel oncle, que si l'un de vos voisins (n'importe lequel, ils se valent tous) les apercevait, il en voudrait sa part ? À votre place, je ne perdrais pas un moment pour 15 les détacher, et je dirais bien haut qu'on me les a volés.

– Bah ! fit Ysengrin, je n'en suis pas inquiet ; et tel peut les voir qui n'en saura jamais le goût.

– Comment ! Si l'on vous en demandait ?

– Il n'y a demande qui tienne ; je n'en donnerais pas à mon neveu, à 20 mon frère, à qui que ce soit au monde. »

Renart n'insista pas ; il mangea ses rognons et prit congé. Mais, le surlendemain, il revint à la nuit fermée[6] devant la maison d'Ysengrin. Tout le monde y dormait. Il monte sur le faîte, creuse et ménage une ouverture, passe, arrive aux bacons, les emporte, revient chez lui, les coupe en mor- 25 ceaux et les cache dans la paille de son lit.

Cependant le jour arrive ; Ysengrin ouvre les yeux : Qu'est cela ? le toit ouvert, les bacons, ses chers bacons enlevés ! « Au secours ! au voleur ! Hersent ! Hersent ! Nous sommes perdus ! » Hersent, réveillée en sursaut, se lève échevelée : « Qu'y a-t-il ? Oh ! quelle aventure ! Nous, dépouillés 30 par les voleurs ! À qui nous plaindre ! » Ils crient à qui mieux mieux mais ils ne savent qui accuser ; ils se perdent en vains efforts pour deviner l'auteur d'un pareil attentat[7].

Renart cependant arrive : il avait bien mangé, il avait le visage reposé, satisfait.

35 « Eh ! bel oncle, qu'avez-vous ? Vous me paraissez en mauvais point ; seriez-vous malade ?

– Je n'en aurais que trop sujet ; nos trois beaux bacons, tu sais ? on me les a pris !

– Ah ! répond en riant Renart, c'est bien cela ! Oui, voilà comme il faut 40 dire : on vous les a pris. Bien, très bien ! mais, oncle, ce n'est pas tout, il faut le crier dans la rue, que vos voisins n'en puissent douter.

1. Pelisse : vêtement en peau doublé de fourrure. Ici, le mot désigne la fourrure de l'animal.

2. Rognons et rate : abats, morceaux considérés comme de basse qualité.

3. Bacons : jambons fumés.

4. Faîte : haut du toit.

5. Aventurés : dangereusement exposés.

6. Fermée : tombée.

7. Attentat : crime.

– Eh ! je te dis la vérité ; on m'a volé mes bacons, mes beaux bacons.

– Allons ! reprend Renart, ce n'est pas à moi qu'il faut dire cela : tel se plaint, je le sais, qui n'a pas le moindre mal. Vos bacons, vous les avez mis
45 à l'abri des allants et venants ; vous avez bien fait, je vous approuve fort.

– Comment ! mauvais plaisant, tu ne veux pas m'entendre ? Je te dis qu'on m'a volé mes bacons.

– Dites, dites toujours.

– Cela n'est pas bien, fait alors dame Hersent, de ne pas nous croire.
50 Si nous les avions, ce serait pour nous un plaisir de les partager, vous le savez bien.

– Je sais que vous connaissez les bons tours. Pourtant ici tout n'est pas profit : voilà votre maison trouée ; il le fallait, j'en suis d'accord, mais cela demandera de grandes réparations. C'est par là que les voleurs sont entrés,
55 n'est-ce pas ? c'est par là qu'ils se sont enfuis ?

– Oui, c'est la vérité.

– Vous ne sauriez dire autre chose.

– Malheur en tout cas, dit Ysengrin, roulant des yeux, à qui m'a pris mes bacons, si je viens à le découvrir !
60 Renart ne répondit plus ; il fit une belle moue, et s'éloigna en ricanant sous cape. Telle fut la première aventure, l'enfance de Renart. Plus tard il fit mieux, pour le malheur de tous, et surtout de son cher compère Ysengrin.

Roman de Renart, branche XXIV, vers 232 à 333 trad. Paulin, 1861.

Lecture

Pour bien lire

1 Qui sont les différents personnages de ce texte ?

2 Comment ces animaux sont-ils personnifiés ?

3 À quelle difficulté Renart est-il confronté au début du texte ?

4 Quelle ruse invente-t-il pour voler les bacons d'Ysengrin sans être soupçonné ?

Pour approfondir

5 Quelle phrase, prononcée par Ysengrin au début du récit, Renart répète-t-il dans les lignes 35 à 41 ? Dans quel but ?

6 Dans ce passage, éprouve-t-on de la compassion pour la victime ? Pourquoi ?

7 **Débat** Quelle image a-t-on finalement de Renart ?

8 Quelles caractéristiques traditionnelles du renard retrouve-t-on chez ce personnage ?

Vocabulaire

Voici trois expressions tirées du texte : « rouler des yeux », « faire la moue », « rire sous cape ».
– Expliquez leur sens.
– Que vous apprennent-elles sur l'attitude de Renart ?

Écriture

Imaginez qu'un peu plus tard Renart découvre à son tour qu'il a été volé par plus malin que lui. Racontez sa réaction en insistant de manière comique sur la surprise et le désespoir du personnage, comme le fait l'auteur dans les lignes 26 à 32 : décrivez son allure, ses gestes, faites-le s'exclamer.

Conseils : réemployez le vocabulaire et une partie des phrases que vous aurez rédigées dans l'exercice 2 qui suit. Soignez la ponctuation.

1 Cherchez dans la liste B les adjectifs qui peuvent qualifier les différents éléments du corps cités en A, et associez-les en faisant les accords nécessaires. Plusieurs réponses sont parfois possibles.
A. les yeux – la langue – le regard – les babines – le museau – le poil – les oreilles – l'air
B. bas – dressé – écumant de rage – fou – flamboyant – frémissant – hagard – hérissé – luisant de colère – pendant – retroussé

2 Utilisez chacune des expressions ainsi formées dans une phrase qui parlera de Renart ; vous les placerez en apposition au sujet.

Renart jongleur

Renart multiplie les vols et les agressions : il dérobe le fromage du corbeau, attaque les poules, se moque de tout le monde. Le roi, las des méfaits de Renart, le fait rechercher pour qu'il soit jugé et pendu. Renart cherche donc un moyen de passer inaperçu quand un accident providentiel le fait tomber dans une cuve de teinture jaune : le voilà méconnaissable.

À l'écart du chemin, près d'une haie, il voit Ysengrin, à son grand déplaisir, qui attendait une aubaine car il avait une faim énorme. Le loup était très grand et très fort. « Hélas ! dit Renart, je suis perdu : Ysengrin est fort et gras, alors que je suis amaigri, épuisé par la faim, dont j'ai connu
5 tous les tourments. Je ne crois pas qu'il devine qui je suis, mais, lorsque j'ouvrirai la bouche, je peux être sûr qu'il me reconnaîtra entre tous. Je vais aller le trouver – advienne que pourra ! – pour avoir des nouvelles de la cour. » Alors lui vient l'idée de changer de langage. Regardant de ce côté, Ysengrin voit venir Renart à sa rencontre [...] : jamais il n'a vu sem-
10 blable bête, elle doit venir d'un pays étranger. Voici Renart qui le salue :

« Goodbye, dit-il, cher seigneur. Moi pas savoir parler ton langue.

– Que Dieu te garde, très cher ami ! D'où êtes-vous ? de quel pays ? Vous n'êtes pas originaire de France ni d'aucun pays que nous connaissons.

– Niet, mon seigneur, mais de Bertagne[1]. Moi foutre avoir perdu tout
15 ce que j'avoir gagné et moi foutre cherche ma compagnon, moi foutre pas avoir trouvé quelqu'un pour renseigner moi. Tout le France et tout le Angleterre j'avoir parcouru pour mon compagnon trouver. Moi avoir demeuré tant dans ce pays que moi connaître tout le France. Maintenant moi vouloir retourner, moi plus savoir où le chercher, mais moi avant tour-
20 ner à Paris pour moi finir apprendre tout le français.

– Est-ce que vous avez un métier ?

– Ya, ya, moi être foutre très bon jongleur. Mais moi hier foutre avoir été volé, battu et mon vielle[2] foutre avoir été pris à moi. Si moi foutre avoir un vielle, moi foutre dire bon rotruenge[3] et un beau lai[4] et un beau chant
25 pour toi qui sembler une homme de bien. Foutre moi pas avoir mangé pendant deux jours entiers et maintenant je mangera volontiers.

– Comment t'appelles-tu ? dit Ysengrin.

– Ma nom foutre être Galopin. Et vous, comment, seigneur, homme de bien ?

– Frère, on m'appelle Ysengrin.
30 – Et foutre être né dans cette pays ?

– Oui, j'y ai vécu longtemps.

– Moi foutre servir très volontiers ma répertoire[5] à tout le monde. Moi foutre savoir bon lai breton de Merlin et de Noton, du roi Arthur, et de Tristan[6], du chèvrefeuille, de saint Brandan…
35 – Et tu connais le lai de dame Iseult ?

– Ya, ya, by god, moi les savoir, absolument tous. »

Ysengrin dit : « Tu me sembles très doué et très savant. Mais par la foi que tu dois au roi Arthur, n'aurais-tu pas vu – Dieu te garde ! – un

Musicien et jongleur, miniature du Xe-XIe siècle (BNF, Paris).

1. Bertagne : Bretagne, c'est-à-dire la Grande-Bretagne actuelle.

2. Vielle : instrument de musique, ancêtre du violon.

3. Rotruenge : poésie chantée par les troubadours du Moyen Âge.

4. Lai : conte merveilleux.

5. Répertoire : ensemble des pièces que peut jouer ou chanter un artiste.

6. Merlin, Arthur, Tristan sont des personnages de romans célèbres du Moyen Âge.

méchant rouquin de sale race, un lèche-bottes, un traître au cœur de
40 pierre, un trompeur et un roublard de première ? Ah ! Dieu, si je le tenais
entre mes mains ! Avant-hier, il échappa au roi jouant d'astuce et de boniments[7], alors qu'on l'avait pris pour avoir outragé la reine et pour mille
autres méfaits qu'il n'est jamais las de commettre. Il m'a tant fait de mal
que je ne lui souhaite que du malheur. Ah ! si je pouvais le tenir entre mes
45 mains, il mourrait sur-le-champ ! J'ai, pour le faire, la permission, l'ordre
du roi. » Renart gardait la tête baissée :
    « Par ma foi, dit-il, seigneur Ysengrin, cette mauvaise canaille être com-
plètement fou. Comment foutre sa nom être pelé ? dites-nous.
    – Comment il a nom[8] ?
50   – On le pèle donc Anon ? »
    À ces mots, Ysengrin éclate de rire, mis en joie par le nom d'Anon. Il ne
donnerait pas cette plaisanterie pour tout l'or du monde.
    « Vous voulez connaître son nom ?
    – Oui, comment foutre être pelé ?
55   – Ce misérable s'appelle Renart. Il nous berne tous, nous roule tous
dans la farine. Ah ! Dieu, si je pouvais le tenir entre mes mains ! La terre
serait débarrassée de lui, il n'y occuperait plus qu'une toute petite place !

> *Roman de Renart*, Branche III, vers 377-510, trad. J. Subrenat et M. de Combarieu
> © Larousse, « Petits classiques », 2003.

7. Boniments : paroles trompeuses et séduisantes.

8. Il a nom : expression médiévale pour dire « il s'appelle ».

Lecture

Pour bien lire

1 Pour qui Renart se fait-il passer ? Dans quel but ?

2 Pourquoi Ysengrin ne reconnaît-il pas Renart ?

3 Quelles intentions Ysengrin exprime-t-il vis-à-vis de Renart ?

4 En quoi la situation est-elle comique ?

Pour approfondir

5 a. Qu'est-ce qui fait rire, dans la manière dont parle Renart ?
b. Qu'est-ce qui justifie cette manière de parler ?

6 a. Quel juron Renart répète-t-il sans cesse ?
b. Pourquoi Ysengrin ne réagit-il pas à ce juron ?

7 a. Relisez les lignes 1 à 5 : qu'est-ce qui oppose les deux personnages, physiquement ?
b. Qu'est-ce qui renforce le pouvoir d'Ysengrin ?
c. Finalement, Ysengrin est-il effrayant ? Pourquoi ?

Écriture

Ajoutez quelques répliques à ce texte, en respectant la présentation du dialogue.

Le Roman de Renart, gravure de Wilhelm von Kaulbach, 1846 (coll. privée).

La pêche à la queue

L'hiver est particulièrement rude et tous les animaux peinent à trouver à manger. Renart a réussi à voler un panier d'anguilles. Le loup Ysengrin, lui aussi affamé, lui demande comment il se les est procurées. Renart affirme avoir pêché lui-même ces poissons dans un étang voisin et promet à Ysengrin de l'y emmener.

On était un peu avant Noël, au moment où on sale le jambon. Le ciel était limpide et scintillant d'étoiles et le vivier[1] dans lequel Ysengrin était supposé pêcher était si bien gelé qu'on aurait pu danser dessus. Il y avait seulement un trou, fait dans la glace par les paysans qui y menaient
5 chaque soir leur bétail boire et se dégourdir les pattes. Ils avaient laissé là un seau. Renart y arrive à bride abattue et se tourne vers son compère.

« Approchez, seigneur, c'est là qu'il y a profusion[2] de poissons et voici l'outil avec lequel nous pêchons anguilles, barbeaux et autres bons et beaux poissons.

10 – Prenez-le d'un côté, frère Renart, demande Ysengrin, et attachez-le moi solidement à la queue. »

Renart s'en saisit et le lui noue à la queue de son mieux. « Maintenant, frère, conseille-t-il, il faut rester sans bouger pour attirer les poissons. »

Il s'installe alors au pied d'un buisson, le museau entre les pattes, pour
15 voir ce que l'autre va faire.

Ysengrin est assis sur la glace, tandis que le seau, plongé dans l'eau, se remplit de glaçons de belle façon puis l'eau commence à geler autour, et la queue elle-même, qui trempe dans l'eau, est prise par la glace, si bien que lorsqu'Ysengrin entreprend de se relever en tirant le seau à lui, tous
20 ses efforts restent vains ; très inquiet, il appelle Renart car on ne va pas tarder à le voir : déjà le jour se lève. Renart dresse la tête, ouvre les yeux et jette un regard autour de lui.

« Tenez-vous-en là, frère, dit-il, et allons-nous-en, mon très cher ami. Nous avons pris assez de poissons.

25 – Il y en a trop, Renart ; j'en ai pris je ne sais combien. »

Et Renart de lui dire tout net en riant : « qui trop embrasse mal étreint ».

C'est la fin de la nuit, l'aube apparaît, le soleil matinal se lève, les chemins sont couverts de neige et Monseigneur Constant des Granges, un riche vavasseur[3], qui demeurait au bord de l'étang, est déjà levé, frais et dispos
30 ainsi que toute sa maisonnée. Il prend un cor de chasse, ameute ses chiens et fait seller son cheval. Ses hommes, de leur côté, crient et mènent force tapage. Renart, à ce bruit, prend la fuite et se réfugie dans sa tanière. Ysengrin, lui, se trouve toujours en fâcheuse position, tirant désespérément sur sa queue au risque de s'arracher la peau. Elle est le prix à payer s'il veut
35 s'échapper de là. Tandis qu'il se démène, arrive au trot un valet qui tient deux lévriers en laisse. Apercevant le loup bloqué par la glace et le crâne tondu, il se hâte vers lui et, s'étant assuré de ce qu'il a vu, se met à crier « Au loup, au loup, à l'aide, à l'aide ! » À ses cris, les chasseurs franchissent la clôture entourant la maison avec tous leurs chiens. Ysengrin est d'autan[t]

La pêche d'Ysengrin, illustration de Benjamin Rabier, 1909.

1. **Vivier** : bassin qui sert à conserver les poissons vivants.

2. **Profusion** : grande abondance.

3. **Vavasseur** : petit seigneur.

40 moins à la fête que Maître Constant qui arrivait derrière eux au triple galop
de son cheval s'écrie, en mettant pied à terre : « Lâchez les chiens, allez,
lâchez-les. » Les valets détachent les bêtes qui se jettent sur le loup dont
le poil se hérisse, tandis que le chasseur excite encore la meute. Ysengrin
se défend de son mieux à coups de crocs : que pourrait-il faire d'autre ?

45 Certes, il préférerait être ailleurs. Constant, l'épée tirée, s'approche pour
être sûr de ne pas manquer son coup. Il est descendu de cheval et s'avance
de façon à attaquer le loup par-derrière. Il va pour le frapper mais manque
son coup qui glisse de travers et le voilà tombé à la renverse, le crâne en
sang. Il se relève non sans mal et, furieux, retourne à l'attaque. Ce fut un

50 combat farouche que celui-là. Alors qu'il vise la tête, le coup dévie : l'épée
descend jusqu'à la queue qu'elle coupe net, au ras du derrière. Ysengrin en
profite pour sauter de côté et pour s'éloigner, mordant l'un après l'autre
les chiens qui lui collent aux fesses. Mais il se désespère d'avoir dû laisser
sa queue en gage : pour un peu il en mourrait de douleur. Cependant, il

55 n'y a plus rien à faire. Il fuit donc jusqu'au sommet d'une colline, se défen-
dant bien contre les chiens qui le mordent sans cesse. En haut du tertre,
ses poursuivants, épuisés, renoncent. Il reprend sans tarder la fuite à toute
vitesse jusqu'au bois, en surveillant les alentours. Arrivé là, il jure bien de
se venger de Renart et de ne plus jamais être son ami.

Roman de Renart, Branche III, vers 377-510, trad. J. Subrenat et M. de Combarieu
© Larousse, « Petits classiques », 2003.

Ysengrin le loup, illustration de Benjamin Rabier, 1909.

*Ysengrin,
la queue prise
dans la glace,
illustration
d'Auguste Vimar*,
vers 1910.

Lecture

Pour bien lire

1 À quel moment la scène se passe-t-elle ?

2 De quelle manière le loup est-il censé pêcher ?

3 a. Pourquoi Renart s'enfuit-il au lever du jour ?
b. Pourquoi le loup ne peut-il pas s'enfuir ?

4 Comment parvient-il finalement à se libérer ?

Pour approfondir

5 a. Relisez les lignes 27 à 32 : Comment la puissance de Maître Constant est-elle soulignée ?
b. Lignes 47 à 55, comment Maître Constant attaque-t-il le loup ? Répondez en citant le texte.

6 « Ce fut un combat farouche que celui-là. » (l. 49-50) Quel est le ton du narrateur dans cette phrase ? Justifiez votre réponse.

7 Quels sont tous les détails qui ridiculisent le vavasseur ?

8 On appelle satire un texte qui se moque d'une catégorie de personnes, généralement des personnes puissantes. De quelles personnes ce texte fait-il la satire ?

9 Quelle image vous faites-vous de Renart après cette aventure ?

Vocabulaire

1 a. Qu'est-ce qu'une *meute* (l. 43) ?
b. Trouvez, dans le dernier paragraphe, un verbe de la même famille et déduisez son sens.

2 Voici dans la liste A d'autres termes désignant des groupes. À quelle catégorie de la liste B peut-on associer chacun d'eux ?
A. troupeau – nuée – banc – essaim – couvée – horde
B. abeilles – moucherons – moutons – oiseaux – poissons – loups

3 a. Quel est le sens courant de l'adjectif *malin* ?
b. Vérifiez, dans un dictionnaire, le sens premier du mot, ainsi que son radical.
c. Selon vous, lequel de ces deux sens s'applique le mieux à Renart ?

Masques et ruses : résister au plus fort

Force et ruse

✳ Fables et fabliaux sont des **récits courts** qui mettent en scène des personnages aux prises avec un univers souvent hostile, où il faut lutter pour survivre. Les rapports entre les personnages sont des **rapports de force** : il s'agit de s'emparer de ce que possède l'autre, de le tromper...

✳ Dès lors, le plus fort, comme le Loup de la fable, menace d'exercer son pouvoir de façon brutale et arbitraire. Ceux qui ne sont pas du côté de la **force** doivent, pour s'en sortir, déployer **d'autres ressources**. La prudence, la ruse sont pour eux les moyens de **résister au plus fort** et d'obtenir malgré tout ce qu'ils veulent.

L'animal, masque de l'homme

✳ Si, dans la plupart des fables et dans le *Roman de Renart*, les personnages sont des **animaux**, ceux-ci sont **personnifiés** : ils sont nommés comme des humains (« Sire », « Maître ») et se comportent comme eux. En effet, à travers ces récits, il s'agit de **réfléchir sur l'être humain et ses défauts**. Ainsi, les animaux incarnent-ils, de la fable au fabliau, quelques grands traits caractéristiques de la nature humaine : le renard symbolise la ruse, le loup, la force brutale, mais souvent dénuée d'intelligence, le lion le pouvoir.

✳ Leurs aventures, drôles ou saisissantes et toujours très vivantes, sont l'occasion de **s'instruire en s'amusant**.

Les masques de l'écrivain

✳ Dans la fable, cette réflexion débouche sur une **morale**, une leçon de vie que l'on tire du récit. Le fabliau, lui, vise moins à enseigner une morale qu'à rire des défauts de l'homme, en particulier de ceux qui ont du pouvoir ou de la fortune : roi, grands et petits seigneurs, membres de l'Église... **Le rire permet d'affaiblir l'autorité des puissants en se moquant d'eux** : Renart ridiculise Ysengrin et, à travers lui, toute la justice royale.

✳ Ainsi, grâce à ces petites histoires, les auteurs peuvent exercer un **regard critique sur la société de leur temps**. S'il n'était pas permis de critiquer directement le roi Louis XIV, les conseils ou mises en garde que La Fontaine met dans la bouche du Renard ou d'autres personnages s'adressent toutefois au roi ou à sa Cour. Les personnages deviennent ainsi les **porte-parole de l'écrivain**.

Renart emporte les jambons chez lui, illustration de Benjamin Rabier, 1909 (BNF, Paris).

Fantastic Mr. Fox
de Wes Anderson

En 1970, Roald Dahl, célèbre auteur pour la jeunesse, écrit *Fantastique Maître Renard*, adaptation moderne du *Roman de Renart*. Ce livre est porté au cinéma en 2009 par Wes Anderson. Il a reçu le prix du meilleur long métrage d'animation au festival d'Annecy.

1

Affiche du film *Fantastic Mr. Fox*
(20th Century Fox Animation, 2009).

A Lire une affiche

Observez le document 1.

1 a. Identifiez le titre, le réalisateur.
b. Que signifie *fox* ?
c. Qui sont les deux personnes mentionnées en haut de l'affiche ? Quel est leur rôle dans le film ?

2 a. De quel livre ce film est-il l'adaptation ? Qui en est l'auteur ?
b. Connaissez-vous d'autres œuvres du même auteur ?

3 a. À votre avis, quelle est la technique de réalisation du film ?
b. À quel genre appartient-il ?
c. Quel est le personnage principal ?
d. Quelle est l'action en cours ? Justifiez vos réponses.

4 a. Quel est le rôle d'une affiche de film ?
b. À votre avis, ce rôle est-il ici bien rempli ? Argumentez.

B Références et citations

1 Connaissez-vous d'autres œuvres littéraires mettant en scène un renard ?

2 Quels traits de caractères sont généralement attribués à cet animal ?

3 Les retrouve-t-on dans le film ?

4 Observez les documents 2 et 4. Que remarquez-vous ?

5 Quelles sont les scènes du film (ou les musiques) qui évoquent pour vous des films de genre (western, film de guerre, d'arts martiaux) ?

6 À votre avis, quel est le but de ces citations ? Développez votre réponse.

Affiche du film *Ocean's Eleven*,
de Steven Soderbergh (Warner Bros, 2001).

Le film *Ocean's Eleven* met un scène un cambriolage très audacieux. L'acteur principal, George Clooney, prête également sa voix à Mr. Fox dans la version originale de *Fantastic Mr. Fox*.

2

Observez les passages mettant en scène Ash et son père, en particulier la scène du plongeon, celle du jeu de frappe-batte et celle où Ash souhaite participer à l'un des cambriolages.

1 Comment Mr. Fox se comporte-t-il vis-à-vis de son fils ?

2 a. À votre avis, quels peuvent-être les sentiments ressentis par Ash ?
b. Dans quelles scènes ces sentiments sont-ils particulièrement visibles ?

3 Comment qualifieriez-vous la relation entre le père et le fils ?

4 Cette relation évolue-t-elle au cours du film ?

5 Qu'accomplit Ash pour gagner l'estime de son père ?

6 Quelle place chacun trouve-t-il à la fin du film ? Comment ?

Bilan

La nostalgie de l'enfance

• Wes Anderson raconte que *Fantastique Maître Renard* de Roald Dahl fut son premier livre. C'est donc en partie pour se replonger dans son enfance qu'il réalisa ce film. Celui-ci est une animation en volume image par image, ce qui rappelle directement des films comme *Le Roman de Renart* de Wladyslaw Starewitch (1937), ou encore le film *King Kong* de 1933.

• Le réalisateur nous plonge dans le monde de l'enfance et de l'aventure. La cocasserie des situations déclenche le rire. Les trucages désuets, comme l'utilisation du coton pour figurer la fumée, entretiennent une certaine poésie.

Le personnage du renard

• Mr. Fox se place dans la lignée de nombreux autres personnages de renards, d'Ésope aux fables de La Fontaine, en passant par *Le Roman de Renart*. Il reprend la figure intemporelle du roublard, du rusé, du héros malin, espiègle, séducteur et trompeur, malhonnête et pourtant sympathique.

• Mr. Fox est aussi un personnage complexe qui s'interroge sur sa nature profonde : renard chapardeur ou père de famille responsable. Le film exprime un questionnement lié à la difficulté du personnage principal à se conduire en adulte. Ainsi, la question de la transmission familiale, celle du rôle de père et de mari sont également abordées.

Rusés animaux

→ Ruse, masque et flatterie

1 Associez chacun des mots de la liste A à son synonyme, choisi dans la liste B.
A. enjôleur – flatteur – ingénieux – jugement – naïf – railleur – tromper – trompeur
B. crédule – discernement – astucieux – mielleux – moqueur – séduisant – perfide – duper

2 Complétez les phrases avec l'un des mots suivants, que vous accorderez.
berner – enjôleur – discernement – narguer – risée – satire
1. Le *Roman de Renart* fait la ... des moines.
2. À cause de Renart, Ysengrin devient la ... du pays.
3. Le renart adresse au corbeau des paroles ....
4. Quand il s'est emparé du fromage, il ne manque pas de le ....
5. Le corbeau admet qu'il a manqué de ....
6. Le corbeau s'est laissé ....

3 À partir des mots suivants, formez des mots de sens contraire en ajoutant un préfixe.
crédule – réfléchi – habile – intelligent – respectueux – content – avisé

4 Donnez le nom qui correspond à chacun des adjectifs suivants.
fin – ingénieux – idiot – flatteur – vif – trompeur – naïf – railleur – lent – lourd – adroit

5 a. Proposez un synonyme pour chaque mot.
dérober – dissimuler – châtier – hardi – confus – ramage
b. Faites avec chacun de ces mots une phrase qui mettra son sens en valeur.

6 a. Le roi Noble se plaint des méfaits de Renart. Qu'est-ce qu'un *méfait* ? Comment ce mot est-il formé ?
b. Voici d'autres mots commençant par le préfixe *mal-*, *mé-* ou *mau-*. En analysant leur formation, déduisez leur sens et placez-les dans les phrases suivantes.
mésaventures – mésentente – malédiction – maudire – malfaiteur – malveillant – médire – mécontent – se méfier – maussade – méconnu – mépriser
1. Dire du mal de quelqu'un sans être sûr de ce qu'on raconte, c'est ....
2. La sorcière a lancé au prince une terrible ....
3. Le Corbeau ... le Renard qui s'est moqué de lui.
4. Un individu s'est emparé de la couronne du roi Noble. Heureusement, le ... a été arrêté.

5. Renart n'est guère honnête : tu ferais bien de ... de lui.
6. Quand les trois explorateurs ont remonté le Nil, la région était encore ....
7. Renart cherche toujours à causer du tort aux autres : il est vraiment ...!
8. Renart et Ysengrin ne se supportent pas. Leur ... a mené le royaume à la guerre.
9. Renart connaît bien des difficultés, mais ces ... ne le font pas changer pour autant.
10. Renart a une très mauvaise opinion d'Ysengrin : il le ....
11. Il est toujours de mauvaise humeur : c'est un caractère ....
12. Mes parents sont ... parce que je suis rentré en retard.

→ Autour des animaux

7 Pour chacun des animaux suivants, précisez le nom de la femelle et celui du petit.
taureau – bélier – canard – cheval – âne – bouc – lion – loup – oiseau – chameau – cerf – ours

8 Rendez à chaque animal son logis.
A. aigle – cochon – lapin – lièvre – mouton – renard – vache
B. étable – bergerie – clapier – tanière – gîte – bauge – aire

9 Quelle partie du corps des animaux chacun des mots suivants désigne-t-il ?
le mufle – l'échine – les naseaux – les bois – les babines – le groin – la pelisse – le jabot

10 Que veut-on dire quand on dit d'une personne qu'elle est... : un ours – un âne – un requin – un mouton – un rat – une autruche ?

11 Complétez les expressions avec le mot qui convient.
un agneau – une mule – un bœuf – une carpe – un chien – un coq – un lapin – une pie – un pinson – un poisson dans l'eau – une puce – un singe – un tigre – une tigresse
1. Doux comme ... – 2. Fort comme ... – 3. Gai comme ... – 4. Bavard comme ... – 5. Fidèle comme ... – 6. Peureux comme ... – 7. Féroce comme ... – 8. Fier comme ... – 9. Malin comme ... – 10. Têtu comme ... – 11. Heureux comme ... – 12. Excité comme ... – 13. Jalouse comme ... – 14. Muet comme ....

Caractériser un personnage et lui donner la parole

→ Rédiger un dialogue

1 Ajoutez au texte suivant la ponctuation qui manque.

Renart voit le coq et dit

Chanteclerc, n'aie pas peur, je suis là en ami.

Rassuré, Chanteclerc se met à chanter. Renart dit encore

Te souviens-tu de Chanteclin, ton père ? Comme sa voix devenait pure lorsqu'il chantait les yeux fermés !

Cherches-tu à me tromper demande Chanteclerc

Pas du tout dit Renard mais chantez en fermant les yeux.

2 Recopiez ce texte en rétablissant la ponctuation des dialogues et en faisant les retours à la ligne.

Voici que survient une mésange, sur la branche d'un chêne creux où elle avait caché ses œufs. Renart la voit et la salue : Ma commère, soyez la bienvenue. Descendez donc m'embrasser ! Renart, dit-elle, taisez-vous. Vous avez dupé tant d'oiseaux, tant de biches, qu'on ne sait plus à quoi s'en tenir avec vous. Dame, répond le goupil, Messire Noble, le lion, a maintenant proclamé partout la paix. Il l'a fait jurer à travers son royaume et il a fait promettre à ses vassaux de la respecter et de la maintenir. La mésange répond alors : Renart, vous êtes en train de me tromper.

Roman de Renart, trad. J. Dufournet et A. Mélines,
© GF, « Étonnants classiques ».

3 **Oral** Précisez le sens exact des verbes de parole suivants. Notez ceux que vous ne connaissez pas.

asséner – avouer – bégayer – couper – hoqueter – insinuer – jurer – marmonner – murmurer – pleurnicher – prétendre – protester – répliquer – rétorquer – ronchonner – siffler – supplier – susurrer – vociférer

4 Dans les phrases suivantes, remplacez le verbe **dire** par un des verbes proposés.

appeler – demander – répondre – ordonner – s'écrier – hurler – chuchoter – grogner – gémir – supplier

1. Renart dit : « Que voulez-vous ? – Je viens de la part de Noble, dit Grimbert. » – **2.** Ysengrin dit : « Renart, ouvrez-moi ! Je passais justement par là. » – **3.** « Ne lui faites pas de mal ! » dit Dame Hermeline. – **4.** « Vous n'allez pas laisser faire une chose pareille ! » dit Ysengrin. – **5.** « Renart, avancez, dit le roi. » – **6.** « Au secours ! dit Ysengrin. À l'aide ! » – **7.** « Ne faites plus de bruit, dit Ysengrin, nous allons entrer par ici. » – **8.** « Mes bacons ! dit Ysengrin. Mes pauvres bacons ! » – **9.** « Je me vengerai, dit Renart entre ses dents. »

5 Suite au dialogue de l'exercice 3, rédigez la scène suivante, en une douzaine de lignes.

Renart réussit à attraper Chanteclerc et s'enfuit avec le coq dans sa gueule. Mais il est poursuivi par les chiens du fermier. Chanteclerc a alors une idée : à force de le flatter en lui répétant qu'il est le meilleur, le plus rapide et le plus habile, il persuade Renart de narguer les chiens. Renart ne résiste pas à ce plaisir et, comme il desserre les mâchoires pour crier, Chanteclerc en profite pour se sauver.

→ Préciser l'attitude d'un personnage

6 Précisez l'attitude du personnage dont on parle selon le modèle suivant.

Exemple : *Le paon s'avance.* → *Le jabot gonflé, la queue étalée, fier et plein d'importance, le paon s'avance.*

1. La fouine prépare un mauvais coup. – **2.** Le vieux loup erre comme un affamé. – **3.** Le lion salue ses courtisans. – **4.** Le coq se querelle une nouvelle fois avec le chat.

7 Transformez les phrases selon le modèle suivant.

Exemple : *La poule est infatigable. Elle trotte jusqu'au marché pour vendre ses œufs.* → *Infatigable, la poule trotte jusqu'au marché pour vendre ses œufs.*

1. La pie est indifférente aux heures qui passent. Elle jacasse toute la journée. – **2.** L'éléphant est vieux et épuisé. Il gagne le lieu où reposent ses ancêtres. – **3.** Le lièvre est honteux. Il se dissimule derrière ses grandes oreilles. – **4.** Le chien est beau et puissant. Il monte la garde à l'entrée du domaine.

8 Pour enrichir le dialogue, il est souvent nécessaire de préciser le ton ou l'attitude de celui qui parle. Rédigez un dialogue entre deux collégiens nouvellement arrivés dans l'établissement. Vous insérerez dans le dialogue au moins six des indications suivantes.

à voix basse – en se dandinant d'un pied sur l'autre – en rougissant – avec un large sourire – en riant – avec douceur – d'une voix hésitante – lui jetant un coup d'œil plein de curiosité – jouant nerveusement avec son mouchoir – souriant à son tour

1. Écrire à partir d'une image

SUJET

Observez l'image ci-contre, et à partir de ce que vous voyez, inventez une fable avec sa morale

2. Rédiger la suite d'une aventure de Renart

SUJET

Écrivez la suite du texte proposé ci-dessous, en le poursuivant jusqu'à la fin de l'aventure. Vous ferez alterner récit et dialogue.

Le Chat et le vieux Rat,
illustration de Gustave Doré,
1868 (BNF, Paris).

Malade, le roi Noble fait appeler à son chevet Renart qui se vante de pouvoir le guérir « avant trois jours ».

« Sire Noble, il faut me prêter une grande attention : voulez-vous guérir de ce mal oui ou non ?

– Oui, répond Noble, c'est mon plus cher désir.

– Alors, faites-moi fermer ces portes et apporter tout ce que je vous demanderai. J'extirperai cette maladie de votre corps et je chasserai la fièvre quarte qui vous empuantit l'haleine.

– Très volontiers, répond Noble : tu auras tout ce qui t'est nécessaire.

– Sire, dit l'autre, prenez bonne note de ceci : tout d'abord, il me faut la peau du loup, y compris celle de sa hure[1]. Tous vos parents pourront voir comme je m'y entends en astronomie, car je vous aurais sauvé. »

Ces propos remplissent d'épouvante Ysengrin qui crie merci[2] à Dieu : il n'y a pas d'autre loup que lui dans la salle. Voici venu pour Renart le jour de la vengeance.

Roman de Renart, trad. J. Dufournet et A. Mélines,
© GF, « Étonnants classiques ».

1. Hure : tête. – **2. Crier merci :** implorer la grâce.

Méthode — Travailler au brouillon

Chercher des idées

– Notez vos idées au brouillon, sans les développer : Renart doit guérir Noble. Quelle ruse inventera-t-il pour y parvenir ? Que devient Ysengrin ? Comment Noble réagit-il lorsqu'il est guéri ?

– Pourquoi les souris sont-elles si près du chat ? Comment le chat s'est-il libéré ? Que fait la souris au premier plan ?

Ordonner ses idées

– Remettez vos idées dans l'ordre chronologique.

– Faites, dans l'ordre, la liste de toutes les informations qu'il faudra donner au lecteur pour qu'il comprenne ce qui se passe.

Prévoir les enrichissements

– Repérez les endroits où vous insérerez les dialogues.

– Soulignez les phrases qui montrent les émotions des personnages et enrichissez-les de façon à montrer ces émotions par leur attitude (voir ex. 6 et p. 273).

Des livres

Fabuleux fabulistes,
anthologie établie
par Dominique Moncond'huy,
Seghers Jeunesse, 2006.

Un recueil qui permet de voyager à travers les grandes périodes de l'histoire, de l'Antiquité à nos jours.

Fantastique Maître Renard,
Roald Dahl,
traduction de M. Saint-Dizier
et R. Farré, Gallimard,
Folio Cadet, 2010.

Une réécriture contemporaine par un des maîtres du roman comique.

Les Animaux célèbres,
Michel Pastoureau,
Arléa Poche, 2008.

Un spécialiste du Moyen Âge et de son symbolisme présente des animaux célèbres, du cheval de Troie jusqu'à Milou...

Des films

Le Roman de Renard,
film d'animation d'Irène
et Wladyslaw Starewitch,
1930, DVD.

Une adaptation du *Roman de Renart* par un grand maître de l'animation russe.

Fables de La Fontaine,
par Robert Wilson,
Comédie-Française, 2007, DVD.

Des comédiens masqués, métamorphosés en toutes sortes de bêtes, font surgir l'univers plein d'humour et de justesse de La Fontaine.

Lecture de fables choisies,
par Fabrice Luchini,
CD.

Connu pour ses talents de conteur, Fabrice Lucchini nous donne à entendre, sur un ton toujours enlevé, les histoires du grand fabuliste.

10

Ruses et pouvoir au théâtre

Qu'est-ce que la comédie ?

Repères

- **Molière et son héritage** 278

Textes et images

1. *Le Médecin malgré lui*, Molière — Étude intégrale

1. « Une scène de ménage » (I, 1) 280

2. « La consultation » (II, 4) 283

3. « Une guérison miraculeuse » (III, 6) 288

2. *Knock ou le Triomphe de la médecine*, Jules Romain

4. « Ça vous chatouille ou ça vous gratouille ? » (II, 1) 291

Pour étudier l'œuvre 293

Synthèse

- **La comédie** 295

Vers l'écriture

- **Vocabulaire :** La langue classique 296
- **Apprendre à rédiger :** Écrire une scène de théâtre 297
- **À vos plumes !** Écrire et monter une pièce satirique 298

Pratiquer l'oral

- **Jouer une scène de théâtre** 299

Le Malade imaginaire, **Molière**, mise en scène de Gildas Bourdet, avec Philippe Séjourné (Argan), Marianne Épin (Toinette), théâtre de l'Ouest Parisien, 2003.

Lire une image

1 Quelle est la nature de cette image ? Donnez les références précises de l'œuvre représentée.

2 Qui sont les deux personnages ? À quoi les reconnaissez-vous ?

3 À votre avis, l'œuvre représentée est-elle sérieuse ? À quoi le voyez-vous ?

Molière et son héritage

Louis XIV et Molière déjeunant à Versailles, **Ingres** (1780-1867), bibliothèque-musée de la Comédie-Française, Paris.

Molière (1622-1673)

• Né à Paris en 1622, **Jean-Baptiste Poquelin** est le fils d'un marchand aisé. Il a tout juste dix ans quand sa mère meurt de maladie.

• Destiné par son père au métier d'avocat, il étudie le droit, mais il rencontre une comédienne, **Madeleine Béjart**, et décide de consacrer sa vie au théâtre. En 1643, il prend le nom de Molière, crée sa propre troupe, **l'Illustre-Théâtre**, et part sur les routes de France.

• Après des années difficiles, Molière connaît enfin le succès. En 1658, il joue **devant le roi Louis XIV** qui, conquis, le fait installer dans son propre théâtre.

• Dès lors, le succès de Molière ne connaîtra plus de fin… auprès de certains. Car d'autres se sentent visés par les moqueries de ses **comédies qui attaquent les hypocrites**, les avares, les prétentieux… Les prêtres l'accusent de ne respecter ni la religion ni la morale.

• Molière a des **protecteurs puissants**, mais aussi des **ennemis acharnés**. Peu à peu, l'intérêt du roi diminue. Molière, attaqué, épuisé, tombe malade. Un soir de 1673, il est pris de convulsions sur scène et meurt aussitôt après. Comme l'Église condamne les mœurs des comédiens, il est enterré de nuit, en cachette.

Questions

❶ Qui est ce roi de France contemporain de Molière ?

❷ Cherchez des titres de pièces de Molière.

Le genre de la comédie

• La **comédie** est un **genre théâtral** qui existe depuis l'Antiquité. Elle utilise le rire pour se moquer des comportements ridicules des hommes, mais aussi pour régler ses comptes avec les représentants du pouvoir : riches marchands, juges et avocats... Ainsi les médecins sont-ils des personnages traditionnels de la comédie.

• Au XVIIᵉ siècle, les Italiens ont mis à la mode la *Commedia dell'arte* : sur un scénario très simple, des comédiens masqués – le docteur, le vieil avare, Arlequin, Colombine – improvisent. Il y a peu de paroles, le comique consistant surtout en gesticulations, grimaces et coups de bâton.

• Molière s'inspirera d'eux pour écrire, mais aussi pour jouer, développant une forme de comédie qui fait la part belle aussi bien au **burlesque** qu'aux **jeux sur la langue et les situations**. Sganarelle est le personnage principal du *Médecin malgré lui*. Son nom vient de la *Commedia dell'arte* où les *zanarelli* sont des valets rusés et sans scrupules. C'est Molière lui-même qui interprétait ce rôle.

Les masques de la *Commedia dell'arte*, peinture anonyme, XVIIᵉ siècle (Museo Scala, Milan).

Question

❸ Comment imaginez-vous le caractère de Sganarelle dans la pièce que vous allez lire ?

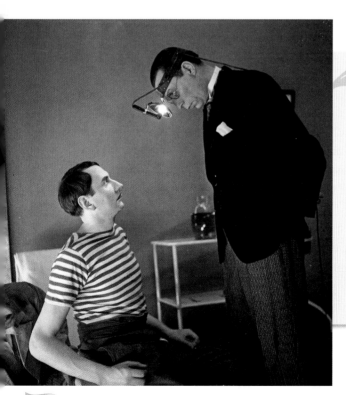

Alfred Adam et Louis Jouvet dans *Knock* de Jules Romain, 1937 (théâtre de l'Athénée, Paris).

La comédie au XXᵉ siècle

• L'art de Molière a profondément marqué le théâtre occidental. Au début du XXᵉ siècle, des auteurs comme Feydeau ou Labiche perpétuent la tradition d'une comédie fondée sur des **situations burlesques**, des quiproquos, des rebondissements multiples et des jeux de mot.

• Mais peu à peu, la comédie évolue. En 1923, **Jules Romains** reprend, avec sa pièce *Knock ou le Triomphe de la médecine*, le personnage du faux médecin, mais en lui donnant un caractère plus inquiétant que celui des charlatans de Molière (voir p. 291). **La comédie devient alors grinçante** et nous interroge sur les rapports humains.

Question

❹ Qu'appelle-t-on le comique burlesque ?

Le Médecin malgré lui

Une scène de ménage

ACTE I, SCÈNE 1

SGANARELLE, MARTINE, en se querellant.

Molière

(Voir p. 278)

SGANARELLE. – Non je te dis que je n'en veux rien faire, et que c'est à moi de parler et d'être le maître.

MARTINE. – Et je te dis moi, que je veux que tu vives à ma fantaisie[1], et que je ne me suis point mariée avec toi pour souffrir tes fredaines.[2]

5 SGANARELLE. – Ô la grande fatigue que d'avoir une femme ! et qu'Aristote[3] a bien raison, quand il dit qu'une femme est pire qu'un démon !

MARTINE. – Voyez un peu l'habile homme, avec son benêt[4] d'Aristote !

SGANARELLE. – Oui, habile homme : trouve-moi un faiseur de fagots[5], qui sache, comme moi, raisonner des choses, qui ait servi six ans un fameux

10 médecin, et qui ait su, dans son jeune âge, son rudiment[6] par cœur.

MARTINE. – Peste du fou fieffé[7] !

SGANARELLE. – Peste de la carogne[8] !

MARTINE. – Que maudits soient l'heure et le jour, où je m'avisai d'aller dire oui

SGANARELLE. – Que maudit soit le bec cornu[9] de notaire qui me fit signer

15 ma ruine !

MARTINE.– C'est bien à toi, vraiment, à te plaindre de cette affaire. Devrais-tu être un seul moment, sans rendre grâce au Ciel de m'avoir pour ta femme et méritais-tu d'épouser une personne comme moi ?

SGANARELLE. – Il est vrai que tu me fis trop d'honneur, et que j'eus lieu de

20 me louer la première nuit de nos noces ! Hé ! morbleu[10] ! ne me fais point parler là-dessus, je dirais de certaines choses…

MARTINE. – Quoi ? que dirais-tu ?

SGANARELLE. – Baste[11], laissons là ce chapitre, il suffit que nous savons ce que nous savons, et que tu fus bien heureuse de me trouver.

25 MARTINE. – Qu'appelles-tu bien heureuse de te trouver ? Un homme qui me réduit à l'hôpital[12], un débauché[13], un traître qui me mange tout ce que j'ai

SGANARELLE. – Tu as menti, j'en bois une partie.

MARTINE. – Qui me vend, pièce à pièce, tout ce qui est dans le logis.

SGANARELLE. – C'est vivre de ménage[14].

30 MARTINE. – Qui m'a ôté jusqu'au lit que j'avais.

SGANARELLE. – Tu t'en lèveras plus matin[15].

MARTINE. – Enfin qui ne laisse aucun meuble dans toute la maison.

SGANARELLE. – On en déménage plus aisément.

MARTINE. – Et qui du matin jusqu'au soir, ne fait que jouer, et que boire

35 SGANARELLE. – C'est pour ne me point ennuyer.

MARTINE. – Et que veux-tu pendant ce temps, que je fasse avec ma famille

SGANARELLE. – Tout ce qu'il te plaira.

MARTINE. – J'ai quatre pauvres petits enfants sur les bras.

SGANARELLE. – Mets-les à terre.

40 MARTINE. – Qui me demandent à toute heure du pain.

1. À ma fantaisie : selon mon désir.

2. Fredaines : folies.

3. Aristote : philosophe grec du IVe siècle av. J.-C.

4. Benêt : idiot.

5. Faiseur de fagots : bûcheron, mais aussi beau parleur.

6. Rudiment : connaissances élémentaires.

7. Fieffé : complet.

8. Carogne : charogne, c'est-à-dire, ici, « sale bête ».

9. Bec cornu : imbécile.

10. Morbleu : juron.

11. Baste : ça suffit.

12. L'hôpital : la charité.

13. Débauché : personne qui ne pense qu'à son plaisir.

14. Vivre de ménage : vivre avec ce que l'on a.

15. Plus matin : plus tôt.

SGANARELLE. – Donne-leur le fouet. Quand j'ai bien bu, et bien mangé, je veux que tout le monde soit saoul dans ma maison.

MARTINE. – Et tu prétends, ivrogne, que les choses aillent toujours de même ?

SGANARELLE. – Ma femme, allons tout doucement, s'il vous plaît.

45 MARTINE. – Que j'endure éternellement tes insolences et tes débauches ?

SGANARELLE. – Ne nous emportons point, ma femme.

MARTINE. – Et que je ne sache pas trouver le moyen de te ranger à ton devoir ?

SGANARELLE. – Ma femme, vous savez que je n'ai pas l'âme endurante, et 50 que j'ai le bras assez bon.

MARTINE. – Je me moque de tes menaces.

SGANARELLE. – Ma petite femme, ma mie[16], votre peau vous démange, à votre ordinaire.

MARTINE. – Je te montrerai bien que je ne te crains nullement.

55 SGANARELLE. – Ma chère moitié, vous avez envie de me dérober[17] quelque chose.

MARTINE. – Crois-tu que je m'épouvante de tes paroles ?

SGANARELLE. – Doux objet de mes vœux, je vous frotterai les oreilles.

MARTINE. – Ivrogne que tu es !

60 SGANARELLE. – Je vous battrai.

MARTINE. – Sac à vin !

SGANARELLE. – Je vous rosserai.

MARTINE. – Infâme !

SGANARELLE. – Je vous étrillerai.

65 MARTINE. – Traître, insolent, trompeur, lâche, coquin, pendard, gueux, bélître, fripon, maraud, voleur… !

SGANARELLE. – *Il prend un bâton, et lui en donne.* – Ah ! vous en voulez, donc.

MARTINE, *criant.* – Ah, ah, ah, ah.

SGANARELLE. – Voilà le vrai moyen de vous apaiser.

MOLIÈRE, *Le Médecin malgré lui*, Acte I, scène 1.

16. **Ma mie** : femme
imée.

17. **Dérober** : ici,
rendre quelque chose
de moi).

e *Médecin malgré lui*,
ierre-André Ballande
Sganarelle) et Céline
Granchamp (Martine),
héâtre de l'Échange
Annecy), compagnie
Avis de pas Sage »
Figeac), 2013.

Le Médecin malgré lui, dessin de Bertail paru dans le périodique *Musée des familles*, 1863.

Lecture

Pour bien lire

1 Qui sont Martine et Sganarelle ?

2 Relisez la troisième réplique de Sganarelle : quelles informations apportent-elles sur ce personnage ?

3 Quel est le ton employé par les personnages dès le début de la scène ?

4 Faites la liste des reproches que Martine adresse à Sganarelle.

5 Quelle image vous faites-vous du couple à la lecture de cette scène ?

Pour approfondir

6 a. « J'ai quatre pauvres petits enfants <u>sur les bras</u> », dit Martine (l. 38) : que signifie cette expression ?
b. Quel sens Sganarelle donne-t-il à cette expression quand il répond : « Mets-les à terre » (l. 39) ?

7 À la fin de la scène, en quoi consistent les échanges entre les deux personnages ?

8 Repérez une didascalie (indication scénique) : que doivent faire les personnages ?

9 Qu'est-ce qui peut faire rire, dans cette scène ?

Vocabulaire

1 Cherchez le sens du mot *fagots* (l. 8) : quel est le métier de Sganarelle ?

2 Quel est le sens du verbe *souffrir*, au XVIᵉ siècle ? Reformulez la phrase de Martine ligne 4.

3 Recopiez les lignes 16-17 en remplaçant l'expression « rendre grâce à » par un verbe de même sens.

4 Quel est le sens du verbe *louer* (l. 20) ? Réemployez ce verbe dans une phrase où il aura le même sens.

5 Donnez des synonymes des verbes *s'emporter* (l. 46) et *dérober* (l. 55).

Écriture

Cherchez d'autres expressions permettant de jouer avec le sens propre et le sens figuré et ajoutez à la scène six ou huit répliques entre les lignes 42 et 43.

Oral

Mettez en voix la scène en vous efforçant de varier le ton employé par les personnages.

La consultation

Décidée à se venger, Martine rencontre deux hommes (Valère et Lucas) à la recherche d'un médecin pour soigner Lucinde, la fille de leur maître, qui a subitement perdu la parole. Elle a alors l'idée de faire croire que Sganarelle est médecin, mais qu'il n'exerce que s'il est battu. Roué de coups par Valère et Lucas, Sganarelle est forcé de se rendre chez Géronte pour examiner la malade.

ACTE II, SCÈNE 4

LUCINDE, VALÈRE, GÉRONTE, LUCAS, SGANARELLE, JACQUELINE.

SGANARELLE. – Est-ce là la malade ?

GÉRONTE. – Oui, je n'ai qu'elle de fille ; et j'aurais tous les regrets du monde, si elle venait à mourir.

SGANARELLE. – Qu'elle s'en garde bien ! il ne faut pas qu'elle meure sans
5 l'ordonnance du médecin.

GÉRONTE. – Allons, un siège.

SGANARELLE, *assis entre Géronte et Lucinde.* – Voilà une malade qui n'est pas tant dégoûtante[1], et je tiens qu'un homme bien sain s'en accommoderait assez.

GÉRONTE. – Vous l'avez fait rire, Monsieur.

10 SGANARELLE. – Tant mieux, lorsque le médecin fait rire le malade, c'est le meilleur signe du monde. (*À Lucinde.*) Eh bien ! de quoi est-il question ? qu'avez-vous ? quel est le mal que vous sentez ?

LUCINDE *répond par signes, en portant sa main à sa bouche, à sa tête, et sous son menton.* – Han, hi, hon, han.

15 SGANARELLE. – Eh ! que dites-vous ?

LUCINDE *continue les mêmes gestes.* – Han, hi, hon, han, han, hi, hon.

SGANARELLE. – Quoi ?

LUCINDE. – Han, hi, hon.

SGANARELLE, *la contrefaisant[2].* – Han, hi, hon, han, ha. Je ne vous entends
20 point. Quel diable de langage est-ce là ?

GÉRONTE. – Monsieur, c'est là, sa maladie. Elle est devenue muette, sans que jusques ici, on en ait pu savoir la cause ; et c'est un accident qui a fait reculer son mariage.

SGANARELLE. – Et pourquoi ?

25 GÉRONTE. – Celui qu'elle doit épouser veut attendre sa guérison, pour conclure les choses.

SGANARELLE. – Et qui est ce sot-là, qui ne veut pas que sa femme soit muette ? Plût à Dieu que la mienne eût cette maladie ! je me garderais bien de la vouloir guérir.

30 GÉRONTE. – Enfin, Monsieur, nous vous prions d'employer tous vos soins pour la soulager de son mal.

SGANARELLE. – Ah ! ne vous mettez pas en peine. Dites-moi un peu : ce mal l'oppresse-t-il beaucoup ?

GÉRONTE. – Oui, Monsieur.

35 SGANARELLE. – Tant mieux. Sent-elle de grandes douleurs ?

. **Qui n'est pas tant dégoûtante :** qui est plutôt jolie.
. **La contrefaisant :** imitant.

GÉRONTE. – Fort grandes.

SGANARELLE. – C'est fort bien fait. Va-t-elle où vous savez ?

GÉRONTE. – Oui.

SGANARELLE. – Copieusement ?

40 GÉRONTE. – Je n'entends rien à cela.

SGANARELLE. – La matière est-elle louable ?

GÉRONTE. – Je ne me connais pas à ces choses.

SGANARELLE, *se tournant vers la malade*. – Donnez-moi votre bras. (*À Géronte.*) Voilà un pouls qui marque que votre fille est muette.

45 GÉRONTE. – Eh ! oui, Monsieur, c'est là son mal ; vous l'avez trouvé tou[t] du premier coup.

SGANARELLE. – Ah ! ah !

JACQUELINE. – Voyez, comme il a deviné sa maladie !

SGANARELLE. – Nous autres grands médecins, nous connaissons d'abord
50 les choses. Un ignorant aurait été embarrassé, et vous eût été dire : « C'es[t] ceci, c'est cela » ; mais moi, je touche au but du premier coup, et je vou[s] apprends que votre fille est muette.

GÉRONTE. – Oui, mais je voudrais bien que vous me pussiez dire d'où cel[a] vient.

55 SGANARELLE. – Il n'est rien plus aisé. Cela vient de ce qu'elle a perdu l[a] parole.

GÉRONTE. – Fort bien. Mais la cause, s'il vous plaît, qui fait qu'elle a perd[u] la parole ?

SGANARELLE. – Tous nos meilleurs auteurs vous diront que c'est l'empê-
60 chement de l'action de sa langue.

GÉRONTE. – Mais encore, vos sentiments sur cet empêchement de l'actio[n] de sa langue ?

SGANARELLE. – Aristote là-dessus dit… de fort belles choses.

GÉRONTE. – Je le crois.

65 SGANARELLE. – Ah ! c'était un grand homme !

GÉRONTE. – Sans doute.

SGANARELLE. – Grand homme tout à fait… (*levant son bras depuis le coude.*) Un homme qui était plus grand que moi, de tout cela. Pour revenir, don[c] à notre raisonnement, je tiens que cet empêchement de l'action de s[a]
70 langue est causé par de certaines humeurs[4] qu'entre nous autres savant[s] nous appelons humeurs peccantes[5], peccantes ; c'est-à-dire… humeur[s] peccantes ; d'autant que les vapeurs formées par les exhalaisons[6] de[s] influences qui s'élèvent dans la région des maladies, venant… pour ains[i] dire… à… Entendez-vous[7] le latin ?

75 GÉRONTE. – En aucune façon.

SGANARELLE, *se levant avec étonnement.* – Vous n'entendez point le latin ?

GÉRONTE. – Non.

SGANARELLE, *en faisant diverses plaisantes postures.* – *Cabricias arci thura[m] catalamus, singulariter, nominativo hæc Musa, « la Muse », bonu[s]*
80 *bona, bonum, Deus sanctus, estne oratio latinas ? Etiam, « oui », Quar[e] « pourquoi ? » Quia substantivo et adjectivum concordat in generi, numeru[m] et casus.*

GÉRONTE. – Ah ! que n'ai-je étudié !

Le personnage du docteur dans la comédie italienne, XVIIIᵉ siècle (musée théâtral de Burcado, Rome).

3. **D'abord :** immédiatement.

4. **Humeurs :** liquides fabriqués par l'organisme, comme la salive ou le sang.

5. **Peccantes :** désagréables.

6. **Exhalaison :** vapeur.

7. **Entendez-vous :** comprenez-vous.

JACQUELINE. – L'habile homme que velà !

85 LUCAS. – Oui, ça est si biau, que je n'y entends goutte.

SGANARELLE. – Or ces vapeurs dont je vous parle venant à passer du côté gauche, où est le foie, au côté droit, où est le cœur, il se trouve que le poumon que nous appelons en latin *armyan*, ayant communication avec le cerveau, que nous nommons en grec *nasmus*, par le moyen de la veine

90 cave, que nous appelons en hébreu *cubile*, rencontre, en son chemin, lesdites vapeurs qui remplissent les ventricules de l'omoplate ; et parce que lesdites vapeurs… comprenez bien ce raisonnement je vous prie : et parce que lesdites vapeurs ont une certaine malignité[8]… Écoutez bien ceci, je vous conjure.

95 GÉRONTE. – Oui.

SGANARELLE. – Ont une certaine malignité qui est causée… Soyez attentif, s'il vous plaît.

GÉRONTE. – Je le suis.

SGANARELLE. – Qui est causée par l'âcreté des humeurs, engendrées dans la

100 concavité du diaphragme, il arrive que ces vapeurs… *Ossabandus, nequeys, nequer, potarinum, quipsa milus*. Voilà justement ce qui fait que votre fille est muette.

JACQUELINE. – Ah que ça est bian dit, notte homme !

LUCAS. – Que n'ai-je la langue aussi bian pendue !

105 GÉRONTE. – On ne peut pas mieux raisonner sans doute. Il n'y a qu'une seule chose qui m'a choqué : c'est l'endroit du foie et du cœur. Il me semble que vous les placez autrement qu'ils ne sont. Que le cœur est du côté gauche, et le foie du côté droit.

SGANARELLE. – Oui, cela était autrefois ainsi : mais nous avons changé tout

110 cela, et nous faisons maintenant la médecine d'une méthode toute nouvelle.

GÉRONTE. – C'est ce que je ne savais pas, et je vous demande pardon de mon ignorance.

SGANARELLE. – Il n'y a point de mal ; et vous n'êtes pas obligé d'être aussi habile que nous.

115 GÉRONTE. – Assurément. Mais Monsieur, que croyez-vous qu'il faille faire à cette maladie ?

SGANARELLE. – Ce que je crois, qu'il faille faire ?

GÉRONTE. – Oui.

SGANARELLE. – Mon avis est qu'on la remette sur son lit, et qu'on lui fasse

120 prendre pour remède quantité de pain trempé dans du vin.

GÉRONTE. – Pourquoi cela, Monsieur ?

SGANARELLE. – Parce qu'il y a dans le vin et le pain, mêlés ensemble, une vertu sympathique, qui fait parler. Ne voyez-vous pas bien qu'on ne donne autre chose aux perroquets : et qu'ils apprennent à parler en mangeant

125 de cela ?

GÉRONTE. – Cela est vrai ! Ah ! le grand homme ! Vite, quantité de pain et de vin.

SGANARELLE. – Je reviendrai voir sur le soir, en quel état elle sera. (*À la nourrice.*) Doucement vous. (*À Géronte.*) Monsieur, voilà une nourrice à

130 laquelle il faut que je fasse quelques petits remèdes.

JACQUELINE. – Qui, moi ? Je me porte le mieux du monde.

. **Malignité :** angerosité.

SGANARELLE. – Tant pis nourrice ; tant pis. Cette grande santé est à craindre, et il ne sera pas mauvais de vous faire quelque petite saignée amiable, de vous donner quelque petit clystère dulcifiant[9].

135 GÉRONTE. – Mais, Monsieur, voilà une mode que je ne comprends point. Pourquoi s'aller faire saigner quand on n'a point de maladie ?

SGANARELLE. – Il n'importe, la mode en est salutaire ; et comme on boit pour la soif à venir, il faut se faire aussi saigner pour la maladie à venir.

JACQUELINE, *en se retirant*. – Ma fi ! je me moque de ça, et je ne veux point 140 faire de mon corps une boutique d'apothicaire[10].

SGANARELLE. – Vous êtes rétive[11] aux remèdes ; mais nous saurons vous soumettre à la raison. (*Parlant à Géronte.*) Je vous donne le bonjour[12].

GÉRONTE. – Attendez un peu, s'il vous plaît.

SGANARELLE. – Que voulez-vous faire ?

145 GÉRONTE. – Vous donner de l'argent, Monsieur.

SGANARELLE, *tendant sa main derrière, par-dessous sa robe, tandis que Géronte ouvre sa bourse*. – Je n'en prendrai pas, Monsieur.

GÉRONTE. – Monsieur…

SGANARELLE. – Point du tout.

150 GÉRONTE. – Un petit moment.

9. Clystère dulcifiant : lavement ; la saignée et le clystère sont des traitements courants au XVIIe siècle.

10. Apothicaire : ancêtre du pharmacien.

11. Rétif : réticent.

12. Je vous donne le bonjour : je vous dis au revoir.

Le Syndicat des drapiers, **Rembrandt**, 1661 (Rijksmuseum, Amsterdam).

SGANARELLE. – En aucune façon.

GÉRONTE. – De grâce !

SGANARELLE. – Vous vous moquez.

GÉRONTE. – Voilà qui est fait.

155 SGANARELLE. – Je n'en ferai rien.

GÉRONTE. – Eh !

SGANARELLE. – Ce n'est pas l'argent qui me fait agir.

GÉRONTE. – Je le crois.

SGANARELLE, *après avoir pris l'argent.* – Cela est-il de poids ?

160 GÉRONTE. – Oui, Monsieur.

SGANARELLE. – Je ne suis pas un médecin mercenaire[13].

GÉRONTE. – Je le sais bien.

SGANARELLE. – L'intérêt ne me gouverne point.

GÉRONTE. – Je n'ai pas cette pensée.

MOLIÈRE, *Le Médecin malgré lui*, Acte II, scène 4.

13. Mercenaire : qui ne travaille que pour l'argent.

Parcours de lecture 1

❶ Sganarelle doit exercer un métier qu'il ne connaît pas : comment essaie-t-il de gagner du temps ?

❷ **a.** Quelle erreur manque de trahir son incompétence ?
b. Comment Sganarelle justifie-t-il cette erreur ?

❸ **a.** Pourquoi Sganarelle se met-il à parler latin (l. 78) ?
b. Quel est l'effet de ces paroles sur les autres personnages ?
c. D'après vous, de quelles « plaisantes postures » (l. 78) l'acteur qui joue Sganarelle pourrait-il accompagner son discours ?

❹ Quel remède Sganarelle prescrit-il finalement à la malade ? À votre avis, quel sera son effet ?

❺ Quelle est la réaction de Sganarelle quand Géronte veut le payer ? Pour répondre, appuyez-vous sur ses répliques, mais aussi sur les didascalies.

❻ À votre avis, Sganarelle se tire-t-il bien de son rôle ? Quelle image avez-vous de lui ? Et des autres personnages ?

Oral

Par petits groupes, jouez ce passage en vous efforçant de faire ressortir les différents jeux de scène.

Parcours de lecture 2

Tâche complexe

Quels sont les différents éléments qui font de cette scène une scène de comédie ?

▶ **Coup de pouce**
1. Cherchez, dans cette scène, les répliques qui font rire et expliquez pourquoi.
2. Lisez les didascalies et repérez les différents jeux de scène.
3. Analysez la situation : que sait le spectateur au sujet de Sganarelle ? Que croit Géronte ? Quelle image cela nous donne-t-il du personnage ?

Vocabulaire

❶ Cherchez un nom de la famille de *sain* (l. 8).

❷ Employez le mot *entendre* (l. 74) dans une phrase de votre invention, avec son sens du XVIIe siècle.

❸ **a.** Donnez le sens du mot *vertu* (l. 123).
b. Réemployez-le dans une phrase où il aura un sens différent.

Une guérison miraculeuse

Un certain Léandre apprend à Sganarelle que, en fait, la maladie de Lucinde est une ruse destinée à empêcher un mariage dont elle ne veut pas. En effet, Lucinde et Léandre s'aiment, mais Géronte a promis sa fille à un homme riche – ce que Léandre n'est pas. Comme Léandre le supplie de l'aider, Sganarelle a l'idée de l'introduire dans la maison de Géronte en le faisant passer pour son apothicaire (c'est-à-dire son assistant).

ACTE III, SCÈNE 6

JACQUELINE, LUCINDE, GÉRONTE, LÉANDRE, SGANARELLE.

JACQUELINE. – Monsieu, velà votre fille qui veut un peu marcher.

SGANARELLE. – Cela lui fera du bien. (*À Léandre.*) Allez-vous-en, Monsieur l'Apothicaire, tâter un peu son pouls, afin que je raisonne tantôt, avec vous, de sa maladie. (*En cet endroit, il tire Géronte à un bout du théâtre, et lui pas-*
5 *sant un bras sur les épaules, lui rabat la main sous le menton, avec laquelle il le fait retourner vers lui, lorsqu'il veut regarder ce que sa fille et l'apothicaire font ensemble, lui tenant, cependant, le discours suivant pour l'amuser.*) Monsieur, c'est une grande et subtile question entre les doctes[1], de savoir si les femmes sont plus faciles à guérir que les hommes. Je vous prie d'écouter
10 ceci, s'il vous plaît. Les uns disent que non, les autres disent que oui : et moi je dis que oui, et non ; d'autant que l'incongruité[2] des humeurs opaques, qui se rencontrent au tempérament naturel des femmes, étant cause que la partie brutale veut toujours prendre empire sur la sensitive, on voit que l'inégalité de leurs opinions dépend du mouvement oblique, du cercle
15 de la lune : et comme le soleil qui darde[3] ses rayons sur la concavité de la terre, trouve…

LUCINDE, *à Léandre.* – Non, je ne suis point du tout capable de changer de sentiment.

GÉRONTE. – Voilà ma fille qui parle ! Ô grande vertu du remède ! Ô admi-
20 rable médecin ! Que je vous suis obligé, Monsieur, de cette guérison merveilleuse ! Et que puis-je faire pour vous, après un tel service ?

SGANARELLE, *se promenant sur le théâtre et s'essuyant le front.* – Voilà une maladie qui m'a bien donné de la peine !

LUCINDE. – Oui, mon père, j'ai recouvré la parole ; mais je l'ai recouvré
25 pour vous dire que je n'aurai jamais d'autre époux que Léandre, et que c'est inutilement que vous voulez me donner Horace.

GÉRONTE. – Mais…

LUCINDE. – Rien n'est capable d'ébranler la résolution que j'ai prise.

GÉRONTE. – Quoi… ?

30 LUCINDE. – Vous m'opposerez en vain de belles raisons.

GÉRONTE. – Si…

LUCINDE. – Tous vos discours ne serviront de rien.

GÉRONTE. – Je…

Personnage de la *Commedia dell'arte* : le Dottor Balanzone, sculpture sur bois, XVIIIe siècle (musée Carnavalet, Paris).

1. Doctes : savants.

2. Incongruité : étrangeté.

3. Darde : jette (mot rare et poétique).

LUCINDE. – C'est une chose où je suis déterminée.

GÉRONTE. – Mais…

LUCINDE. – Il n'est puissance paternelle qui me puisse obliger à me marier malgré moi.

GÉRONTE. – J'ai…

LUCINDE. – Vous avez beau faire tous vos efforts.

GÉRONTE. – Il…

LUCINDE. – Mon cœur ne saurait se soumettre à cette tyrannie.

GÉRONTE. – La…

LUCINDE. – Et je me jetterai plutôt dans un couvent que d'épouser un homme que je n'aime point.

GÉRONTE. – Mais…

LUCINDE, *parlant d'un ton de voix à étourdir.* – Non. En aucune façon. Point d'affaires. Vous perdez le temps. Je n'en ferai rien. Cela est résolu.

GÉRONTE. – Ah ! quelle impétuosité de paroles ! Il n'y a pas moyen d'y résister. (*À Sganarelle.*) Monsieur, je vous prie de la faire redevenir muette.

SGANARELLE. – C'est une chose qui m'est impossible. Tout ce que je puis faire pour votre service est de vous rendre sourd, si vous voulez.

GÉRONTE. – Je vous remercie. (*À Lucinde.*) Penses-tu donc…

LUCINDE. – Non. Toutes vos raisons ne gagneront rien sur mon âme.

GÉRONTE. – Tu épouseras Horace dès ce soir.

LUCINDE. – J'épouserai plutôt la mort.

SGANARELLE. – Mon Dieu ! arrêtez-vous, laissez-moi médicamenter cette affaire. C'est une maladie qui la tient, et je sais le remède qu'il y faut apporter.

GÉRONTE. – Serait-il possible, Monsieur, que vous puissiez aussi guérir cette maladie d'esprit ?

SGANARELLE. – Oui, laissez-moi faire, j'ai des remèdes pour tout ; et notre apothicaire nous servira pour cette cure[4]. (*Il appelle l'apothicaire et lui parle.*) Un mot. Vous voyez que l'ardeur qu'elle a pour ce Léandre est tout à fait contraire aux volontés du père, qu'il n'y a point de temps à perdre, que les humeurs sont fort aigries, et qu'il est nécessaire de trouver promptement un remède à ce mal qui pourrait empirer par le retardement. Pour moi, je n'y en vois qu'un seul, qui est une prise de fuite purgative, que vous mêlerez comme il faut, avec deux drachmes de matrimonium[5] en pilules. Peut-être fera-t-elle quelque difficulté à prendre

Costume de médecin, dessin de J. Marillier pour *Le Malade imaginaire*, 1970.

4. **Cure :** soin.
5. **Matrimonium :** mariage en latin.

ce remède : mais comme vous êtes habile homme dans votre métier, c'est à vous de l'y résoudre, et de lui faire avaler la chose du mieux que vous pourrez. Allez-vous-en lui faire faire un petit tour de jardin, afin de préparer les humeurs, tandis que j'entretiendrai ici son père ; mais surtout, ne perdez point de temps. Au remède, vite ! au remède spécifique !

➡ **Molière**, *Le Médecin malgré lui*, Acte III, scène 6.

Sganarelle, gravure colorisée, début du XIXᵉ siècle.

Lecture

Pour bien lire

❶ Qui est l'apothicaire de Sganarelle ? Aidez-vous de l'introduction pour répondre.

❷ **a.** À votre avis, pourquoi Lucinde retrouve-t-elle la parole ?
b. Que croit Géronte ?

❸ **a.** Quel est le premier mot prononcé par Lucinde ?
b. Dans le dialogue entre le père et la fille, qu'est-ce qui montre à quel point Lucinde est déterminée ? Pour répondre, observez bien la ponctuation et les didascalies.

❹ **a.** Quel est le nom du remède que Sganarelle prescrit à Lucinde ?
b. Qui est censé lui administrer ce remède ?
c. Que doit alors comprendre l'apothicaire ?

❺ **a.** Que croit Géronte ?
b. Pourquoi la situation est-elle comique ?

Pour approfondir

❻ **a.** Qu'a demandé Léandre à Sganarelle ?
b. Que promet Sganarelle à Géronte à la fin du passage ?
c. Comparez vos réponses précédentes : que constatez-vous ?

❼ Qui Sganarelle aide-t-il finalement ? À votre avis, pourquoi ?

❽ Quels sont les différents éléments qui montrent que l'intrigue s'achemine vers sa fin ? Pour répondre, pensez à la manière dont ont évolué le problème de Géronte et celui de Lucinde, ainsi qu'à la situation dans laquelle se retrouve Sganarelle.

Vocabulaire

❶ Rappelez le sens du mot *vertu* (l. 19). « Que je vous suis obligé, Monsieur, de cette guérison merveilleuse ! » (l. 20-21) : à l'aide du contexte, expliquez le sens de cette phrase.

❷ « Oui, mon père, j'ai recouvré la parole. » (l. 24) : remplacez, dans cette phrase, le verbe *recouvrer* par un synonyme.

❸ Donnez le sens du mot *résolution* (l. 28) et relevez dans la suite de la scène un adjectif et un verbe de la même famille.

Oral

Improviser et travailler les jeux de scène

❶ Relisez les lignes 2 à 16 : le discours de Sganarelle vous paraît-il clair ? Pourquoi ?

❷ Relisez les didascalies : que veut faire Géronte ? Comment Sganarelle l'en empêche-t-il ?

❸ Par deux, jouez ce passage, sans apprendre le texte par cœur, mais en improvisant sur le sujet, comme Sganarelle.
– Cherchez les moyens par lesquels Géronte peut tenter d'apercevoir le couple, en se hissant sur la pointe des pieds ou en se laissant tomber, lentement, l'air de rien, ou en essayant de prendre Sganarelle par surprise…
– Variez le plus possible, en travaillant les effets comiques : gestes, expressions, jeux de regard, ton de voix…

Ça vous chatouille ou ça vous gratouille ?

Jules Romains

(1885-1972)
Cet écrivain est l'auteur
d'un grand ensemble
romanesque :
*Les Hommes de bonne
volonté*, mais aussi
de plusieurs pièces satiriques.

Le docteur Knock vient de s'installer dans un petit village où son prédécesseur n'a guère réussi à faire fortune, les paysans étant habitués à se soigner tout seuls. Mais Knock prétend exercer la médecine selon une méthode toute nouvelle et a juré de changer tout cela. Pour commencer, il demande au Tambour[1] de la ville d'annoncer que, tous les lundis matins, les consultations seront gratuites. Or, nous sommes justement lundi…

ACTE II, SCÈNE 1 – KNOCK, LE TAMBOUR DE VILLE.

LE TAMBOUR, *après plusieurs hésitations.* – Je ne pourrai pas venir tout à l'heure, ou j'arriverai trop tard. Est-ce que ça serait un effet de votre bonté de me donner ma consultation maintenant ?

KNOCK. – Heu… Oui. Mais dépêchons-nous. J'ai rendez-vous avec M. Ber-
5 nard, l'instituteur, et avec M. le pharmacien Mousquet. Il faut que je les reçoive avant que les autres arrivent. De quoi souffrez-vous ?

LE TAMBOUR. – Attendez que je réfléchisse. (*Il rit.*) Voilà. Quand j'ai dîné, je sens une espèce de démangeaison ici. (*Il montre le haut de son épigastre[2].*) Ça me chatouille, ou plutôt, ça me gratouille.

10 KNOCK, *d'un air de profonde concentration.* – Attention. Ne confondons pas. Est-ce que ça vous chatouille, ou est-ce que ça vous gratouille ?

LE TAMBOUR. – Ça me gratouille. (*Il médite.*) Mais ça me chatouille bien un peu aussi.

KNOCK. – Désignez-moi exactement l'endroit.

15 LE TAMBOUR. – Par ici.

KNOCK. – Par ici… où cela, par ici ?

LE TAMBOUR. – Là. Ou peut-être là… Entre les deux.

KNOCK. – Juste entre les deux ?… Est-ce que ça ne serait pas plutôt un rien à gauche, là, où je mets mon doigt ?

20 LE TAMBOUR. – Il me semble bien.

KNOCK. – Ça vous fait mal quand j'enfonce mon doigt ?

LE TAMBOUR. – Oui, on dirait que ça me fait mal.

KNOCK. – Ah ! ah ! (*Il médite d'un air sombre.*) Est-ce que ça ne vous gratouille pas davantage quand vous avez mangé de la tête de veau vinaigrette ?

25 LE TAMBOUR. – Je n'en mange jamais. Mais il me semble que si j'en mangeais, effectivement, ça me gratouillerait plus.

KNOCK. – Ah ! ah ! très important. Ah ! ah ! Quel âge avez-vous ?

LE TAMBOUR. – Cinquante et un, dans mes cinquante-deux.

KNOCK. – Plus près de cinquante-deux ou de cinquante et un ?

30 LE TAMBOUR, *il se trouble peu à peu.* – Plus près de cinquante-deux. Je les aurai fin novembre.

KNOCK, *lui mettant la main sur l'épaule.* – Mon ami, faites votre travail aujourd'hui comme d'habitude. Ce soir, couchez-vous de bonne heure. Demain matin,

1. Tambour : personne chargée de faire des annonces à travers la ville ; elle tire son nom du tambour dont elle se sert pour attirer l'attention du public.

2. Épigastre : creux de l'estomac.

35 gardez le lit. Je passerai vous voir. Pour vous, mes visites seront gratuites
Mais ne le dites pas. C'est une faveur.

LE TAMBOUR, *avec anxiété*. – Vous êtes trop bon, docteur. Mais c'est donc
grave, ce que j'ai ?

KNOCK. – Ce n'est peut-être pas encore très grave. Il était temps de vous
soigner. Vous fumez ?

40 LE TAMBOUR, *tirant son mouchoir*. – Non, je chique.

KNOCK. – Défense absolue de chiquer. Vous aimez le vin ?

LE TAMBOUR. – J'en bois raisonnablement.

KNOCK. – Plus une goutte de vin. Vous êtes marié ?

LE TAMBOUR. – Oui, docteur.

45   *Le Tambour s'essuie le front.*

KNOCK. – Sagesse totale de ce côté-là, hein ?

LE TAMBOUR. – Je peux manger ?

KNOCK. – Aujourd'hui, comme vous travaillez, prenez un peu de potage
Demain, nous en viendrons à des restrictions plus sérieuses. Pour l'ins-
50 tant, tenez-vous-en à ce que je vous ai dit.

LE TAMBOUR, *s'essuie à nouveau*. – Vous ne croyez pas qu'il vaudrait mieux
que je me couche tout de suite ? Je ne me sens réellement pas à mon aise

KNOCK, *ouvrant la porte*. – Gardez-vous-en bien ! Dans votre cas, il est mauvais d'aller se mettre au lit entre le lever et le coucher du soleil. Faites vos
55 annonces comme si de rien n'était, et attendez tranquillement jusqu'à ce soir

Le Tambour sort, Knock le reconduit

JULES ROMAINS, *Knock ou le Triomphe de la médecine*, © Éditions Gallimard, 1923

Lecture

Pour bien lire

1 Pourquoi le Tambour demande-t-il une consultation au docteur Knock ? Est-il malade ?

2 Comment son humeur évolue-t-elle au fil de
la consultation ? Pourquoi ? Appuyez-vous sur les
didascalies pour répondre.

3 Relevez la phrase qui fait comprendre au Tambour qu'il est gravement malade.

Pour approfondir

4 Que pensez-vous des questions du médecin ?

5 À votre avis, quelle sera la conséquence des restrictions imposées par le médecin ?

6 a. Pourquoi le docteur, malgré la gravité suppo-
sée de la maladie du Tambour, lui dit-il de faire son
travail normalement ce jour-là ?
b. Pourquoi Knock donne-t-il des consultations
gratuites ?

7 Knock et Sganarelle sont deux faux médecins. Lequel vous paraît le plus sympathique ?
Pourquoi ?

Illustration pour *Knock*, Jean Dratz,
XXᵉ siècle (coll. privée).

→ Acte I

A Bien comprendre la situation

Lisez attentivement la scène 4 de l'acte I, puis répondez aux questions.

1 Qui sont Léandre et Valère ?

2 Rassemblez toutes les informations que donne le dialogue sur leur maître, puis sur sa fille.

3 Expliquez avec vos propres mots la ruse inventée par Martine.

B Interpréter une scène

Vous allez jouer la scène 5. Voici quelques questions pour vous aider à interpréter les personnages.

4 De quelle manière Sganarelle s'adresse-t-il à sa bouteille ?

5 Comment s'exprime Lucas ?

6 a. Recherchez le sens du mot *quiproquo*.
b. En quoi consiste le quiproquo dans cette scène ?
c. À quel moment ce quiproquo prend-il fin ?

7 Quels sont les différents sentiments de Sganarelle au fil de la scène ?

→ Acte II

A L'évolution de l'action

1 Où cet acte se passe-t-il ?

2 Au début de la scène 1, les domestiques racontent pour la troisième fois les exploits supposés du médecin Sganarelle. Comparez ce récit aux récits précédents : que constatez-vous ?

3 a. Qu'apprend-on sur la malade lors du dialogue entre la nourrice et Géronte ?
b. Quel autre type d'intrigue est en train d'apparaître ici ?

B Le personnage de Sganarelle

4 Comment Sganarelle se comporte-t-il vis-à-vis de Géronte ? Pour répondre, observez attentivement les gestes et les paroles des personnages.

5 a. Comparez la situation de Sganarelle dans ces scènes avec sa situation à la fin de l'acte I : qu'est-ce qui a changé ?

Masque en bronze de la *Commedia dell'arte*, XVIIIᵉ siècle (musée du théâtre de la Scala, Milan).

b. Sganarelle paraît-il toujours comme la victime sans défense de la ruse de Martine ? Pourquoi la supercherie risque-t-elle d'être dévoilée ?

C Un rebondissement dans l'action (II, 5)

6 Quel nouveau personnage apparaît dans cette scène ? Présentez-le aussi précisément que possible.

7 a. Quel quiproquo se produit quand Léandre demande son aide à Sganarelle ?
b. Que pouvez-vous en déduire sur l'évolution du personnage ?

8 Qu'est-ce que Léandre nous apprend d'important sur la maladie de Lucinde ?

9 a. Que demande-t-il à Sganarelle ?
b. Pourquoi Sganarelle refuse-t-il d'abord ?
c. Qu'est-ce qui le fait changer d'avis ?

D Bilan sur l'acte II

10 a. Sganarelle s'est-il bien acquitté de son rôle de médecin ? Justifiez votre réponse.

b. Peut-on toujours dire qu'il est « médecin malgré lui » ?

11 L'histoire pourrait s'arrêter sur cette réussite de Sganarelle. Comment Molière relance-t-il l'action à la fin de l'acte II ?

Pour étudier l'œuvre

→ Acte III

A Les déguisements

1 Dites quels traits de caractère de Sganarelle sont mis en avant dans chacune des scènes 1 à 3.

2 **a.** Pour qui Sganarelle fait-il passer Léandre à la scène 5 ? **b.** Quel est le but de ce déguisement ?

B Le dénouement

3 Comparez la longueur des scènes à celle des précédentes : le rythme de l'action accélère-t-il ou ralentit-il ?

4 Recensez les événements qui se produisent de la scène 8 à la fin de la pièce. Sont-ils vraisemblables ?

5 Comment se termine l'histoire pour Lucinde ? Pour Géronte ? Pour Martine ?

6 Comparez la dernière scène de la pièce à la première : quels sont les points communs ?

→ Ruses et masques, résister au plus fort

1 L'action, au théâtre, repose sur un conflit, des oppositions entre les personnages.

a. Qu'est-ce qui oppose Lucinde à Géronte ?

b. Qu'est-ce qui oppose Lucas et Valère d'une part, e Sganarelle d'autre part, dans la scène 5 de l'acte I ?

c. Qui, entre Lucinde et Géronte, détient le pouvoir Pourquoi ?

d. Comment les valets contraignent-ils Sganarelle à accepter le rôle de médecin ?

e. Quel moyen Lucinde utilise-t-elle pour résister à la volonté de son père ?

f. Comment Sganarelle retourne-t-il la situation à son avantage ?

2 Faites le bilan des qualités et des défauts de Sgana relle : qu'est-ce qui rend ce personnage sympathique malgré tous ses défauts ?

Le Médecin malgré lui, mise en scène C. Roumanoff, avec Serge Catanèse (Sganarelle), Catherine Vidal (Martine), Jean-Louis Laurent (Géronte), Marina Valleix (Lucinde), compagnie Colette Roumanoff, 2013.

La comédie

Un art de la scène

✳ **Le théâtre est un art de la scène.** Le texte théâtral, destiné à être joué par des comédiens, est donc exclusivement constitué d'un enchaînement de **répliques**.

✳ Des **didascalies** précisent le ton, les gestes des personnages, mais aussi toute information utile sur le décor, les objets utilisés : ce sont elles qui permettent de dire ce qui se passe sur scène.

✳ **Une pièce de théâtre est divisée en actes et en scènes.** On change de scène chaque fois qu'un acteur entre sur scène ou en sort. Les scènes sont regroupées en actes qui correspondent à une étape de l'histoire (**exposition**, **action** puis **dénouement**).

Le conflit, moteur de la comédie

✳ On appelle **comédies** les pièces de théâtre qui visent à faire rire. **L'intrigue de la comédie repose sur un conflit entre personnages.** Martine veut se venger de Sganarelle. Géronte veut marier sa fille à un homme qu'il a choisi pour elle, Lucinde refuse d'en épouser un autre que Léandre.

✳ Dans ces conflits, les personnages les plus faibles n'ont pour parvenir à leurs fins que **les ressources de leur esprit**. Pour se soustraire à l'autorité d'un père, Lucinde feint d'être malade. Sganarelle joue les médecins pour échapper à la brutalité des valets de Géronte et retourner la situation à son avantage.

✳ Ce **jeu de masques** fait naître toutes sortes d'éléments comiques :
– **comique de situation**, quand le spectateur se rend compte qu'un personnage en berne un autre ;
– **comique de caractère**, avec la mise en scène de personnages ridicules ;
– **comique de gestes** (coups, grimaces, poses et gesticulations) ;
– **comique verbal** (jeux de mots, jurons, charabia…).

La satire

✳ On appelle **satire** un texte qui se moque d'une catégorie de personnages. Molière pratique beaucoup la satire du médecin, avec *Le Médecin malgré lui*, mais aussi plusieurs autres pièces, comme *Le Malade imaginaire*.

✳ La tradition de la satire du médecin se poursuit au XXe siècle avec Jules Romains, mais **le ton se transforme : l'humour devient plus grinçant** et le faux médecin plus inquiétant, lorsque son but n'est plus de se moquer des imbéciles mais d'en profiter sans scrupules.

Honoré Daumier, lithographie colorée et gommée, 1836-1838 (Maison de Balzac, Paris).

La langue classique

1 Martine et Sganarelle paraissent sur le théâtre en « se querellant » (Acte I, 1).

a. Donnez le sens du mot *se quereller*.

b. Proposez un nom de la même famille.

2 Donnez le sens du mot *ressentiment* dans la phrase suivante.

« MARTINE. – Va, quelque mine que je fasse, je n'oublie pas mon *ressentiment*. » (Acte I, 1)

3 **a.** Rappelez le sens de l'expression « rendre grâce à » dans la phrase suivante.

« MARTINE. – Devrais-tu être un seul moment sans *rendre grâce au* Ciel de m'avoir pour ta femme ? » (Acte I, 1)

b. Comment appelle-t-on la qualité de la personne capable de « rendre grâce à autrui » ? Répondez en employant un mot de la famille de *grâce*.

4 Lisez l'extrait suivant.

« LUCINDE (à Géronte). – Rien n'est capable d'ébranler la *résolution* que j'ai prise. » [...] C'est une chose où je suis déterminée [...]. Je n'en ferai rien. Cela est *résolu*. » (Acte III, 6.)

a. Qu'est-ce qu'une *résolution* ?

b. À quel moment de l'année prend-on de « bonnes résolutions » ? Que signifie cette expression ?

c. Déduisez-en le sens de *résolu*, puis relevez-en un synonyme dans le passage cité.

d. En formant un nom à partir de la réponse précédente, dites de quelle qualité Lucinde fait preuve ici.

5 **a.** Quel est le sens d'*obligé* dans l'extrait suivant ?

« GÉRONTE. – [...] Que je vous suis *obligé*, Monsieur, de cette guérison merveilleuse ! » (Acte III, 6)

b. Que signifie l'expression « obliger quelqu'un », quand ce n'est pas « le forcer à faire quelque chose » ?

c. Complétez la phrase suivante et expliquez son sens. Auriez-vous l'obligeance de ... ?

6 **a.** Lisez l'extrait suivant. Que signifie « importuner quelqu'un » ?

« LÉANDRE. – Vous saurez donc, Monsieur, que cette maladie que vous voulez guérir est une *feinte* maladie [...] et que Lucinde n'a trouvé cette maladie que pour se délivrer d'un mariage dont elle était *importunée*. » (Acte II, 5)

b. Employez le verbe *importuner* dans une phrase.

c. Qu'est-ce qu'une *feinte* ?

d. Recopiez la phrase de Léandre en remplaçant *feinte* par un synonyme.

e. Déduisez-en le sens du verbe *feindre de* et employez-le dans une phrase.

7 **a.** Les verbes de la liste A proviennent du *Médecin malgré lui*. Associez chacun de ces verbes à son synonyme (mot de même sens) dans la liste B.

A. quérir – se résoudre à – consentir à – ouïr – gager – entendre – recouvrer – ôter – dérober – dissimuler – gâter – s'entretenir avec – incommoder

B. abîmer – accepter quelque chose – comprendre – cacher – chercher – se décider à – discuter avec – enlever – entendre – gêner – parier – retrouver – voler

b. Donnez des mots de la même famille que les verbes suivants : *quérir – se résoudre à – s'entretenir avec*.

c. Employez dans une phrase, avec leur sens classique, les verbes suivants : *quérir – entendre – souffrir – prier – s'entretenir*.

8 La langue employée par Molière est la même que celle employée par Charles Perrault.

a. Voici deux phrases avec le verbe *souffrir* extrait du début de *Cendrillon*. Quel est le sens de ce mot au XVIIᵉ siècle ?

1. « Elle [la belle-mère] ne put *souffrir* les bonnes qualités de cette jeune enfant, qui rendaient ses filles encore plus haïssables. »

2. « La pauvre fille *souffrait* tout avec patience et n'osait s'en plaindre à son père, qui l'aurait grondée. »

b. Quel est le sens du verbe *prier* dans les extraits ci-dessous ?

1. « Il arriva que le fils du roi donna un bal et qu'il en *pria* toutes les personnes de qualité. » (*Cendrillon*)

2. « Mais comme chacun prenait sa place à table, on vit entrer une vieille fée qu'on n'avait point *priée*. » (*La Belle au bois dormant*)

Molière en habit de Sganarelle, gravure de Claude Simonin (1635-1721), BNF, Paris.

Apprendre à rédiger — Vers l'écriture

Écrire une scène de théâtre

Présenter un texte de théâtre

1 a. Récrivez ce passage de manière à retrouver la présentation d'un texte de théâtre.

Soulignez les didascalies.

SCÈNE II GAILLARDON, HENRIETTE, MADAME RÉPIN, MARIE, puis RÉPIN. La porte de la cuisine s'ouvre en silence. Madame Répin et Marie paraissent dans l'encadrement. MADAME RÉPIN, anxieuse, à mi-voix. Qu'est-ce qu'il t'a dit, mon Henriette ? MARIE, de même. Oui, qu'est-ce qu'il t'a dit ? HENRIETTE. Il m'a rien dit. MARIE, les bras croisés, à sa mère. Eh bien, tu crois ! Eh bien, tu crois ! MADAME RÉPIN, haut. J'vas servir le café. Henriette, va appeler ton père. Gaillardon allume sa pipe. HENRIETTE, à la porte de gauche. Papa ! Papa ! RÉPIN, paraissant aussitôt, bas à Henriette. Qu'est-ce qu'il t'a dit, mon Henriette ?

2 Transposez cet extrait en dialogue de théâtre.

– Je parie, dit madame Lepic, qu'Honorine a encore oublié de fermer les poules. […] Félix, si tu allais les fermer ?

– Je ne suis pas ici pour m'occuper des poules, dit Félix, garçon pâle, indolent et poltron.

– Et toi, Ernestine ?

– Oh ! moi, maman, j'aurais trop peur !

Grand frère Félix et sœur Ernestine lèvent à peine la tête pour répondre. Ils lisent, très intéressés, les coudes sur la table, presque front contre front.

J. RENARD, *Poil de Carotte*, 1894.

Faire progresser l'action

3 Imaginez la scène suivante.

Un plombier termine les travaux dans un nouveau cabinet médical. C'est le début de la pièce, il est seul sur scène. Il faut faire comprendre au spectateur qui est le personnage et où il se trouve.

a. Cherchez des idées.

1. Que peut faire le personnage pour que l'on comprenne son métier ?

2. Que peut-il dire à haute voix, tout seul ?

3. Comment glisser l'information sur le fait qu'on se trouve dans un cabinet médical ?

b. Rédigez la scène en utilisant des didascalies.

c. Insérez des éléments comiques.

1. Votre personnage est-il particulièrement maladroit ? impatient et colérique ? alcoolique ?

2. Comment cela se traduit-il sur scène ?

4 Au théâtre, l'action repose sur un conflit. Chaque personnage veut quelque chose et essaie de l'obtenir, faisant ainsi progresser l'action peu à peu.

a. Imaginez la suite de la scène suivante.

Une vieille dame à moitié sourde arrive, prend le plombier pour le médecin et exige une consultation.

b. Rédigez le début de la scène, en tenant compte des actions suivantes.

1. La vieille dame arrive et interpelle le plombier, qu'elle prend pour le médecin.

2. Le plombier essaie de la détromper.

3. La dame insiste, de plus en plus autoritaire.

5 Imaginez la suite de la scène suivante.

La vieille dame va convaincre le plombier de jouer le rôle du médecin et de lui donner une consultation.

a. Faites la liste des actions réalisées par chaque personnage, comme dans l'exercice 4.

1. Comment s'y prend-elle ? Est-ce qu'elle le harcèle jusqu'à le pousser à bout ? Est-ce qu'elle insiste au point de le faire douter ? Utilise-t-elle la violence ? L'argent ?

2. Comment le plombier réagit-il à chaque fois ?

b. Rédigez la scène en soignant les effets comiques.

6 a. Lisez l'extrait suivant, puis recopiez-le en supprimant toutes les répliques que vous jugez inutiles.

MME LAMBERT. – Bonsoir, chéri.

TOM. – Bonsoir, Maman.

MME LAMBERT. – Ça va, mon chéri ?

TOM. – Oui, ça va, et toi ?

MME LAMBERT. – Tu as reçu ton bulletin, n'est-ce pas ?

TOM. – Euh…

MME LAMBERT. – J'ai croisé Martin qui m'a dit qu'il avait eu son bulletin.

TOM. – Vraiment ? Quelle chance il a ! Toujours en avance sur les autres, ce Martin !

b. Relisez le texte obtenu et comparez-le avec la première version.

7 Mettez en commun l'écriture de votre scène réalisée dans les exercices 3 à 5. Sélectionnez les meilleures trouvailles pour élaborer collectivement un texte qui constituera le récit cadre de votre pièce. Supprimez toutes les répliques inutiles.

À vos plumes !

Écrire et monter une pièce satirique

Trav... de gr...

SUJET

Un plombier travaillant dans un cabinet médical est pris par une patiente pour le médecin. Il joue le jeu et donne plusieurs consultations fantaisistes avant de disparaître. Racontez et jouez cette histoire.

Étape 1 Créer le récit cadre

- Imaginez la première scène, qui explique comment un plombier se retrouve à jouer les médecins. Vous pouvez vous aider des exercices 3 à 5 p. 297.
- Comment votre histoire se termine-t-elle ? Le charlatan est-il démasqué et arrêté ? S'enfuit-il avant d'être pris, ayant empoché assez d'argent ? Prend-il la fuite poursuivi par une horde de malades mécontents ?

Étape 2 Rédiger les différentes scènes de consultation

Mettez-vous par groupes de 2 à 4. Chaque groupe devra écrire et mettre en scène une consultation donnée par le faux médecin. N'oubliez pas que le but est de faire rire.
- Rédigez votre texte en respectant la mise en page du texte théâtral.
- Insérez des jeux de mots et autres répliques amusantes.
- Prévoyez des jeux de scène.

Étape 3 Répéter, travailler la mise en scène

- Apprenez chacun votre rôle et travaillez votre scène et la façon de la jouer.
- Aidé du reste de la classe qui est spectateur, chaque groupe cherche à renforcer les effets comiques de sa scène : expressions, jeux de scène (coups, poursuites…).

Caricature des médecins charlatans de Molière, Félix Lorioux 1928.

Méthode Écrire et mettre en scène une pièce

Choisir un décor

– Quel(s) espace(s) devez-vous représenter sur scène ? Comment pouvez-vous suggérer ces espaces très simplement ? Le simple fait de mimer l'ouverture d'une porte peut montrer la séparation entre un cabinet et une salle d'attente.

– De quels éléments de décor avez-vous besoin ?

Caractériser les personnages

– Quelques accessoires doivent permettre d'identifier un personnage, y compris s'il est interprété par plusieurs acteurs : une couronne pour un roi, une écharpe de fourrure pour un juge.

– Faites simple, c'est souvent ce qui marche le mieux !

Pas besoin d'accessoires coûteux : un stéthoscope d'enfant fera d'autant mieux ressortir le côté charlatan de votre médecin !

Travailler les scènes et développer le jeu

– Imaginez ce que le personnage peut faire en prononçant ses répliques.

– N'oubliez pas que l'exagération est un des ressorts de la comédie.

– N'hésitez pas à impliquer le public dans la mise en scène : si un personnage cherche quelque chose, il peut, par exemple, chercher dans le public, fouiller les poches d'un spectateur ; s'il se met à danser, il peut attraper un spectateur et danser avec lui…

Jouer une scène de théâtre

Travail de groupe

→ L'écoute et la concentration

1 L'aveugle et son guide (deux par deux)

Un élève est l'aveugle (yeux bandés ou fermés), l'autre est le guide. Sans le toucher, le guide fait suivre un parcours à l'aveugle en lui indiquant les obstacles à contourner. Après quelques minutes, inversez les rôles.

2 Miroir, mon beau miroir (deux par deux)

Assis face à face, sur des chaises distantes de deux ou trois mètres, les deux élèves se regardent attentivement. Sans se parler ni se faire aucun signe, ils doivent se parler et marcher l'un vers l'autre sans se quitter du regard ni rire ; arrivés au milieu, ils se croisent en pivotant de façon à poursuivre leur chemin en marche arrière, toujours sans se quitter du regard, et vont s'asseoir sur la chaise précédemment occupée par leur camarade.

3 Deux petits singes (par trois)

Deux élèves sont assis sur des chaises, face à face. Un troisième élève leur annonce une émotion qu'ils doivent mimer par l'expression du visage : étonnement, joie, tristesse, colère, peur, amour… Chaque élève doit mimer cette émotion en l'exagérant le plus possible, sans quitter l'autre du regard. Le premier qui rit a perdu.

→ La voix

4 Bien utiliser son diaphragme (en groupe)

. Pour sentir son diaphragme, poser sa main sur le ventre.

Faire « le petit chien qui halète », des « ah » successifs aussi puissants que possible, comme si on toussait : le muscle qui tressaute est le diaphragme, qu'il faut utiliser pour donner de la puissance à la voix.

. Faire « ah » !

Faire un « ah » continu le plus grave possible, fort, en prenant appui sur le diaphragme. Tenir le son en montant de plus en plus aigu et en poussant sur le diaphragme.

. Répéter une phrase.

Répétez « Je suis roi/reine de ce pays, je me tiens droit et je parle haut et fort », d'abord en utilisant seulement la bouche et la gorge, puis en utilisant le diaphragme.

5 La balle (en groupe)

Les élèves sont disposés un peu partout dans la salle. Ils utilisent leur voix comme une balle qu'ils envoient à un camarade de leur choix : ils lui « lancent » son nom en adaptant la direction et le volume sonore en fonction de la place de ce camarade. Comme pour une balle, on essaie de ne pas « lancer trop loin », ni trop court. On se sert pour cela de son diaphragme.

6 Exercices d'articulation (tour à tour)

Lire un texte et le dire à voix haute et le plus distinctement possible avec un stylo dans la bouche. Chercher sur Internet quelques virelangues et s'entraîner à les dire le plus vite possible.

→ L'utilisation du corps et l'improvisation

7 Sans paroles (par deux)

Improvisez une scène de consultation donnée par un médecin fantaisiste. Toute la communication entre les personnages doit passer par le mime : vous n'avez pas droit à la parole. Essayez de placer des effets comiques.

8 La Lettre (en équipes)

Le groupe est divisé en deux équipes. L'équipe A inscrit sur une feuille quatre émotions qu'il faudra exprimer dans un ordre précis : peur, joie, tristesse, étonnement… Un joueur de l'équipe B prend le papier, le lit, et, comme s'il lisait une lettre, doit utiliser tout son corps (position, gestes, expressions du visage…) pour faire deviner ces émotions, dans l'ordre, aux joueurs de son équipe. Il n'y a droit à aucune parole.

9 Où suis-je ?

(en groupe)

Improvisez une scène où quatre personnages qui ne se connaissent pas se réveillent ensemble dans un même lieu (île déserte, planète inconnue, cage, train, hôpital…). Que font-ils ? Que disent-ils ?

Sganarelle dans
Le Médecin malgré lui :
« Va-t-elle où vous savez ? »
(Acte II, scène 2). Dessin
d'Edmond Geffroy, 1885.

Étude de la langue

Terre des Lettres propose une **progression spiralaire**, qui introduit les notions progressivement, par une **approche inductive**, et les approfondit à chaque étape, avec une grande place accordée à l'écriture. Ces étapes sont ponctuées par des fiches de révision **différenciées**.

Étape 1

1 GRAMMAIRE Sujet, verbe et proposition 302

2 GRAMMAIRE Le verbe 304

3 GRAMMAIRE Le nom et le groupe nominal 306

4 ORTHOGRAPHE L'accord du verbe avec le sujet : les marques régulières de la personne 308

5 CONJUGAISON Temps simples, temps composés 310

6 GRAMMAIRE La phrase et sa ponctuation 312

▶ **Réinvestir ses connaissances** 314

Étape 2

7 VOCABULAIRE La formation des mots 316

8 CONJUGAISON Le présent de l'indicatif des verbes du 1er groupe 317

9 ORTHOGRAPHE Le féminin des noms 318

10 CONJUGAISON Le présent de l'indicatif des verbes des 2e et 3e groupes 319

11 ORTHOGRAPHE Le pluriel des noms 321

12 CONJUGAISON Le passé composé 322

▶ **Réinvestir ses connaissances** 324

Étape 3

13 ORTHOGRAPHE Les mots invariables 326

14 GRAMMAIRE Les déterminants (1) : les articles 328

15 GRAMMAIRE Les déterminants (2) : les démonstratifs et les possessifs 330

16 CONJUGAISON L'impératif 332

17 ORTHOGRAPHE L'accord des adjectifs 334

▶ **Réinvestir ses connaissances** 336

Étape 4

18 GRAMMAIRE Les pronoms 33

19 CONJUGAISON L'imparfait et le plus-que-parfait 34

20 ORTHOGRAPHE Les homophones liés aux verbes *être* et *avoir* 34

21 CONJUGAISON Le passé simple et le passé antérieur 34

22 CONJUGAISON Employer les temps du passé : imparfait et passé simple 34

23 GRAMMAIRE La nature des mots : bilan 34

▶ **Réinvestir ses connaissances** 35

Étape 5

24 GRAMMAIRE Les compléments d'objet 35

25 ORTHOGRAPHE Le participe passé employé seul ou avec l'auxiliaire *être* 35

26 ORTHOGRAPHE Les terminaisons verbales en [é] 35

27 GRAMMAIRE L'attribut du sujet 35

28 CONJUGAISON Le futur et le futur antérieur 36

▶ **Réinvestir ses connaissances** 36

Étape 6

29 GRAMMAIRE Les compléments circonstanciels : manière, temps et lieu 3

30 GRAMMAIRE Le complément du nom 3

31 GRAMMAIRE La fonction des mots 3

32 GRAMMAIRE Initiation à la phrase complexe 3

▶ **Réinvestir ses connaissances** 3

Outils pour apprendre

Règles d'orthographe d'usage 3

Tableaux de conjugaison 3

Tableaux des préfixes et des suffixes 3

Échelles de maîtrise de compréhension et de rédaction 3

Cartes mentales des classes grammaticales et des fonctions .... gardes arriè

Étude de la langue

Grammaire

1 Sujet, verbe et proposition 302
2 Le verbe 304
3 Le nom et le groupe nominal 306
6 La phrase et sa ponctuation 312
14 Les déterminants (1) : les articles 328
15 Les déterminants (2) : les démonstratifs et les possessifs 330
18 Les pronoms 338
23 La nature des mots : bilan 348
24 Les compléments d'objet 352
27 L'attribut du sujet 358
29 Les compléments circonstanciels : manière, temps et lieu 364
30 Le complément du nom 366
31 La fonction des mots 368
32 Initiation à la phrase complexe 370

Orthographe

4 L'accord du verbe avec le sujet : les marques régulières de la personne 308
9 Le féminin des noms 318
11 Le pluriel des noms 321
13 Les mots invariables 326
17 L'accord des adjectifs 334
20 Les homophones liés aux verbes *être* et *avoir* 342
25 Le participe passé employé seul ou avec l'auxiliaire *être* 354
26 Les terminaisons verbales en [é] 356
Règles d'orthographe d'usage 374

Conjugaison

5 Temps simples, temps composés 310
8 Le présent de l'indicatif des verbes du 1er groupe 317
10 Le présent de l'indicatif des verbes des 2e et 3e groupes 319
12 Le passé composé 322
16 L'impératif 332
19 L'imparfait et le plus-que-parfait 340
21 Le passé simple et le passé antérieur 344
22 Employer les temps du passé : imparfait et passé simple 346
28 Le futur et le futur antérieur 360
Tableaux de conjugaison 376

Vocabulaire

7 La formation des mots 316
Tableaux des préfixes et des suffixes : la formation des mots 380

Sujet, verbe et proposition

Observer

Victor dormait. La nuit était calme. La lune brillait dans le ciel, un vent léger agitait les branchages.

1. De qui ou de quoi la première phrase parle-t-elle ? Et la deuxième ?

2. a. Quel mot de la première phrase indique ce que fait le sujet ?

b. Et dans la deuxième phrase ?

3. Recopiez la troisième phrase. Entourez les verbes conjugués, soulignez leur sujet et séparez les deux idées exprimées par des crochets.

Leçon

1 La proposition

- Un **groupe de mots** qui exprime une idée complète est une **proposition**.

  [L'hiver est là] ; [le chat dort près du feu].

- Une phrase peut contenir **une seule proposition**. C'est alors une **phrase simple**.

  Les oiseaux chantent.

- Une phrase peut contenir **plusieurs propositions**. C'est alors une **phrase complexe**.

  Le vent hurle, les nuages défilent dans le ciel.

- Une phrase contient **autant de propositions** que de **verbes conjugués**.

2 Le sujet et le verbe, base de la proposition

- **Le sujet** de la proposition est généralement **ce dont on parle**.

La proposition permet de dire quelque chose sur ce **sujet**. Pour cela, il faut au moins un verbe conjugué. Le **verbe** est donc le **noyau de la proposition**.

- Le verbe indique généralement **ce que fait le sujet**. On parle alors de **verbe d'action**.

  *Le soleil **brille**.*

- Certains verbes indiquent **comment** est le sujet. Ce sont les **verbes d'état** : *être, paraître, sembler, devenir, rester, demeurer, avoir l'air, passer pour.*

Remarque : On appelle **prédicat** la partie de la proposition qui dit quelque chose sur le sujet. Le prédicat se compose donc d'**un verbe** et de **ses compléments**.

  *<u>Le chat</u> **<u>dort</u> <u>près de la cheminée</u>.***
     sujet   prédicat

3 Le sujet du verbe

Pour trouver le sujet d'un verbe, on pose la question : « **qu'est-ce qui** » ou « **qui est-ce qui** » + verbe ?

  Qu'est-ce qui agitait les branchages ? Un vent léger.

Remarque : plusieurs verbes peuvent avoir le **même sujet**. La plupart du temps, le sujet n'est alors pas répété.

  *Pierre **se réveille**, **se frotte** les yeux et **regarde** autour de lui d'un air étonné.*

Exercices

1 **Écriture** Faites une phrase avec chacun des sujets suivants. Entourez le verbe que vous avez employé.

l'écureuil – les élèves – je – les feuilles du vieux chêne – la classe de 6e A

2 **Écriture** Faites une phrase avec chacun des verbes suivants. Soulignez le sujet que vous avez choisi.

pleurer – attendre – demander – grandir – réussir

3 Recopiez le texte suivant. Soulignez le sujet de chaque verbe en vous demandant de qui ou de quoi parle la phrase. Entourez ensuite les verbes qui indiquent ce que fait chaque sujet.

Sur la pointe des pieds, M. Lepic s'approche le plus près possible, le fusil au creux de l'épaule. Poil de Carotte s'immobilise et l'émotion l'étrangle. Des perdrix partent et un lièvre déboule. Et M. Lepic manque ou tue.

D'après **J. Renard**, *Poil de Carotte*, 1894.

4 **Oral** a. Dans les phrases suivantes, relevez les verbes conjugués et précisez si ce sont des phrases simples ou complexes.

b. Précisez le sujet de chaque verbe.

1. Les élèves sortent leurs affaires pendant que le professeur fait l'appel.
2. Alors apparaît au-dessus des nuages un soleil rose et or.
3. Paul a oublié sa trousse, il demande un stylo à son voisin.
4. Dans la cour se dressait un immense marronnier.
5. Le soleil, que recouvraient de lourds nuages, répandait une faible lumière.

5 **Écriture** Rédigez cinq phrases simples pour décrire ce que font les différentes personnes autour de vous.

6 **Écriture** Développez les phrases suivantes en ajoutant deux autres propositions ayant le même sujet.

Exemple : Paola enfile ses bottes. → *Paola enfile ses bottes, met son manteau et sort.*

1. Ryan prend sa canne à pêche.
2. Lily aperçoit le ballon.
3. Arthur saisit la clé.

7 **Oral** Dans le texte suivant, relevez les verbes et donnez leur infinitif.

L'été finissait. Quelques feuilles déjà se détachaient des branches, tombaient sur les sentiers glissants. Cependant de jeunes pousses crevaient encore les bourgeons et les grives croyaient que la saison des nids allait recommencer dans la saison des vignes.

E. Haraucourt, *Annales politiques et littéraires*.

8 **Oral** Dans les phrases suivantes, relevez le verbe qui indique ce que fait le sujet.

1. Les voitures se bousculaient au carrefour.
2. La mouette, rapide comme l'éclair, plongea.
3. Le soleil, caché par les nuages, répandait une lumière grise.
4. Le jeune garçon, bouleversé par la nouvelle, sortit de la pièce en larmes.
5. Le trésor volé étincelait sous mes yeux.
6. Le navire disparu en mer revenait parfois hanter les côtes bretonnes.

9 Recopiez les phrases suivantes. Entourez les verbes conjugués, soulignez leur sujet et mettez chaque proposition entre crochets.

1. La lune était levée et brillait dans la clairière. (Tolkien)
2. Le vieil homme fit un grand salut à Oliver, vint lui serrer la main. (Dickens)
3. Mon maître dormait tranquillement ; les chiens et Joli-Cœur dormaient aussi, et du foyer avivé s'élevaient de belles flammes. (Malot)
4. Il se pencha vers le feu, prit une branche enflammée et se glissa à travers une ouverture de secours. (Doyle)

10 Recopiez les phrases suivantes en séparant les différentes propositions par des virgules.

1. Il fait froid le vent hurle la neige tombe. (Bosco)
2. L'animal tourna lentement autour de notre campement s'arrêta près de l'entrée. (Doyle)
3. La petite sirène fut tout effrayée et s'arrêta ; la peur lui faisait battre le cœur elle était sur le point de s'en retourner mais elle pensa alors au prince et cela lui donna du courage. (Andersen)

11 Relevez les verbes noyaux des propositions en classant d'un côté les verbes d'action, de l'autre les verbes d'état.

1. Les feuilles noircies demeuraient éparpillées sur le sol de la terrasse.
2. Le chat, tapi dans les buissons, a aperçu l'oiseau.
3. La mère avait l'air fatiguée et son pas semblait plus lourd que d'habitude.
4. L'oiseau, affolé par le bruit, file hors du nid.
5. Malgré les années, elle conservait sa fraîcheur et son énergie, et elle restait belle.

Le verbe

2

Il court. – Il courait. – Je courais.

1. Quel est le verbe commun à ces trois phrases ?

2. Quelle partie du verbe change d'une phrase à l'autre ? Expliquez pourquoi.

Leçon

Rappel : le verbe est le **noyau de la proposition** ; il dit quelque chose sur un sujet.

1 Le verbe se conjugue

Le verbe est un **mot variable**.

■ Il varie en **personne** et en **nombre**, en fonction du sujet. On dit qu'il **s'accorde avec le sujet**.

Personne		Singulier	Pluriel
1re personne	celle qui parle	je, moi	nous, toi et moi…
2e personne	celle à qui l'on parle	tu, toi	vous, lui et toi…
3e personne	celle dont on parle	il, elle, on	ils, elles, les enfants…

■ Il varie en **temps** (**moment** où se situe l'action) et en **mode** (**manière** dont on présente l'action).

■ L'ensemble des formes du verbe constitue la **conjugaison**.

2 La formation du verbe

Le verbe comprend un **radical** et une **terminaison**. C'est la terminaison qui porte les marques de conjugaison. Le radical, en général, ne change pas. *Je passe ; nous pass**ons** ; ils pass**aient** ; passer.*

3 L'infinitif

■ Un verbe qui n'est **pas conjugué** est à **l'infinitif**.

*Je vais, nous irons et vous allâtes sont trois formes du même verbe qu'on appelle le verbe **aller**.*

■ Il existe **4 terminaisons possibles** pour l'infinitif : *-er, -ir, -oir, -re*.

Ces terminaisons permettent de classer les verbes en **trois groupes**.

– **1er groupe :** les verbes en *-er* : *aim**er**, rest**er**, jou**er**…*

– **2e groupe :** les verbes en *-ir* qui font *-issons* à la 1re personne du pluriel au présent : *roug**ir**, nous rou**gissons** ; fin**ir**, nous fin**issons**…*

– **3e groupe :** tous les autres verbes : *di**re**, pren**dre**, fai**re**, voul**oir**, pein**dre**, part**ir**…*

Exercices

1 Écriture **Copiez les phrases en complétant les points par un verbe.**

1. Les feuilles … lentement. – **2.** Le vent … – **3.** Le loup … l'agneau. – **4.** Les élèves … dans le couloir. – **5.** Nous … de partir en vacances. – **6.** Tu … ton frère. – **7.** L'inspecteur … les habitants. – **8.** Mes parents … mon carnet.

2 Oral **Dites si les mots suivants sont ou non de verbes. Si vous avez un doute, essayez de les conjugue**

jouer – voir – promettre – tiroir – prendre – recevoir – cou loir – vendre – manger – soir – boire – dormir – marcher escalier – pleurer – dire – perdre – berger – venir – revoir entonnoir – sortir – donner – prisonnier – effacer – plaisir – fin

3 Dans le texte suivant, relevez les verbes conjugués noyaux des propositions.

L'enfant commence à geindre. La mère se penche hors de son lit, afin de le rassurer ; et le grand-père allume la lampe en tâtonnant, pour que le petit n'ait pas peur de la nuit. Il vient près du berceau. Son manteau sent le mouillé ; il traîne en marchant ses gros chaussons bleus.

R. ROLLAND, *Jean-Christophe*, 1904-1912.

4 Dans le texte suivant, relevez les verbes conjugués et donnez leur infinitif.

Il me semble que c'est hier, ce voyage sur le Rhône. Je vois encore le bateau, ses passagers, son équipage ; j'entends le bruit des roues et le sifflet de la machine. Le capitaine s'appelait Géniès. La traversée dura trois jours. Je passai ces trois jours sur le pont, descendant au salon juste pour manger et dormir. Le reste du temps, j'allais me mettre à la pointe extrême du navire, près de l'ancre.

A. DAUDET, *Le Petit Chose*, 1868.

5 Oral Dites si le mot en gras est un verbe ou pas.

1. J'aime la **marche**. – **2.** Je **marche** tous les jours. – **3.** La **rouille** attaque le fer. – **4.** Le fer **rouille** à l'humidité. – **5.** Le chien **garde** la maison. – **6.** Le **garde** a surpris un voleur. – **7.** Le roi **chasse** le sanglier. – **8.** Il est parti à la **chasse**. – **9.** La mère **veille** sur ses enfants endormis. – **10.** Nous faisons la fête la **veille** du Jour de l'an.

6 Dans le texte suivant, relevez les verbes en les classant en deux colonnes : les verbes à l'infinitif d'une part, et les verbes conjugués d'autre part.

Il me fallut lever le camp. À cinq heures de marche de là, je n'avais toujours pas trouvé d'eau, et rien ne pouvait me donner l'espoir d'en trouver. C'était partout la même sécheresse, les mêmes herbes ligneuses. Il me sembla apercevoir dans le lointain une petite silhouette noire, debout. […] C'était un berger. Une trentaine de moutons couchés sur la terre brûlante se reposaient près de lui. Il me fit boire à sa gourde et, un peu plus tard, me conduisit à sa bergerie […].

J. GIONO, *L'Homme qui plantait des arbres*, © Éd. Gallimard.

7 Indiquez le groupe auquel appartiennent les verbes suivants.

chanter – asseoir – finir – dire – sortir – partir – grandir – murmurer – voir – envoyer – faire – mourir – ralentir – dormir – sauter – courir – s'enfuir – bondir – agir – mentir – étonner

8 En ajoutant aux phrases les expressions « maintenant », « avant » ou « plus tard », dites si les verbes en gras sont au présent, au passé ou au futur.

1. Lentement, péniblement, les renards **se mirent** à creuser un tunnel vers la surface. (DAHL) – **2.** Tu **rencontreras** d'abord les Sirènes. (HOMÈRE) – **3.** Et plein d'espérance de s'emparer du trésor, il **part** de bon matin, avec dix mulets (*Les Mille et Une Nuits*) – **4.** Je vais te préparer un breuvage que tu **emporteras** à terre avant le lever du soleil. (ANDERSEN) – **5.** Il **était** midi ; une lumière blanchâtre **tombait** du ciel. (GAUTIER)

9 Indiquez à quelle personne sont conjugués les verbes en gras.

Sherlock Holmes et moi **considérâmes** successivement ce bref faire-part et le visage lugubre de Jabez Wilson, jusqu'à ce que l'aspect comique de l'affaire **vînt** supplanter tous les autres : alors nous **éclatâmes** d'un rire qui n'en finissait plus. « Je **regrette** : je ne **vois** pas ce qu'il y a de si drôle ! **s'écria** notre client. Si vous ne **pouvez** rien d'autre pour moi que rire, j'**irai** m'adresser ailleurs.

A. C. DOYLE, *La Ligue des rouquins*, trad. J. de Polignac, 1891.

10 a. Recopiez les formes verbales suivantes en séparant par un trait radical et terminaison.

Exemple : chantes → chant/es.

sonne – partiez – sortent – avançait – voles – trouaient – traînèrent – coiffas – fends – vaux – irons

b. Dites à quelle personne chacun de ces verbes est conjugué.

11 a. Recopiez le texte suivant. Entourez les verbes conjugués et soulignez leur sujet.

b. Séparez les différentes propositions de la première phrase par des crochets.

c. Dictée Préparez ce texte pour la dictée.

Les loups attaquaient même les paysans attardés, rôdaient la nuit autour des maisons, hurlaient du coucher du soleil à son lever et dépeuplaient les étables.

Et bientôt une rumeur circula. On parlait d'un loup colossal, au pelage gris, presque blanc, qui avait mangé deux enfants. Tous les habitants affirmaient avoir senti son souffle qui faisait vaciller la flamme des lumières. Personne n'osait plus sortir dès que tombait le soir.

G. DE MAUPASSANT, *Le Loup*, 1882.

Le nom et le groupe nominal

Observer

Une pauvre veuve vivait solitaire dans une chaumière devant laquelle il y avait un jardin où fleurissaient deux petits rosiers, l'un qui portait des roses blanches et l'autre des roses rouges ; et elle avait deux enfants qui ressemblaient aux deux petits rosiers, et l'une s'appelait Blancheflore et l'autre Rosemonde.

GRIMM, *Blancheflore et Rosemonde*, trad. Myriam Viliker, © Éd. de la Renaissance, 1967.

1. Dans le texte ci-dessus, relevez tous les termes qui servent à nommer les personnages. Lesquels commencent par une majuscule ? Pourquoi ?
2. a. Que désignent les mots soulignés ?
b. Quelle sorte de mot précède chacun d'eux ?
c. Quelle est la nature des mots soulignés ?
3. Quels mots permettent de préciser les noms en rouge ?

Leçon

Un nom est un mot qui sert à nommer les **personnes**, les **animaux**, les **objets**, les **idées**.

1 Nom propre, nom commun

■ **Les noms communs** désignent les êtres ou les choses en général : *un enfant.*
■ **Les noms propres** désignent des êtres ou des choses en particulier : *Jeannot, Margot.*
■ Un nom propre commence par une **majuscule**.

2 Un mot variable

■ Le nom a un **genre** indiqué dans le dictionnaire. Ce genre peut varier quand le nom désigne un être vivant : *un danseur, une danseuse.*
■ Les noms sont généralement variables en **nombre** : *un enfant, des enfants.*

3 Le groupe nominal

■ Un nom est rarement employé seul. Il est généralement précédé d'un **déterminant**.
Une reine, quatre frères.
■ Il est aussi souvent précisé par un **adjectif qualificatif** ou un groupe qui joue le même rôle.
Une rose blanche, une jolie fillette.

Exercices

1 Complétez chacune des listes suivantes par cinq noms supplémentaires.

1. Noms désignant des personnes : Jeanne, charcutier, parrain...
2. Noms d'animaux : escargot, souris, hippopotame...
3. Noms désignant des choses matérielles : porte, chaussure, forêt...
4. Noms désignant des idées : intelligence, amour, pensée...

2 Oral Dans le texte suivant, relevez les noms, puis précisez leur genre et leur nombre.

Elles allaient souvent se promener dans la forêt où elles cueillaient des fraises, mais aucune bête ne leur faisait de mal : le petit lièvre venait manger une feuille de chou dans leur main, le chevreuil paissait à côté d'elles, le cerf bondissait devant elles joyeusement. Quand par hasard elles s'étaient attardées dans la forêt et qu'elles étaient surprises par la nuit, elles s'étendaient côte à côte sur la mousse et dormaient jusqu'au matin, et comme leur mère le savait, elle était sans inquiétude à leur sujet.

Grimm, *Blancheflore et Rosemonde*, trad. M. Viliker, © Éd. de la Renaissance, 1967.

3 Recopiez les groupes nominaux suivants, entourez le nom noyau et soulignez l'adjectif qualificatif.

un exercice difficile – un caractère violent – de hautes tours – l'incroyable histoire – un énorme rire – l'amoureux passionné – un vieillard amoureux – ma sœur aînée

4 a. Dans l'extrait suivant, relevez les noms propres.
b. Relevez les noms communs et précisez leur genre et leur nombre.

Je suis né dans la ville d'Aubagne, sous le Garlaban couronné de chèvres au temps des derniers chevriers. [...] C'était une bourgade de dix mille habitants, nichée sur les coteaux de la vallée de l'Huveaune, et traversée par la route poudreuse qui allait de Marseille à Toulon. [...] Mon père, qui s'appelait Joseph, était alors un jeune homme brun, de taille médiocre, sans être petit. [...] Il rencontra un jour une petite couturière brune qui s'appelait Augustine, et il la trouva si jolie qu'il l'épousa aussitôt.

La Gloire de mon père, Éd. de Fallois, coll. Fortunio, @ Marcel Pagnol, 2004.

5 Oral Pour chacun des noms suivants, donnez cinq adjectifs pouvant les qualifier.

une fleur – un sac – un animal

6 Recopiez les noms suivants en les faisant précéder d'un déterminant qui convient. Si nécessaire, aidez-vous du dictionnaire pour vérifier le genre des noms.

... amie – ... sauterelles – ... alcool – ... abîme – ... pétale – ... orque – ... éclair – ... oasis – ... après-midi

7 Oral Sur quel nom les verbes suivants sont-ils formés ? venter – souhaiter – encadrer – aliter – fleurir – déborder – saler – ciseler

8 Donnez des noms de la famille des adjectifs suivants : beau – doux – brûlant – difficile – malheureux – inquiet – malade – agité – joyeux – colérique – étonné.

9 Recopiez les groupes nominaux soulignés et entourez leur noyau.

1. Mes deux grandes sœurs seront là demain. – **2.** La sorcière vivait dans une petite maison de pain d'épices et de pâte d'amandes. – **3.** Ulysse aux milles ruses a vaincu le Cyclope. – **4.** Un dragon énorme et menaçant gardait l'entrée de la caverne. – **5.** La belle Marie éclata de rire.

10 Écriture Employez les mots suivants dans des phrases, d'abord comme noms, puis comme verbes.

porte – coucher – remarque – livre – danse – dîner

11 Recopiez le texte suivant en rétablissant les majuscules manquantes (attention en particulier aux noms propres), puis entourez les verbes.

dès l'aube, tout tarascon était sur pied, encombrant le chemin d'avignon. toute cette foule se pressait devant la porte de tartarin qui s'en allait tuer des lions chez les teurs. tartarin de tarascon, en effet, avait cru de son devoir, en allant en algérie, de prendre le costume algérien.

A. Daudet, *Tartarin de Tarascon*, 1872.

12 Écriture Recopiez le texte suivant en ajoutant des adjectifs qualificatifs aux endroits signalés, de manière à créer l'impression d'un jardin merveilleux ou, au contraire, d'un jardin horrible et effrayant.

*Attention : devant un adjectif, le déterminant **des** devient de : **des** fleurs rouges, **de** belles fleurs rouges.*

Des grilles ... ouvraient sur une allée .... De chaque côté, des ... statues se dressaient sur le ciel ... parsemé de nuages .... Des arbres ... jetaient leur ombre ... sur les cailloux ... de l'allée. Au centre du jardin, une fontaine ... rassemblait des oiseaux ....

13 Remplacez les groupes en gras par des adjectifs qualificatifs de même sens, dont vous analyserez la formation.

1. Goliath est un ennemi **qu'on ne peut pas vaincre**. – **2.** Les mythes font le récit des amours **des dieux**. – **3.** Il portait une tunique **d'un blanc sale**. – **4.** Rien ne remplace l'amour **d'une mère**. – **5.** Les légendes **de Rome** sont souvent inspirées des mythes grecs ; elles sont aussi influencées par les récits **de l'Égypte**. – **6.** L'atmosphère **de la Terre** est surtout composée d'azote. – **7.** Voilà un plat **qu'on ne peut pas manger**.

14 Écriture Corrigez les phrases suivantes en ajoutant des informations sur le groupe nominal.

Exemple : L'homme qui habite cette maison. → L'homme qui habite cette maison est un acteur célèbre.

1. Un garçon qui n'avait peur de rien. – **2.** La boîte que nous avons trouvée. – **3.** Un monstre qui crachait des flammes. – **4.** La tempête qui fait rage depuis trois jours. – **5.** L'homme devant la maison bleue.

Observer

	Présent	Imparfait	Passé simple
Je	cours	courais	courus
Il	court	courait	courut
Ils	courent	couraient	coururent

Leçon

■ On retrouve, dans l'ensemble des conjugaisons françaises, des **marques de personne régulières**.

Singulier		Pluriel	
Personne	Terminaison	Personne	Terminaison
1re : je, moi	-e (présent du 1er groupe) -s (autres groupes)	1re : nous, toi et moi, lui et moi…	-ons (sauf passé simple)
2e : tu, toi	-(e)s	2e : vous, toi et moi, Paul et vous…	-ez (sauf passé simple)
3e : il, elle, on…	-e (présent du 1er groupe) -t ou rien (autres groupes)	3e : ils, elles…	-(e)nt

■ Pour bien écrire un verbe, il faut vérifier son **groupe** et sa **personne**.

ATTENTION
Au futur de tous les verbes et au passé simple des verbes du 1er groupe, on trouve au singulier les terminaisons : -ai, -as, -a.

Exercices

1 **Dans les phrases suivantes, relevez le sujet et précisez la personne du verbe.**

1. Les élèves s'éparpillèrent dans la cour. – 2. De la lampe s'éleva une étrange fumée bleue. – 3. Dans cette cabane vivaient deux vieilles personnes. – 4. Eux aussi ont aperçu le dragon. – 5. À l'étage du dessus dormaient les filles de l'ogre. – 6. Quel film choisissons-nous ?

2 **Recopiez les phrases en complétant les points par un pronom personnel qui convient.**

1. … apprends la leçon. – 2. … lit son journal. – 3. … aboient. – 4. … peux le faire. – 5. … ne veut rien savoir. – 6. … oublies toujours tes affaires. – 7. … finirons demain. – 8. … finiront demain. – 9. … retient sa respiration. – 10. … ne comprend rien. – 11. … arrivent en retard. – 12. … réussiras un jour.

3 **Recopiez le tableau ci-dessous. Observez le verbe à compléter, précisez son groupe et sa personne puis mettez la terminaison qui convient.**

Groupe	Personne	Phrase
		1. Il se **noi**… dans un verre d'eau.
		2. Tu me **déçoi**… beaucoup.
		3. Je ne **voi**… rien.
		4. Tu **essai**… de l'aider.
		5. Ils **appui**… de toutes leurs forces.
		6. Je **constrvi**… une cabane.
		7. Il **saisi**… sa chance.
		8. J'**oubli**… toujours un détail.
		9. Ils **remu**… sans cesse.
		10. J'en **conclu**… qu'il a dit vrai.

4 Choisissez la terminaison qui convient et justifiez votre choix.

1. Il (*pait/paie*) à la caisse. – 2. Vous ne (*ferai/ferez*) rien. – 3. Je (*compris/comprit*) immédiatement. – 4. Tu (*reviendra/reviendras*). – 5. Ils s'en (*souviendrons/souviendront*). – 6. J'ai (*essayais/essayé*). – 7. Je (*déplis/déplie*) la feuille. – 8. Tu (*cri/cries*). – 9. Tu l'(*aperçois/aperçoit*). – 10. Tu (*vouvois/vouvoies*) tes parents. – 11. Ils (*pries/prient*).

5 a. Recopiez le texte suivant, en conjuguant au présent les verbes entre parenthèses.
b. Transposez le texte au passé composé (vous mettrez les verbes de la phrase en couleur à l'imparfait).

De la niche (*sortir*) un magnifique berger allemand que le chauffeur (*détacher*). Aussitôt la bête (*gambader*) en aboyant et, instinctivement, Sans Atout (*se dissimuler*) plus étroitement derrière son pin. Il (*connaître*) le flair de ces chiens-loups et ne (*tenir*) pas à être repéré. Mais le chien ne l'a pas senti ; il (*courir*) autour du chauffeur, puis (*bondir*) vers la porte de la maison. Il (*se dresser*), (*aboyer*) avec tendresse.

BOILEAU-NARCEJAC, *Sans Atout et le cheval fantôme*, © Éd. Rageot, 1971.

6 Cherchez le sujet et complétez les verbes à l'imparfait par *-ais*, *-ait* ou *-aient*.

1. Les témoins de cette sale histoire deven… gênants. – 2. Au fond de la cour se dress… d'étranges bâtiments. – 3. Chaque lundi, je sort… de bonne heure et, muni d'un solide déjeuner, part… à l'assaut des montagnes. – 4. Les étoiles, avivées par le froid mordant, brill… d'un éclat intense. – 5. Il connaiss… les dangers de cette forêt et les redout…. – 6. Je vous aim… tendrement.

7 Recopiez les phrases suivantes en mettant le verbe entre parenthèses au futur.

1. Nous vous (*appeler*) demain. – 2. Tu (*guérir*) dans quelques jours. – 3. Je (*donner*) mon livre à Julie. – 4. Tu ne (*partir*) pas ce soir. – 5. Nous ne (*parler*) pas. – 6. Ils (*descendre*) rapidement.

8 Mettez aux verbes du texte suivant la marque de personne qui convient.

Quand l'enfant vin… au monde, voici que c'était une fille. La joie fu… grande, mais l'enfant étai… chétive et petite, et à cause de sa faiblesse il fallu… l'ondoyer[1]. Le père envoy… l'un des garçons chercher en hâte de l'eau lustrale[2] à la fontaine : les six autres le suivir…. […] Comme ils ne revenai… toujours pas, le père s'impatient… et di… : « […] Je voudrai… qu'ils soi… tous changés en corbeaux. » Il avai… à peine fini

de dire ces mots qu'il entendi… un battement d'ailes dans les airs, au dessus de sa tête, il lev… les yeux et vi… sept corbeaux noirs comme du charbon qui volai… de-ci de-là.

GRIMM, « Les Sept Corbeaux », *Contes*, trad. M. Robert, © Éd. Gallimard.

1. **L'ondoyer :** la baptiser.
2. **Lustrale :** qui sert à purifier.

9 Trouvez le sujet des verbes en gras et ajoutez aux verbes la marque de personne qui convient.

1. L'ours, l'âne et le chat **arriv**… enfin dans la ville de Brême. – 2. Que **désir**… ces visiteurs qui **frapp**… à ma porte en pleine nuit ? – 3. Le trésor, que **cachai**… des branches et des feuillages, **restai**… bien caché. – 4. Les deux princesses, escortées par Simon, **cheminai**… à travers la forêt. – 5. Par-delà ces montagnes **vivai**… Baba Yaga la sorcière.

10 Recopiez les phrases suivantes. Soulignez le sujet du verbe entre parenthèses. S'il s'agit d'un groupe nominal, entourez son noyau. Accordez ensuite le verbe comme il convient, au présent.

1. Trois capitaines de la garde royale (*avancer*) vers le château. – 2. Le navire, toutes voiles dehors, (*filer*) sur la cime des vagues. – 3. Que nous (*ramener*)-tu là ? – 4. Une longue file de clients, de collectionneurs et de curieux (*faire*) déjà la queue devant la porte du magasin. – 5. De la chambre (*monter*) des cris terribles. – 6. Nous vous (*rendre*) visite tous les jeudis. – 7. Comme je les (*aimer*) !

11 Recopiez les phrases suivantes. Entourez les verbes, soulignez leur sujet, et mettez la terminaison qui convient : *-ais*, *-ait*, *-aient*, *-ez* ou *-é*.

1. Il ét… une fois un roi et une reine qui souhait… plus que tout avoir un enfant. – 2. Le roi av… épous… en secondes noces une femme riche et belle. – 3. Le chat offr… chaque jour au roi le gibier qu'il av… attrap…. – 4. Les enfants n'av… jamais remarqu… cette étrange maison. – 5. Sire, déclar… les ministres, av…-vous jamais observ… travail plus délicat ?

12 Même consigne avec le texte suivant.

Je march… sur la lisière d'un champ que des paysans ét… en train de préparer pour la semaille prochaine. Des pluies récentes av… laiss…, dans quelques sillons, des lignes d'eau que le soleil fais… briller comme de minces filets d'argent. La journée ét… claire et tiède. Dans le haut du champ un vieillard, dont le dos large et la figure sévère rappel… celui d'Holbein, mais dont les vêtements n'annonç… pas la misère, pouss… gravement son areau[1].

D'après G. SAND, *La Mare au diable*.
1. **Areau :** charrue, outil servant à labourer la terre.

Temps simples, temps composés

Leçon

■ Un verbe conjugué peut être à un **temps simple** ou à un **temps composé**.

– Aux **temps simples**, le verbe est constitué d'**un seul élément**. *Il vole, nous arrivons.*

Il porte les marques de personne imposées par le sujet. (Voir p. 308.)

– Aux **temps composés**, le verbe est constitué d'un **auxiliaire** (*être* ou *avoir*) et d'un **participe passé**. *J'ai appris, tu es sorti, ils avaient vieilli.*

■ Le mode indicatif comporte **huit temps** qui se répartissent en **quatre temps simples** et **quatre temps composés**.

Temps simples	Temps composés
présent *Je chante* *Je viens*	**passé composé** (auxiliaire au présent + participe passé) *J'ai chanté, je suis venu(e)*
imparfait *Je chantais* *Il venait*	**plus-que-parfait** (auxiliaire à l'imparfait + participe passé) *J'avais chanté, il était venu(e)*
passé simple *Je chantai* *Ils vinrent*	**passé antérieur** (auxiliaire au passé simple + participe passé) *J'eus chanté, ils furent venus*
futur simple *Je chanterai* *Ils viendront*	**futur antérieur** (auxiliaire au futur simple + participe passé) *J'aurai chanté, ils seront venus*

Remarque : le participe passé employé seul n'exprime pas une action : il décrit quelque chose, comme un adjectif.
Une maison **hantée**.

> **ATTENTION**
> Écriture du son [é] à la fin des verbes :
> – Le verbe principal, qui indique ce que fait quelqu'un ou quelque chose, écrit en un seul mot, est conjugué à un temps simple : il se termine par **-ais, -ait, -aient, -ez**...
> – Si le verbe est en deux parties, la deuxième partie, le participe passé, se termine toujours par **-é : -é, -ée, -és, -ée**

Exercices

1 **Oral** **À l'aide du tableau de la leçon, dites si les formes verbales suivantes sont simples ou composées et précisez leur temps.**

est allé – avions averti – dominait – partira – aurai donné – dévora – eut compris – pense – as terminé

2 **Dans les phrases suivantes, relevez les verbes conjugués et donnez leur infinitif.**

1. Ils seront revenus avant la nuit. – **2.** Je comprends mieux. – **3.** Quel drôle de tour tu lui as joué ! – **4.** Arrivèrent alors trois cavaliers. – **5.** J'avais encore mes longs cheveux. – **6.** J'avais encore déclenché sa colère.

3 **Relevez les verbes conjugués du texte suivant et, quand ils sont à des temps composés, soulignez en bleu l'**auxiliaire **et en rouge le** participe passé.

Personne n'aurait imaginé qu'il partirait un jour, je veux dire vraiment, sans revenir. […] Il n'avait rien dit à personne. Mais il avait déjà tout préparé à ce moment-là, c'est certain. […] Peut-être qu'il avait rêvé à beaucoup de choses, jour après jour, et chaque nuit, couché dans son lit dans le dortoir, pendant que les autres plaisantaient et fumaient des cigarettes en cachette.

LE CLÉZIO, « Celui qui n'avait jamais vu la mer », *Mondo et autres histoires*, © Éd. Gallimard, 1978.

4 Oral Dites si les formes en gras sont des verbes ou des auxiliaires. Si ce sont des auxiliaires, recherchez le participe passé qui l'accompagne.

1. Ils **ont** marché pendant trois jours et trois nuits.
2. La reine n'**avait** pas d'enfant.
3. Cendrillon **était** le souffre-douleur de ses sœurs et de sa belle-mère.
4. Tu n'**as** toujours pas rendu ta rédaction.
5. Elle **a** subitement changé d'avis.
6. Ils **sont** maintenant partis pour la Pologne.
7. Elle **était** désormais prisonnière de cette sorcière.

5 a. Dans les phrases suivantes, relevez le verbe principal, celui qui dit ce que fait le sujet.

1. Ses pieds glacés aux orteils endoloris le faisaient énormément souffrir. – **2.** Un cri venu de nulle part fit sursauter l'assemblée. – **3.** Mariette embrassa tendrement la tête blanchie aux joues ridées. – **4.** Cette histoire cent fois entendue lui tirait encore des frissons d'angoisse. – **5.** Se leva alors un jour pâle, écrasé de soleil.

b. Repérez des participes passés : quel est ici leur rôle ?

6 Recopiez le texte suivant en transposant les verbes en gras au passé composé.

En arrivant dans la forêt, elle **aperçut** une petite maison où trois nains étaient à la fenêtre. Elle leur **souhaita** le bonjour et **frappa** discrètement à la porte. Ils lui **crièrent** d'entrer, elle **entra** dans la pièce et **s'assit** sur un banc près du poêle, afin de se réchauffer et de manger son goûter. Les nains lui **dirent** : « Donne-nous-en un morceau. – Volontiers », **dit**-elle, elle **coupa** son morceau de pain en deux et leur en **donna** la moitié.

Grimm, « Les Trois Nains de la forêt », *Contes*, trad. M. Robert, © Éd. Gallimard, 1976.

7 a. Recopiez les phrases suivantes. Soulignez les verbes, indiquez leur temps.

b. Dans chaque phrase, numérotez les actions dans l'ordre chronologique : que constatez-vous ?

1. Je porte le foulard que j'ai ramené d'Inde. – **2.** Dans la salle se trouvait une personne qu'on n'avait pas invitée. – **3.** Dès que la nuit fut tombée, les quatre amis se mirent en route. – **4.** Lorsque nous aurons atteint ce croisement, nous nous séparerons.

8 a. Recopiez la phrase suivante. Entourez les verbes conjugués, précisez leur temps et séparez les deux propositions par des crochets.

Je me sens mieux lorsque la nuit est tombée.

b. Réécrivez la phrase trois fois en conjuguant d'abord le verbe de la première proposition à l'imparfait, puis au futur simple et enfin au passé simple de l'indicatif. Précisez quel temps vous devez alors employer dans la deuxième proposition.

9 Précisez le temps de chaque verbe, puis conjuguez-le au temps composé correspondant.

1. Je continuais. – **2.** Vous dessiniez. – **3.** Tu faisais. – **4.** Nous fermerons. – **5.** Elle apprit. – **6.** Ils couraient. – **7.** Elle crut. – **8.** Elles rougissent. – **9.** Nous prenions. – **10.** Tu peins. – **11.** Nous partîmes. – **12.** Vous aimeriez.

10 a. Recopiez le texte en écrivant comme il convient le son [é] à la fin des verbes. Choisissez entre *-ait*, *-aient*, *-é* et *-ée*.

b. Précisez le temps de chaque verbe.

c. Entourez les verbes à l'infinitif.

d. Dictée Préparez ce texte pour la dictée.

Il est difficile de mesurer le temps quand tout, autour de vous, est noir et silencieux. Est-ce qu'une heure s'ét… écoul…, ou peut-être deux ? S'ét…-il assoupi ? En tout cas, Tomek eut soudain la sensation qu'ils n'avanç… plus. Cadichon s'ét… arrêt…. Qu'est-ce que cela pouv… signifier ? Il se garda bien de bouger un cil. Que fais… Marie ? Pourquoi ne boug…-elle plus ?

J.-C. Mourlevat, *La Rivière à l'envers*, *Tomek* (t. 1), Pocket Jeunesse, Univers Poche, 2000.

11 Complétez les verbes avec *-ait*, *-aient*, *-ez* ou *-é*.

« Lorsque j'aurai mang… mon chat, il faudra que je meure de faim. » – « Ne vous afflig… point, mon maître, vous n'êtes pas si mal partag… que vous croy…. » – Le maître Chat arriva enfin dans un beau château, dont le maître ét… un ogre, le plus riche qu'on ait jamais vu ; car toutes les terres par où le roi av… pass… ét… de la dépendance de ce château. – « On m'a assur…, dit le Chat, que vous av… le don de vous changer en toutes sortes d'animaux. »

D'après Ch. Perrault, *Le Chat botté*.

12 Écriture Complétez les phrases de façon logique. Attention au temps employé et aux accords.

1. Maintenant que tout le monde était arrivé, nous….
2. Quand le roi eut appris la nouvelle, il….
3. Comme j'ai oublié ma couverture, je….
4. Lorsque tu auras fini, tu….

La phrase et sa ponctuation

Leçon

La phrase est un ensemble de mots formant une **unité de sens**, en général construit autour d'un verbe conjugué, **qui commence par une majuscule et se termine par un point**.

1 La ponctuation forte

On appelle ponctuation forte les signes de ponctuation qui marquent **la fin d'une phrase**. Ils sont toujours suivis d'une majuscule. Il existe quatre signes de ponctuation forte :

■ **Le point** indique la fin d'une **phrase déclarative**.

Les élèves entrent en classe. Le cours va commencer.

Il s'utilise aussi pour séparer les lettres dans les **abréviations** ou les **sigles**.

P. S. (post-scriptum)

■ **Le point d'interrogation** se met à la fin d'une **phrase interrogative**.

Avez-vous peur ?

■ **Le point d'exclamation** se met à la fin d'une **phrase exclamative**.

Je vous répète que je ne suis pas un serpent !

Il s'utilise aussi après les interjections : *oh !*

■ **Les points de suspension** sont toujours au nombre de trois. Ils marquent une **interruption** provoquée par l'émotion, la surprise, l'hésitation, la rêverie ou signalent qu'une **énumération** n'est pas complète.

Je suis... je suis...

■ **Remarque :** dans certains cas, le point d'exclamation, le point d'interrogation et les points de suspension peuvent ne pas être suivis d'une majuscule.

Oh ! mes pauvres mains.

2 Les types de phrases

Une phrase appartient obligatoirement à l'un des **trois types** suivants : **déclaratif**, **interrogatif** ou **impératif** (injonctif).

■ **La phrase déclarative** donne une **information**.

Elle remuait les feuilles tout en parlant.

■ **La phrase interrogative** pose une **question**, elle se termine par un **point d'interrogation**.

Où donc sont passées mes épaules ?

■ **La phrase impérative** (ou injonctive) donne un ordre, un conseil... Elle a pour but de faire agir la personne à qui elle s'adresse.

Dites-moi qui vous êtes.

■ L'exclamation s'ajoute à ces trois types de phrases. La **phrase exclamative** se termine par un **point d'exclamation**. Elle exprime un sentiment fort comme la joie, la surprise, la douleur, la colère, l'admiration, ou un ordre, une prière...

Mais je vous répète que je ne suis pas un serpent !

1 **Écriture** Qui suis-je ? Présentez-vous en quatre courtes phrases.

2 Hector a recopié ce texte en oubliant les majuscules : aidez-le à les rétablir.

zeus retourna dans les cieux et convoqua les dieux à un conseil. tous se pressèrent de rejoindre, par la Voie Lactée, le palais de marbre où zeus trônait, préoccupé et furieux. dès qu'ils furent rassemblés, la voix du dieu suprême tonna, décrivant les horreurs de la terre. « j'ai déjà foudroyé un palais, dit-il, mais tous les mortels sans exception doivent être punis. je voudrais brûler toute la terre par la foudre, mais je crains qu'un tel incendie atteigne les cieux. »

D'après **E. Petiska**, *Mythes et légendes de la Grèce antique*,
© Gründ, 1998.

3 Recopiez les extraits suivants. Soulignez en rouge les phrases déclaratives, en bleu les interrogatives, en vert les impératives et en noir les exclamatives. Quelles phrases avez-vous soulignées deux fois ?

1. Mais je vous répète que je ne suis pas un serpent ! Je suis... je suis...
– Eh bien ! Dites-moi ce que vous êtes ! dit le Pigeon. Je vois bien que vous essayez d'inventer quelque chose ! (Caroll)
2. [Delphine] murmura en serrant la main de la plus petite :
– C'est le loup.
– Le loup ? dit Marinette, alors on a peur ?
– Bien sûr, on a peur. (Aymé)
3. On fit mettre de la colle sur le dos du Chinois et une agrafe dans le cou, et il fut comme neuf, mais il ne pouvait plus hocher la tête.
– Vous faites le fier depuis que vous avez été cassé, dit le « grand-général-commandant-en-chef-Pieds-de-bouc ». Il n'y a pas là de quoi être si hautain. Aurai-je ou n'aurai-je pas la main de ma bergère ? (Andersen)

4 Recopiez ces phrases en les complétant par le signe de ponctuation qui convient. Précisez à chaque fois le type de phrase.

1. Es-tu allé rendre visite à ta grand-mère ... – **2.** Je me demande ce que voudrait Loïse pour son anniversaire ... – **3.** Quelle bonne surprise ... – **4.** « Je ... je suis une petite fille », dit Alice d'une voix hésitante ... (Caroll) – **5.** Comme cette histoire est triste ... – **6.** Rentre à la maison immédiatement ... – **7.** Je ne sais vraiment pas quelle robe choisir ... La rouge ou la verte ... – **8.** Oh ... que c'est noir ...

5 **Écriture** Ajoutez un sujet et un complément aux verbes suivants de manière à constituer des phrases complètes et correctes : parvinrent – demande – chanterons – écrivez – achète – regardes. Pensez à varier la ponctuation forte.

6 Les points de ce texte ont été supprimés, rétablissez-les. N'oubliez pas les majuscules !

il y a des siècles, le roi Tantale régnait sur la Lydie, pays qui fait partie aujourd'hui de la Turquie nul n'était plus riche que lui la montagne du Sipyle lui donnait de l'or, ses champs s'étendaient à perte de vue et les épis de blé qui y poussaient étaient deux fois plus lourds que n'importe où ailleurs sur les flancs verdoyants des collines les dieux eux-mêmes couvraient Tantale de leurs faveurs ils lui permirent de participer à leurs festins à l'Olympe

D'après **E. Petiska**, *Mythes et légendes de la Grèce antique*,
© Gründ, 1998.

7 **Réécriture** Transformez ces phrases déclaratives en phrases interrogatives. N'oubliez pas d'inverser le sujet !

1. La sorcière est méchante. – **2.** Romain s'est perdu dans les bois. – **3.** Nous ne sommes pas nombreux. – **4.** Marie n'a pas pris son petit déjeuner. – **5.** Tes amis ne sont pas venus à la fête. – **6.** Eden et Tistou n'ont jamais eu de chance aux dés.

8 **a.** Rétablissez les points d'interrogation et les points d'exclamation, ainsi que les majuscules.
b. Une phrase se termine par des points de suspension dans le texte original : à votre avis, laquelle ? Justifiez votre réponse.

Au voleur au voleur à l'assassin au meurtrier justice, juste Ciel je suis perdu, je suis assassiné, on m'a coupé la gorge, on m'a dérobé mon argent. qui peut-ce être qu'est-il devenu où est-il où se cache-t-il que ferais-je pour le trouver où courir où ne pas courir n'est-il point là n'est-il point ici qui est-ce arrête rends-moi mon argent, coquin *(il se prend lui-même le bras)* ah c'est moi

D'après **Molière**, *L'Avare*, 1668.

9 **Écriture** La mère du petit Nicolas entre dans la chambre de son fils et voit le désordre. Imaginez la conversation entre les deux personnages. Vous penserez à varier les signes de ponctuation forte.

Réinvestir ses connaissances

▶ Réviser

1 Complétez par *-ail/-aille* ; *-eil/-eille* ; *-euil/-euille*.

1. L'écur... se cache dans la p.... – **2.** Je me suis cogné le gros ort... contre le faut.... – **3.** Les ab...s, dans le verger, tournent autour des gros...s. – **4.** Mon professeur me cons... de lire un recu... de poésie. – **5.** Prends une f... et mets-toi au trav... ! – **6.** La vi... dame m'offre une corb... de fruits qu'elle a cueillis la v....

2 Pour chaque verbe, donnez un nom de la même famille.

Exemple : *je travaille* → *le travail.*

je veille – je détaille – je bataille – je réveille – je m'émerveille – je déconseille – je plonge – je vieillis – je nage – je rince – je glace

3 Découpez les mots suivants en syllabes à l'aide d'une barre puis ajoutez les accents si nécessaire.

interieur – medecine – effacer – elephant – etagere – college – espoir – chienne – elegance – perle – respect – televiseur – geste – caresse – escalader – liberté

4 Oral Lisez ces mots en détachant bien les syllabes puis indiquez, à l'aide d'une barre, où vous pourriez couper le mot en fin de ligne.

carambolage – j'allais – correctement – ils mangeaient – extravagant – libération – exotique – connaissance – pression – agneau – évidemment – ils estimèrent – l'enfant – d'accord

5 Recopiez ce texte en rétablissant les majuscules manquantes.

romulus fut le fondateur de rome. il était le fils du dieu mars et d'une femme nommée rhéa silvia.

celle-ci fut contrainte d'abandonner le jeune romulus et son frère jumeau rémus. elle les laissa voguer dans une corbeille sur les eaux du tibre, fleuve coulant en italie.

▶ Croiser les connaissances

6 Indiquez la nature des mots en gras.

1. Il **neige** sur la verte prairie. – **2.** La **neige masque** l'herbe. – **3.** Je **balaie** le sol devant l'**accueil**. – **4.** Lorsque je **skie**, j'**oublie** mes **soucis**. – **5.** Un **éclair** illumine le ciel dans lequel **volent** des chauves-souris. – **6.** Ma mère me **réveille** en retard ! Je **cours** pour ne pas arriver en retard au **cours** de latin ! – **7.** Le **vol** de ma voiture me **soucie**.

7 Relevez les noms dans le texte suivant. Indiquez le genre et le nombre des noms communs.

Pendant tout ce temps, Dorothée et ses compagnons n'avaient pas cessé de progresser dans l'épaisse forêt. La route était toujours pavée de briques jaunes, mais celles-ci étaient jonchées de branches et de feuilles mortes tombées des arbres, ce qui rendait la marche pénible.

L. F. BAUM, *Le Magicien d'Oz*, adapt. Chauvel-Fernandez, vol. 1 à 3, © Éditions Delcourt, 2004-2006.

8 Relevez les verbes que vous classerez en deux colonnes : verbes conjugués et verbes à l'infinitif. Indiquez le groupe des verbes à l'infinitif.

Il faut tenter d'écrire correctement la langue française, mais ce n'est pas tout : il faut aussi la parler, la prononcer correctement.

J. DE ROMILLY, *Dans le jardin des mots.*

9 Dans le texte suivant, relevez tous les verbes conjugués. Pour chacun d'entre eux, indiquez s'il est conjugué à un temps simple ou composé, puis précisez son infinitif et son groupe.

On était en janvier et dehors, le givre avait blanchi les branches des arbres nus.

Le professeur nous faisait réviser un texte lorsque la porte s'ouvrit. Deux hommes entrèrent, banalement vêtus, apportant avec eux une bouffée de cet air glacé qui filtrait déjà à travers les fenêtres mal isolées du vieil établissement. J'ai tout oublié de leur nom, leur âge, leur visage, mais je sais, trente ans plus tard, que leur entrée, ce matin-là dans notre classe, fut à l'origine du premier grand tournant de ma vie.

PH. LABRO, *L'Étudiant étranger*, © Éd. Gallimard, 1986.

10 Recopiez les phrases suivantes en remplaçant « aujourd'hui » par « hier » et en mettant les verbes au passé composé. Entourez l'auxiliaire et soulignez le participe passé.

1. Aujourd'hui, je mange au restaurant libanais. – **2.** Aujourd'hui, tu corriges ton exercice. – **3.** Aujourd'hui, Louis quitte Rouen et arrive à Caen. – **4.** Aujourd'hui, nous offrons des fleurs. – **5.** Aujourd'hui, vous venez à Paris et vous travaillez. – **6.** Aujourd'hui, les bricoleurs percent des trous et font du bruit.

11 Recopiez les phrases suivantes en soulignant en rouge le sujet. Indiquez à quelle personne cela correspond, puis ajoutez au verbe la bonne terminaison au présent de l'indicatif.

1. Le petit garçon, pendant que les adultes discut… entre eux, jou… seul dans la cour. – **2.** Nous vous aim…. – **3.** Maintenant, vous vous assey… et vous nous écout…. – **4.** Sur une branche fleurie chant… de douces tourterelles. – **5.** « Aim…-tu les huîtres ? – Moi, je les dégust… avec grand plaisir ! » – **6.** Maximilien, trop souvent influencé par ses camarades, s'aperçoi… qu'il ne réfléchi… pas suffisamment. – **7.** Connaiss…-vous bien le cinéma japonais ? – **8.** Nous recevr…-vous dans votre nouvelle maison ? – **9.** Les enfants caress… un gros chat ; celui-ci les remerci… en ronronnant.

12 Repérez la personne du verbe, puis imaginez son sujet.

1. Pendant que … brûlent, … accourent pour éteindre l'incendie. – **2.** … as tort de protester ! – **3.** Quand … serons grands, … pourrons voter. – **4.** … croit que … me suis trompé. – **5.** … ne cesses de mentir ! – **6.** Savez-… que … est ronde ? – **7.** … devraient essayer de mettre moins de sucre dans leurs cakes. – **8.** … feront de véritables efforts.

13 a. Indiquez le nom noyau des groupes nominaux soulignés.

b. Repérez le groupe nominal de fonction sujet, puis accordez correctement les verbes que vous conjuguerez au présent de l'indicatif.

1. Le chat des voisins (*éternuer*) lorsque la poussière des routes (*voltiger*) dans l'air chaud de l'après-midi.
2. Devant la porte (*se tenir*) deux vieilles sorcières au nez crochu.
3. Pendant les cours, les maîtres d'école (*distribuer*) des bons points aux enfants travailleurs.
4. Au fauve affamé le dompteur de lions (*donner*) de la viande fraîche.

14 Recopiez les phrases suivantes. Encadrez en rouge les verbes conjugués et soulignez en bleu leur sujet. Séparez chacune des propositions par une virgule pour rendre la phrase correcte.

1. Pendant que le soleil se lève je prends mon petit-déjeuner. – **2.** Samuel a mangé des prunes des vers s'y étaient installés. – **3.** Mes jeunes cousins découpent la viande hachent des oignons font revenir des poivrons dans de l'huile. – **4.** Je prononce une formule magique mon chien se transforme en cheval.

Maîtriser l'écrit

15 Indiquez pourquoi les phrases suivantes sont incorrectes.

1. Le soleil qui brille dans le ciel.
2. Cicéron fut un très grand homme politique romain
3. Parce que le professeur avait distribué le sujet.
4. Je monte dans ma chambre je cherche mon agenda je m'agace de ne pas le trouver
5. Oui, car il est content.
6. Le cheval, se nourrit d'herbe verte.

16 Rétablissez les majuscules et la ponctuation manquante dans ce texte.

l'orchestre cessa de jouer une danse se terminait la piste s'était vidée lentement elle fut vide la femme la plus âgée s'était attardée un instant à regarder l'assistance puis elle s'était tournée en souriant vers la jeune fille qui l'accompagnait sans aucun doute possible celle-ci était sa fille

M. Duras, *Le Ravissement de Lol V. Stein*, © Éd. Gallimard.

17 a. Repérez les verbes conjugués et leur sujet.

b. Repérez les verbes à l'infinitif et les participes passés.

c. Dictée Préparez ce texte pour la dictée.

Les grandes personnes m'ont conseillé de laisser de côté les dessins de serpents boas ouverts ou fermés, et de m'intéresser plutôt à la géographie, à l'histoire, au calcul et à la grammaire. C'est ainsi que j'ai abandonné, à l'âge de six ans, une magnifique carrière de peintre. J'ai donc dû choisir un autre métier et j'ai appris à piloter des avions.

D'après **A. de Saint-Exupéry**, *Le Petit Prince*, © Éd. Gallimard.

La formation des mots

Observer

A. *bras – brassard – embrasser –* **B.** *dos – dossier – s'adosser –* **C.** *nom – prénom – surnom – nommer*

1. Dans chacune des listes, quel est l'élément commun à ces mots ? Comment l'appelle-t-on ?

2. Soulignez les parties ajoutées à cet élément. Que permettent-elles ?

Leçon

■ **Les mots dérivés** sont formés à partir d'un radical, auquel on ajoute un ou des éléments qui, en général, ne peuvent être utilisés seuls : les **préfixes** et les **suffixes**.

– Le **radical** est la **base du mot**, qui ne change pas (ou peu). Les **mots simples** ne sont constitués que du seul radical : *dos, bras, nom*.

– Le **préfixe** (= fixé devant) est **devant le radical**, il modifie le sens du mot : *prénom, **surnom***.

– Le **suffixe** (= fixé derrière) est **derrière le radical**, il modifie le sens du mot et peut changer sa nature : *nom = **nom** ; nommer = **verbe***.

– On appelle **famille de mots** l'ensemble des mots construits à partir d'un même radical : *nom, nommer, prénom* appartiennent à une même **famille**.

■ **Remarque :** les préfixes et les suffixes sont dotés d'un sens précis. Connaître le sens des préfixes et des suffixes les plus courants (voir tableau p. 380) aide à mieux comprendre la signification des mots.

Exercices

1 Recopiez les familles de mots suivantes et soulignez en rouge le radical dans chaque mot.

1. charger – chargement – décharger – chargeur
2. mort – immortel – mortalité – mortuaire
3. user – inusable – usage – inusité

2 Rassemblez les mots suivants pour obtenir trois familles de mots. Quelle partie du mot vous a permis de les classer ?

bord – front – abordage – porter – confrontation – apporter – affronter – inabordable – portable

3 Pour chacun des mots suivants, proposez des mots dérivés afin de constituer une famille : *porte – forme – conte*. Soulignez le radical.

4 Soulignez le préfixe des mots suivants. À quoi ces différents préfixes servent-ils ?

1. incomplet – indirect – inévitable – immobile – inattendu – imprévisible – **2.** déboucher – décoiffer – dégarnir – démaquiller – déloyal – déplaisant – désagréable – **3.** discontinu – disjoint – disqualification – dissemblable – **4.** malhabile – malheureusement – malhonnêteté – maladroit

5 Construisez les antonymes des mots suivants en employant l'un des préfixes repérés dans l'exercice précédent.

actif – faire – bloquer – prévoyant – accorder – chance – ordre – symétrique – sain – illusion

6 Par l'ajout d'un suffixe, créez des noms de métier ou de fonction à partir des verbes suivants.

examiner – servir – vendre – jardiner – réaliser – garder – présenter – masser – explorer – travailler

7 **a.** Trouvez les adjectifs correspondants à la définition suivante. Soulignez le suffixe.

1. Que l'on peut faire. – **2.** Que l'on peut démonter. – **3.** Que l'on peut croire. – **4.** Que l'on peut lire. – **5.** Que l'on peut perfectionner. – **6.** Que l'on peut voir.

b. Donnez pour chaque adjectif son antonyme, en séparant d'un tiret préfixe, radical, suffixe.

8 Ajoutez un suffixe à chacun des verbes suivants pour construire un nom de la même famille. Soulignez ce suffixe.

1. instruire – corriger – distraire – **2.** émerveiller – discerner – éloigner – **3.** informer – formuler – opérer

Le présent de l'indicatif des verbes du 1er groupe

8

Leçon

■ **Rappel :** les verbes du 1er groupe sont ceux dont l'infinitif se termine en **-er**.
Au présent de l'indicatif, ils prennent les terminaisons suivantes :

Marcher		
Je marche	Tu marches	Il, elle marche
Nous marchons	Vous marchez	Ils, elles marchent

■ **Cas particuliers**

– **Jeter** et **appeler** doublent la consonne au singulier et à la troisième personne du pluriel.
   Je jette, il jette, nous jetons, ils jettent ; j'appelle, nous appelons, ils appellent.

– Dans les verbes en **-yer**, le « **y** » devient « **i** » au singulier et à la troisième personne du pluriel.
   J'appuie, nous appuyons, ils appuient.

– Attention à la 1re personne du pluriel des verbes en **-cer** et **-ger**.
   Nous lançons, nous mangeons.

Exercices

1 **Conjuguez au présent, avec *je, tu, nous* et *ils*.**
voyager – plier – se jeter – s'appuyer

2 **Mettez les verbes entre parenthèses au présent.**
1. Tu (*défier*) ton adversaire.
2. Ils (*envoyer*) chaque semaine une lettre à leurs parents.
3. Elle (*continuer*) malgré les difficultés.
4. Comment (*s'appeler*)-vous ?
5. Je (*se lever*) à six heures.
6. Il (*secouer*) le tapis.
7. Est-ce que tu (*se rappeler*) cet été ?
8. Nous (*créer*) avec ces matériaux des statues géantes.

3 **Transposez à la personne du pluriel ou du singulier qui correspond.**
1. Je fonce sur lui. – **2.** Ils travaillent à l'étranger. – **3.** Vous frappez toujours avant d'entrer. – **4.** Je déplace le canapé. – **5.** Vous éternuez. – **6.** Je mange lentement. – **7.** Elles accueillent un correspondant allemand. – **8.** Nous essuyons la table. – **9.** Je conjugue sans fautes. – **10.** Nous crions.

4 **Transposez les verbes au présent.**
1. Elle ne jetait rien.
2. L'oiseau tournoyait dans le ciel.
3. Nous nagions ensemble tous les vendredis.
4. Il s'appelait Louis.

5. Tu tuais le temps en inventant des poèmes.
6. Ils payaient toujours en liquide.

5 **Recopiez le texte suivant en conjuguant au présent les verbes entre parenthèses.**

Ma vie (*être*) monotone. Je (*chasser*) les poules, les hommes me (*chasser*). Toutes les poules (*se ressembler*), et tous les hommes (*se ressembler*). Je (*s'ennuyer*) donc un peu. Mais, si tu m'(*apprivoiser*), ma vie sera comme ensoleillée.

A. DE SAINT-EXUPÉRY, *Le Petit Prince*, © Éd. Gallimard.

6 **Même consigne.**

Au dehors, une rumeur (*monter*). Sur le pavé de bois, des chevaux robustes (*traîner*) lentement des charrois[1] pesants. Des fournisseurs (*se disputer*). Le laitier (*entrechoquer*) ses brocs d'étain. Le boulanger (*jeter*) sur les portes son pain qu'on servira, sans l'essuyer, dans une corbeille d'argent. Les boueux[2] (*échanger*) entre eux des injures quand ils ne s'unissent pas contre les domestiques qui, en bâillant encore, (*balayer*) le trottoir.

G. ACREMANT, *La Hutte d'acajou*, 1924.

1. Charrois : charriots. – **2. Boueux :** éboueurs.

Le féminin des noms

Leçon

■ On forme beaucoup de noms féminins de personnes ou d'animaux en **ajoutant** un *-e* au **nom masculin**.

Un élu/une élue ; un Français/une Française ; un voisin/une voisine.

■ Cet ajout entraîne parfois une **modification de la terminaison** du nom masculin.

– Les noms masculins en *-on*, *-(i)en*, *-et*, *-el*, *-eil*, *-as*, *-os* doublent leur consonne.
Un patron/une patronne ; un cadet/une cadette ; un criminel/une criminelle.

– Les noms masculins en *-er* ont un féminin en *-ère*.
Le boulanger/la boulangère.

– Les noms en *-eur* ont un féminin en *-euse* ; les noms en *-teur* ont un féminin en *-trice*.
Un coiffeur/une coiffeuse ; un traducteur/une traductrice.

– Certains noms masculins ont un féminin en *-esse*. *Un prince/une princesse.*

– Les noms masculins en *-(e)ux* ont un féminin en *-(e)use*.
Un rebouteux/une rebouteuse ; un époux/une épouse.

– Les noms masculins qui se terminent par *-f* ont un féminin en *-ve*. *Un veuf/une veuve.*

■ Certains noms masculins ont le **même radical au féminin**, mais des **terminaisons différentes**.
Un héros/une héroïne ; un compagnon/une compagne.

■ Certains noms masculins ont un féminin totalement **différent**.
Un parrain/une marraine.

Exercices

1 Donnez le féminin des mots suivants.

le cousin – le client – l'ami – l'apprenti – le marchand – un orphelin – un employé – un villageois – un rival – un marié – un ennemi – un artisan – un châtelain – un avocat

2 Même consigne.

1. le lion – le patron – le pharmacien – le baron – le citoyen – un gardien – un Breton – un Italien – le musicien – un paysan – un fripon – **2.** le berger – l'ouvrier – l'épicier – l'écolier – le caissier – le boulanger – **3.** l'instituteur – le vendeur – le danseur – un aviateur – un chanteur – un lecteur – un directeur – le voleur – un cultivateur – un tuteur – **4.** un prince – un duc – un hôte – un tigre – un ogre – un diable

3 Trouvez le masculin des noms suivants.

1. une impératrice – une masseuse – une héroïne – une épouse – une comtesse – la voyageuse – une Juive – une auditrice – une compagne – une invitée
2. une reine – une marraine – une nièce – une bru
3. une laie – une chèvre – une brebis – une guenon – une jument – une biche – une louve – une cane

4 Faites précéder les noms suivants d'un article et classez-les en deux colonnes : genre masculin, genre féminin. Aidez-vous d'un dictionnaire.

cigogne – cygne – affection – fidélité – hypocrisie – protection – sournoiserie – patience – abîme – alcool – ivoire – chrysanthème – impasse – autoroute – agrafe – armistice – éclair – hôpital – incendie – atmosphère – pétale – stalactite – omoplate – amnistie – orbite

5 Employez chacun des mots suivants dans des expressions où ils seront successivement aux deux genres, mais avec un sens différent.

Exemple : rejoindre son poste ; aller à la poste.

livre – manche – mémoire – mode – mousse – page – somme – tour – vase – voile

6 Remplacez les noms en gras par l'équivalent féminin.

1. Je te présente mon **fils**, ton futur **époux** et voici mon **neveu** qui vous teindra compagnie.
2. Une femme désirait un enfant mais ne sachant comment faire, elle alla trouver un vieux **sorcier**.
3. Le **héros** et son **compagnon** se mirent en route.

Le présent de l'indicatif des verbes des 2ᵉ et 3ᵉ groupes

10

■ **Rappel :** les verbes des 2ᵉ et 3ᵉ groupes ont des infinitif en *-ir*, *-oir* ou *-re*.
Les verbes du 2ᵉ groupe font *-iss-* au pluriel.

Bondir	**Courir**	**Descendre**
Je bondis	Je cours	Je descends
Tu bondis	Tu cours	Tu descends
Il, elle bondit	Il, elle court	Il, elle descend
Nous bondissons	Nous courons	Nous descendons
Vous bondissez	Vous courez	Vous descendez
Ils, elles bondissent	Ils, elles courent	Ils, elles descendent

■ **Cas particuliers**

– **Dire** et **faire** sont irréguliers à la deuxième personne du pluriel. *Vous dites ; vous faites.*

– **Verbes en *-dre* :** à la 3ᵉ personne du singulier, on n'ajoute pas de *-t* après le *-d*.
J'apprends, il apprend.

– **Pouvoir** et **vouloir** prennent un *-x* au lieu du *-s* au singulier. *Je peux ; tu veux.*

– **Verbes en *-aître* :** on conserve l'accent circonflexe seulement devant le *-t*. *J'apparais, il apparaît.*

– **Sept verbes du 3ᵉ groupe** se conjuguent comme les verbes du premier groupe : *cueillir, offrir, ouvrir, couvrir, souffrir, assaillir* et *tressaillir*. *Je cueille.*

– De nombreux verbes du **3ᵉ groupe changent de radical** au cours de la conjugaison du présent.
Je dois, nous devons ; vous venez, ils viennent ; je vais, nous allons.

Exercices

1 **Écriture** **Écrivez cinq phrases pour raconter ce que vous faites tous les étés, puis cinq phrases pour raconter ce que vous faites tous les hivers.**
Exemple : Chaque été, je ..... Chaque hiver, je .....

2 **Dans le texte suivant, relevez les verbes au présent.**

Les Fans vivaient autrefois au bord d'un fleuve puissant et large. Entre ce fleuve et la forêt, ils avaient établi leur village circulaire bâti de huttes de bois. Or, sur la rive bourbeuse vivait aussi un crocodile gigantesque nommé Omburé. […] Un jour Omburé le crocodile s'en vient au village des Fans, les griffes grinçant sur les cailloux, le ventre creusant la terre. Au seuil de la hutte du chef, sur la place, il s'arrête et, ouvrant sa gueule aussi haute que la porte, il dit : « Les oiseaux et les poissons de la rive n'apaisent plus ma faim. Je veux maintenant manger un jour un homme, le lendemain une femme et le premier jour de chaque lune, une jeune fille. Si vous refusez de me les donner, je dévorerai tout le village. »

H. GOUGAUD, *Contes d'Afrique*,
© Seuil Jeunesse, « Fiction illustrée », 1999, 2012.

3 **Conjuguez au présent de l'indicatif, aux 2ᵉ et 3ᵉ personnes du singulier, et à la 3ᵉ personne du pluriel.**
être – avoir – finir – rire – s'entendre – tordre – cueillir – se revoir – faire

4 **Oral** **Pour chacun des verbes suivants, dites s'il appartient au 2ᵉ ou au 3ᵉ groupe. Pour vous aider, pensez à les conjuguer à la 1ʳᵉ personne du singulier puis du pluriel.**
bâtir – courir – cueillir – devenir – dormir – fleurir – grandir – envahir – s'enfuir – remplir – maigrir – mourir – obéir – ouvrir – partir – pourrir – revêtir – sentir – servir – tenir – vieillir – réussir

5 Mettez la terminaison qui convient.

1. Les enfants grandi... très vite. – 2. Le chat dor... près de la cheminée. – 3. Tu cour... très vite. – 4. Je rougi... facilement. – 5. Maman recou... mon pantalon. – 6. Je par... pour le Québec. – 7. Vous poursuiv... les malfaiteurs. – 8. Je ne compren... rien. – 9. Nous nous réuni... tous les jeudis. – 10. Je le connai... comme il me connai... – 11. La pâte durci... en séchant. – 12. Vous franchi... la ligne d'arrivée. – 13. Je met... mes chaussures. – 14. Cette poule pon... des œufs d'or. – 15. Tu pétri... la pâte. – 16. Il ne men... jamais. – 17. Ils ne nous croi... pas. – 18. Vous écri... très bien.

6 Écrivez entre parenthèses l'infinitif du verbe, entourez sa terminaison pour vérifier son groupe et ajoutez la terminaison qui convient au verbe conjugué.

Exemple : Tu jou... (jou|er|, 1er gr) → tu joues.

1. je pari... – j'obéi... – tu envi... – tu ralenti... – il gravi... – il oubli... – tu établi... – je tri... – on construi... – il réuni... – tu grandi... – j'accompli... – je suppli... – tu remerci... – tu réagi... – on associ... – il minci...
2. tu secou... – tu cou... – je décor... – je mor... – tu serr... – tu per... – ils fon... – il fon...
3. j'essui... – je condui... – il boi... – il aboi... – tu croi... – tu broi... – il sai... – il balai... – il appui... – il sédui...

7 Recopiez les phrases suivantes en mettant le verbe entre parenthèses au présent.

1. Je (*revendre*) mes livres. – 2. Il (*ne pas savoir*). – 3. Tu (*ne pas essayer*). – 4. J'(*apprendre*) mes leçons. – 5. Ils (*reprendre*) du café. – 6. Le soleil (*flamboyer*). – 7. Nous ne (*voir*) rien. – 8. L'oiseau (*replier*) ses ailes. – 9. Ils (*revenir*) demain. – 10. Le chat (*grossir*). – 11. Je ne (*pouvoir*) rien faire. – 12. Le bébé (*remuer*) dans son lit.

8 a. Recopiez le texte en mettant les verbes entre parenthèses au présent de l'indicatif.
b. **Dictée** Préparez ce texte pour la dictée.

Or voici qu'un jour Faran (*tomber*) amoureux. Il (*appeler*) les trois cent trente-trois hommes de sa tribu devant sa maison et il leur (*dire*) :

– Mes braves gens, j'(*aimer*) la belle Fatimata qui (*habiter*) Tigilem, le village voisin.

Il leur (*dire*) cela en riant, et pourtant un concert de lamentations (*accueillir*) ses paroles. Chacun (*prendre*) sa tête dans ses mains. Un vieillard (*s'avancer*) devant le héros et (*gémir*), agitant ses doigts secs devant sa figure :

– Si tu (*aimer*) Fatimata, tu (*être*) en grand danger, Farang. Car la mère de celle que tu (*vouloir*) pour femme (*être*) une terrible sorcière : à tout homme qui (*venir*) lui demander sa fille, elle (*jeter*) un maléfice qui le (*faire*) mourir.

H. GOUGAUD, *Contes d'Afrique*, © Seuil Jeunesse, 1999, 2012.

9 Transposez les phrases suivantes à la personne du pluriel correspondante.

1. Je corrige mon exercice. – 2. Il bondit hors de la cage. – 3. Tu connais cet homme. – 4. Que dis-tu ? – 5. Je ne veux rien. – 6. Il voit de la lumière. – 7. Tu fais attention. – 8. J'avance prudemment. – 9. Il se souvient de tout. – 10. Je prends mon petit déjeuner. – 11. Il sait sa leçon. – 12. Tu saisis ton épée.

10 **Réécriture** Transposez le texte ci-dessous au présent.

Après la prédiction de l'oracle, lorsque Jocaste mit au monde Œdipe, le chagrin et la peur s'emparèrent du roi et de la reine. Laïos envoya un serviteur mettre à mort l'enfant, mais celui-ci n'eut pas le cœur de le tuer et l'abandonna dans la montagne. Des bergers découvrirent le bébé et l'élevèrent comme leur propre fils. Parvenu à l'âge adulte, Œdipe apprit quelle malédiction pesait sur lui. Il partit pour y échapper. Il vécut bien des aventures et déjoua les pièges du Sphinx.

11 a. Mettez les verbes entre parenthèses au présent.
b. Recopiez le texte en remplaçant « je » par « il ».

Je (*descendre*) dans la ville. Je ne (*s'arrêter*) pas sur la place, parce que ma mère (*pouvoir*) me voir. J'(*entrer*) dans une cour. De là, je (*voir*) la rue, et je (*pouvoir*) dévorer des yeux les devantures. Je (*rester*) caché un moment ; puis, quand je (*se sentir*) libre, je (*sortir*) de la cour du Cheval-Blanc et je (*se mettre*) à regarder les boutiques.

D'après **J. VALLÈS**, *L'Enfant*.

12 Recopiez le texte suivant. Soulignez le sujet des verbes entre parenthèses et conjuguez ceux-ci au présent.

Sur le rivage (*éclater*) des applaudissements. Alors (*s'élever*) une clameur qui (*monter*) dans le ciel jusqu'aux demeures des dieux. Andromède, libérée, (*s'avancer*). Ses parents, pleins de joie, (*recevoir*) Persée comme leur gendre et (*déclarer*) qu'ils lui (*devoir*) leur salut et celui du royaume.

D'après **F. RACHMUHL**, *16 Métamorphoses d'Ovide*, © Flammarion.

13 **Écriture** Pour mériter la main de Fatimata, Farang doit trouver et affronter l'hippopotame de Gao. Racontez cette aventure au présent en utilisant, dans l'ordre, les verbes suivants.

se mettre en route – marcher – parcourir – arriver – entendre – découvrir – dormir – réveiller – défier – se jeter sur – rouler – se battre – durer – sentir – enfoncer – s'écrouler – se réjouir – pouvoir

Leçon

- On forme en général le pluriel d'un nom en ajoutant un *-s* au singulier.
- Les noms terminés par *-s, -x, -z* ne changent pas au pluriel.
  Le repas/les repas ; la noix/les noix ; le nez/les nez.
- Certains noms ont un pluriel en *-x*.

  – Les noms en *-au* et *-eu*.
  Un fourneau/des fourneaux ; un feu/des feux.

  – Sept noms en *-ou* : bijou, caillou, chou, genou, hibou, joujou, pou.
  Un chou/des choux.

  – Les noms en *-al* ont un pluriel en *-aux*.
  Un animal/des animaux.

  Exceptions : bal, carnaval, chacal, festival, régal, qui prennent un *-s*.

  – Sept noms en *-ail* ont un pluriel en *-aux* : bail, corail, émail, soupirail, travail, vantail, vitrail.

Exercices

1 Mettez les noms suivants au pluriel.

un adieu – un pneu – un bijou – un bureau – un ami – un jeu – un éventail – un verrou – un tapis – un vitrail – un bleu – un landau – un chapeau – la main – un détail

2 Trouvez l'intrus.

1. un chandail – un portail – un travail – un épouvantail
2. un cheval – un amiral – un journal – un chacal
3. un bleu – un cheveu – un œil – un feu
4. un clou – un chou – un cou – un trou
5. un bal – un festival – un carnaval – un général
6. de l'émail – du corail – un poitrail – un vitrail

3 Écrivez au pluriel les noms suivants.

1. Deux jeunes (*cheval*) piaffent dans les (*champ*). – 2. C'est la période des (*carnaval*). – 3. Nous nous sommes promenés le long des (*canal*). – 4. Les (*ruisseau*) sont à sec. – 5. Les (*cristal*) du lustre brillent. – 6. Où se trouve la boîte de (*clou*) ? – 7. L'enfant est tombé et s'est blessé aux (*genou*). – 8. Elle s'est reposée à l'ombre des (*bambou*). – 9. L'église a de riches (*vitrail*). Il faut s'attacher aux (*détail*).

4 Mettez au singulier les noms suivants en les classant en trois colonnes selon qu'ils sont terminés par *-eau*, par *-al* et par *-ail*.

des cerceaux – des journaux – des vitraux – des signaux – des coraux – des baux – des généraux – des manteaux – des soupiraux – des cristaux – des canaux – des râteaux

5 Mettez la terminaison qui convient et justifiez-la en écrivant le mot au singulier entre parenthèses.

1. Les maçons ont utilisé des niv... pour construire la paroi. – 2. Les ros... ont recouvert l'étang. – 3. Les journ... ont annoncé la nouvelle. – 4. Les crist... scintillent sur la table. – 5. La cave reçoit le jour de deux petits soupir... . – 6. À l'approche de l'automne les troup... descendent au village. – 7. Les plongeurs ont contemplé de magnifiques cor... . – 8. Le marin émet des sign....

6 Mettez les noms en gras au pluriel et faites les accords nécessaires.

1. Un réel **progrès** est constaté. – 2. Un **festin** a égayé le **carnaval**. – 3. Le **troupeau** traverse le fleuve. – 4. Cette **ville** accueille un **festival** de jazz. – 5. Le **mur** était tapissé d'**émail** et de **corail**. – 6. Ce **jeu** est dangereux. – 7. Mon **pneu** est crevé. – 8. Ce **chandail** rétrécit un peu plus à chaque lavage.

7 Mettez les noms en gras au singulier et faites les accords nécessaires.

1. Ses **vœux** se réaliseront. – 2. Les **dieux** punirent les mortels désobéissants. – 3. Les **travaux** accomplis par ces **héros** sont impressionnants. – 4. Ces **fléaux** se sont répandus à travers le monde. – 5. Ses **maux** sont terribles. – 6. Mes **yeux** ne voient plus. – 7. Les **cieux** entendent sa prière.

12 Le passé composé

Leçon

1 La formation du passé composé

■ Le passé composé est formé de **l'auxiliaire *être* ou *avoir* au présent** et du **participe passé** du verbe conjugué.

Faire		Aller	
J'ai fait	Nous avons fait	Je suis allé(e)	Nous **sommes** allés(ées)
Tu as fait	Vous avez fait	Tu es allé(e)	Vous êtes allés(ées)
Il, elle a fait	Ils, elles ont fait	Il est allé, elle est allée	Ils **sont** allés, elles **sont** allées

■ **Attention :** lorsque l'auxiliaire est *être*, le participe passé s'accorde avec le sujet, comme un adjectif.
Il est parti. Ils sont partis.

2 Les terminaisons du participe passé

■ Le participe passé des verbes du **1er groupe** a pour terminaison *-é* : *dessiné*.

■ Le participe passé des verbes du **2e groupe** a pour terminaison *-i* : *fini*.

■ Le participe passé des verbes du **3e groupe** a pour terminaison *-i, -is, -s, -u* ou *-t* : *appris, écrit, connu, ouvert...*

Astuce : pour savoir s'il y a une consonne muette à la fin du participe passé, mettez-le au féminin.
<u>Une</u> chose appri**se** → <u>un</u> cours appris.

Remarque : le participe passé peut aussi s'employer comme un adjectif. Il s'accorde avec le nom qu'il qualifie.
<u>Une maison</u> pein**te** en bleu.

Exercices

1 a. Relevez les verbes au passé composé, entourez l'auxiliaire, soulignez le participe passé.

b. Précisez l'infinitif des verbes que vous avez relevés.

On ignore par quel chemin Héraclès revint en Grèce. Chaque peuple se flatte de son passage et on lui attribue beaucoup de progrès. Selon les Gaulois, c'est lui qui a aboli l'ancienne coutume de tuer les étrangers et qui a fondé Alésia. Les Romains disent qu'il est passé près du Tibre, avant la fondation de Rome, et qu'il a tué Cacus, un géant hideux doté de trois têtes qui crachaient des flammes, et qui se nourrissait de chair humaine.

M.-T. ADAM, *Héros de la mythologie grecque*,
© Éd. Gallimard Jeunesse.

2 Écriture Choisissez un héros que vous connaissez et rédigez cinq phrases au passé composé pour raconter les exploits qu'il a accomplis.

3 Classez les verbes suivants en deux colonnes : ceux qui se conjuguent avec l'auxiliaire *avoir* et ceux qui se conjuguent avec l'auxiliaire *être*.

dire – écrire – devenir – lire – arriver – rester – naître – mourir – sauter – partir – vouloir – essayer – entrer – arracher – combattre – se battre – tomber – se lever

4 Écrivez le participe passé des verbes suivants.

avoir – être – promettre – soigner – rejoindre – détruire – rougir – voir – recevoir – ouvrir – créer

5 Transposez les formes verbales suivantes à la personne du singulier ou du pluriel correspondante.

J'ai mangé. – Vous aurez terminé. – Elles étaient sorties. – Il avait rempli. – Tu seras arrivé. – Il fut entré. – Nous nous sommes excusés. – J'ai réuni.

6 **Oral** Dites si les formes suivantes sont des participes passés ou des verbes conjugués à la première ou à la troisième personne. Attention, il y a parfois plusieurs possibilités.

rougi – eu – rasait – attrapés – voulues – grandit – connu – ri – jouaient – été – séduit – lut – menti

7 Recopiez les phrases suivantes en mettant si nécessaire la consonne muette qui manque à la fin du participe passé.

1. J'ai étein… la lumière. – 2. Il a recousu… ton bouton. – 3. Ce sac était rempli… de pierres. – 4. Nous l'avons inscri… à des cours de karaté. – 5. Jean a remi… le livre à sa place.

8 Choisissez la terminaison qui convient.

1. Elle m'a (serré/serrer) dans ses bras pour me (consolé/consoler). – 2. Elle a (traversé/traverser) la cour à grands pas avec son jupon (relevé/relever). – 3. (Renoncé/Renoncer) était impossible, nous voulions (continué/continuer) coûte que coûte. – 4. L'argent n'a pas (tardé/tarder) à (manqué/manquer). – 5. Ils m'ont (forcé/forcer) à (avoué/avouer).

9 Conjuguez au présent, puis au passé composé, à la personne indiquée. Entourez les marques de personne.

Il (punir). – J'(atteindre). – Ils (souhaiter). – Il (comprendre). – Elle (sortir). – Il (mettre). – Ils (croire). – Tu (se lever). – J'(apprendre). – Tu (pouvoir).

10 Transposez les phrases suivantes au passé composé.

1. Vous n'entendez pas la sonnerie. – 2. Neige-t-il ? – 3. J'écris une lettre. – 4. N'allons-nous pas trop vite ? – 5. Ils se trompent toujours. – 6. Ne comprenez-vous pas ? – 7. Elle cueille des fleurs – 8. Christophe Colomb découvre l'Amérique en 1492. – 9. Je fais mes devoirs.

11 Conjuguez au passé composé, à la première personne du singulier et à la 3e personne du pluriel.

être – avoir – faire – dire – choisir – se blesser – comprendre – vouloir – courir

12 a. Conjuguez les verbes entre parenthèses au passé composé.

b. Mettez les phrases obtenues à la forme négative.

1. Nous (terminer) notre travail. – 2. (Rentrer)-elle déjà ? – 3. Je (comprendre). – 4. Pourquoi (partir)-tu ? – 5. Vous (dire) toujours la vérité. – 6. Elles (rester) muettes d'admiration. – 7. Les dieux (découvrir) la trahison de Prométhée. – 8. Hélène (suivre)-elle Pâris ? – 9. Ils (tomber) amoureux. – 10. Ils (fuir) en secret.

13 Mettez le verbe entre parenthèses au participe passé et accordez-le comme il convient avec le nom qu'il qualifie.

1. Les cieux étaient (obscurcir) de nuages. – 2. Je refuserai les copies mal (présenter). – 3. Il aime le travail bien (faire). – 4. Les petites filles, (surprendre) par la nuit, se réfugièrent dans une maison (abandonner). – 5. Ils travaillaient dur pour réparer les navires (abîmer) par la tempête, recoudre les voiles (déchirer), relever leurs abris (détruire).

14 a. Donnez le participe passé des verbes suivants.

disparaître – bien entretenir – jaunir – ouvrir – pâlir – sécher – user

b. Utilisez ces participes passés comme adjectifs dans les phrases suivantes.

Sur la table, où trônait un bouquet de fleurs …, étaient étalées des photographies …. Le tapis … aux dessins … rappelait une splendeur …. Par la fenêtre …, on pouvait voir un parc ….

15 Complétez les phrases avec un groupe nominal qui convient.

1. … est très réussie. – 2. J'ai mangé … pourris. – 3. Suzanne avait toujours … bronzées et … écorchés. – 4. …, effrayée, s'enfuit en courant. – 5. …, usés, abîmés, gisaient sur le sol.

16 a. Recopiez le texte en mettant les verbes entre parenthèses au passé composé. Attention aux accords du participe passé.

b. **Dictée** Préparez ce texte pour la dictée.

Histoire de Marie (*C'est Marie qui raconte.*)

Une nuit, je (*se glisser*) hors du lit, j'(*enfiler*) le premier manteau qui me (*tomber*) sous la main, la première paire de chaussures, et je (*sortir*) dans la rue. Je (*aller*) taper au carreau d'un petit marchand de quatre-saisons nommé Pitt. Il (*ouvrir*) sa fenêtre et je lui (*demander*) : « Tu m'emmènes ? » Deux minutes plus tard, il (*atteler*) sa carriole à son âne et (*jeter*) dedans quelques fripes au hasard. Nous y (*sauter*) tous les deux et nous (*quitter*) la ville.

J.-C. Mourlevat, *La Rivière à l'envers*, Pocket Jeunesse, Univers Poche, 2000.

17 Complétez par -é, -ée, -ées, -ait, -aient.

1. Je suis un enfant trouv…. – 2. Sur ces pentes peu élev… pouss… des arbres aux branches tourment…. – 3. La ville où j'ai pass… mon enfance est situ… sur les bords de la Garonne. – 4. Ces terres cultiv… produis… une nourriture abondante. – 5. Le soleil réchauff… lentement mes pieds gel…. – 6. La forêt où ét… entr… les fillettes ét… très dangereuse.

18 **Écriture** Racontez en huit phrases le voyage de Pitt et Marie. Vous emploierez les verbes suivants.

se diriger vers – traverser – s'arrêter – s'endormir – se réveiller – repartir – entrer dans – rencontrer

Réinvestir
ses connaissances

1 **Doublez ou non la consonne en gras en fonction de la manière dont il faut prononcer le *-e* qui précède.**

1. El...e était très bel...e.
2. Cet...e maisonnet...e est très coquet...e.
3. Les ren**n**ards parvien**n**ent toujours à leurs fins.
4. Ces cer...ises sont excel...entes.
5. Il appuya l'échel...e contre la fen...être.
6. Vous souve**n**...ez-vous des délicieux des...erts qu'il achet...ait exprès pour nous ? J'en repre**n**...ais toujours deux ou trois fois.
7. Il fouet...a le cheval qui tirait sur ses re**n**...es.
8. Ils jet...èrent leurs armes à ter...e.
9. Je regret...e mes er...eurs.

2 **Transposez à la personne du pluriel ou du singulier correspondante.**

il prend – je viens – nous jetons – vous appelez – tu retiens – il devient – tu apprends

3 **Complétez par *-g* ou par *-gu*.**

1. À Noël, nous ...arnirons la classe de ...irlandes.
2. Nous nous promenons sur la di...e, les doigts en...ourdis par le froid.
3. Le chasseur ...ette le lapin qui ...ambade dans la plaine.
4. Le ...ouvernail ...ide le bateau qui navi...e sur les va...es.
5. J'ai é...aré ma ba...e en retirant mon ...ant.

4 **Complétez par *-g*, *-ge*, *-gu*.**

1. Mon frère a la rou...ole ; la fièvre l'a...ite ; sa lan...e est toute blanche et il a mal à la ...or...e. Bientôt le malade sera ...éri.
2. Au printemps, les graines ...ermeront, les bour...ons s'ouvriront, les soirées seront plus lon...es.
3. J'ai acheté un ca...ot d'oran...es que je vais ran...er dans le ...arage.

5 **Remplacez les points par *-s* ou *-ss*.**

1. Mon cou...in a été privé de de...ert parce qu'il avait été dé...obéi...ant.
2. Tu as lai...é l'arro...oir dans un bui...on de framboi...iers.
3. La le...ive séchée, le père repa...e sa chemi...e.
4. La punai...e est un in...ecte qui répand une odeur dé...a-gréable ; sa mor...ure est douloureu...e.
5. Le Sahara est un dé...ert immen...e ; aujourd'hui on le traver...e plus ai...ément que dans le pa...é.

6 **Remplacez les points par *-s, -z, -ss, -c, -ç*.**

1. Le jardinier arro...e le ga...on de la pelou...e.
2. L'infirmière a po...é de la ga...e sur la ble...ure de Fran...ois.
3. Sur la place, s'élève une statue de bron...e que les pa...ants admirent.
4. Mon cou...in a acheté une trou...e.
5. Quel ba...ar dan cette chambre !
6. Ils rempli...ent le ré...ervoir de la tondeu...se avec du ga...oil.
7. ...ut ! J'ai renver...é mon verre.
8. En juin, nous mangerons des ...erises.

7 **Transposez les verbes suivants à l'imparfait.**

je me balance – nous rinçons – il pince – tu menaces – vous forcez – nous influençons – nous obligeons – nous conjuguons – vous jugez

8 **Conjuguez les verbes suivants au présent de l'indicatif en ajoutant la bonne terminaison.**

1. Tu colori... un dessin. – 2. Tu fini... tes devoirs. – 3. I grandi... vite. – 4. Elle tri... des images. – 5. Ils oubli... leur crayons. – 6. Ils se diverti... – 7. Il maigri... – 8. Il étudi... – 9. Tu avou... ta faute. – 10. Tu cou... une robe. – 11. J su... à grosses gouttes. – 12. Je condui... vite.

9 **Conjuguez les verbes suivants pour faire des phrases au présent de l'indicatif.**

1. Manger et grossir. – 2. Avoir peur et pâlir. – 3. Crie et fuir.

10 **Imaginez les sujets des verbes suivants.**

1. ... répare les montres. – 2. ... plient les draps. – 3. .. ignores ta leçon. – 4. Ses affaires, ... les oublie systémati quement. – 5. ... nous mentez. – 6. ... dites des bêtises. – 7. ... les regrette. – 8. ... m'ont poursuivi. – 9. Ne l'as-... pas reconnu ? – 10. L'avez-... lu ? – 11. Êtes-... partis temps ? – 12. ... ont été heureuses. – 13. ... est naïve.

11 **Donnez les participes passés des verbes suivant et soulignez les lettres finales muettes.**

ouvrir – partir – venir – être – avoir – effacer – prendre connaître – faire – naître – vouloir – peindre

12 **Conjuguez ces phrases au passé composé.**

1. Ne pas arriver en retard et ne pas être puni.
2. Ne pas mettre de manteau et ne pas avoir froid.

13 **Mettez les verbes au passé composé et accordez les adjectifs.**

1. Margaux (*être*) (*désobéissant*). – **2.** Une (*doux*) lumière (*descendre*) du ciel. – **3.** Cette (*vieux*) femme vous (*sembler*) (*perdu*). – **4.** La petite chèvre (*blanc*) (*être*) (*glouton*). – **5.** Elle (*grandir*) mais elle (*rester*) (*naïf*). – **6.** J'(*trouver*) cette histoire très (*cruel*). – **7.** Elle (*devenir*) (*veuf*) très jeune.

14 **Transposez les phrases suivantes en phrases interrogatives en conjuguant le verbe au passé composé. Transposez-les ensuite à la forme négative.**

Exemple : Tu oublies ton sac : As-tu oublié ton sac ? N'as-tu pas oublié ton sac ?

1. Nous sommes bavards. – **2.** Tu es déçu. – **3.** Vous vous coiffez. – **4.** Ces livres, tu les lis. – **5.** Il nous montre l'exemple. – **6.** Ce coffre, je te le donne. – **7.** Elles vont à l'école. – **8.** Il se repose.

15 **Mettez les noms en gras au pluriel et faites les changements nécessaires.**

1. Le **bocal** est plein. – **2.** Le **général** ordonne aux soldats de reprendre l'entraînement. – **3.** Ce **fardeau** semble bien lourd. – **4.** Mon **neveu** est parti en Allemagne et est rentré très content de son séjour. – **5.** Ce précieux **métal** est employé dans la confection de certains bijoux. – **6.** Un long **chemin** sinueux nous mène jusqu'à la chaumière. – **7.** L'**hirondelle** légère bâtit son nid. – **8.** Le **chacal** s'approche du village et effraie la volaille. – **9.** Sur le bord de la fenêtre, se pose un **moineau** frileux et affamé.

16 **Accordez les adjectifs entre parenthèses.**

1. Cette (*vieux*) dame fait sa promenade (*matinal, habituel*). – **2.** Il régnait sous la serre une chaleur (*tropical*) et une odeur (*pareil*) à celle des forêts saturées d'humidité. –

3. Cette fête (*annuel*) est (*original*). – **4.** Une remarque aussi (*essentiel*) mérite toute notre attention.

17 **Mettez les expressions suivantes au masculin.**

la fille de la pâtissière – la voisine de la factrice – la fille de l'aviatrice – la cousine de l'impératrice – la cliente ou l'acheteuse – la brebis de la bergère – la paysanne et la châtelaine

18 **Complétez par la bonne terminaison.**

1. Le professeur détaill... les consignes pour la rédaction. Ce détail... est important.
2. J'oubli... souvent mes clés, mais un jour, cet oubli... me coûtera cher.
3. Je n'ai pas répondu à ton appel..., car tu m'appel... toujours bien tard.
4. Il gèl... depuis plusieurs jours et le gel... a bloqué des canalisations.
5. Le professeur me conseil... de refaire mes exercices et je suivrai ses conseil....
6. Quel ennui... ce livre ! Ce film l'ennui... et il préfère sortir.
7. Il en désir... toujours plus et ses désir... sont insatiables.

19 **Écrivez correctement les participes passés entre parenthèses.**

1. Les grenouilles se sont (*cacher*) dans la mare et ont (*coasser*) à la nuit tombée.
2. Delphine s'est encore (*tromper*) et la classe entière a (*rire*) ; elle s'est alors (*sentir*) déstabilisée.
3. Les touristes ont été (*servir*) à l'heure et ont (*pouvoir*) prendre le bus à temps.
4. L'étoile filante a (*briller*) un instant, puis a (*disparaître*).
5. Nous avons été (*placer*) au premier rang et nous avons très bien (*voir*) le spectacle.

> ## Maîtriser l'écrit

20 **a. Recopiez les phrases suivantes. Entourez les verbes conjugués, soulignez leur sujet et mettez entre crochets les propositions.**

b. Pour chaque verbe, donnez l'infinitif, la personne et le temps.

1. Depuis un instant, les machines se sont mises à ronfler et le paquebot tremble de toute sa carcasse.
2. Sur le quai, la foule s'épaissit ; des inconnus, la tête renversée, échangent quelques dernières paroles avec ceux de là-haut.
3. Bientôt la sirène retentit et nous levons l'ancre.
4. N'ai-je pas oublié de donner une dernière recommandation aux enfants et à leur père, qui agitent leur mains avec joie ?

21 **Dictée** **Cette dictée d'élève contient 12 erreurs grammaticales : à vous de les corriger.**

Les vieus marins

On les voient se chauffer sur les banc de pierre. On les entends parlés des navigations passés. On les reconnaîts a leur visage, ridé, tanné, bruni, séché par les vents, les embruns, les fatigues. Ils on parcouru la mer dans tout les sens, ils la connaisse sous tout ses aspects.

Les mots invariables

1. Complétez les verbes suivants avec un complément de lieu ou de temps, introduit par la préposition en gras. Soulignez le complément.

Arriver **à** .... – Partir **vers** .... – Dormir **dans** ....

2. Ajoutez à chacun des verbes suivants un seul mot pour exprimer la manière, puis le lieu et enfin le temps.

travailler – manger – dormir

<u>Exemple</u> : *Marcher* → *marcher* **lentement**, *marcher* **loin**, *marcher* **longtemps**.

3. Complétez la phrase suivante de deux façons différentes en ajoutant à chaque fois un mot.

Jean est absent ... il est malade.

Leçon

1 Les prépositions

■ Une **préposition** est un mot invariable qui **relie** un mot à son complément. Il y a donc toujours quelque chose après une préposition : un nom, un pronom ou un verbe à l'infinitif.

■ Les principales prépositions sont : *à – dans – par – pour – en – vers – avec – de – sans – sous – sur – chez – avant – après – devant – à côté de – le long de – hors de – près de...*

> **ATTENTION**
> Les prépositions *à* et *de* « fusionnent » avec les articles *le* et *les* pour former **les articles contractés** : *du, des, au, aux* (voir p. 328).

2 Les adverbes

L'**adverbe** est un mot invariable qui exprime à lui seul :

– **la manière** : ce sont tous les adverbes qui **se terminent par le suffixe -*ment*** mais aussi *bien, mal, vite, mieux...*

– **le temps** : *hier, aujourd'hui, puis, alors, ensuite, toujours, jamais, d'abord, avant...*

– **le lieu** : *ici, là-bas, loin, devant, derrière...*

– **le degré** : *très, beaucoup, peu, assez, si, tellement, plus, moins...*

– **la négation** : *ne... pas, ne... jamais, ne... guère...*

3 Les conjonctions de coordination

■ Une **conjonction de coordination** est un mot qui sert à relier deux groupes **de nature équivalente**.

■ La liste des conjonctions de coordination est : *mais – ou – et – donc – or – ni – car.*

> *Il faut de la corde* **ou** *du fil. Il faut partir* **et** *se presser.*

4 Les conjonctions de subordination

■ **Les conjonctions de subordination** relient deux propositions.

■ Les principales conjonctions de subordination sont : *que – quand – comme – si – puisque – parce que – lorsque – afin que – si bien que...*

> *Tu pourras sortir* **lorsque** *tu auras fini.*

1 Complétez les phrases suivantes avec la préposition qui convient.

1. Nous venons ... Brest. – **2.** Nous sommes arrivés hier ... Paris et nous partons demain ... Marseille, en passant ... Lyon. – **3.** Nous nous dirigerons ensuite ... l'Italie. – **4.** Je boirais volontiers une tasse ... café. – **5.** Nous lui avons offert des tasses ... café ... porcelaine. – **6.** C'était une belle fille ... la bouche moqueuse. – **7.** Tu peux parler ... crainte. – **8.** Ulysse était ... une île, il campait ... un lac. – **9.** Il le transperça ... sa lance.

2 Complétez les phrases suivantes avec la préposition qui convient et écrivez correctement la terminaison des verbes qui suivent.

1. Il est entré ... frapp.... – **2.** Il est trop tard ... recul.... – **3.** Nous commencions ... nous impatient.... – **4.** Je suis ravi... vous rencontr.... – **5.** Réfléchis ... parl....– **6.** J'avais envie ... hurl....

3 a. Dans le texte suivant, relevez les prépositions avec le complément qu'elles introduisent.

b. Précisez quel est le mot complété.

Tamina fouilla partout sans succès. Elle se dirigea vers le bassin de marbre où la princesse avait l'habitude de se baigner avec ses compagnes et s'assit sur le bord en pleurant. Soudain, elle aperçut, au fond du bassin, un petit bracelet en or.

4 Écriture Faites une phrase avec chacun des verbes suivants et un adverbe de votre choix. Utilisez des adverbes variés (temps, lieu, manière...).

travailler – dormir – se lever – partir – courir – parler – s'installer

5 Oral Dans les phrases suivantes, relevez tous les adverbes.

1. Autrefois, un voyage était souvent une aventure.
2. L'eau jaillit brutalement de la conduite qu'ils avaient involontairement percée et se répandit partout.
3. Bien respirer, c'est respirer lentement, profondément.
4. Levez-vous tôt demain.
5. Il se sent mieux depuis qu'il ne fume plus.
6. Non loin de là vivait une très méchante sorcière.

6 À partir des adjectifs suivants, formez des adverbes en ajoutant le suffixe -ment.

ent – doux – normal – fier – fou – amoureux – naïf – frais – long – discret – habituel

7 Écriture Recopiez et complétez les phrases.

1. Je rêve d'un homme qui fasse attention aux autres et .... – **2.** Nous achèterons des fleurs ou .... – **3.** C'est dommage, car .... – **4.** C'est d'accord. Donc .... – **5.** Je voudrais partir en vacances, mais .... – **6.** Je ne sais ni chanter ni .... – **7.** Ce film est interdit aux moins de seize ans, or ....

8 Complétez les phrases par une conjonction de coordination qui convient.

1. Un mythe explique le monde ... parle des dieux.
2. Paul avait bien appris sa poésie ... il a eu un trou de mémoire.
3. Jupiter changea Lycaon en loup ... il était trop cruel.
4. Ses yeux sont-ils bleus ... verts ?

9 Complétez les phrases par une conjonction de subordination qui convient.

1. Nous avons pris des sandwiches ... le restaurant est fermé. – **2.** Il a regardé la télévision très tard, ... il est très fatigué. – **3.** ... il pleut, la route est très glissante. – **4.** Il fait trop chaud ... nous puissions sortir.

10 Recopiez le texte suivant. Entourez les **verbes conjugués** en rouge. Entourez en bleu les **conjonctions de coordination** et en vert les **conjonctions de subordination**. Mettez les différentes propositions entre crochets.

Quand il y a des devoirs difficiles, Joachim et Maixent se téléphonent et la maîtresse leur met souvent un zéro à chacun. Mais cette fois-ci, ils nous ont dit qu'ils étaient tranquilles, parce que c'étaient leurs pères qui s'étaient téléphoné.

R. Goscinny, *Histoires inédites du Petit Nicolas*, © IMAV Éditions.

11 Donnez la nature des mots en gras.

Bien loin dans la mer, l'eau est **bleue comme** les feuilles des bluets, **pure** comme le **verre** le **plus** transparent, **mais** si profonde **qu'**il serait **inutile** d'y jeter l'ancre, **et** qu'il faudrait **y** entasser une quantité infinie **de** tours d'église les unes **sur** les autres **pour mesurer** la distance du fond **à la** surface. C'est **là** que **demeure** le peuple de la mer. Mais n'allez **pas** croire que **ce** fond se compose **seulement** de **sable** blanc ; **non**, il y croît des **plantes** et des arbres bizarres, et si souples, que le moindre **mouvement** de l'eau **les** fait s'agiter comme s'**ils** étaient **vivants**.

Andersen, *La Petite Sirène*, trad. D. Soldi.

Observer

« Sire, dans **la** capitale d'**un** royaume de la Chine, très riche et d'une vaste étendue, il y avait **un** tailleur nommé Mustafa. Mustafa **le** tailleur était fort pauvre, et son travail lui produisait à peine de quoi le faire subsister lui et sa femme, et **un** fils que Dieu leur avait donné. **Le** fils qui se nommait Aladdin, avait été élevé d'une manière très négligée. […] **La** mère d'Aladdin, qui vit que son fils ne prenait pas le chemin d'apprendre **le** métier de son père, ferma la boutique, et fit **de l'**argent de tous **les** ustensiles de son métier, pour l'aider à subsister.

« Histoire d'Aladdin », *Les Mille et Une Nuits*, trad. A. Galland.

1. a. Devant quelle classe de mots les termes en gras sont-ils placés ?
b. À quelle classe grammaticale appartiennent-ils ?
2. Expliquez la différence entre « un tailleur » et « le tailleur », puis entre « un fils » et « le fils ».
3. Lequel de ces mots en gras pouvez-vous remplacer par « un peu de » ?

Leçon

Les articles font partie des **déterminants**. Ils sont placés **devant un nom** et en indiquent **le genre et le nombre**.

1 Les articles indéfinis : *un, une, des*

■ Ils sont employés pour parler d'une chose ou d'une personne quelconque, encore inconnue, sans plus de précision.

*Donne-moi **un** stylo (n'importe quel stylo).*
***Un** homme vivait dans cette forêt (on ne sait pas qui est cet homme).*

■ **Attention**

– Quand un adjectif précède le nom, *des* devient *de* : *tu as **de** beaux yeux.*

– Il devient aussi *de* dans les phrases négatives : *je n'ai pas **de** chaussures.*

2 Les articles définis : *le, la, les*

■ Ils sont employés pour parler d'une chose ou d'une personne précise, clairement identifiée.

L'homme sortit un jour de sa cabane pour aller chercher du bois (il s'agit de l'homme dont on a déjà parlé).

■ **Attention**

– Devant un mot commençant par une voyelle ou un *h* muet, les articles *le* et *la* s'élident. *L'homme, l'herbe.*

– Avec les prépositions *à* ou *de*, les articles *le* et *les* se transforment pour former les **articles contractés** : *au* (à + le), *aux* (à + les), *du* (de + le), *des* (de + les).

3 Les articles partitifs : *du, de, la, des*

Ils indiquent que l'on ne considère qu'une partie d'un ensemble. On peut les remplacer « un peu de ».

*Je voudrais **de la** salade (un peu de salade).*

Exercices

1 Dans le texte suivant, relevez les articles et précisez si ce sont des articles définis ou indéfinis. Expliquez leur emploi.

Il était une fois un roi et une reine qui étaient si fâchés de n'avoir point d'enfants, si fâchés qu'on ne saurait dire. […] Enfin pourtant la reine devint grosse, et accoucha d'une fille : on fit un beau baptême ; on donna pour marraines à la petite princesse toutes les fées qu'on pût trouver dans le pays (il s'en trouva sept), afin que chacune d'elles lui faisant un don, comme c'était la coutume en ce temps-là, la princesse eut par ce moyen toutes les perfections imaginables.

CH. PERRAULT, *La Belle au bois dormant.*

2 Recopiez les phrases suivantes et entourez les articles contractés.

1. Je me souviens du temps passé, lorsqu'en hiver, nous nous hâtions de rentrer au château. – **2.** Au nord se trouvait la demeure du roi. – **3.** Les affaires des enfants sont restées au collège. – **4.** La force du vent avait encore augmenté ; seule la lueur des éclairs illuminait de temps en temps le ciel obscurci.

3 Recopiez les phrases suivantes et entourez les articles partitifs.

1. Il faut du courage pour faire face aux difficultés. – **2.** Sa peau est douce comme de la soie, fine comme de la porcelaine. – **3.** La pauvre femme n'avait pour toute nourriture que du pain sec et de l'eau. – **4.** Le géant absorbait à son petit déjeuner des œufs, du bacon, des céréales avec du lait, des cailles rôties et des saucisses.

4 **Oral** Dites si les mots en gras sont des articles partitifs ou contractés.

1. Le bûcheron coupa **du** bois. – **2.** Ils arrivèrent à l'orée **du** bois. – **3.** Il y avait **du** sang sur la clé. – **4.** Le loup sentit l'odeur **du** sang. – **5.** C'est demain le début **des** vacances. – **6.** Nous prendrons bientôt **des** vacances.

5 Dans les phrases suivantes, relevez les articles et donnez leur nature exacte.

1. Après les cérémonies du baptême, toute la compagnie revint au palais du roi, où il y avait un grand festin pour les fées. (PERRAULT)
2. Bientôt elle eut une petite fille qui était aussi blanche que la neige, avec des joues rouges comme du sang et des cheveux noirs comme l'ébène. (GRIMM)
3. Le Chat continua ainsi, pendant deux ou trois mois, à porter de temps en temps au roi du gibier de la chasse de son maître. (PERRAULT)

6 Recopiez le texte suivant, entourez en bleu les articles définis, en noir les articles indéfinis, en rouge les articles contractés et en vert les articles partitifs.

C'est à ce moment-là que Georges eut une inspiration géniale. Les médicaments de l'armoire à pharmacie de la maison lui étaient interdits, certes, mais les médicaments que son père gardait dans un hangar près du poulailler… étaient-ils interdits, eux ? Personne ne lui avait interdit d'y toucher.

« Reprenons le problème, se dit Georges. De la laque, de la mousse à raser et du cirage, très bien. Ça fera tourner la vieille toupie. Mais il faut de vrais médicaments dans la potion magique. »

R. DAHL, *La Potion magique de Georges Bouillon*, trad. M.-R. Farré, © Éd. Gallimard Jeunesse.

7 Complétez les phrases suivantes avec l'article qui convient.

1. Peux-tu me donner ... feuille, s'il te plaît ? – **2.** Louis, prends ... livre de Sophie. – **3.** Nous avons ouvert toutes ... fenêtres parce qu'... élève se sentait mal. Maintenant, ... élève va mieux. – **4.** ... principale ... collège est entrée dans ... classe. – **5.** ... inconnu a surgi dans ... classe. – **6.** On joue ... pièce de Molière ... théâtre Montparnasse.

8 Mettez les groupes nominaux suivants au pluriel.

la lettre d'Annie – une clé magique – le pauvre paysan – une longue année – un incroyable événement

9 Remplacez l'article indéfini par un article défini que vous éliderez si nécessaire. Vous pouvez vous aider du dictionnaire.

un hibou – un haricot magique – une heure – un habitant – un handicapé – un hiver rude – un héros populaire – une héroïne célèbre

10 Complétez le texte avec les articles qui conviennent.

... marchand vivait dans ... confortable aisance, possédant ... argent, ... domestiques, ... troupeaux, ... moutons, ... chameaux – sans compter ... épouse et ... enfants en bas âge. Il habitait ... campagne et s'occupait de faire valoir ses terres. Il comprenait ... langage ... animaux, qu'ils fussent bêtes sauvages ou domestiques, mais ne pouvait révéler son secret à personne sous peine de mourir. Ainsi avait-il reçu ... bêtes maintes confidences qu'il se gardait bien de dévoiler, car il avait peur de ... mort.

« Histoire de l'âne, du taureau et du laboureur », *Les Mille et Une Nuits*, trad. R. Khawam, © Éd. Phébus, Paris, 1986.

11 **Écriture** En cinq à huit phrases, imaginez le début d'un conte. Vous utiliserez au moins un article partitif et un article contracté.

Observer

« Enfin ! ma tête est dégagée ! » s'exclama Alice d'un ton ravi ; mais presque aussitôt, son ravissement se transforma en vive inquiétude lorsqu'elle s'aperçut qu'<u>elle ne retrouvait nulle part ses épaules</u> : tout ce qu'elle pouvait voir en regardant vers le bas, c'était un cou d'une longueur démesurée, qui semblait se dresser comme une tige, au-dessus d'un océan de feuilles vertes, bien loin au-dessous d'elle.

« Qu'est-ce que toute cette verdure ? poursuivit Alice. Et où donc sont passées mes épaules ? »

L. CARROLL, *Alice au pays des merveilles*, trad. H. Parisot, © Flammarion.

1. a. Relevez les déterminants qui accompagnent des noms en exprimant l'idée de possession.
b. Précisez leur genre et leur nombre.
c. Conjuguez la phrase soulignée à toutes les personnes. Que remarquez-vous ?
2. Relevez un déterminant qui permet de montrer précisément la chose dont on parle.

Leçon

1 Le déterminant possessif

Il indique **à qui appartient** ce dont on parle. Il varie en **genre**, **nombre** et **personne**.

		Un seul possesseur	Plusieurs possesseurs
Singulier	**Masculin**	Mon, ton, son	Notre, votre, leur
	Féminin	Ma, ta, sa	Notre, votre, leur
Pluriel		Mes, tes, ses	Nos, vos, leurs

ATTENTION
Devant un nom féminin commençant par une voyelle, on remplace *ma, ta, sa* par *mon, ton, son*.
*Cela attira **mon** attention.*

2 Le déterminant démonstratif

Il sert **à montrer** la chose ou l'être dont on parle. Il varie en **genre** et en **nombre**.

*Admire **cette** forêt (cette forêt que nous apercevons).*

	Masculin	Féminin
Singulier	Ce, cet	Cette
Pluriel	Ces	Ces

ATTENTION
Devant un nom masculin commençant par une voyelle ou un *h* muet, on écrit *cet* au lieu de *ce*.
*Admire **cet** arbre. Qui est **cet** homme ?*

Exercices

1 a. Oral Lisez le texte suivant et relevez les déterminants possessifs et le nom qu'ils accompagnent. Indiquez la personne à laquelle ils se rapportent.

La figure d'Edmund était devenue très rouge, sa bouche et ses doigts étaient collants.
– Si je vous conduis à mon château mainte-

nant, dit la reine, je ne verrai pas votre frère ni vos sœurs. J'ai très envie de connaître votre charmante famille. Je ferai votre frère duc, et vos sœurs, duchesses. Notre royaume s'étendra jusqu'aux confins de Narnia.

D'après **C. S. LEWIS**, *Les Chroniques de Narnia, L'Armoire magique*, © Éd. Gallimard.

b. Réécrivez les paroles de la reine en utilisant le tutoiement : la reine tutoie Edmund.

2 `Écriture` **Présentez en quelques phrases votre famille. Présentez maintenant celle de votre meilleur(e) ami(e). Soulignez les déterminants possessifs.**

3 a. Complétez par le déterminant possessif qui convient.

1. Je mets les mains dans ... poches. – **2.** Nous nous dépêchons de regagner ... maison. – **3.** Les moineaux transis se pelotonnent dans ... nids. – **4.** Vous avez laissé tomber ... copie sous le bureau. – **5.** Il déblaie la neige devant ... porte. – **6.** Les patineurs prennent ... élan ; nous entendons le bruit de ... patins sur la glace. – **7.** N'avez-vous pas oublié ... affaires ?

b. Réécrivez ces phrases en conjuguant le verbe à la personne du singulier ou du pluriel correspondant.

4 Conjuguez à toutes les personnes.

J'ai reçu la visite de mes cousins qui m'ont annoncé l'arrivée de notre grand-mère.

5 Complétez par *son, sa* **ou** *ses* **et accordez l'adjectif.**

... joues (*rouge*) – ... horloge (*ancien*) – ... (*vieux*) horloge – ... (*nouveau*) habit – ... attitude (*discret*) – ... air (*hautain*) – ... allure (*hautain*) – ... pétales (*coloré*) – ... omoplates (*saillant*) – ... habileté (*manuel*)

6 Complétez par *leur* **ou** *leurs*.

1. ... sac sur le dos, les élèves franchirent les grilles. – **2.** Ils avaient préparé, la veille, ... crayons, ... cahiers et ... livres. – **3.** Sur un signe de ... professeur, ils se sont installés à ... place, examinant d'un œil inquiet ... nouveaux camarades de classe. – **4.** On leur dicta ... nouvel emploi du temps et on leur donna la liste de ... professeurs.

7 Recopiez ce texte et soulignez les déterminants possessifs **en bleu, les démonstratifs en rouge, puis récrivez cette phrase à la 3e personne du pluriel.**

Il mit donc son chapeau sur la tête, son sac à l'épaule, la route sous ses pas, et s'en alla chercher sa chance auprès de Dieu, qui vivait en ce temps-là dans une grotte blanche, en haut d'une montagne au-dessus des nuages.

H. Gougaud, *L'Arbre aux trésors*,
Légendes du monde entier, © Éd. du Seuil, 1987.

8 a. Mettez les expressions suivantes au pluriel.

cet arbre – son crayon – ce meuble – sa ceinture – son classeur – cet homme – ce couteau

b. Mettez les expressions suivantes au singulier.

ses enfants – ces bâtiments – ces allées – ces arbres – ses robes – ses amies

9 Relevez les déterminants démonstratifs avec le nom qu'ils accompagnent. Précisez-en le genre.

1. Que cet animal est donc laid. Je n'arrive pas à m'y habituer. Cette peau rose est d'un effet vraiment écœurant ! (Aymé) – **2.** Et selon leurs habitudes en ces occasions, chaque fée y vint à sa manière. (Pourtalès) – **3.** Il revoit ce qui a défilé de paysage devant ses yeux, pendant ce voyage qui va bientôt finir. (Monnier)

10 Remplacez le nom en gras par le nom proposé entre parenthèses et faites les changements nécessaires.

1. Le silence dans lequel baignait ce **lieu** (*endroit*) n'était ni inquiétant, ni mystérieux. – **2.** Il ne savait que faire de ce **bagage** (*valise*) encombrant. – **3.** Avez-vous vu cet **arbre** (*plante*) qui pousse au milieu des ruines ? – **4.** Cette **eau** (*océan*) est polluée par le pétrole. – **5.** Dans ce **moment** (*instant*), on heurta si fort à la porte, que la Barbe bleue s'arrêta tout court. – **6.** Notre héros, était ce **matin**-là (*soirée*) du plus beau sang froid du monde ! (Stendhal)

11 Complétez par *ces* **ou** *ses*.

1. ... yeux étaient bleus et ... cheveux châtain foncé. – **2.** Le vent a soufflé, ... rafales ont couché l'arbre et brisé ... branches. – **3.** ... mots furent prononcés avec beaucoup de violence, si bien qu'il préféra ne pas se mêler à ... débats. – **4.** La voiture et ... passagers s'arrêtèrent brutalement. – **5.** ... légendes me rappellent la Grèce antique et ... héros.

12 Écrivez les expressions en gras au pluriel et faites les changements nécessaires.

1. Ce merveilleux navire provoquait l'admiration de tous. – **2.** Elle semblait puissante, **cette locomotive**, avec ses hautes roues et son aspect massif. – **3. Son voisin** s'agitait constamment et ne cessait de faire tomber ses crayons. – **4.** Enlève **cette maudite corde**, qu'il puisse passer avec **son cheval**. – **5.** Il me parle avec joie de l'arrivée de **son cousin** et de **sa tante**, de **ce moment** tant attendu.

13 Relevez les déterminants et les noms qu'ils accompagnent, précisez la nature exacte de chacun d'eux.

Une ombre tomba au milieu du cercle. C'était Bagheera, la panthère noire. Sa robe est tout entière noire comme l'encre, mais les marques de la panthère y affleurent, sous certains jours, comme font les reflets de la moire. Chacun connaissait Bagheera et personne ne se souciait d'aller à l'encontre de ses desseins. [...]

– O Akela, et vous, Peuple libre, ronronna sa voix persuasive, je n'ai nul droit dans votre assemblée. Mais la loi de la Jungle dit que, s'il s'élève un doute dans une affaire, en dehors d'une question de meurtre, à propos d'un nouveau petit, la vie de ce petit peut être rachetée moyennant un prix. Et la loi ne dit pas qui a droit ou non de payer ce prix. Ai-je raison ?

R. Kipling, *Le Livre de la jungle*, Mercure de France.

« Bonjour, tante ! – Bonjour, ma chère ! – Ma mère m'envoie te demander une aiguille et du fil pour me coudre une chemise ! – Fort bien. Assieds-toi et tisse en attendant. »

A. AFANASSIEV, *Contes populaires russes* (3 vol.), trad. L. Gruel-Apert, Éd. Imago, 2009-2016.

1. Relevez, dans ce dialogue, deux verbes qui expriment un ordre.

2. Quel est le sujet de chacun de ces verbes ?

3. Donnez leur infinitif et leur groupe. Conjuguez ces deux verbes au présent de l'indicatif, à la même personne. Que remarquez-vous au niveau des terminaisons ?

■ Le mode impératif permet d'exprimer un **ordre**, un **conseil** ou une **prière**.

Asseyez-vous. N'oublie pas ton sac. Pardonne-moi.

■ **Le verbe à l'impératif ne se conjugue qu'à trois personnes :** 2e personne du singulier, 1re et 2e personnes du pluriel.

■ **Le sujet n'est pas exprimé.** Seule la terminaison du verbe permet d'indiquer à quelle personne il est conjugué.

Entrer → *entre (2e pers. du singulier).*
→ *entrons (1re pers. du pluriel).*
→ *entrez (2e pers. du pluriel).*

Remarque : Pour les verbes précédés d'un pronom réfléchi (*s'asseoir*), le pronom se trouve derrière le verbe auquel il est relié par un tiret, mais ce n'est pas un sujet.

S'asseoir → *assieds-**toi**, asseyons-**nous**, asseyez-**vous**.*

■ **L'impératif n'a que deux temps :**

– L'impératif **présent** : *Termine.*

– L'impératif **passé** : *Aie terminé avant mon retour.*

(Auxiliaire *être* ou *avoir* à l'impératif présent + participe passé du verbe).

■ **Les terminaisons :**

– **Pour les verbes du 1er groupe** et pour le verbe *aller*, il ne faut pas mettre de *-s* à la 2e personne du singulier.

Raconter → *raconte, racontons, racontez.*
Aller → *va, allons, allez.*

On ajoute uniquement un *-s* devant les pronoms *en* et *y* pour faire la liaison : *Parles-en, vas-y.*

– **Pour les verbes des 2e et 3e groupes**, les terminaisons sont les mêmes qu'au présent de l'indicatif (voir leçon 10).

Partir → *pars, partons, partez.*

■ **Quelques verbes à connaître :**

Être → *sois, soyons, soyez.*
Avoir → *aie, ayons, ayez.*
Savoir → *sache, sachons, sachez.*

Exercices

1 **Écriture** La sorcière donne des ordres à Margot. Rédigez ses paroles en employant les verbes suivants à l'impératif.

se dépêcher – nettoyer – trier – faire cuire – nourrir – ne pas s'endormir – ne pas prendre

2 Donnez l'infinitif et précisez le groupe de chacun de ces verbes, puis conjuguez-les à l'impératif présent.

tu cries – tu écris – tu fuis – tu t'appuies – tu dors – tu dores – tu lis – tu plies – tu couds – tu secoues – tu peins – tu réponds

3 Conjuguez à l'impératif présent.

dire la vérité – faire attention – ne pas avoir peur – être attentif – se décider – ne pas se tromper

4 Transposez à l'impératif les verbes des phrases suivantes, en gardant la même personne.

1. Vous me donnez la main et vous avez confiance. – **2.** Nous en parlons puis nous nous concertons. – **3.** Tu me crois sur parole et tu n'oublies pas ta promesse. – **4.** Vous vous levez et vous vous en allez immédiatement ! – **5.** Tu as pitié de lui et tu vas le rejoindre. – **6.** Tu vas à la pharmacie, tu y vas vite et tu achètes des pansements. – **7.** Ce secret, tu ne le lui diras jamais.

5 Conjuguez les verbes entre parenthèses à l'impératif présent, à la personne indiquée.

1. ... (Aller, 2ᵉ pers. du sing.) dans le jardin et ... (apporter, 2ᵉ pers. du sing.)-moi une citrouille. (PERRAULT)
2. ... (Descendre, 2ᵉ pers. du sing.) vite ou je monterai là-haut. (PERRAULT)
3. ... (Se glisser, 2ᵉ pers. du sing.) dedans, dit la sorcière et ... (voir, 2ᵉ pers. du sing.) s'il est à bonne température pour enfourner le pain. (GRIMM)
4. ... (Entrer, 2ᵉ pers. du sing.) donc, voyageur. Ta figure me plaît. ... (être, 1ʳᵉ pers. du plur.) heureux ensemble ! (GOUGAUD)
5. ... (S'en aller, 2ᵉ pers. du plur.), dit-elle, vous êtes le loup. (AYMÉ)

6 Voici un extrait des *Dix commandements* donnés par Dieu à Moïse.

Tu ne tueras pas
Tu ne commettras pas d'adultère.
Tu ne voleras pas.
Tu ne porteras pas de témoignage mensonger contre ton prochain.
Tu ne convoiteras pas la maison de ton prochain.

La Bible de Jérusalem, © Éd. du Cerf.

a. Quels sont le mode et le temps des verbes ?
b. Réécrivez cet extrait en employant l'impératif présent.

7 Conjuguez les verbes entre parenthèses à l'impératif passé, à la personne indiquée.

1. ... (Rentrer, 2ᵉ pers. du plur.) avant la tombée de la nuit. – **2.** ... (Achever, 1ʳᵉ pers. du plur.) ce travail avant son retour. – **3.** ... (Débarrasser, 2ᵉ pers. du sing.) la table avant son arrivée.

8 Donnez l'infinitif et la personne des verbes en gras, puis précisez le mode et le temps auxquels ils sont conjugués.

Quand la Baba Yaga **se fut éloignée**, la fillette en **profita** pour donner au chat du jambon et pour lui demander :
« **Dis**-moi comment faire pour m'en aller ?
– **Tiens**, voici un peigne et une serviette, répondit le chat. **Prends**-les et **fuis**, car la Baba Yaga **va** te pourchasser. Toujours courant, tu **colleras** de temps à autre l'oreille contre terre pour savoir où elle est. Dès que tu l'entendras venir, tu **jetteras** la serviette derrière toi. Alors une rivière immense se mettra à couler. Si jamais la Baba Yaga **parvient** à la traverser et te **talonne** de nouveau, **colle** derechef l'oreille contre terre et, quand elle **sera** tout près, **jette** le peigne : il se dressera alors une forêt infranchissable qu'elle ne **pourra** traverser ! »

A. AFANASSIEV, *Contes populaires russes* (3 vol.), trad. L. Gruel-Apert, Éd. Imago, 2009-2016.

9 **Dictée** Retrouvez le texte original en remplaçant « La mère dit un jour à ses filles » par « La mère dit un jour au Petit Chaperon rouge ». Faites les modifications nécessaires. Préparez le texte ainsi modifié pour la dictée.

La mère dit un jour à ses filles :
– Venez par ici. Tenez, voilà un morceau de gâteau et une bouteille de vin, allez les porter à votre grand-mère qui habite à l'extérieur du village ; elle est malade et affaiblie et cela lui redonnera des forces. Mettez-vous en route avant qu'il ne fasse chaud, et quand vous sortirez du village, marchez bien gentiment et ne vous écartez pas du chemin, sinon vous tomberez et vous casserez la bouteille, et votre grand-mère n'aura rien. Et en arrivant chez elle, n'oubliez pas de lui souhaiter le bonjour, et ne commencez pas à regarder dans tous les coins.

GRIMM, *Contes pour les enfants et la maison*, José Corti, trad. N. Rimasson-Fertin.

L'accord des adjectifs

Leçon

L'adjectif s'accorde en genre et en nombre avec le nom qu'il qualifie.

1 L'accord avec un seul nom

La marque du féminin est *-e* et celle du pluriel est *-s*, mais il y a des particularités à connaître.

A. Au féminin

■ Les adjectifs en *-e* au masculin **ne changent pas au féminin**.

un chapeau magique → une baguette magique

■ Certains adjectifs **changent la consonne finale** au féminin :
-er/-ère – -f/-ve – -eur, -eux/-euse, -ice, -esse, etc.

dernier/dernière – naïf/naïve – heureux/heureuse – peureux/peureuse – destructeur/destructrice – vengeur/vengeresse

■ Certains adjectifs qui se terminent par *-et*, *-on*, *-os*, *-el* ou *-eil* **doublent leur consonne**.

muet/muette – mignon/mignonne – gros/grosse – artificiel/artificielle – pareil/pareille

Exceptions : *inquiet, discret, complet, secret, concret* ont un féminin en *-ète*.

■ **ATTENTION**

– Les adjectifs en *-al* ne doublent pas leur consonne : *banal/banale*.

– Les adjectifs en *-eau* ont leur féminin en *-elle* : *nouveau/nouvelle*.

■ **Remarque :** devant un nom commençant par une voyelle, les adjectifs en *-eau* et quelques autres font *-el*, *-eil*, ou *-ol* au masculin.

*beau/bel/belle (une **belle** jeune fille, un **bel** enfant) – vieux/vieil/vieille (un **vieil** homme) – fou/fol/folle (ce **fol** amour)*

■ **À retenir :** *blanc/blanche – frais/fraîche – public/publique – aigu/aiguë – favori/favorite*.

B. Au pluriel

■ Les adjectifs en *-s* ou *-x* au masculin **ne changent pas au pluriel**.

un gros chagrin/de gros chagrins – un homme heureux/des hommes heureux

■ Les adjectifs en *-eau* prennent un *-x* au pluriel : *un beau tableau/de beaux tableaux*.

■ Les adjectifs en *-al* au masculin ont un pluriel en *-aux*.

Exceptions : *bancal, naval, natal, fatal, glacial*.

■ **À retenir :** *un ciel bleu/des yeux bleus – un texte hébreu/des textes hébreux*.

2 L'accord avec plusieurs noms

■ Si l'adjectif qualifie **plusieurs noms singuliers**, il se met au **pluriel**.

La pomme et la poire sont mûres.

■ Le masculin **l'emporte toujours** sur le féminin, même s'il y a un seul nom masculin pour plusieurs féminins.

Ses pieds, ses jambes et ses mains sont noirs de crasse.

1 Recopiez les phrases suivantes en mettant le nom en gras au féminin et en faisant les accords nécessaires.

1. Cet **acteur** paresseux n'a pas appris son texte.
2. Averti par son chien, le **berger** inquiet accourt.
3. Mon généreux **hôte** m'a accueilli à bras ouverts.
4. Ce mignon petit **chien** a été retrouvé au bord de la route.
5. **Ce héros** se montre intrépide et hardi.
6. Les **villageois** les plus âgés se souviennent de cette époque.

2 Accordez l'adjectif (choisissez -ette ou -ète).

une attitude (*discret*) – une peinture (*violet*) – une fille (*fluet*) – une réunion (*secret*) – une dame (*coquet*) – une expression (*concret*) – une série (*complet*) – une literie (*douillet*) – une vision (*net*)

3 Accordez l'adjectif (choisissez -eure, -euse, -ice, -esse).

une parole (*flatteur*) – une fille (*mineur*) – une région (*enchanteur*) – une mine (*rieur*) – une enveloppe (*protecteur*) – la division (*supérieur*) – une intelligence (*créateur*)

4 Écrivez au masculin les adjectifs.

1. Une dette publique, un jardin .... – **2.** Une création artistique, un décor .... – **3.** Une jument docile, un chien .... – **4.** Une longue attente, un ... entretien. – **5.** Une réponse directe, un coup .... – **6.** Une maison exiguë, un appartement .... – **7.** Une cliente agressive, un client .... – **8.** Une journée tranquille, un coin .... – **9.** Une folle envie, un ... amour. – **10.** Une belle vue, un ... arbre. – **11.** Une vieille histoire, un ... homme. – **12.** Une pièce fraîche, un vent ....

5 Accordez les adjectifs entre parenthèses.

1. Elle a passé une robe (*léger*). – **2.** Pourquoi ces paroles (*grossier*) ? – **3.** Cessez cette mine (*boudeur*). – **4.** J'ai visité d'(*ancien*) ruines. – **5.** C'est une (*doux*) chaleur. – **6.** Cette (*vieux*) dame fait sa promenade (*habituel*). – **7.** Son attitude est (*déloyal*). – **8.** La nuit est (*frais*). – **9.** Nous avons passé une après-midi (*oisif*). – **10.** Ils suivent des traces (*sinueux*). – **11.** Il souffle une bise (*sec*) et (*glacial*). – **12.** C'est une histoire (*inouï*). – **13.** Elle a une voix (*aigu*). – **14.** Cette lionne est (*cruel*). – **15.** Les empreintes (*digital*) de deux personnes ne sont jamais (*pareil*).

6 Écrivez le nom en gras au singulier et faites les changements nécessaires.

1. Il mit ses plus beaux **habits**. – **2.** Nous avancions dans **des bois** silencieux hantés par des **animaux** hideux. – **3.** Elle a rencontré de nouveaux **amis**. – **4.** Tracez des **traits** horizontaux puis verticaux. – **5.** Voici de copieux **repas** et des **vins** exquis. – **6.** Nous avons visité les **jardins** royaux. – **7.** Vous trouverez ici des **détails** précis.

7 Employez l'adjectif avec chacun des noms donnés.

1. Oral : une question ..., des exercices .... – **2.** Beau : un ... endroit – une ... robe – de ... tableaux – de ... sculptures. – **3.** Nouveau : une ... aventure – un ... ami – de ... informations – des récits .... – **4.** Bleu : des tissus ... – un ruban ... – des tentures .... – **5.** Fou : un ... espoir – des dépenses ... – des gens .... – **6.** Vieux : un ... château – un ... arbre – des ... vestiges – de ... ruines.

8 Mettez au pluriel les noms en gras et faites les changements nécessaires.

1. Il scrutait l'obscurité de son **œil** malade et fiévreux. – **2.** Ce **château** féodal est entouré d'un haut rempart. – **3.** Le **manteau** royal était orné de lys. – **4.** Ce **chêne** monumental et majestueux a résisté aux tempêtes. – **5.** Une **guerre** avait éclaté, très cruelle, entre notre école et l'école du village voisin. – **6.** Énorme, immobile, assis sur son train de derrière, **le loup** était là, regardant la petite chèvre blanche. (DAUDET) – **7.** **Le bœuf** était honteux de ne pas se sentir toujours aussi propre qu'il l'aurait voulu. (SUPERVIELLE)

9 Accordez les adjectifs entre parenthèses.

1. L'église et le clocher sont (*vieux*) de plus de mille ans. – **2.** Ses cheveux et sa barbe sont devenus (*blanc*). – **3.** Nous empruntions des routes et des chemins (*bordé*) d'arbres (*verdoyant*). – **4.** Les vestes et les chemises, (*lavé*), (*repassé*), (*plié*) seront rangées dans l'armoire. – **5.** Dans la vitrine (*lumineux*) s'étalaient d'(*épaisse*) étoffes, des foulards et des tentures (*soyeux*). – **6.** Sa sœur et lui étaient (*actif*), (*content*) mais peu (*bavard*).

10 a. Dans le texte suivant, relevez les adjectifs et les participes passés employés comme adjectifs. Précisez quel nom ils qualifient.

b. Dictée Préparez ce texte pour la dictée.

Dans le coin opposé à celui que j'occupais, se trouvait un grand vieillard à barbe blanche, qui portait un costume bizarre et tel que je n'en avais jamais vu.

Sur ses cheveux qui tombaient en longues mèches sur ses épaules, était posé un haut chapeau de feutre gris, orné de plumes vertes et rouges. Il se tenait allongé sur sa chaise, le menton appuyé dans sa main droite ; son coude reposait sur son genou ployé.

Jamais je n'avais vu une personne vivante dans une attitude si calme ; il ressemblait à l'un des saints en bois de notre église.

Auprès de lui trois chiens, tassés sous sa chaise, se chauffaient sans remuer : un caniche blanc, un barbet noir, et une petite chienne grise à la mine futée et douce.

D'après **H. MALOT**, *Sans famille*.

Réviser

1 Relevez tous les déterminants et classez-les selon que ce sont des articles définis, indéfinis, contractés ou des déterminants possessifs. Précisez entre parenthèses le nom qu'ils déterminent.

La matinée est fraîche ; un vent aigre agite le ciel gris et rougit les doigts des petits enfants. Pierre, Babet et Jeannot vont ramasser les feuilles mortes, les feuilles qui, naguère, du temps qu'elles vivaient, étaient pleines de rosée et de chants d'oiseaux et qui maintenant couvrent par milliers le sol [...]. Elles serviront de litière à Riquette, la chèvre, et à Roussette, la vache. Pierre a pris sa hotte ; c'est un petit homme. Babet a pris son sac ; c'est une petite femme. Jeannot les suit avec la brouette.

A. FRANCE, *Filles et garçons.*

2 Complétez par l'article qui convient.

Ils ont descendu ... côte en courant. À ... orée ... bois ils ont rencontré ... autres enfants du village, qui viennent aussi faire provision de feuilles mortes pour ... hiver. Ce n'est point ... jeu : c'est ... travail. [...]
Voilà ... enfants à ... œuvre. ... garçons font leur tâche en silence. C'est qu'ils sont déjà ... paysans et que ... paysans parlent peu. Il n'en est pas de même ... paysannes. Nos petites filles font marcher leur langue tout en remplissant ... paniers et ... sacs.

A. FRANCE, *Filles et garçons.*

3 Mettez les noms en gras au pluriel.

1. Son **œil** brille d'une lueur cruelle. – **2.** Ce **sentier** ombragé mène au bois. – **3.** Cette **pomme** est mûre. – **4.** Ce **garçon** est ridicule. – **5.** Elle tenait dans sa **main** rêche un petit morceau de pain. – **6.** Son **livre** est recouvert. – **7.** Sa **fille** a grandi.

4 Mettez les noms en gras au singulier.

1. Ses **ongles** sont vernis. – **2.** Ces **ouvriers** rentrent de l'usine. – **3.** Écoute ces **ruisseaux** qui coulent dans la vallée. – **4.** Il a revu ses chers **cousins**. – **5.** Ces **villes** sont illuminées pour les fêtes. – **6.** Elle relit ses **lettres**.

5 a. Classez les mots en gras en fonction de leur nature : préposition, adverbe, conjonction de coordination ou conjonction de subordination.

b. Relevez deux articles contractés et décomposez-les.

[Les fumées] disent **que** la soupe aux pois cuit **dans** la marmite. **Encore** une brassée **de** feuilles mortes **et** les petits ouvriers prendront la route du village.
La montée est rude. **Mais** la pensée de la soupe aux pois soutient leur courage. Ils arrivent **enfin**. Leur mère, qui les attend **sur** le pas de la porte, leur crie : « Allons, les enfants, la soupe est trempée ! »

A. FRANCE, *Filles et garçons.*

6 Encadrez les noms en couleur avec les adjectifs entre parenthèses que vous accorderez.

1. Mon père a mis sa cravate (*beau – bleu*).
2. Les iris ont fleuri (*grand – violet*).
3. Ce garçon attire tous les regards (*charmant – petit*).
4. Les radis sont tendres (*rose – petit*).
5. Les salades se portent mal (*pauvre – rongé*).
6. Demain, l'herbe sera brûlée (*vieux – sec*).

7 Enrichissez les groupes nominaux en couleur par un adjectif choisi parmi les suivants : *fleuri – beau – étroit – aigu – méchant – neuf – mort.* **Attention à accorder chaque adjectif !**

1. L'églantier balance sa tige. – **2.** Les cris des geais percent les oreilles. – **3.** Une route traverse le village. – **4.** Le loup a mangé la grand-mère. – **5.** Les feuilles recouvrent le chemin. – **6.** Il fait bon se promener par cette journée d'été. – **7.** La robe de Félicie est déjà tâchée.

8 Oral Conjuguez à l'impératif en épelant le verbe.

1. Aller à la fête. – **2.** Venir au cirque. – **3.** Dresser les tentes. – **4.** Faire un tour de manège. – **5.** Finir son travail. – **6.** Être heureux.

9 Dans les phrases suivantes, mettez les verbes entre parenthèses à l'impératif.

1. (*Être*) content, tu vas à la fête ! – **2.** (*Prendre*) soin de tes manuels. – **3.** (*Venir*) tous deux avec moi. – **4.** Ne pas (*pleurer*) : tu l'auras ton bonbon ! – **5.** Nous allons faire une surprise à Thomas : (*chanter*) tous en chœur à son arrivée. – **6.** (*Prendre*) patience, votre tour arrive. – **7.** Vous ne jamais me (*redire*) une chose pareille !

10 Complétez par *mon, m'ont, ton* ou *t'ont*.

1. Mes amis ... offert un très beau livre pour ... anniversaire. – **2.** Le cuisinier et sa femme ... l'air de braves gens. (LABICHE) – **3.** Quand j'ai demandé ... chemin aux passants, ils ... tous répondu qu'il fallait tourner à gauche. – **4.** Les gendarmes ...-ils rendu ... permis de conduire ?

11 Complétez par *ma, m'as, m'a, ta* ou *t'a*.

1. ... famille ...-t-elle rendu visite lors de ton séjour en Bretagne ?
2. Le médecin ne ...-il pas dit que tu devais faire attention à ... santé ?
3. Tu ne ... pas lue la lettre que ton cousin ... envoyée.
4. Elle est à toi cette chanson / Toi, l'Auvergnat qui sans façon / ... donné quatre bouts de bois / Quand dans ... vie il faisait froid. (BRASSENS)

12 Choisissez le bon mode : indicatif ou impératif.

1. Ursule (*vient/viens*) avec moi. – **2.** Ursule, (*vient/viens*) avec moi. – **3.** À chaque fois que tu viens, tu (*regardes/regarde*) ce tableau. – **4.** Vincent (*dit/dis*) quelque chose à Jean-Charles. – **5.** (*Regardes/Regarde*) ce tableau comme il est beau ! – **6.** Si tu (*vas/va*) chez ta tante, (*penses/pense*) à la remercier pour son cadeau. – **7.** (*Dit/Dis*) quelque chose, Léonce.

13 En vous aidant des accords, complétez le texte avec les adjectifs suivants : *prospère – longue – calme – petit – curieux – laineux – brossés*.

Un matin, il y a bien longtemps, du temps que le monde était encore ..., qu'il y avait moins de bruit et davantage de verdure et que les Hobbits étaient encore nombreux et ..., Bilbo Baggins se tenait debout à sa porte après le ... déjeuner, en train de fumer une énorme et ... pipe de bois qui descendait presque jusqu'à ses pieds ... (et ... avec soin). Par quelque ... hasard, vint à passer Gandalf.

TOLKIEN, *Bilbo le Hobbit*, trad. F. Ledoux, Hachette.

14 Recopiez les phrases suivantes en mettant le nom souligné :

a. au féminin et en faisant les accords nécessaires.

1. Cet acteur paresseux n'a pas appris son texte.
2. Un berger accompli sait toujours où sont ses moutons.
3. Mon généreux hôte m'a accueilli à bras ouverts.
4. Notre dernier patron n'était pas populaire.
5. Un tigre cruel a dévoré mon petit chien.
6. Les villageois les plus âgés se souviennent de cette époque.

b. au pluriel et en faisant les accords nécessaires.

1. Ce sombre ravin devenait de plus en plus étroit.
2. Un jeune enfant escalade la colline.
3. Votre charmante cousine est enfin arrivée.
4. Son plus vieil ami est parti.
5. Notre cheval de course est entraîné tous les jours.
6. Leur frère aîné n'est pas aussi jovial.

15 **Réécriture** Transposez les phrases suivantes selon les indications.

1. Mathilde posa deux grands bouquets de fleurs sur la grande table du milieu. → *Remplacer « deux » par « un ».*
2. Les hautes herbes du pré sont prêtes à être fauchées. → *Remplacer « herbes » par « blés ».*
3. Les ronces se tordaient comme de longs bras armés. (HUGO) → *Mettre au singulier.*

4. Une dame très âgée sortit du buffet une boîte à biscuits toute rouillée : elle semblait aussi vieille que sa propriétaire. → *Remplacer « dame » par « monsieur » et « une » par « deux ».*

16 **Écriture** Inventez des phrases en employant les couples d'adjectifs et de verbes suivants. Vous conjuguerez les verbes au présent de l'indicatif.

grandes, paraître – violette, briller – curieuses, cueillir – jolis, apprendre – stupéfait, rester – fidèles, appeler

Les pronoms

Réécrivez le texte suivant en évitant les répétitions.

– *Ton voisin te parle mais tu ne réponds pas à ton voisin.*
– *J'ai oublié mon compas. As-tu ton compas ?*
– *J'ai mon compas, mais je ne te prêterai mon compas que lorsque j'aurai terminé ma figure.*

Le pronom est un mot qui désigne quelqu'un ou quelque chose **sans le nommer** et que l'on peut employer **à la place d'un nom** pour en éviter la répétition.

1 Le pronom personnel

C'est un mot qui désigne :
– La personne qui parle (ou 1re personne) : *je*, *me*, *moi*, *nous*.
– La personne à qui l'on parle (ou 2e personne) : *tu*, *te*, *toi*, *vous*.
– La personne de qui l'on parle (ou 3e personne) : *il*, *elle*, *soi*, *ils*, *elles*, *le*, *la*, *lui*, *les*, *leur*, *eux*, *se*, *en*, *y*.
On est un pronom **indéfini** de la 3e personne.

2 Le pronom possessif

Il remplace un nom précédé d'un déterminant possessif.
   mon pain → *le **mien** – son gâteau* → *le **sien** – leurs amis* → *les **leurs***

Singulier		Pluriel	
Masculin	**Féminin**	**Masculin**	**Féminin**
Le mien	La mienne	Les miens	Les miennes
Le tien	La tienne	Les tiens	Les tiennes
Le sien	La sienne	Les siens	Les siennes
Le nôtre	La nôtre	Les nôtres	Les nôtres
Le vôtre	La vôtre	Les vôtres	Les vôtres
Le leur	La leur	Les leurs	Les leurs

3 Le pronom démonstratif

■ Il remplace généralement un nom précédé d'un déterminant démonstratif.
   *Je lui donnai <u>ces gâteaux</u>. Il trouva **celui-ci** meilleur que **celui-là**.*

Singulier			Pluriel		
Masculin	**Féminin**	**Neutre**	**Masculin**	**Féminin**	**Neutre**
Celui	Celle	Ce (c')	Ceux	Celles	Ce (c')
Celui-ci	Celle-ci	Ceci	Ceux-ci	Celles-ci	
Celui-là	Celle-là	Cela, ça	Ceux-là	Celles-là	

■ ***Ce*, *ceci*, *cela*, *ça*, *c'*** ne remplacent pas des noms précis mais des idées, des phrases entières : ce sont des pronoms démonstratifs neutres (ils n'ont ni genre, ni nombre).
   ***Ce** qui va arriver. **Cela** est étrange. Écoutez **ceci**.*

Exercices

1

a. Oral Relevez les pronoms personnels et indiquez-en la personne et le nombre.

Le loup pencha la tête du côté gauche, comme on fait quand on est bon, et prit sa voix la plus tendre :
– J'ai froid, dit-il, et j'ai une patte qui me fait bien mal. Mais ce qu'il y a, surtout, c'est que je suis bon. Si vous vouliez m'ouvrir la porte, j'entrerais me chauffer à côté du fourneau et on passerait l'après-midi ensemble.
– Vous comprenez, dit Marinette avec un sourire, ce n'est pas pour vous renvoyer, mais nos parents nous ont défendu d'ouvrir la porte, qu'on nous prie ou qu'on nous menace.

M. AYMÉ, « Le Loup », *Les Contes du chat perché*,
© Éd. Gallimard.

b. Réécriture Réécrivez les paroles du loup en supposant qu'ils sont deux. Commencez ainsi : « *Nous avons froid...* ».

2

Recopiez les phrases suivantes. Soulignez en rouge *le, la, les*, **pronoms personnels**, et en bleu *le, la, les*, articles définis.

1. L'histoire qu'on lui a racontée l'a beaucoup inquiété. – 2. On félicite les gagnants et on les photographie. – 3. À la tombée du jour, la lune se leva et on la voyait glisser derrière les nuages. – 4. Le film qu'il a vu l'a distrait sans le passionner.

3

Complétez les phrases par *en* ou *y* et soulignez le groupe de mots qu'il remplace.

1. Tu dois faire signer cette copie, penses-... – 2. Tu me dis que j'ai tort, j'... conviens. – 3. Il est l'heure de partir. Vous ... rendez-vous compte ? – 4. Imiter la signature de vos parents, je vous ... prends ! – 5. Partir ou rester : j'... réfléchis constamment.

4

Recopiez les phrases suivantes. Soulignez en rouge *leur*, **pronom personnel**, en bleu *leur*, déterminant possessif **et en vert** *leur*, pronom possessif.

1. Les deux joueurs sont à leur place habituelle et l'arbitre leur donne le signal de départ. – 2. J'ai oublié mes partitions. Je me demande s'ils auront pensé à prendre les leurs. – 3. Je leur énumère les avantages de leur métier. – 4. Reprenez vos affaires et laissez-leur les leurs.

5

Complétez les phrases suivantes par le pronom démonstratif qui convient.

1. Parmi toutes ces peintures, je préfère ... qui datent de la période bleue. – 2. Cette guitare est ... sur laquelle jouait Django Reinhardt. – 3. Ce portrait est ... de Mme de Maintenon. – 4. Est-ce ta copie ou ... de Pierre ? – 5. Parmi les candidats, ... qui auront échoué pourront repasser l'examen en seconde session.

6

Recopiez les phrases suivantes. Soulignez en rouge *ce*, **pronom démonstratif** et en vert *ce*, déterminant démonstratif.

1. L'œuvre de ce peintre est considérable. – 2. Lis ce que tu voudras, mais n'oublie pas ce que je t'ai dit concernant ce roman. – 3. Ce musicien aime ce qui est nouveau. – 4. Mais regarde ce paysage. N'est-ce pas le plus beau que tu aies jamais contemplé ? – 5. Ce devait être au Moyen Âge que se déroulait ce récit.

7

Complétez les phrases par *se, ce* ou *ceux*.

1. Il ... souvient très bien de ... voyage et de tous ... qui avaient participé à l'ascension du mont Blanc. – 2. Son cheval ... cabra, ... qui provoqua son accident. – 3. Elle ... demande si ... qu'elle entend est véridique. – 4. ... récit a été inventé par ...-là mêmes qui ont mis en scène la pièce.

8

Évitez les répétitions en employant un pronom possessif.

1. Son niveau est supérieur à ton niveau. – 2. Elles ne savent que faire pendant leurs vacances. Et vous, que faites-vous pendant vos vacances ? – 3. Ta mère sera présente à la réunion mais ma mère ne pourra y assister. – 4. Notre saynète a été applaudie et votre saynète huée. – 5. Vos amis pourront assister à la soirée, mais leurs amis ne pourront être présents.

9

Remplacez les mots en gras par la personne correspondante du pluriel et faites les changements nécessaires.

1. **Je** viendrai avec mes voisins. **Invite** les tiens. – 2. **Ton ami** apportera-t-il ses enceintes ? Sinon **j'**apporterai les miennes. – 3. **Elle** vante les beautés de son pays, mais **il** préfère les beautés du sien. – 4. **J'**ignore où sont passées mes clés. J'espère qu'**il** aura les siennes.

10

Donnez la nature exacte des mots en gras, puis précisez le genre, le nombre et la personne pour les pronoms.

Et c'est **moi**, Raksha (le démon), qui vais **te** répondre. **Le** petit d'homme est mien, Mungri, **le mien** à moi ! **Il** ne sera point tué. Il vivra pour courir avec le Clan ; et prends-**y** garde, chasseur de petits tout nus, mangeur de grenouilles, tueur de poissons ! Il **te** fera **la** chasse, à toi... Maintenant, sors d'ici, ou, par le Sambhur que j'ai tué, **tu** retourneras à **ta** mère, tête brûlée de Jungle, plus boiteux que jamais tu ne vins au monde. Va-t'en !

R. KIPLING, *Le Livre de la jungle.*

L'imparfait et le plus-que-parfait

Observer

Oh ! que le jeune prince était beau ! Il serrait la main à tout le monde, parlait et souriait à chacun tandis que la musique envoyait dans la nuit ses sons harmonieux. Il était tard mais la Petite Sirène ne put se lasser d'admirer le vaisseau et le beau prince. Les lanternes ne brillaient plus et les coups de canon avaient cessé.

H. C. ANDERSEN, *La Petite Sirène et autres contes*, trad. A. Renon, © Le Livre de Poche Jeunesse, 2006.

1. Relevez les verbes à l'imparfait et justifiez leur terminaison.
2. Relevez un verbe conjugué avec l'auxiliaire à l'imparfait. À quel temps est-il ? Pourquoi ?

Leçon

1 L'imparfait

■ À l'imparfait de l'indicatif, tous les verbes prennent les terminaisons suivantes :

Marcher	
Je marchais	Nous marchions
Tu marchais	Vous marchiez
Il, elle marchait	Ils, elles marchaient

ATTENTION
– N'oubliez pas le *-i* dans les terminaisons des verbes en *-*
-yer, -iller... : *plier* → *nous pliions* ; *travailler* → *vous travaill.*
– Respectez les règles de lecture avec les verbes en *-cer* et *-ger* : *je mangeais, il déplaçait*.
– Dans les verbes en *-guer*, le *-u* fait partie du radical : on conserve à toutes les personnes : *ils conjuguaient*.

2 Le plus-que-parfait

■ Le plus-que-parfait est formé de l'**auxiliaire** *avoir* ou *être* **à l'imparfait** et du **participe passé** du verbe que l'on conjugue :

Vouloir → *j'avais voulu.*

■ **Rappel :** quand l'auxiliaire est *être*, le participe passé **s'accorde en genre et en nombre** avec le sujet.

Chanter		Entrer	
J'avais chanté	Nous avions chanté	J'étais entré(e)	Nous étions entré(e)s
Tu avais chanté	Vous aviez chanté	Tu étais entré(e)	Vous étiez entré(e)s
Elle avait chanté	Ils avaient chanté	Elle était entrée	Ils étaient entrés

Exercices

1 **Écriture** **Écrivez huit phrases à l'imparfait pour raconter ce que vous faisiez lorsque vous étiez tout petit.**

2 **Conjuguez à l'imparfait de l'indicatif, avec *je, il, nous* et *elles*.**

admirer – gémir – vouloir – avancer – briller – rire – croire

3 **Oral** **Dites si les verbes sont à l'imparfait.**

voulais – pouviez – criez – travaillions – créez – connais – suppliiez – changeai – attendaient – voyons – brillait – sachiez – écrivions – renaît – désireraient

4 **Dans le texte suivant, relevez d'une part les verbes à l'imparfait, d'autre part les verbes au plus-que-parfait.**

Quand ce capitaine enfin vit qu'ils étaient tous prêts à partir, il se mit à la tête et il reprit avec eux le chemin par où ils étaient venus. Comme il avait retenu les paroles par lesquelles le capitaine des voleurs avait fait ouvrir et refermer la porte, Ali Baba se présenta devant et dit : « Sésame, ouvre-toi » et dans l'instant la porte s'ouvrit toute grande.

Ali Baba vit de grandes provisions de bouche, des ballots de riches marchandises en piles… et, à voir toutes ces choses, il lui parut qu'il y avait non pas de longues années, mais des siècles que cette grotte servait de retraite à des voleurs qui avaient succédé les uns aux autres.

Les Milles et Une Nuits, trad. A. Galland.

5 Mettez la terminaison de l'imparfait qui convient.

. Je compren… bien son problème. – **2.** On finiss… e travail à cinq heures. – **3.** Nous commenc… à nous nnuyer. – **4.** Ils jet… l'argent par les fenêtres. – **5.** Vous 'y voy… rien. – **6.** Tu chang… souvent de voiture. – **7.** Il t… très timide.

6 Transposez chaque forme verbale à la personne u singulier correspondante.

. Nous déplacions les meubles. – **2.** Vous naviguiez par ous les temps. – **3.** Nous déménagions tous les ans. – **4.** Ils onduisaient vite. – **5.** Vous ne mangiez pas de poisson. – . Vous laciez vos chaussures.

7 Transposez chaque forme verbale à la personne u pluriel correspondante.

. Tu disais des paroles réconfortantes. – **2.** Je balayais es feuilles mortes. – **3.** Tu faisais beaucoup de bêtises. – . Je criais à pleins poumons. – **5.** Je peignais ma longue hevelure. – **6.** Elle se levait.

8 Oral Dites à quel temps sont les verbes suivants.

unissais – connais – pouviez – remerciez – attrapiez – riiez – pensions – croyons – aboyions – était – défait – aisons – faisiez – prépariez – pliez – cognions – peignez

9 Conjuguez les verbes suivants à la troisième ersonne du singulier et à la première personne du luriel de l'imparfait de l'indicatif.

racer – faire – envoyer – nager – travailler – accueillir – nenacer – prendre – dire

10 Recopiez les phrases suivantes en mettant les erbes entre parenthèses à l'imparfait de l'indicatif.

. Il (*recommencer*) à chaque fois. – **2.** Nous (*oublier*) tou-ours quelque chose. – **3.** Tu ne (*négliger*) aucun détail. – . Vous (*se réveiller*) généralement avant l'aube. – **5.** Elle e me (*croire*) pas. – **6.** Je (*faire*) de mon mieux. – **7.** Ils applaudir*) avec enthousiasme. – **8.** On n'en (*savoir*) en. – **9.** Le navire (*voguer*) à toutes voiles.

11 Réécriture Transposez le texte suivant à l'imparfait de l'indicatif.

Il appelle « messieurs de la bachellerie » les instituteurs, professeurs, maîtres de latinage ou de dessin, qui viennent quelquefois à la maison et qui parlent du collège, tout le temps ; ce jour-là, on m'ordonne majestueusement de rester tranquille, on me défend de mettre mes coudes sur la table, je ne dois pas remuer les jambes, et je mange le gras de ceux qui ne l'aiment pas ! Je m'ennuie beaucoup avec ces messieurs de la bachellerie, et je suis si heureux avec les menuisiers ! Je couche à côté de tonton Joseph. Le matin, il m'apprend à donner des coups de poing, et il se fait tout petit pour me présenter sa grosse poitrine à frapper ; j'essaie aussi le coup de pied, et je tombe presque toujours.

J. VALLÈS, *L'Enfant.*

12 Mettez les verbes entre parenthèses au plus-que-parfait.

1. J'(*ordonner*) à tous mes serviteurs de quitter le palais. – **2.** Le soldat (*marcher*) toute la nuit, il était très fatigué. – **3.** Les brigands découvrirent que les enfants (*s'enfuir*) pendant la nuit. – **4.** Elle ne pouvait se défendre, car elle (*jurer*) de garder le silence. – **5.** La nuit (*tomber*), les étoiles (*s'allumer*) dans le ciel.

13 Mettez les verbes entre parenthèses à l'imparfait, les verbes soulignés au plus-que-parfait.

Au clair de la lune, lorsque les autres (*dormir*), assise sur le bord du vaisseau, elle (*plonger*) ses regards dans la transparence de l'eau, et (*croire*) apercevoir le château de son père, et sa vieille grand-mère les yeux fixés sur la carène. Le lendemain, le navire entra dans le port de la ville où (*résider*) le roi voisin. Mais la princesse <u>ne pas arriver</u> encore du couvent, où elle <u>recevoir</u> une brillante éducation. La petite sirène (*être*) bien curieuse de voir sa beauté ; elle eut enfin cette satisfaction. Elle dut reconnaître que jamais elle ne <u>voir</u> une si belle figure, une peau si blanche et de grands yeux noirs si séduisants.

H. C. ANDERSEN, *La Petite Sirène et autres contes*, trad. A. Renon, © Le Livre de Poche Jeunesse, 2006.

14 Réécriture Décrivez à l'imparfait les trésors que découvre Ali Baba dans la grotte des voleurs. Vous emploierez les verbes suivants.

s'entasser – briller – étinceler – voir – distinguer – luire – cacher

■ Les homophones grammaticaux sont des mots qui ont la **même prononciation** mais dont **la nature et l'orthographe sont différentes**.

■ Pour les reconnaître et les orthographier correctement, il suffit de les remplacer mentalement par **un mot de même nature** ou de les **conjuguer à un autre temps** lorsqu'il s'agit d'un verbe.

1 Sont / son

■ *Sont* est la **3ᵉ personne du pluriel** du présent de l'indicatif du **verbe être**.
Pour le reconnaître, mettez-le à l'imparfait :

> Les femmes **sont** (→ *étaient*) *mystérieuses.*

■ *Son* est un **déterminant possessif** : il se place **devant un nom**.
Pour le reconnaître remplacez-le par le déterminant possessif *mon* :

> **Son** (→ *mon*) *dessin est plus beau que le tien.*

2 Ont / on

■ *Ont* est la **3ᵉ personne du pluriel** du **verbe *avoir*** au présent, alors que *on* est un **pronom personnel** (indéfini).
Pour reconnaître *on*, remplacez-le par *il* :

> *Quand* **on** (→ *il*) *aime,* **on** (→ *il*) *ne compte pas.*

Pour reconnaître *ont*, remplacez-le par *avaient* :

> *Pierre et Nina* **ont** (→ *avaient*) *réservé une table.*

3 As / a / à

■ *As* et *a* sont les **2ᵉ et 3ᵉ personnes du singulier** du **verbe *avoir*** au présent, alors que *à* est une **préposition**.
Pour reconnaître le verbe *avoir*, conjuguez-le à l'imparfait en remplaçant *as* ou *a* par *avais* ou *avait*

> *Tu* **as** (→ *avais*) *un beau ballon. Martin* **a** (→ *avait*) *beaucoup d'esprit.*

4 Es / est / et / ai

■ *Es* et *est* sont les **2ᵉ et 3ᵉ personnes du singulier** du présent de l'indicatif du **verbe être**.
Pour les reconnaître, mettez-les à l'imparfait :

> *Ton dessin* **est** (→ *était*) *magnifique.*

■ *Et* est une **conjonction de coordination**. Pour la reconnaître, remplacez-la par *et puis* :

> *Je me suis levé* **et** (→ *et puis*) *j'ai pris une douche.*

■ *Ai* est la **1ʳᵉ personne du singulier** du **verbe *avoir*** au présent de l'indicatif.
Pour le reconnaître, mettez-le à l'imparfait :

> *Pour une fois, j'***ai** (→ *avais*) *raison !*

1 Complétez les phrases suivantes par *son* ou *sont*.

1. ... père et sa sœur ... repartis hier. – **2.** Le sphinx et la icorne ... des animaux merveilleux. – **3.** Hermine a égaré ... porte-monnaie et elle ignore où ... ses clés. – **4.** Tous es amis d'Axel ... venus voir ... spectacle.

2 Complétez ces phrases avec *ont* ou *on*.

1. Les femmes ... autant de talents que les hommes : ... ne e dit pas assez ! – **2.** Ce que l'... donne aux méchants, ... le egrette toujours. – **3.** Quand ... obéit, ... n'a pas besoin d'être puni. – **4.** Si les enfants ... des droits, ils ... aussi des levoirs, ce qu'... oublie souvent. – **5.** D'après ce qu'... m'a lit, ils ... préféré refuser l'invitation. – **6.** Ces deux jumelles n'... pas les mêmes vêtements : ainsi, ... ne les confond pas. – **7.** Plus ... juge, moins ... aime. (BALZAC) – **8.** S'ils n'ont plus de pain, ... n'a qu'à leur donner des brioches. – **9.** ... ne sent point qu'... est menteur quand ... a l'habitude de l'être. (MARIVAUX)

3 Complétez ces phrases avec *as*, *a* ou *à*.

1. Si tu ... mal ... la tête, repose-toi. – **2.** Il y ... encore trop le voitures ... Paris malgré les mesures qu'... prises le naire. – **3.** Karine ... décidé de monter ce projet sans en parler ... ses collègues. – **4.** Ce que tu ... dit ... Florence est lair, pourtant elle n'... pas compris. – **5.** Robin ... appris ... son chien ... faire le beau. – **6.** Tu n'... pas ouï parler de e qui s'est passé dans mon absence ? (MOLIÈRE)

4 Complétez par *ont*, *on*, *as*, *a* ou *à* en faisant les vérifications nécessaires.

1. « Pénélope, où donc ...-tu rangé les manuels ? – Je es ai mis ... l'abri parce que Baptiste ... encore voulu les acher. » – **2.** Ah ! les enfants ! ils ... toujours tendance ... aire des bêtises. – **3.** ... ne sait pas vraiment pourquoi, ans doute ...-ils besoin de s'amuser. – **4.** ... ne peut pas eur en vouloir. – **5.** Qui n'... pas fait pareil ... cet âge ?

5 Complétez ces phrases par *est*, *es*, *ai* ou *et*.

1. Comme tu ... venu, j'... invité Félix. – **2.** J'en ... rêvé très ort ... le rêve ... devenu réalité. – **3.** Chloé ... triste parce que tu ... partie. – **4.** J'... rencontré Mathilde ... sa sœur. – **5.** Gédéon ... très attentif : tout yeux ... tout oreilles. – **6.** Le sel de l'existence ... toujours dans le poivre qu'on met. (ALLAIS) – **7.** Je cherche le silence ... la nuit pour leurer. (CORNEILLE)

6 Recopiez les phrases suivantes en choisissant le on homophone.

1. Patricia (*a/as/à*) passé (*sont/son*) temps (*a/as/à*) se laindre, alors que tout (*es/est/ai/et*) de sa faute. – **2.** Ces evues (*sont/son*) très amusantes (*es/est/ai/et*) Julie les rête (*a/as/à*) Guy dès qu'elle les (*a/as/à*) lues. – **3.** Les lus beaux livres (*sont/son*) ceux qui n'(*ont/on*) jamais été écrits. (FRANCE) – **4.** La patrie, c'(*es/est/ai/et*) toutes les promenades qu'(*ont/on*) peut faire (*a/as/à*) pied autour de (*sont/son*) village. (RENARD)

7 Transposez les phrases suivantes selon l'indication entre parenthèses.

1. Mes amis étaient ravis de savoir que j'avais gagné. (*présent*) – **2.** Nous avons mangé tous ses gâteaux. (*singulier*) – **3.** Tu étais pour, mais ils étaient contre. (*présent*) – **4.** Vous êtes bien aimables de garder leur chien. (*singulier*) – **5.** Nous avons admiré leur jardin. (*singulier*)

8 Complétez ces phrases avec *sont*, *son*, *es*, *est*, *et* ou *ai* en faisant les vérifications nécessaires.

1. Charles ... Pierre ... mes cousins ... je les ... vus cet hiver. – **2.** Benjamin ... venu sans ... livre, alors je lui ... prêté le mien. – **3.** Tu ... grand à présent ... il ... temps que tu t'habilles seul. – **4.** Pour ... anniversaire, j'... fait un beau gâteau. – **5.** Tu ... un grand jardinier : tes rosiers ... magnifiques !

9 Transposez les phrases suivantes au passé composé.

1. Sophie et Béatrice ne répondent jamais aux courriels de Véronique. – **2.** Natacha ne demande pas la permission de sortir. – **3.** Tu demandes à tes enfants s'ils font leurs devoirs. – **4.** Est-ce que tu le trouves ? – **5.** Ces nouvelles m'étonnent beaucoup. – **6.** Mon cadeau te fait-il plaisir ?

10 Complétez le texte suivant avec les homophones étudiés.

Le loup pencha la tête du côté gauche, comme ... fait quand ... ... bon, ... prit sa voix la plus tendre :

– J'... froid, dit-il, ... j'... une patte qui me fait bien mal. Mais ce qu'il y ..., surtout, c'... que je suis bon. Si vous vouliez m'ouvrir la porte, j'entrerais me chauffer ... côté du fourneau ... ... passerait l'après-midi ensemble.

M. AYMÉ, « Le Loup », *Les Contes du chat perché*, © Éd. Gallimard.

11 Dictée Expliquez l'orthographe des mots en gras et préparez ce texte pour la dictée.

Rien n'**est** charmant, à **mon** sens, comme cette **façon** de voyager. **À** pied ! On s'appartient, **on** est libre, on est joyeux : on est **tout** entier **et** sans partage aux incidents de la route, à la ferme où l'on déjeune, à l'arbre **où** l'on s'abrite, à l'église où l'on se **recueille**. On part, on s'arrête, **on** repart ; rien ne gêne, rien ne **retient**. On va **et** on rêve devant soi. La marche berce **la** rêverie.

D'après **V. HUGO**, *Le Rhin*.

Le passé simple et le passé antérieur

Observer

Vint alors mon tour : il y avait là un bélier, le plus vigoureux de tous. Je le **saisis** par le dos et **me recroquevillai**, immobile, sous son ventre laineux. Je **m'accrochai** de toutes les forces de mes mains à sa laine merveilleuse, et je **tins** bon, le cœur patient. Alors, nous attendîmes en gémissant la divine Aurore. Dès qu'**apparut** Aurore aux doigts de rose, fille du matin, les mâles du troupeau **s'élancèrent** au pâturage.

HOMÈRE, L'*Odyssée*, chant IX, trad. S. Perceau, © Nathan, 2013.

1. a. À quel temps les verbes en gras sont-ils ? Qu'expriment-ils ?
b. Trouvez un verbe qui n'est pas au passé simple : à quel temps est-il ? À votre avis, pourquoi ?
2. Donnez l'infinitif de chaque verbe : pour quels verbes retrouvez-vous les marques régulières de personne ? Quels verbes ont une terminaison différente ?

Leçon

1 Le passé simple

■ **Le passé simple exprime des actions qui se sont passées à un moment précis, bien délimité dans le temps.**

■ Le radical du verbe reste **le même** à toutes les personnes.

Voir → *Je vis, tu vis, il vit, nous vîmes, vous vîtes, ils virent.*

Verbes en *-er* (y compris *aller*) → passé simple en [a]	Verbes en *-ir(e)*, *-ire* et la plupart des **verbes en *-dre*** ou *-tre* → passé simple en [i]	Verbes en *-oir* ou *-re* → passé simple en [u]	*Venir, tenir* et leurs composés → passé simple en [in]
Jeter	**Prendre**	**Devoir**	**Prévenir**
Je jetai	Je pris	Je dus	Je prévins
Tu jetas	Tu pris	Tu dus	Tu prévins
Il jeta	Il prit	Il dut	Il prévint
Nous jetâmes	Nous prîmes	Nous dûmes	Nous prévînmes
Vous jetâtes	Vous prîtes	Vous dûtes	Vous prévîntes
Ils jetèrent	Ils prirent	Ils durent	Ils prévinrent

■ Font aussi leur passé simple en [i] : les verbes en *-indre* (*rejoindre* → *il rejoignit*), *faire* (*il fit*), *voir* (*il vit*), *naître* (*il naquit*), *vaincre* (*il vainquit*), *s'asseoir* (*il s'assit*), *acquérir* (*il acquit*).

■ Font aussi leur passé simple en [u] : *être* (*il fut*) et *avoir* (*il eut*), les verbes en *-soudre* (*résoudre* → *il résolut*), *lire* (*il lut*), *vivre* (*il vécut*), *mourir* (*il mourut*), *connaître* (*il connut*), *apparaître* (*il apparut*), *plaire* (*il plut*), *se taire* (*il se tut*).

2 Le passé antérieur

■ Le passé antérieur est un **temps** formé de l'auxiliaire *être* ou *avoir* au **passé simple** et du **participe passé** du verbe.

*Il **eut** mis. Je **fus** descendu(e).*

1 Écriture Avec chacun des verbes, faites une phrase au passé simple, à la 3ᵉ personne du singulier.

aller – ouvrir – vouloir – tomber – revenir

2 Conjuguez au passé simple, à toutes les personnes, les verbes suivants.

être – avoir – bouger – finir – vouloir – prendre – venir

3 Donnez l'infinitif des verbes en gras.

1. Il **vint** une année très fâcheuse, et la famine **fut** si grande que ces pauvres gens **résolurent** de se défaire de leurs enfants. (Perrault) – 2. Le fils du roi qui **vit** sortir de sa bouche cinq ou six perles, et autant de diamants, la **pria** de lui dire d'où cela venait. (Perrault) – 3. [Sa mère] lui **fit** une splendide veste de fourrure, qu'elle **dut** mettre, et lui **donna** des tartines et un gâteau pour la route. (Grimm) – 4. Quoi qu'il en soit, la princesse lui **promit** sur-le-champ de l'épouser, pourvu qu'il en **obtînt** le consentement du roi son père. (Perrault)

4 Relevez seulement les verbes au passé simple.

mangeais – mangerai – sauvai – finirai – allât – allâtes – allas – dites – dîtes – eu – fut – fis – fais – chantai – pu – connut – déménagèrent – accélèrent – naquirent

5 Classez les verbes suivants selon que leur passé simple se termine par le son [a], [i], [u] ou [in].

arriver – naître – mourir – revenir – vouloir – se produire – recevoir – obtenir – lire – courir – sourire – vivre – être – avoir – voir – aller – mettre – apparaître – combattre – comprendre – tenir – plier

6 Recopiez les phrases suivantes en mettant le verbe entre parenthèses au passé simple.

1. La jeune fille (aller) dans la forêt et (se diriger) tout droit vers la petite maison. (Grimm) – 2. Lorsque la femme de son père s'en (apercevoir), elle (entrer) dans une colère terrible. Criant, hurlant, elle (se mettre) à battre une fois de plus la petite fille. (Diop) – 3. Elle (prendre) le plus beau flacon qui fût dans le logis. Elle ne (être) pas plutôt arrivée à la fontaine, qu'elle (voir) sortir du bois une dame magnifiquement vêtue, qui (venir) lui demander à boire. (Perrault) – 4. Le fils du roi en (devenir) amoureux. (Perrault) – 5. Ils (se remettre) en marche, mais ce (être) pour s'enfoncer toujours plus profondément dans la forêt. (Grimm)

7 Conjuguez au passé simple, à la 1ʳᵉ personne du singulier et du pluriel.

bondir – pouvoir – devenir – jeter – apprendre – voyager

8 Recopiez le texte suivant en conjuguant les verbes entre parenthèses au passé simple.

La Belle au bois dormant (ouvrir) les yeux, (se réveiller) et le (regarder) d'un air tout à fait affable. Alors ils (descendre) ensemble et le roi (se réveiller), ainsi que la reine et toute la cour, et ils (se regarder) en ouvrant de grands yeux. Et dans la cour les chevaux (se lever) et (se secouer), les chiens de chasse (sauter) et (remuer) la queue, les pigeons du toit (sortir) leur tête de dessous leur aile, (regarder) autour d'eux et (prendre) leur vol vers les champs. Les mouches (continuer) à marcher sur les murs, le feu dans la cuisine (reprendre), (flamber) et (faire) cuire le repas.

Grimm, « La Belle au bois dormant »,
Contes, trad. M. Robert, © Éd. Gallimard.

9 Mettez les verbes entre parenthèses au passé antérieur.

1. Après qu'il (dessiner) la carte, le magicien y indiqua un point précis. – 2. Je tombai amoureux de lui dès que je l'(apercevoir). – 3. Dès que le gardien (s'endormir), la jeune fille se leva sans bruit. – 4. Après que nous (affronter) déjà bien des dangers, celui-ci nous parut redoutable. – 5. Aussitôt que les animaux (arriver), ils se dressèrent sur leurs pattes de derrière et commencèrent à parler.

10 Pour chaque phrase de l'exercice 8, dessinez un axe du temps sur lequel vous placerez chaque action de la phrase. Que remarquez-vous à propos des actions au passé antérieur ?

Exemple : Phrase 1 → *dessiner*   *indiquer*

11 Mettez les verbes entre parenthèses au temps indiqué.

Chaque cavalier (attacher, *passé simple*) son cheval et lui (passer, *passé simple*) au cou un sac plein d'orge qu'il (apporter, *plus-que-parfait*), et ils (se charger, *passé simple*) chacun de leur valise. Le capitaine des voleurs (s'approcher, *passé simple*) du rocher fort près du gros arbre où Ali Baba (se réfugier, *plus-que-parfait*), et il (prononcer, *passé simple*) ces paroles si distinctement : « Sésame, ouvre-toi, » qu'Ali Baba les (entendre, *passé simple*). Dès que le capitaine des voleurs les (prononcer, *passé antérieur*), une porte (s'ouvrir, *passé simple*).

12 Écriture En une douzaine de phrases, imaginez ce que fait Ali Baba après avoir découvert la cachette des voleurs.

Employer les temps du passé : imparfait et passé simple

Delphine et Marinette **revenaient** de faire les commissions pour leurs parents, et il leur **restait** un kilomètre de chemin. Il y **avait** dans leur cabas trois morceaux de savon, un pain de sucre, une fraise de veau, et pour quinze sous de clous de girofle. À un tournant de la route, elles virent un gros chien ébouriffé, et qui marchait la tête basse. Il paraissait de mauvaise humeur, sous ses babines retroussées luisaient des crocs pointus. Soudain sa queue se balança d'un mouvement vif et il se mit à courir au bord de la route.

D'après **M. AYMÉ**, « Le chien », *Les Contes du chat perché*, © Éd. Gallimard.

1. Quel est le temps des trois premiers verbes du texte ? Que raconte l'auteur dans ce passage ?
2. Quel événement surgit au cours de la promenade des deux fillettes ? À quel temps est conjugué le verbe qui raconte cet événement ?
3. Dans quelle phrase l'auteur décrit-il le chien ? À quel temps les verbes sont-ils conjugués ?
4. Quel adverbe montre que l'action se précipite ? Dans la même phrase, à quel temps les verbes sont-ils conjugués ?

Leçon

■ **L'imparfait et le passé simple sont les principaux temps employés dans un récit au passé.**

■ Le **passé simple** est employé pour les actions principales, celles qui font progresser le récit. Il présente les actions comme achevées et bien délimitées dans le temps : on pourrait préciser le moment exact où elles se sont produites.

> *Les fillettes **revenaient** des courses quand elles **virent** (à 13h07) un gros chien. À ce moment*
> action principale
>
> elles *poussèrent un cri.*

■ **Remarque :** ces actions ne sont pas nécessairement brèves.
> *Elles **attendirent** leurs parents pendant de longues heures.*

■ **L'imparfait** est employé pour les actions dont on ne connaît ni le début ni la fin, les actions en train de se dérouler.
> *Les fillettes faisaient les courses* → *Elles étaient **en train de** faire les courses.*

– L'imparfait est donc utilisé pour la description.
> *Il **paraissait** de mauvaise humeur, sous ses babines retroussées **luisaient** des crocs pointus.*

– Il est aussi utilisé pour exprimer l'habitude et la répétition.
> *Chaque jour, les fillettes **faisaient** quelques courses pour leurs parents.*

Exercices

1 **Écriture** **a. Racontez un souvenir de vacances marquant. Commencez par :**
« *Lorsque j'étais enfant, ... »*

b. En quelques lignes, décrivez une classe en train de travailler puis racontez un événement qui vient perturber le calme.

c. Quels temps avez-vous employé pour chacun de ces textes ?

2 **Relevez les verbes conjugués de ces phrases, précisez leur temps et dites s'ils évoquent une action en cours de déroulement ou une action ponctuelle.**

1. Le professeur somnolait à son bureau et soudain quelqu'un frappa à la porte de la classe.

2. Ce jour-là, je sortais à peine de chez moi que je tombai sur la fille de mon voisin.

Comme il constatait que l'heure avançait, l'entraîneur décida de nous libérer avant la fin du match.

Les badauds se bousculaient pour voir l'accident. Aussitôt le gendarme intervint et dissipa la foule.

Alors qu'il tentait d'escalader le mur du voisin, une pierre s'éboula et l'enfant tomba.

Tout en marchant, je contemplais les vitrines. Je vis alors chez un antiquaire une statuette qui retint mon attention.

③ Relevez les verbes conjugués à l'imparfait et dites s'ils expriment une habitude, une description ou une action en cours de déroulement.

Enfants, nous aimions aller à la pêche. – 2. Le soleil se levait à peine lorsque je partis. – 3. Pierre Legrand se levait régulièrement à quatre heures. (VOLTAIRE) – 4. Suzanne était aussi blonde que sa mère, son visage de grande fillette avait la même expression rieuse. (GENEVOIX) – 5. Tandis que nous terminions notre repas, l'oncle Alfred apparut au jardin.

④ Lisez les textes suivants et relevez les verbes conjugués à l'imparfait. Pour chaque texte, quelle est la valeur de l'imparfait ?

Texte 1
Elle n'était pas très jolie à cause de ses dents un peu écartées, de son nez un peu trop retroussé, mais elle avait la peau très blanche avec quelques taches de douceur, je veux dire de rousseur. Et sa petite personne commandée par des yeux gris, modestes mais très lumineux, vous faisait passer dans le corps, jusqu'à l'âme, une grande surprise qui arrivait du fond des temps.

Texte 2
Dans la belle saison, elle laissait un tapis à une fenêtre ou du linge à sécher, comme s'il fallait à tout prix que le village eût l'air habité, et le plus ressemblant possible.

Et toute l'année, elle devait prendre soin du drapeau de la mairie, si exposé.

La nuit, elle s'éclairait de bougies, ou cousait à la lumière.

J. SUPERVIELLE, *L'Enfant de la haute mer*, © Éd. Gallimard.

⑤ Recopiez les phrases suivantes, soulignez les verbes conjugués au passé simple et complétez les phrases en ajoutant deux ou trois verbes d'action conjugués au même temps.

L'enfant partit à toute allure, gravit la pente, ...

Il retourna le champignon, l'examina, le sentit ....

Le chat bondit sur le buffet, d'un coup de patte renversa le vase ....

Anatole prit à gauche, entra dans une ruelle ....

⑥ Conjuguez les verbes entre parenthèses à l'imparfait ou au passé simple.

1. Habituellement, nous (*partir*) en vacances en Bretagne, mais cette année-là mes parents (*décider*) de passer le mois d'août dans les Pyrénées. – **2.** Quand Paul fut fatigué, il (*s'arrêter*) à l'entrée d'un village dont il (*ignorer*) le nom. – **3.** Elle (*s'agenouiller*) près de la source, (*former*) une coupe avec ses deux mains et, comme elle (*aimer*) le faire chaque fois qu'elle (*rencontrer*) un point d'eau, (*boire*) à pleine gorgée. – **4.** Une alarme (*retentir*) et les élèves (*se précipiter*) dans le couloir. – **5.** J'(*observer*) mon ami quand soudain il (*arracher*) ma casquette et la (*jeter*) par-dessus le mur. – **6.** L'orage (*crever*). L'averse (*frapper*) les bâches et les campeurs n'y (*voir*) plus rien. – **7.** Il lui (*arriver*) souvent de rêvasser en classe. – **8.** Ce jour-là, il lui (*arriver*) une curieuse aventure.

⑦ Recopiez ce texte en conjuguant les verbes entre parenthèses à l'imparfait ou au passé simple.

Alice (*regarder*) pensivement le champignon pendant une bonne minute, en essayant de distinguer où (*se trouver*) les deux côtés ; mais comme il (*être*) parfaitement rond, le problème lui (*paraître*) bien difficile à résoudre. Néanmoins, elle (*finir*) par étendre les deux bras autour du champignon aussi loin qu'elle le (*pouvoir*), et en (*détacher*), du bord, un morceau de chaque main.

L. CARROLL, *Alice au pays des Merveilles*, trad. H. Parisot, © Flammarion.

⑧ Recopiez ce texte en conjuguant les verbes entre parenthèses à l'imparfait ou au passé simple.

Un dimanche qu'il (*somnoler*) auprès de sa niche à côté du chat, pendant que les petites (*promener*) la souris dans la cour, le chien (*se mettre*) à renifler d'un air inquiet, puis il (*se lever*) en grondant et (*se diriger*) vers le chemin où l'on (*entendre*) déjà le pas d'un homme. C'(*être*) un vagabond au visage maigre et aux vêtements déchirés qui (*se traîner*) avec fatigue. En passant près de la maison, il (*jeter*) un coup d'œil dans la cour et (*avoir*) un mouvement de surprise en voyant le chien. Il (*s'approcher*) d'un pas décidé et (*murmurer*) :

– Chien, renifle-moi un peu… ne me reconnais-tu pas ?

D'après **M. AYMÉ**, « Le chien », *Les Contes du chat perché*, © Éd. Gallimard.

⑨ [Écriture] Faites le portrait d'un chien de chasse, puis racontez de quelle manière il débusque un lapin dans son terrier. Employez l'imparfait et le passé simple.

La nature des mots : bilan

chaise – brune – méchant – parler – délicat – ami – continuer – finir – vitesse – sauvage – plier intelligence – bouton – lion

1. Classez les mots précédents en trois colonnes :
– mots qui désignent des personnes, des choses ou des idées ;
– mots que l'on peut conjuguer ;
– mots qu'on utilise avec un nom pour apporter une précision.
2. Indiquez la nature des mots de chaque colonne.

Leçon

1 La nature des mots (ou classe grammaticale)

■ **On classe les mots en fonction de leur nature.** La nature d'un mot, c'est aussi sa **classe grammaticale**.

■ **Tous les mots d'une même classe partagent certaines caractéristiques** qui permettent de les reconnaître : un **verbe** se conjugue ; un **nom** nomme des objets ou des personnes ; un **adjectif** s'emploie avec un nom, etc.

■ Tous les mots ont une nature, qui ne change jamais et qui est inscrite dans le dictionnaire.

2 Les 10 classes grammaticales

■ Il existe, dans la langue française :

– **5 classes de mots variables** : les noms, les pronoms, les déterminants, les adjectifs qualificatifs et les verbes ;

– **5 classes de mots invariables** : les adverbes, les prépositions, les conjonctions de coordination, les conjonctions de subordination et les interjections.

(Voir carte mentale en page de garde.)

Exercices

1 Apprenez par cœur la liste des mots variables et celle des mots invariables.

2 Dans les phrases suivantes, relevez seulement les mots invariables.

Elle n'arrêta sa course que lorsque la respiration lui manqua, mais elle n'interrompit point sa marche. Elle allait devant elle, éperdue. Tout en courant elle avait envie de pleurer. Elle ne pensait plus, elle ne voyait plus.

V. Hugo, *Les Misérables.*

3 Cherchez dans le dictionnaire la nature des mots suivants.

à – je – abbaye – commencer – puisque – ici – dans – extraordinaire – très – on – punir – beaucoup – donc – lent – debout

4 Classez les mots suivants en cinq colonnes : *noms, verbes, adjectifs qualificatifs, pronoms, déterminants.*

mentir – nettoyage – on – trois – pantalon – doux – ma – je – joli – comprendre – papier – aimer – nous – boulanger – noir – cette – ses – vouloir – couloir – des – triste – ils

5 **Oral** Dans chacune des phrases suivantes, dites si le mot est un pronom ou un article. Justifiez votre réponse.

1. Je **les** ai vus. – **2.** J'aime **les** musiques de films. – **3.** Il ne **le** sait pas encore. – **4.** Je **la** connais bien. – **5.** Je ne connais pas **la** suite. – **6.** J'ai rencontré **l'**ami de Diane.

6 Donnez la nature des mots en couleur.

1. La bête attaque aussitôt Phébus. – **2.** Le roseau ploie sous les attaques du vent. – **3.** Tu es très bête d'avoir frappé aussi fort. – **4.** Elle prit rapidement la lettre et la cacha dans son sac. – **5.** Soudain, un cri le réveille. – **6.** Solène crie pour attirer l'attention de ses amis. – **7.** Ce n'est qu'un oubli. – **8.** N'oublie pas ton passeport.

7 **Écriture** Faites une phrase avec chacun des mots suivants et précisez leur nature.

heure – oublie – oubli – dîner – pauvre – marin – tendre – bois – rare – marche

8 Donnez la nature des mots entre parenthèses, et déduisez-en l'orthographe qui convient.

1. La sorcière enfourche son (*balai/balaie/balaies*).
2. Tu (*balai/balaie/balaies*) la cour.
3. Il reçut un terrible (*choc/choque*).
4. Ce que tu dis me (*choc/choque*) beaucoup.
5. Le guide (*détail/détaille*) le tableau et nous explique le (*travail/travaille*) du peintre.
6. Je (*travail/travaille*) aux derniers (*détails/détailles*) de notre projet.
7. Circé accorde à Ulysse un bon (*accueil/accueille*) et le (*conseil/conseille*) sur le chemin à suivre.
8. Le chevalier (*défi/défie/défit*) son ennemi.
9. Je te lance un (*défi/défie/défit*).
10. Ariane (*défi/défie/défit*) patiemment le nœud.
11. Juliette (*salut/salue*) son professeur.

9 a. Recopiez sans fautes le texte suivant et entourez les noms.

b. Soulignez en rouge les verbes conjugués et en bleu les verbes à l'infinitif.

Alice regarda pensivement le champignon pendant une bonne minute, en essayant de distinguer où se trouvaient les deux côtés ; mais, comme il était parfaitement rond, le problème lui parut bien difficile à résoudre. Néanmoins, elle finit par étendre les deux bras autour du champignon aussi loin qu'elle le put, et en détacha, du bord, un morceau de chaque main.

L. CARROLL, *Alice au pays des merveilles*, trad. H. Parisot, © Flammarion.

10 Dans le texte de l'exercice 9, relevez :

a. trois pronoms, en précisant ce qu'ils désignent.

b. deux adjectifs, en précisant quel nom ou pronom ils qualifient.

11 Donnez la nature des mots en gras.

Quand **l'**épieu d'**olivier**, bien qu'encore **vert**, **fut** sur le point de **s'enflammer** dans **le foyer** et **qu'il** se mit à **briller** terriblement, **je le retirai** du **feu** et l'apportai en **courant**. **Mes compagnons** étaient autour de **moi** : une **divinité** ranimait **leur courage**. **Ils** saisirent l'épieu d'olivier **au** bout **aiguisé** et l'enfoncèrent dans **l'**œil **du** Cyclope.

HOMÈRE, *L'Odyssée*, trad. S. Perceau, © Nathan, 2013.

12 Donnez la classe grammaticale de chacun des mots de cette phrase.

Lucie caresse tendrement son petit chien et lui jette deux délicieuses friandises.

13 Dans les phrases suivantes, relevez les adverbes.

1. Maintenant, c'est trop tard. – **2.** Lucie est une fille vraiment très bien. – **3.** Il n'apprend pas vite, mais il se rappelle longtemps. – **4.** Jamais on n'avait vu plus somptueux jardin ! – **5.** Reviens demain : je n'ai pas encore fini. – **6.** Ici, on accueille toujours chaleureusement les hôtes de passage.

14 Dans les phrases suivantes, relevez les prépositions et le complément qu'elles introduisent.

Exemple : Je suis fière de toi. → *de toi.*

1. Dans la petite pièce mal éclairée par une bougie de cire, une vieille femme, assise près du feu sur une chaise en osier, parlait à un chat. – **2.** J'ai besoin de ton aide pour lui préparer une petite surprise. – **3.** Sans un miracle, nous ne parviendrons pas à Dreux avant demain.

15 a. Recopiez le texte suivant, entourez en rouge les conjonctions de coordination et en vert les conjonctions de subordination.

b. Donnez la nature des mots en gras.

L'année suivante, l'aînée des sœurs allait atteindre sa quinzième année, et comme il n'y avait qu'une année de différence **entre** chaque sœur, la **plus** jeune devait **encore** attendre cinq ans **pour** sortir **du** fond **de** la mer. Mais l'une promettait **toujours** à l'autre de lui faire le récit [de ses aventures] ; car leur grand-mère ne parlait **jamais assez**, et il y avait tant de choses qu'elles brûlaient **de** savoir !

ANDERSEN, *La Petite Sirène*, trad. D. Soldi, 1856.

Réinvestir
ses connaissances

1 **Complétez le texte avec les pronoms suivants :** lui – le mien – elle (deux fois) – nous (quatre fois) – la – c' – celui – j'.

… étions rassemblés devant l'immeuble, attendant l'arrivée de la célèbre Astride Berlingo. Comme … est mon actrice préférée, … étais impatiente de … voir. Quand … est enfin arrivée, … … a fait signe de … approcher. … avons sorti nos carnets pour … demander un autographe. Je suis ravie car … est beaucoup plus beau que … de Pierrot.

2 **Dans les phrases suivantes, remplacez les pronoms personnels par des pronoms démonstratifs afin d'éviter les ambiguïtés.**

1. Le garde fit entrer le prisonnier. Il se jeta aux pieds du roi. – **2.** La Belle embrassa la Bête. Elle se transforma aussitôt en un superbe prince. – **3.** Les loups entouraient les deux hommes. Tremblant de peur et de froid, ils cherchaient désespérément une issue. – **4.** Jean-Sans-Cœur repoussa brutalement le nain et poursuivit son chemin. Il lança alors une terrible malédiction.

3 **Remplacez les pronoms en couleur par un des pronoms suivants :** l'autre – l'un – qui (deux fois) – celle-ci – celles-ci.

1. Rose et Blanche arrivèrent enfin devant les portes du destin : elles se dressaient, menaçantes dans la nuit.
2. Le Minotaure donna un terrible coup de corne à Thésée, il tomba à terre.
3. Les deux frères décidèrent alors de se séparer : il prit le chemin qui s'enfonçait dans la forêt ; il prit le sentier qui grimpait vers la montagne.
4. La fée toucha de sa baguette la citrouille, elle se changea aussitôt en carrosse.
5. La Barbe bleue avait formellement interdit à sa femme d'entrer dans le petit cabinet. Mais elle était rongée par la curiosité.

4 **Mettez les verbes à l'imparfait.**

1. Romain partage toujours son goûter avec Lucas. – **2.** Je le vois changer de jour en jour. – **3.** À chaque concours, nous gagnons le premier prix. – **4.** Médor bondit dès qu'il m'aperçoit. – **5.** Je crains la pluie alors que vous craignez le soleil.

5 **Oral** **Relevez les verbes conjugués au passé simple et à l'imparfait et justifiez leur emploi.**

Le fermier rejoignit le valet et tous deux flanquant les bœufs de chaque côté firent leur entrée dans Beaupréau. Les rues étaient pleines de blouses bleues et de coiffes blanches en mouvement vers la place du marché. De toutes parts, cette foule coulait et se déversait dans le vaste champ en pente.

6 **Conjuguez les verbes entre parenthèses en choisissant l'imparfait ou le passé simple.**

Tous les matins, à l'arrivée des trains de banlieue, les voyageurs (se précipiter) hors des wagons et (se ruer) vers l'entrée du métro. À chaque fois qu'un TGV (passer), les quais (trembler). Un jour, un voyageur imprudent (vouloir) traverser la voie alors qu'un TGV (arriver). Heureusement, un homme le (retenir), ce qui lui (sauver) la vie. L'imprudent (remercier) chaleureusement son sauveur et lui (promettre) de ne jamais recommencer. Quand ils (se séparer), ils (être) amis.

7 **Complétez ces phrases avec** *sont, son, es, est, et* **ou** *ai* **en faisant les vérifications nécessaires.**

1. Raphaël … Terry … allés jouer au rugby. – **2.** Terry portait … maillot neuf. – **3.** Ils se … bien échauffés … ont commencé à jouer. – **4.** Malheureusement, Raphaël … tombé sur Terry … lui a déchiré … maillot. – **5.** Pour le consoler, je lui … promis de le raccommoder. – **6.** Ils … tous deux rentrés chez eux très contents. – **7.** … moi, j'… tenu ma promesse.

8 **Oral** **Indiquez la nature des mots en couleur.**

Renart aperçoit au bord d'un ruisseau, à droite, un coin agréable et peu fréquenté, où un hêtre s'offre à sa vue. Aussi traverse-t-il l'eau pour venir au pied de l'arbre. Après quelques sauts et gambades autour du tronc, il s'allonge sur l'herbe fraîche, s'y roule en s'étirant. Il est descendu à la bonne adresse et n'aurait pas de raison d'en changer s'il trouvait à manger, car le séjour n'y aurait alors que des agréments.

Le Roman de Renart, trad. Paulin, 1861.

Croiser les connaissances

9 Complétez ces phrases par *on* ou *on n'*.

1. Tandis qu'à la maison ... emballait les glaces et la vaisselle, je me promenais triste et seul. (DAUDET) – **2.** ... a plus qu'à commettre tous les crimes imaginables, tromper, voler, assassiner, et dire, pour excuse, qu'... y a été poussé par sa destinée. (MOLIÈRE) – **3.** Il fut décidé qu'... irait déjeuner à la campagne. (MAUPASSANT) – **4.** Quand ... a plus d'honneur, ... a plus de famille. (HUGO) – **5.** ... est pas sérieux quand ... a dix-sept ans. (RIMBAUD)

10 Oral Indiquez la nature des mots en couleur. Justifiez.

1. Le soleil les réchauffe. – **2.** La montagne la rend vraiment heureuse. – **3.** Appelez-le vers le soir. – **4.** Les connaissez-vous, les nouveaux voisins ? – **5.** Nous leur avons expliqué leurs erreurs.

11 Complétez par *leur* ou *leurs*.

1. Je ... raconte des histoires qui concernent ... grands-parents. – **2.** Ce message, le ... a-t-on fait passer ? – **3.** Elles ont perdu ... clés. Si tu les as, rends-les .... – **4.** Je n'expose pas mes tableaux. Certains exposent les .... – **5.** Après ... avoir dit de rentrer à l'heure, ... mère ... rappela de ne pas oublier ... clé. – **6.** Expliquez-... l'exercice pour qu'ils puissent corriger ... erreurs. – **7.** Les mouches les harcelaient de ... piqûres. Le soleil ... brûlait la nuque. (HÉMON)

12 Complétez par *sa* ou *ça*.

1. Je le vis, je rougis, je pâlis à ... vue. (RACINE) – **2.** C'est drôle comme ... vous vient une invention, au moment où on s'y attend le moins ! (ALLAIS) – **3.** Le petit Richard grandit à côté de ... grand-mère. (DAUDET) – **4.** Consulte ta raison ; prends ... clarté pour guide. (MOLIÈRE) – **5.** Maintenant, s'il y en a que ... amuse de rire, je peux aussi distraire. (LAPOINTE)

13 Relevez les verbes conjugués et précisez leur personne, leur temps et leur mode.

Fagin ferma la cassette d'un coup sec, saisit un couteau à pain qui traînait sur la table et se leva d'un bond.

– Pourquoi tu m'espionnes, hein ! petit drôle ? Tu dormais pas ? T'as vu quoi ? Dis-le-moi, hein ! et vite, si tu tiens à la vie ! Vite !

– Je ne pouvais plus dormir, monsieur, dit Oliver d'une voix presque imperceptible. Je suis désolé de vous avoir dérangé.

– Tu me regardes depuis longtemps ?

CH. DICKENS, *Oliver Twist*, trad. M. Laporte, © Le Livre de Poche Jeunesse.

14 Conjuguez les verbes entre parenthèses au temps indiqué.

1. Les wagons chargés de minerai de fer ou de houille qui (*circuler, présent*) du matin au soir sur des rails au milieu des rues (*semer, présent*) continuellement une poussière noire. (MALOT) – **2.** Le petit train (*s'arrêter, présent*) quand il (*vouloir, présent*), quand les voyageurs lui (*faire, présent*) signe. L'administration (*juger, passé composé*) inutile de tendre des fils de fer de chaque côté de la voie. (RENARD) – **3.** Dès quatre heures, la descente des ouvriers (*commencer, imparfait*). (ZOLA) – **4.** D'un bond, Gianni (*atteindre, plus-que-parfait*) le trapèze et (*se balancer, imparfait*) dans l'air. (GONCOURT) – **5.** Jamais je n'(*oublier, futur*) ce spectacle, mais, hélas ! jamais je ne (*pouvoir, futur*) le décrire. (CROISSET)

Maîtriser l'écrit

15 Réécriture Transposez selon le temps indiqué en mettant les expressions en gras au pluriel.

1. Une femme agite son mouchoir, retient ses larmes. (*passé simple*) – **2.** Il ramassa ses vêtements mouillés et courut vers son bateau. (*passé simple*) – **3. Ses enfants lui** donnaient bien du souci. (*futur*) – **4. Ses erreurs lui** jouent de mauvais tours. (*passé composé*) – **5. Le braconnier** pose ses pièges, mais le garde le surprend et lui dresse une contravention. (*passé composé*)

16 a. Infinitif, participe passé ou imparfait ? Complétez par la bonne terminaison en [é] en faisant les accords nécessaires.

b. Dictée Préparez ce texte pour la dictée.

On put contempl... à la fois le salon, la salle à mang... , la cuisine et les deux chambres à couch... . Toutes les chambres ét... tapiss... de papier. On voy... sur les murs des tableaux peints sur le papier, entour... des cadres en or, irréprochables. Un tapis recouvr... tous les planchers, sauf la cuisine. Et il y av... des chaises en peluche, des tables, des lits recouverts de vrais draps, un berceau, un poêle, un buffet où ét... pos... de minuscules assiettes.

K. MANSFIELD, *La Mouche*, Stock.

Les compléments d'objet

Julien court. – Le chat dort. – Albert cueille. – J'éternue. – J'ai cassé. – Tu connaissais. – Nous arrivons. – Lou nettoie. – Vous pouvez. – Les bijoux étincellent. – Il a grandi.

1. Toutes ces phrases sont construites de la même manière : laquelle ?

2. Lesquelles de ces phrases n'ont pas de sens ? Pourquoi ?

3. Proposez un classement des verbes employés en deux groupes. Justifiez le classement.

Leçon

1 Le complément d'objet du verbe

■ Un verbe peut avoir un complément d'objet si on peut lui ajouter le mot *quelque chose* (ou *quelqu'un*) : manger **quelque chose**, prendre **quelque chose**... Le complément d'objet, c'est cette chose dont on parle. *Marc enlève sa chemise.* → On dit enlever *quelque chose*. Ici, cette chose est *sa chemise*.
Sa chemise est le **COD du verbe enlever**.

■ **Tous les verbes n'ont pas de complément d'objet.** On ne peut pas dire « *marcher quelque chose* ».

– On appelle **verbes transitifs** les verbes qui peuvent avoir un complément d'objet.
Montrer quelque chose, **faire** quelque chose...

– On appelle **verbes intransitifs** les verbes qui ne peuvent pas avoir de complément d'objet.
Éternuer ~~quelque chose~~, **aller** ~~quelque chose~~...

2 COD, COI, COS

■ **Si le complément d'objet se construit directement après le verbe, c'est un complément d'objet direct** (COD). *Attraper quelque chose, vouloir quelque chose.*
　　　　　　　　　　　　　　　　　　　　COD　　　　　　　　　COD

■ **Si le complément d'objet est introduit par une préposition (à, de...), c'est un complément d'objet indirect** (COI). *Se souvenir* de *quelque chose, répondre* à *quelqu'un.*
　　　　　　　　　　　　　　　　　　　　　COI　　　　　　　　COI

■ Certains verbes se construisent obligatoirement avec **deux compléments d'objet.**
Dans ce cas, le COI est appelé **complément d'objet second** (COS).
Donner quelque chose à quelqu'un.
　　　　COD　　　COS

3 Trouver le complément d'objet d'un verbe

■ Pour trouver le complément d'objet d'un verbe,
on pose la question : sujet + verbe + (à, de) quoi ?
Marc enlève sa chemise. → Marc enlève **quoi** ?
Sa chemise. Sa chemise est le **COD du verbe enlever.**

> **ATTENTION**
> – Cherchez toujours le sujet avant le COD
> – Les verbes d'état n'ont jamais de COD.

Exercices

1 **Écriture** **Utilisez chacun des verbes suivants dans une phrase en remplaçant le groupe en bleu par un COD et le groupe en rouge par un COI de votre choix. Précisez COD sous les COD et COI sous les COI.**

Exemple : donner quelque chose. → J'ai donné ton pull.
　　　　　　　　　　　　　　　　　　　COD

Entendre quelque chose – appartenir à quelqu'un – rêve de quelque chose – savoir quelque chose – prêter quelqu chose – convaincre quelqu'un – se moquer de quelqu'un - vouloir quelque chose.

2 Classez les verbes suivants en deux colonnes : verbes transitifs et verbes intransitifs.

miauler – neiger – éviter – boire – sursauter – rire – aimer – recopier – écrire – jardiner – jaillir – distribuer

3 Relevez le COD des verbes en gras.

1. Je **termine** mon livre. – **2.** Je te le **prêterai** aussitôt. – **3.** Quel film **avez**-vous **vu** ? – **4.** Nous **commencerons** dès demain les répétitions. – **5.** Je les **aime** beaucoup. – **6.** Quels beaux yeux vous **avez**, chère Madeleine ! – **7.** Les enfants **préparent** en grand secret une surprise pour leurs parents. – **8.** Ils **savent** depuis longtemps ce qui s'est passé.

4 Complétez les phrases suivantes par un COI. Entourez la préposition que vous avez utilisée.

1. Il ne se souvient pas .... – **2.** Je songe .... – **3.** Qui est-ce qui s'est servi .... – **4.** Je ne crois plus .... – **5.** Le professeur nous a autorisés .... – **6.** Je dois convaincre mes parents ....

5 Classez les verbes suivants en deux colonnes, selon qu'ils se construisent avec un COD ou un COI. Dans le second cas, précisez entre parenthèses avec quelle préposition ils se construisent.

obéir – appeler – téléphoner – dépendre – fermer – distinguer – nuire – attendre – contribuer – se méfier

6 Oral Dites si les groupes soulignés sont des sujets inversés ou des compléments d'objet.

1. Alors apparut un merveilleux château. – **2.** Dans ce château vivait une princesse solitaire. – **3.** Le prince combattit le dragon. – **4.** De la grotte montaient des rugissements effroyables. – **5.** Il découvrit la princesse endormie. – **6.** Sur ses lèvres flottait un doux sourire.

7 Oral Dites si les groupes en gras sont des compléments d'objet ou non.

1. Je lis **dans mon lit**. – **2.** Je lis **un roman passionnant**. – **3.** Nous avons terminé **nos devoirs**. – **4.** Nous avons terminé **hier**. – **5.** Il comprend **rapidement**. – **6.** Il comprend **tout**. – **7.** Nous avons visité **Lisbonne**.

8 **a.** Analysez la formation des verbes en gras.
b. Relevez ensuite leur COD et/ou leur COI.

Exemple : Il ne se souciait de rien. → Se soucier de quelque chose (COI). COI = de rien.

1. Elle **dépensait** en vêtements tout ce qu'elle avait. – **2.** Il **présenta** son nouvel ami à ses parents. – **3.** Ceux-ci le **félicitèrent** pour sa réussite. – **4.** Elle **rencontra** au détour d'un chemin le loup. – **5.** Celui-ci **pensait** justement au déjeuner qu'il allait faire. – **6.** Les fillettes lui **demandèrent** un peu de pain et d'eau.

9 Oral Dites si les groupes en gras sont ou non des COI.

1. Elle travaille **à Paris**. – **2.** Elle travaille **à son nouveau livre**. – **3.** Il obéit seulement **à son maître**. – **4.** Il obéit **au doigt et à l'œil**. – **5.** Il nous écrit **de Martinique**. – **6.** Il écrit **à des amis**. – **7.** Les enfants jouent **à la marelle**. – **8.** Les enfants jouent **à la maison**. – **9.** Les petits comptent **sur toi**. – **10.** Les petits comptent **sur leurs doigts**.

10 Recopiez les phrases suivantes en remplaçant le COD de chaque verbe par un pronom. Attention à l'orthographe.

1. Je connais bien ta sœur. – **2.** Il a vu Arthur. – **3.** J'aime beaucoup tes parents. – **4.** Je n'ai pas appris mon poème. – **5.** Je voudrais du pain. – **6.** Il a commandé son livre chez le libraire.

11 Recopiez les phrases suivantes en remplaçant le COI par un pronom qui convient.

1. Je lançai un rapide coup d'œil à Maxime. – **2.** Ne me parlez pas de toutes ces horreurs ! – **3.** Je n'arrive pas à faire cet exercice. – **4.** Nous t'aiderons à t'organiser. – **5.** Elle interdit à ses fils de sortir après 18 heures. – **6.** Le sultan se méfiait de ses serviteurs

12 Oral Dites quel nom reprend chacun des pronoms en gras et précisez la fonction de ce pronom.

1. J'ai manqué le ballon, heureusement, Marie **l'**a attrapé.
2. Jules avait prêté son livre à son frère et celui-ci **le lui** a rendu abîmé.
3. Nos enfants vivent loin, nous **les** voyons peu mais nous **leur** téléphonons tous les jours.
4. L'averse a éclaté : nous **y** avons échappé de justesse.
5. Cette journée était extraordinaire : je m'**en** souviendrai toute ma vie.

13 Donnez la fonction des groupes en gras (sujet, COD ou COI).

Dans le dernier village du royaume vivaient **deux forgerons**. Rien ne **les** avait jusque-là empêchés **de vivre en bonne intelligence**. En **leur** laissant **sa forge** au moment du trépas, **leur père** leur avait dit : « N'employez **le minerai** qui est dans le sac, derrière le soufflet, qu'au service du roi. » **Les deux frères** n'avaient donc jamais touché **à ce minerai merveilleux**. Pour forger armes et outils, **ils** se servaient **du métal ordinaire**.

L. Bourliaguet, « L'épée à trancher les montagnes », *Le Marchand de nuages*, Éd. G.P., 1961.

Le participe passé employé seul ou avec l'auxiliaire *être*

Leçon

1 La terminaison du participe passé

■ Le participe passé est en :

– **-é** pour les verbes du 1er groupe : *chanter* → *chanté* ; *doubler* → *doublé*.

– **-i** pour les verbes du 2e groupe et certains verbes du 3e groupe : *finir* → *fini* ; *partir* → *parti*.

– **-u, -s, -t** pour les verbes du 3e groupe : *rendre* → *rendu* ; *apprendre* → *appris* ; *peindre* → *peint*.

■ **Astuce :** pour trouver la dernière lettre des participes passés des verbes du 3e groupe, il suffit de les mettre au féminin. *Vendue* → *vendu* ; *offerte* → *offert* ; *comprise* → *compris*.

2 L'accord du participe passé employé seul

Employé sans auxiliaire, le participe passé joue le même rôle qu'un adjectif : il s'accorde donc **en genre et en nombre avec le nom** (ou le pronom) qu'il qualifie.

Un homme nommé Joseph. Une ville appelée Nazareth.

3 L'accord du participe passé employé avec l'auxiliaire *être*

■ Lorsqu'il est employé avec l'auxiliaire *être*, le participe passé s'accorde en genre et en nombre avec le sujet.

L'ange Gabriel fut envoyé par Dieu. Marie était fiancée à Joseph.

■ **Attention**

« *a été* » est l'auxiliaire *être* conjugué au passé composé : il faut donc penser à accorder le participe passé qui suit. *La nouvelle a été annoncée.*

Exercices

1 **Oral** **Dans le texte ci-dessous, relevez les verbes conjugués à un temps composé et classez-les en deux colonnes selon qu'ils sont conjugués avec l'auxiliaire *avoir* ou l'auxiliaire *être*.**

Après la danse, la jeune fille fit la révérence au roi et, pendant qu'il se retournait, elle disparut si vite que personne ne sut où elle avait passé. Il envoya chercher les gardes du château et les interrogea, mais nul n'avait aperçu la fugitive.

Elle était rentrée dans sa niche, avait vivement retiré sa robe, noirci sa figure et ses mains, revêtu son manteau de fourrures et était redevenue Peau-de-toutes-bêtes.

J. ET W. Grimm, *Peau-de-toutes-bêtes*, trad. C. Deulin, 1878.

2 **Formez les participes passés des verbes suivants. Mettez-les ensuite au féminin.**

entourer – lire – distraire – dire – rougir – couvrir – tenir – comprendre – résoudre – naître – rompre – atteindre – paraître – permettre – battre – rejoindre – attendre – admettre – offrir – surprendre – asseoir

3 **Dans les phrases suivantes, relevez les participes passés en précisant leur genre, leur nombre et leur infinitif.**

1. Je ne me suis point mariée avec toi pour souffrir te fredaines. (Molière) – 2. Que sont devenus ces homme superbes dont la gloire était si vantée ? – 3. Ceux qui sor arrivés oublient aisément le point d'où ils sont partis. 4. La nuit venue, elle sortit sans faire de bruit. – 5. N ramassez que les pommes tombées. – 6. Terrassé par fatigue, Romuald s'est écroulé dans son lit.

4 **Conjuguez aux temps indiqués les verbes entr parenthèses.**

1. **Présent :** Les chaises (*être peint*). – Tous les monstre (*être craint*).

2. **Passé composé :** Martine (*sortir*) tôt. – Nous (*aller*) la boulangerie. – Une fée (*être oublié*).

3. Passé antérieur : Vous (*tomber*) par terre. – Nous (*partir*) à l'heure. – Les enfants (*se révolter*).

4. Plus-que-parfait : Jean et toi (*arriver*) en retard. – Ils (*se rencontrer*). – Mes parents et moi (*se promener*) dans les bois.

5 Recopiez le texte suivant, soulignez les participes passés et reliez-les d'une flèche au nom auquel ils se rapportent.

> Le samedi, elle ne sortait de la Beaume que vers neuf heures, vêtue d'une robe sombre, sous un chapeau de paille orné d'un ruban, et grandie par des souliers... Sur le bât de l'ânesse, deux ou trois gros sacs tout ronds paraissaient légers, ils étaient gonflés de bottes d'herbes parfumées, dans lesquelles étaient cachées deux ou trois douzaines d'oiseaux morts. Ugolin savait qu'elle allait à Aubagne, mais il était toujours déçu par ce départ.
>
> *Manon des sources*, Éd. de Fallois, « Fortunio »,
> © Marcel Pagnol, 2004.

6 Recopiez les phrases suivantes, soulignez les sujets et accordez les participes passés entre parenthèses s'il y a lieu.

1. Cette petite fille est (*choyé*) par ses parents. – **2.** Arthur et Séraphine sont (*parti*) chez leurs grands-parents. – **3.** Mélanie a (*mangé*) beaucoup de bonbons. – **4.** « Pourquoi n'ai-je pas été (*choisi*) à ta place ? », me demandait-elle. – **5.** La neige qui est (*tombé*) cette nuit a (*immobilisé*) tout le village. – **6.** Mes deux amies sont (*venu*) avec leur mère : elles ont toutes trois longtemps (*attendu*).

7 Complétez chaque phrase par un participe passé employé comme adjectif que vous choisirez parmi les infinitifs suivants :

fermer – empiler – donner – raconter – fleurir – croiser.

1. Un objet ... ne peut être repris. – **2.** Mes livres ... sous la poussière sont ternes et froids. (CAVANNA) – **3.** Les roses encore ... hier seront ... demain. – **4.** Rien ne vaut une histoire bien .... – **5.** Il se tenait là, les bras ..., semblant attendre un miracle.

8 Recopiez le texte suivant en remplaçant les infinitifs entre parenthèses par des participes passés. Attention aux accords !

> Sur le côté oriental de la montagne qui s'élève derrière le Port-Louis de l'Isle-de-France, on voit, dans un terrain jadis (*cultiver*), les ruines de deux petites cabanes. Elles sont (*situer*) presque au milieu d'un bassin (*former*) par de grands rochers, qui n'a qu'une seule ouverture (*tourner*) au nord. On aperçoit à gauche la montagne (*appeler*) le morne de la Découverte, d'où l'on signale les vaisseaux qui abordent dans l'île, et au bas de cette montagne la ville (*nommer*) le Port-Louis.
>
> **B. DE SAINT-PIERRE**, *Paul et Virginie*, 1788.

9 Transformez les phrases selon le modèle suivant :
On prépare les desserts → Les desserts sont préparés.
Soyez à chaque fois attentif au temps du verbe et à l'accord du participe passé.

1. On sort les poubelles. – **2.** On atteint la ligne d'arrivée. – **3.** On interrompt les pourparlers. – **4.** On suspend les activités. – **5.** On prévoyait de nombreux encombrements en fin de journée. – **6.** On a ouvert les tiroirs. – **7.** On avait cambriolé la maison. – **8.** On réserva des places pour le concert.

10 **a.** Choisissez la forme de l'infinitif en -*er* ou du participe passé en -*é*. Faites l'accord s'il y a lieu.

b. Dictée Préparez ce texte pour la dictée.

> Les lames encore petites se mettaient à courir les unes après les autres, à (*se grouper*) ; elles s'étaient (*marbrer*) d'abord d'une écume blanche qui s'étalait dessus en bavures. Les pêcheurs se hâtaient tous de (*s'en aller*). Les lames continuaient de se courir après, de se réunir, de (*s'agripper*) les unes aux autres pour revenir toujours plus hautes... Les nuages s'étaient (*déplier*) en l'air.
>
> **P. LOTI**, *Pêcheur d'Islande*.

11 Réécriture Récrivez le texte suivant en remplaçant « un lion » par « une lionne » et « un lièvre » par « des lièvres ».

> Un lion, étant tombé sur un lièvre endormi, allait le dévorer ; mais entre-temps il vit passer un cerf : il laissa le lièvre et donna la chasse au cerf. Or le lièvre, éveillé par le bruit, prit la fuite ; et le lion, ayant poursuivi le cerf au loin, sans pouvoir l'atteindre, revint au lièvre et trouva qu'il s'était sauvé lui aussi.
>
> **ÉSOPE**, *Fable* 204, trad. É. Chambry,
> © Les Belles Lettres, 1996.

12 Écriture Rédigez six phrases dans lesquelles vous emploierez les participes passés suivants :

perdues – terminée – confirmés – effacée – abîmés – peintes.

26 Les terminaisons verbales en [é]

1 L'infinitif

■ **Un verbe qui n'est pas conjugué est à l'infinitif.** Il se termine par *-er*, *-ir*, *-oir*, ou *-re*.

■ Un verbe est à l'infinitif :

– quand il complète un autre verbe. *Il devait **rentrer** de l'école.*

– après une préposition (*à, de, pour, sans…*). *Sylvie commençait **à s'inquiéter**.*

2 Temps simples, temps composés

■ **Rappel :** un **verbe conjugué** peut être **à un temps simple ou à un temps composé**. Il exprime l'action accomplie par le sujet.

■ **Aux temps simples**, le verbe est constitué d'un seul élément : il faut être attentif au temps auquel il est conjugué et à la personne du sujet pour bien écrire sa terminaison.

Vous la voulez. → 2e pers. du plur., présent. *Elle attendait* → 1re pers. du sing., imparfait.

■ **Aux temps composés**, le verbe est constitué d'un **auxiliaire** (*être* ou *avoir*) et d'un **participe passé**.
Elle avait oublié, il est reparti, ils ont perdu.

3 Le participe employé comme adjectif

■ **Le participe passé peut aussi être employé comme un adjectif**, pour qualifier un nom : comme un adjectif, il s'accorde alors en genre et en nombre avec ce nom.
Une maison hantée ; des enfants perdus.

■ **ATTENTION**

• Pour les verbes du premier groupe, l'infinitif (*oublier*), le participe passé (*oublié*) et certaines terminaisons (*oubliaient, oubliez, oubliai*) sont en [é] : il ne faut pas les confondre.

• **Astuce :** en cas de doute, remplacez le verbe du premier groupe par *vendre*.

– Si vous entendez « vendre », écrivez *-er*. *Ils vont **manger*** → *Ils vont **vendre**.*

– Si vous entendez « vendu », écrivez *-é(es)*. *Ils ont **mangé*** → *Ils ont **vendu**.*

– Si vous entendez « vendait », le verbe est conjugué : vérifiez avant d'écrire le temps et la personne. *Ils mangeaient* → *Ils vendaient* (= imparfait).

1 **Écriture** Composez une phrase au passé composé avec chacun des verbes suivants : *demander – jouer – vérifier – oser – parader*. **Variez les personnes employées.**

2 Conjuguez les verbes suivants avec *je* et *elles*, au passé composé, à l'imparfait et au plus-que-parfait :
aimer – plier – ranger – se promener

3 Infinitif ou participe passé ? Choisissez la bonne terminaison en justifiant à chaque fois votre choix.

1. Conrad a (*juré/jurer*) de (*travaillé/travailler*) plus sérieusement l'année prochaine.

2. Pourrais-tu me (*donné/donner*) un chiffon pour (*épousseté/épousseter*) les meubles ?

3. Ce matin, je suis (*resté/rester*) dans mon lit trop longtemps et il m'a fallu me (*dépêché/dépêcher*) pour ne pas (*arrivé/arriver*) en retard en classe.

4. « Où as-tu (*rangé/ranger*) ma ceinture ? – J'ai (*oublié/ oublier*), tu devrais (*regardé/regarder*) dans le tiroir. »

4 Choisissez entre *a* et *à*. Déduisez-en la terminaison du verbe qui suit.

1. J'ai prêté mon livre à Victor et il m'(*a/à*) remerci….
2. Le chat de la voisine occupe ses journées (*a/à*) guett… les passants.
3. Martin nous (*a/à*) parl… de sa cousine Denise.
4. Catherine (*a/à*) invit… Véronique (*a/à*) séjourn… dans sa maison.
5. Je commence (*a/à*) me demand… s'il ne s'est pas forcé (*a/à*) pleur… quand on lui (*a/à*) annonc… la tragique nouvelle.
6. Le professeur nous (*a/à*) donn… cette rédaction (*a/à*) termin… pour demain.
7. [Le soleil] (*a/à*) dérang… les nuages. (HUGO)
8. Que voulez-vous ? Il (*a/à*) ét… pouss… par sa destinée. (MOLIÈRE)

5 **a.** Recopiez les phrases en sautant des lignes et conjuguez les verbes entre parenthèses à l'imparfait.
b. Soulignez les sujets, indiquez en-dessous la personne à laquelle ils correspondent et vérifiez la terminaison des verbes.

1. Je (*ranger*) toujours mes livres dans ma chambre. –
2. Lorsqu'ils (*aller*) au cinéma, Gertrude et Léonce (*se placer*) au premier rang. – **3.** À peine (*commencer*)-vous à travailler qu'il fut l'heure de dîner. – **4.** Sous mes yeux (*s'épanouir*) la plus belle des roses. – **5.** Les contes que nous (*raconter*) notre grand-mère (*ensoleiller*) nos journées pluvieuses.

6 Choisissez entre *étais*, *était*, *étaient* et *été*.

1. Le trimestre dernier, j'ét… la première de la classe en mathématiques.
2. Alors que j'ai ét… humilié, Aristide et Malika ét… juste à côté de moi, ce qui m'a ét… encore plus désagréable.
3. C'ét… en vain que je m'ét… obstinée à chercher mes vieux jouets : ils avaient ét… jetés depuis longtemps.
4. Ils n'auraient pas ét… capables de le reconnaître s'il ne s'ét… pas présenté à eux.

7 **Oral** Relevez les participes passés employés comme adjectifs et précisez quel nom ils qualifient.

1. Je vais, je viens, je traîne mes pas sur l'herbe mouillée. (LAMARTINE)
2. Un ciel marbré de nuées blanches baignait de sa lumière voilée les sillons sablonneux. (THEURIET)
3. La terre fraîchement remuée montrait çà et là des trous. (THEURIET)

4. Perchés sur une galerie de brique et de fer, les verriers s'agitaient. (DUHAMEL)
5. Quand j'ouvris les yeux, étonné de me retrouver sous ce buisson, le soleil était bas. (BOSCO)
6. Entraîné par son compagnon, Oliver parvint tant bien que mal à gravir dans l'obscurité les marches d'un escalier en ruine. (DICKENS)
7. Lorsqu'ils atteignirent la maison hantée, chauffée à blanc par le soleil, ils furent saisis par l'atmosphère étrange et le silence de mort qui l'entouraient. (TWAIN)

8 **Écriture** Enrichissez les noms ou pronoms en gras en utilisant le participe passé du verbe indiqué entre parenthèses. Pensez à accorder le participe passé !

*Exemple : **Les enfants** se demandaient où ils se trouvaient (effrayer). → **Les enfants** effrayés se demandaient où ils se trouvaient.*

1. La vieille **dame** se jeta dans le premier fauteuil venu (*épuiser*). – **2.** **Ils** se regardèrent les uns les autres (*étonner*). – **3.** **Élise et Justine** demandèrent à la **vendeuse** si cela allait durer encore longtemps (*irriter, embarrasser*). – **4.** Il souleva l'étrange **bâche** : un enfant le regardait de ses grands **yeux** (*délaver, terroriser*).

9 Infinitif, participe passé ou imparfait ? Complétez les phrases en n'oubliant pas de faire l'accord.

1. La marée baiss… ; il fall…, pour pass…, attendre le retrait des vagues. (FLAUBERT)
2. Des poiriers, des pommiers mêl… fraternellement leurs branches. Un immense prunier n'en pouv… plus sous les fruits. Déjà les énormes prunes rouges éclat… couvr… le sol. (CAILLEUX)
3. Un petit bonhomme, les mains dans les poches, travers… ce beau jardin pour all… en classe. Il av… le cœur un peu serr… : c'ét… la rentrée. (D'après A. FRANCE)
4. Ils allèrent, à marée haute, écout… le grondement et les coups sourds des vagues qui se ru… contre la falaise. (PEROCHON)

10 **a.** Complétez avec la terminaison qui convient.
b. **Dictée** Préparez ce texte pour la dictée.

Cosette dorm… profondément. Elle ét… toute habill… L'hiver, elle ne se déshabill… pas pour avoir moins froid. Elle ten… serr… contre elle la poupée dont les grands yeux ouverts brill… dans l'obscurité. De temps en temps, elle pouss… un grand soupir comme si elle all… se réveill…, et elle étreign… la poupée dans ses bras.

V. HUGO, *Les Misérables*.

Grammaire

27 L'attribut du sujet

Leçon

- L'attribut du sujet désigne **une propriété**, **un état** ou **une caractéristique du sujet par l'intermédiaire d'un verbe** qui est généralement un **verbe d'état** : *être, paraître, sembler, devenir, demeurer, rester, avoir l'air, passer pour...*

  Ses petits pieds **étaient** *endoloris*.
     sujet   attribut

  → L'attribut du sujet « *endoloris* » exprime une caractéristique du sujet « *Ses petits pieds* ».

- Lorsqu'il s'agit d'un adjectif, l'attribut du sujet **s'accorde** en genre et en nombre **avec le sujet**.
  La terre était froi**de**.

- **Attention**

  Il ne faut pas confondre le complément d'objet direct et l'attribut du sujet.

  – Le COD désigne un objet **différent** du sujet.
  Gerda avait perdu *du temps*. (*du temps* ≠ *Gerda*)
    sujet   COD

  – L'attribut désigne une caractéristique du sujet et nous renseigne sur lui.
  Les feuilles **devenaient** *toutes jaunes*. (*les feuilles* = *toutes jaunes*)
    sujet   attribut

Exercices

1 Écriture À l'aide des verbes *sembler, paraître, devenir, rester, passer pour*, **attribuez une qualité à chacun des termes suivants employés comme sujets :**

la lumière – la lune – le fleuriste – les arbres – le bâtiment – ma grande sœur – cet homme.

2 Écriture Complétez les phrases par un attribut du sujet.

1. Laurent semblait .... – 2. Mme Martino paraît .... – 3. Titouan est .... – 4. Vendredi dernier, les enfants avaient l'air....

3 Oral Dites si les expressions soulignées sont des COD ou des attributs du sujet. Justifiez votre réponse.

1. Adèle corrige son erreur. – 2. Tout devenait clair et limpide. – 3. Quand le temps est trop chaud, je ne quitte pas ma maison. – 4. Nos enfants sont grands maintenant. – 5. La voiture avait l'air rapide. – 6. Les vrais amis sont rares. – 7. Un magnifique rosier orne ma terrasse. – 8. Mon petit frère devient de plus en plus bavard. – 9. Cette balançoire ne me paraît pas bien solide.

4 a. Recopiez les phrases en mettant les sujets au pluriel : dans quels cas les groupes après le verbe changent-ils ?

b. Classez les verbes selon qu'ils sont des verbes d'état ou non.

1. Mon fils deviendra médecin. – 2. Mon fils écoute le médecin. – 3. Le professeur félicite son élève. – 4. Le professeur a l'air mécontent. – 5. Cet homme passe pour très méchant. – 6. L'arbitre reste calme. – 7. Son chien est devenu très maigre. – 8. L'arbitre observe calmement les joueurs. – 9. Il cuit un gâteau. – 10. L'enfant paraissait fatigué. – 11. Le gâteau semble appétissant.

5 Parmi les expressions en gras, relevez celles qui s'accordent avec le sujet.

Camille et Madeleine n'étaient jamais **élégantes** ; leur toilette était **simple et propre**. Les jolis cheveux blonds et fins de Camille et les cheveux châtain clair de Madeleine étaient **doux comme de la soie**. Ils étaient partagés en deux touffes bien lissées, bien nattées et rattachées au-dessus de l'oreille par de petits peignes ; lorsqu'on avait **du monde à dîner**, on y ajoutait **un nœud en velours noir**. Leurs robes étaient en percale blanche tout unie ; un pantalon à petits plis et des brodequins de peau complétaient **cette simple toilette**. Marguerite était **habillée de même**.

LA COMTESSE DE SÉGUR, *Les Petites Filles modèles*.

358

6 **Oral** Dites si les expressions soulignées sont des sujets inversés ou des attributs du sujet.

1. Marc était <u>son meilleur ami</u>. – **2.** À ses côtés était <u>son meilleur ami</u>. – **3.** Dans cette maison, demeure <u>un gentil garçon</u>. – **4.** Malgré ses défauts, il demeure <u>un gentil garçon</u>. – **5.** C'est aujourd'hui qu'est élu <u>le président</u>. – **6.** Felix a été élu <u>président</u>.

7 Relevez les attributs du sujet et indiquez leur nature.

1. Picasso est un grand peintre. – **2.** Son palais magnifique fut la demeure des papes. – **3.** Vivre, c'est lutter. – **4.** Cette histoire a l'air passionnante. – **5.** Ces enfants semblent infatigables. – **6.** Ces lunettes sont les tiennes. – **7.** Les questions me paraissent trop faciles. – **8.** Elle demeurait tranquille pendant des heures dans son fauteuil confortable.

8 **Réécriture** Mettez les phrases suivantes au pluriel.

1. L'animal avait l'air calme.
2. Durant tout l'hiver, la maison est restée fermée.
3. La vieille dame devenait de plus en plus sourde.
4. Cette histoire est vraie, bien qu'elle semble un conte.
5. Ce stylo est le mien.

9 Quelle est la fonction des mots ou groupes soulignés ?

1. M. Guillaume paraît <u>un homme heureux</u>.
2. M. Guillaume enviait <u>cet homme heureux</u>.
3. Cette soirée chez les Leblanc fut <u>un véritable supplice</u>.
4. Loïse fut ravie et embrassa <u>sa sœur</u>.
5. Hector, rends <u>le stylo</u> <u>à ton camarade</u> !
6. Au fond de la clairière, demeurait <u>une vieille femme</u>.
7. Les rues de Montréal sont <u>différentes</u>, et chaque quartier de la ville a <u>son caractère propre</u>.
8. Soudain, surgit <u>un corbeau</u> qui emporta <u>le fromage</u>.
9. Même si elle semble <u>rétablie</u>, Sidonie montre encore souvent <u>des signes de fatigue</u>.

10 **Écriture** Employez le mot *enfant* dans quatre phrases différentes où il sera :

1. Attribut du sujet
2. COD
3. COI
4. Sujet inversé

11 Quelle est la fonction des mots ou groupes soulignés ?

1. Il a <u>une quarantaine d'années</u> et il est probablement <u>fou</u>.
2. Catherine demeurait <u>immobile</u>, les bras ballants. Michel redemanda <u>du café</u>. (A. Hébert)

3. À ces mots, <u>le vieux soldat</u> retomba sur sa chaise, et redevint <u>immobile</u>. (Balzac)
4. Ma distraction est <u>de me promener</u>. Je peux <u>me promener dans la rue</u>, mais je préfère <u>les arbres et les verdures d'un jardin public</u>. (Duhamel)
5. À l'heure où <u>tout le monde</u> était profondément <u>endormi</u>, Clara aimait <u>se promener dans le jardin</u>.

12 **Écriture** Inventez des phrases construites selon les modèles suivants.

1. Sujet + verbe
2. Sujet + verbe + COD
3. Sujet + verbe + COI
4. Sujet + verbe + attribut du sujet
5. Sujet + verbe + COD + COI
6. Sujet + COI + verbe + COD

13 Recopiez les phrases suivantes : encadrez les verbes et soulignez les sujets en rouge, faites un trait ondulé sous les attributs du sujet.

1. La fonction de Cerbère était d'empêcher les morts de sortir.
2. L'ombre des arbres, quand le soleil tombait, était un objet de méditation. (Rolland)
3. Même s'il avait l'habitude de voyager dans le désert, la chaleur lui était insupportable.
4. L'ambition est un sentiment que ma mère est incapable de comprendre.
5. Notre devoir est de rétablir l'ordre avant que la situation ne se détériore davantage.
6. [Le pommier] est rond, son fruit est rond et rose et blanc, comme est blanche, rose et tendre la joue de ce petit enfant maraudeur qui saute le mur du verger. (Jammes)

14 **Analyse** Recopiez les phrases suivantes en sautant des lignes. Encadrez les verbes et soulignez les sujets en rouge, soulignez en bleu les compléments d'objet en précisant si ce sont des COD ou des COI. Faites un trait ondulé sous les attributs du sujet.

1. Je restais assis, bien sage, au premier rang, et j'admirais la toute puissance paternelle. (Pagnol)
2. Il se trouva que la Barbe bleue n'avait point d'héritiers, et qu'ainsi sa femme demeura maîtresse de tous ses biens. Elle en employa une grande partie à marier sa sœur Anne avec un jeune gentilhomme. (Perrault)
3. Tant que Cosette fut toute petite, elle fut le souffre-douleur des deux autres enfants ; dès qu'elle se développa un peu, c'est-à-dire avant même qu'elle eût cinq ans, elle devint la servante de la maison. (D'après Hugo)

28 Le futur et le futur antérieur

Observer

Le Seigneur Dieu dit à la femme : J'<u>augmenterai</u> la souffrance de tes grossesses, tu <u>enfanteras</u> avec douleur, et tes désirs <u>se porteront</u> vers ton mari, mais il <u>dominera</u> sur toi.

La Genèse.

1. Quel est le temps des verbes soulignés ? Justifiez votre réponse.
2. Recopiez ces verbes et entourez leur terminaison. Quelle remarque pouvez-vous faire sur leur radical ?

Leçon

1 Le futur

■ **Les terminaisons** sont les mêmes pour tous les verbes : *-ai, -as, -a, -ons, -ez, -ont*.

■ Pour la plupart des verbes, **le radical est l'infinitif** (sans le *-e* final pour les verbes en *-re*).
Finir → *je finirai* ; *dire* → *je dirai*.

Chanter	Finir	Prendre
Je chanterai	Je finirai	Je prendrai
Tu chanteras	Tu finiras	Tu prendras
Il chantera	Il finira	Il prendra
Nous chanterons	Nous finirons	Nous prendrons
Vous chanterez	Vous finirez	Vous prendrez
Ils chanteront	Ils finiront	Ils prendront

■ **Certains verbes ont un radical irrégulier :**

Être → je serai   **Pouvoir** → je pourrai   **Courir** → je courrai   **Tenir** → je tiendrai
Avoir → j'aurai   **Devoir** → je devrai   **Mourir** → je mourrai   **Cueillir** → je cueillerai
Faire → je ferai   **Savoir** → je saurai   **Venir** → je viendrai   **Voir** → je verrai
Aller → j'irai   **Vouloir** → je voudrai   **Envoyer** → j'enverrai   **Valoir** → je vaudrai

■ **Difficultés :**

– Verbes en *-ier, -éer, -uer, -ouer* : n'oubliez pas le *-e* muet avant le *-r*.
Clouer → *Je clouerai* ; *trier* → *je trierai*.

– Verbes en *-yer* : le *-y* devient *-i* (on peut garder le *-y* seulement pour les verbes en *-ayer*).
Appuyer → *j'appuierai* ; *payer* → *je paierai*.

– **Appeler** et **jeter** doublent la consonne à toutes les personnes : *je jetterai, j'appellerai*.

2 Le futur antérieur

Il est formé de **l'auxiliaire *être* ou *avoir*** au futur et du **participe passé** du verbe.

Aller		Prendre	
Je serai allé(e)	Nous serons allé(e)s	J'aurai pris	Nous aurons pris
Tu seras allé(e)	Vous serez allé(e)s	Tu auras pris	Vous aurez pris
Il/Elle sera allé(e)	Ils/Elles seront allé(e)s	Il aura pris	Ils auront pris

1 **Écriture** Écrivez six phrases au futur pour dire comment vous imaginez votre vie lorsque vous aurez 28 ans.

2 Donnez l'infinitif de ces verbes au futur.

je saurai – je serai – il vaudra – il voudra – nous pourrons – nous courrons – nous irons – nous viendrons – j'enverrai

3 Parmi les formes suivantes, ne relevez que les verbes au futur.

nous adorons – nous espérons – nous devrons – vous connaîtrez – vous créez – vous mourrez – je verrais – vous courez – vous iriez – il fera – il serra – je tiendrai – ils sauront – vous direz – vous tirez – vous entourez – vous finirez

4 Conjuguez au futur, avec *je, tu* et *ils*.

être attentif – partir aussi – voir cela – comprendre – faire attention – continuer demain

5 Conjuguez les verbes au futur.

1. Tu ne (*tuer*) point. – **2.** Tu (*honorer*) ton père et ta mère. – **3.** Je (*nettoyer*) les assiettes et tu les (*ranger*). – **4.** Je (*courir*) le marathon de Paris. – **5.** Nous (*se marier*) et nous (*avoir*) trois enfants. – **6.** Tu (*devenir*) célèbre. – **7.** Il (*valoir*) mieux ne rien dire. – **8.** Tu (*s'asseoir*) là. – **9.** Je (*cueillir*) des herbes que je (*mettre*) à cuire. – **10.** Nous (*devoir*) partir tôt. – **11.** Je (*faire*) ce que tu (*vouloir*) – **12.** Ils ne (*tenir*) plus longtemps. – **13.** Vous (*emprunter*) ce chemin et vous (*voir*) un escalier que vous (*descendre*). – **14.** Ils le (*secourir*).

6 Transposez au futur.

je défais – elles balaient – il aboie – il boit – je crois – il doit – tu éternues – nous jetons – vous saluez – nous savons – ils atterrissent – ils voient – j'apprends – vous appelez – nous plions – nous nous levons – j'accueille

7 a. Mettez les verbes entre parenthèses au futur.
b. **Dictée** Préparez ce texte pour la dictée.

Lorsque Abram fut âgé de quatre-vingt-dix-neuf ans, l'Éternel apparut à Abram, et lui dit : « J'(*établir*) mon alliance entre moi et toi, et je te (*multiplier*) à l'infini. » Abram tomba sur sa face ; et Dieu lui parla, en disant : « Tu (*devenir*) père d'une multitude de nations. On ne t'(*appeler*) plus Abram ; mais ton nom (*être*) Abraham, car je te rends père d'une multitude de nations. Je te (*rendre*) fécond à l'infini, je (*faire*) de toi des nations ; et des rois (*sortir*) de toi. Toi, tu (*garder*) mon alliance. »

La Genèse, trad. L. Segond.

8 a. Même consigne.
b. **Dictée** Préparez ce texte pour la dictée.

Je vais te préparer un breuvage que tu (*emporter*) à terre avant le lever du soleil, tu (*s'asseoir*) sur le rivage et tu le (*boire*), et alors ta queue (*se fendre*) et, en se rétrécissant, elle (*se transformer*) en ce que les hommes appellent deux jolies jambes, mais cela te (*faire*) mal, ce sera comme si on te coupait avec une épée tranchante. Tous ceux qui te (*voir, dire*) qu'ils n'ont jamais vu d'enfant des hommes plus ravissant ! Tu (*conserver*) ta marche légère et gracieuse, nulle danseuse ne (*pouvoir*) l'égaler, mais chaque pas que tu (*faire*) te (*causer*) autant de douleur que si tu marchais sur un couteau bien affilé qui ferait couler ton sang. Si tu es prête à endurer toutes ces souffrances, je consens à t'aider.

H. C. ANDERSEN, *La Petite Sirène*, trad. M. Auchet, LGF, 2000.

9 Mettez les verbes entre parenthèses au futur antérieur.

1. Au moins, j'(*essayer*). – **2.** Nous ne (*arriver*) jamais à temps. – **3.** Plus vite vous commencerez, plus vite vous (*finir*). – **4.** Sans doute, elles (*se perdre*). – **5.** Il (*avoir*) neuf ans en mars. – **6.** J'espère que, cette fois, tu (*comprendre*) la leçon. – **7.** Demain, ils (*partir*) déjà.

10 Mettez les verbes entre parenthèses au temps indiqué.

« Mes frères, disait-il, (*pouvoir, futur*) gagner leur vie honnêtement en se mettant ensemble ; pour moi, lorsque je (*manger, futur antérieur*) mon chat, et que je (*se faire, futur antérieur*) un manchon de sa peau, il (*falloir, futur*) que je meure de faim. »

CH. PERRAULT, *Le Chat botté*.

11 **Écriture**

Une sorcière donne ses recommandations à un héros avant l'absorption d'un breuvage magique. Rédigez ces recommandations en huit à dix phrases en utilisant principalement le futur.

Réinvestir
ses connaissances

▶ Réviser

1 Oral Dites si les groupes en couleur exercent la fonction COD ou COI.

1. Avant d'aller jouer, j'essuie toujours la table du goûter.
2. Le pont qui enjambe la rivière du village s'est effondré.
3. Dans sa poussette, le bébé sourit aux passants.
4. Adressez-vous à ce monsieur, il vous donnera le renseignement que vous cherchez.
5. Ces grands arbres nous protègent du soleil.
6. La plupart des oiseaux mangent de petits insectes.
7. Suzanne demande du pain bien cuit au boulanger.

2 Relevez les compléments d'objet et classez-les selon qu'ils sont COD ou COI.

Comme je voulais connaître la haute montagne, j'ai parlé de mes projets à un guide. J'ai également demandé des conseils à un ami alpiniste. Nous avons consulté ensemble des cartes, puis nous avons étudié un itinéraire. Enfin, un beau jour, nous nous sommes mis en marche et avons demandé ses secrets à la montagne.

3 Oral Relevez les participes passés. Lesquels sont employés comme adjectifs ? Pour ces derniers, précisez le nom qu'ils qualifient.

1. Les lavandières ont étendu le linge.
2. Après l'averse, les enfants, trempés, sont retournés chez eux.
3. Les dents serrées, il n'a pas crié malgré la douleur ressentie.
4. Étendu dans l'herbe, un enfant dormait.
5. En arrivant, j'ai serré toutes les mains tendues.

4 Recopiez ce texte en mettant au participe passé les verbes entre parenthèses. Attention aux accords !

Une école d'autrefois
De la porte (*placer*) dans un angle, je vis en face de moi, au fond de la salle, une grande cheminée où montait le tuyau d'un poêle ; le long des trois autres côtés, les écoliers, (*assoir*) sur des bancs sans dossiers ni tables, tenaient une planche sur leurs genoux, leur planche à écrire, (*percer*) en haut d'un petit trou où passait une ficelle qui la

suspendait au mur, la classe (*finir*)... Le sol, de terre (*battre*), ondulait légèrement.

D'après **E. Lavisse**, *Souvenirs*.

5 Oral Relevez les attributs du sujet.

1. Quoi ! Vous n'êtes pas encore prêts ?
2. Est-elle toujours aussi aimable ?
3. Cette histoire paraît un vrai conte de fée.
4. Si la route vous semble trop longue, chanter une chanson est un passe-temps.
5. Avec son visage tanné par le vent, le vieux marin semblait un corsaire des temps héroïques.

6 Complétez ces phrases par les attributs du sujet suivants. Aidez-vous du sens et des accords.

sages – une clarté qui vient par surprise – gentilles – froid – très agréable – grise – la plus agréable – surpris

1. Soyez ..., petites ; soyez ..., les enfants.
2. Le professeur parut ... que je ne sache pas que c'était les vacances.
3. Cette journée est restée ....
4. Une fois rénové, cet appartement sera ....
5. Le brouillard est ..., la bruyère est ... ;
Les troupeaux de bœufs vont aux abreuvoirs ;
La lune, sortant des nuages noirs,
Semble .... (Hugo)

7 Conjuguez au futur les verbes entre parenthèses.

1. Ce petit garçon indiscipliné (*devenir*) roi.
2. Demain, c'est moi qui (*payer*).
3. Si vous n'écoutez pas, comment (*pouvoir*)-vous comprendre ?
4. Puisque Marie n'a pas pu venir, nous lui (*envoyer*) son cadeau par la poste.
5. Justin et Gribouille promettent qu'ils nous (*appeler*) dès qu'ils (*arriver*).
6. Demain, nous nous (*mettre*) au travail : je (*trier*) les gravures et toi tu les (*clouer*) au mur.

8 Transposez au futur antérieur.

1. Ces quelques jours passeront très vite.
2. Vous partirez avant mardi.
3. Sylvain oubliera sans doute notre rendez-vous.
4. Ils s'égareront et s'apercevront de leur erreur.

▸ Croiser les connaissances

9 **Choisissez le bon homophone.**

1. Ce livre est passionnant : Mathilde (*la/l'a*)-t-elle déjà lu ?
2. Ce tableau est magnifique, je (*les/l'ai*) en reproduction.
3. (*La/L'a*) vie à (*la/l'a*) campagne peut être rude ; Ernest, (*la/l'a*) méprise, mais (*la/l'a*)-t-il vraiment connue ?
4. Cette vie, je (*les/l'ai*) trouvée bonne. (RENAN)
5. Le feu qui semble éteint souvent dort sous (*la/l'a*) cendre. (CORNEILLE)
6. Ils étaient là tous (*les/l'ai*) cinq, (*les/l'ai*) quatre gosses et (*la/l'a*) mère... alors j'ai pris tout mon argent et je (*les/l'ai*) donné à la femme. (BORDEAUX)

10 **Recopiez les phrases, soulignez en vert les** COD **et en rouge les** attributs du sujet.

1. M. Rauvent est le chef de service.
2. Connaissez-vous mon chef de service ?
3. Évitez avec soin cette méchante femme.
4. Vous devriez consulter un grand médecin.
5. Madame Michu n'a pas l'air d'une méchante femme.
6. Restez aimables en toutes circonstances : évitez la colère.
7. Malgré son grand âge, il reste un grand médecin.

11 **Transposez au passé composé.**

1. Dans un coin du grenier se cache une famille de petites souris grises. – **2.** Jean le ramènera à la maison. – **3.** Ils m'avaient souhaité la bienvenue mais ils t'avaient mis dehors. – **4.** Par ce temps-là, n'auraient-ils pas mieux fait d'aller au cinéma ? – **5.** T'avaient-ils renseigné sur cette énigme ? – **6.** Attention ! Tu me marches sur le pied. – **7.** Les enfants te parlent de leurs projets. – **8.** Louis me rend ma scie.

12 **Indiquez la fonction des groupes en couleur.**

1. En nous promenant, nous avons aperçu un drôle d'animal.
2. Paris, pendant les mois d'hiver, reste une ville pleine de charme.
3. Vifs et alertes étaient restés leurs grands-parents.
4. Du creux d'un arbre, surgit un drôle d'animal.
5. Habilement conseillé, ce roi se montrait toujours très sage.
6. Il y a bien longtemps de cela, régnait au pays d'Allimarie un roi très sage.
7. Avoir des livres est bien, car lire apporte beaucoup de satisfaction.

13 **Choisissez la bonne terminaison en [é] en prenant soin de vérifier les accords.**

1. Sylvestre a préfér... rentr... avant la nuit. – **2.** Julie ét... trop press... pour regard... le paysage. – **3.** Elle lui av... confi... une commission. – **4.** Nous avons regrett... ton absence et beaucoup d'amis ét... déçus. – **5.** La nuit venue, le braconnier est all... pos... ses pièges. – **6.** Les coureurs, fatigu..., lutt... contre l'épuisement qui les gagn....

▸ Maîtriser l'écrit

14 Réécriture **Transposez selon les indications. Attention aux accords !**

1. Ah ! le renard est rusé. Je le croyais cependant pris, cette fois ! → *remplacer « le renard » par « les renards ».*
2. C'était le plus beau château du monde. Il était construit sur une roche élevée et tout entouré de murs. → *au pluriel.*
3. Les aboiements étaient confus, moins sûrs d'eux, plus éloignés. (DE LA ROCHE) → *au singulier.*
4. Maman plie en deux la feuille de papier, l'insère dans l'enveloppe mauve qu'elle ferme, écrit l'adresse et repose la plume sur l'encrier. (LICHTENBERGER) → *au futur et en remplaçant « maman » par « je ».*
5. Lointain, ténu, un ronronnement parvint, le bourdonnement d'un lointain insecte. (VAN DER MEER) → *au pluriel et au passé composé.*
6. Le feuillage qui boit les vapeurs de l'étang, lassé des feux du jour, s'apaise et se détend. (DE NOAILLES) → *au futur en remplaçant « le feuillage » par « les ramures ».*

15 **a. Complétez par la bonne terminaison en [é] et accordez s'il y a lieu les adjectifs entre parenthèses.**
b. Préparez ce texte pour la dictée.

Les murs (*épais*) et (*solide*) protég... bien contre la chaleur et le froid. Le toit élev..., (*recouvert*) de (*bon*) tuiles, abrit... un (*vaste*) grenier où la lessive pouv... séch.... Les fenêtres, un peu (*étroit*) pour mieux résist... au vent, et (*muni*) encore de leurs (*petit*) carreaux, ét... encadr... de vigne (*vierge*) et de clématite dont les fleurs se balanc.... Le balcon ét... en (*vieux*) fer forg... ; les pigeons perch... sur la girouette, et, devant la porte, dorm... un (*gros*) chien, les pattes allong....

D'après **G. DROZ**, *L'Enfant*.

29 Les compléments circonstanciels : manière, temps et lieu

Observer

Mon voisin s'est blessé.

1. Relevez le verbe et le sujet de cette phrase.

2. Que veut-on dire lorsqu'on demande : « dans quelles circonstances cela s'est-il passé ? »

3. Complétez cette phrase en précisant les circonstances de l'action.

Leçon

■ Le complément circonstanciel indique les **circonstances** dans lesquelles se produit l'action ou **l'état** exprimé par le verbe.

■ Pour reconnaître les compléments circonstanciels, on pose certaines questions.

– **Le complément circonstanciel de lieu** répond aux questions « *où, d'où, jusqu'où ?* », posées après le verbe.

> *Geppetto entra **dans son atelier**. → Geppetto entra **où** ?*
> *Geppetto sortit **de son atelier**. → Geppetto sortit **d'où** ?*
> *Il marcha **jusqu'à son atelier**. → Il marcha **jusqu'où** ?*

– **Le complément circonstanciel de temps** répond aux questions « *quand, depuis combien de temps, pendant combien de temps ?* », posées après le verbe.

> ***Depuis quelques instants**, il entendait une petite voix. → Il entendait une petite voix **depuis quand** ?*
> *Il s'aperçut **bientôt** que la bûche parlait. → Il s'en aperçut **quand** ?*
> ***Pendant quelques minutes**, il demeura stupéfait. → Il demeura stupéfait **pendant combien de temps** ?*

– **Le complément circonstanciel de manière** répond à la question « *comment ?* », posée après le verbe.

> *Il recula **précipitamment**. → Il recula **comment** ?*

■ La **place** du complément circonstanciel peut parfois **varier**.

> ***Devant lui**, se tenait un petit garçon. Un petit garçon se tenait **devant lui**.*

■ **Remarque :** lorsque le complément circonstanciel est placé en tête de phrase, il est générale-ment détaché par une virgule.

Exercices

1 Écriture **Un local d'entretien du collège a pris feu : écrivez le début d'un article pour le journal du collège. Soyez très précis sur les circonstances dans lesquelles s'est déroulé cet événement.**

2 Oral **Dans chaque phrase, dites à quelle question répond le groupe en gras.**

1. La demeure de Geppetto se composait d'une pièce **au rez-de-chaussée**. – **2.** Il saisit le pantin **par le nez**. – **3.** J'habite cette maison **depuis plus de cent ans**, dit le grillon parlant. – **4. Demain, dès l'aube**, alors que mon **père dormira encore**, je partirai d'ici. Sinon il me faudrait aller **à l'école** comme les autres enfants. – **5.** « As-tu fini de rire ? » hurla-t-il **d'une voix menaçante**. – **6.** Il partit en charrette **jusqu'au pays voisin**.

3 **Recopiez les phrases suivantes et complétez-les par le complément circonstanciel indiqué.**

a. Lieu : 1. Les vagues déferlent .... – **2.** Pour les vacances, nous irons .... – **3.** .... pendaient de longues toiles d'araignée.
b. Temps : 1. Elles attendent le bus .... – **2.** .... j'irai au cinéma. – **3.** Le coureur a effectué le tour de piste ....
c. Manière : 1. Les élèves travaillent .... – **2.** Le voyageur marche .... – **3.** Il parle l'anglais ....

4 Donnez la fonction exacte du groupe en gras en précisant à quelle question il répond.

1. Nous sommes restés **plusieurs jours** sur cette île. – **2. Le jour** commençait à peine à se lever. – **3.** Nous avons bu **cette eau fraîche** à grandes gorgées. – **4.** Les enfants ont plongé **dans l'eau du lac**. – **5.** Je me souviens **de vous**. – **6.** Je vous rejoins **chez vous**. – **7.** J'y resterai **une semaine**. – **8.** Je restais **stupéfaite** devant ce spectacle.

5 Dans les phrases suivantes, soulignez les compléments circonstanciels de lieu.

1. Soudain, dans un fouillis d'arbres, un pan de mur apparut. (Romain) – **2.** L'après-midi, une barque se détache du bateau et va vers la rive du fleuve. (Supervielle) – **3.** Alice finit par étendre les deux bras autour du champignon aussi loin qu'elle le put, et en détacha, du bord, un morceau de chaque main. (Carroll) – **4.** Il logeait dans la bergerie et y disparaissait dès les premières ombres. (Bosco)

6 Dans les phrases suivantes, soulignez les compléments circonstanciels de temps.

1. Été comme hiver, on l'entendait qui sifflait son chien dans la cour, aux pointes de l'aube. (Bosco) **2.** Cette nuit, je ne pus dormir. Alissa avait paru au dîner, puis s'était retirée aussitôt, se plaignant de migraine. (Gide) **3.** Mon père lisait du matin au soir et nous, nous jouions toute la journée. **4.** Dès qu'ils entendirent le bruit du moteur, ils se précipitèrent à la porte.

7 Relevez les compléments circonstanciels de temps, de lieu ou de manière.

1. Nous sommes arrivés en voiture chez nos amis. – **2.** Il marchait à petits pas pressés en direction de l'hôtel de ville, quand un passant l'aborda. – **3.** Aux poutres noires du plafond pendaient des jambons fumés et le chat les reniflait avec avidité. – **4.** Soudain, elle poussa le seau à l'aide de son balai, en poussant un cri strident. – **5.** Je lui répondrai par lettre, dès que j'en aurai le temps. – **6.** Ce moteur fonctionne-t-il à l'essence ou à l'électricité ? – **7.** Nous y retournerons quand la pluie aura cessé.

8 Recopiez les phrases suivantes, entourez les verbes conjugués et soulignez en rouge leur sujet. Soulignez en bleu les compléments d'objet. Soulignez en vert les compléments circonstanciels. Précisez s'il s'agit de compléments circonstanciels de temps, de lieu ou de manière.

1. Dans la marmite, mijote un pot-au-feu. – **2.** Parfois, sous la voûte des branches, un oiseau s'élançait à vive allure. – **3.** Les élèves, dès qu'ils ont terminé, posent sur la table leur copie. – **4.** Le plus souvent, nous percevions dans les buissons la présence d'un animal. – **5.** Plus tard, chantait, non loin de nous, une tribu plus douce de crapauds. (Bosco) – **6.** Toutes les nuits, à la même heure, un oiseau merveilleux lançait son appel du sommet d'un chêne.

9 Indiquez la fonction des groupes de mots en gras et précisez-en la nature.

Dans le fond, on apercevait un feu superbe. Mais le feu était peint sur le mur et, **à côté du feu**, on avait peint également **un pot-au-feu** qui bouillait **joyeusement** en laissant échapper un nuage de fumée, lequel donnait amplement l'illusion de la réalité.

Le pauvre Pinocchio courut **vite** au foyer où la marmite était en train de bouillir.

Pendant ce temps, la faim croissait, croissait toujours, et le pauvre Pinocchio n'avait pas d'autre ressource que de bâiller. Il faisait des bâillements si larges que **sa bouche** arrivait parfois **jusqu'aux oreilles**. **Après chaque bâillement**, il lui semblait que son estomac l'abandonnait.

Soudain, alors qu'il était sur le point de s'endormir, il lui sembla voir, dans un tas d'ordures, **quelque chose de rond et de blanc** qui ressemblait à un œuf. Pinocchio sauta **dessus**. […] En l'embrassant, il disait : « Et **maintenant** comment vais-je le faire cuire ? »

D'après **C. Collodi**, *Pinocchio*, trad. A. Ricci, © Le Livre de Poche Jeunesse, 2007.

10 **a.** Trouvez dans ce texte quatre compléments circonstanciels de lieu, deux compléments circonstanciels de temps, un complément circonstanciel de manière et deux compléments circonstanciels de moyen que vous soulignerez.

Il y avait à Montmartre, au troisième étage du 75 bis de la rue d'Orchampt, un excellent homme nommé Dutilleul qui possédait le don singulier de passer à travers les murs sans en être incommodé. Il portait un binocle, une petite barbiche noire et il était employé de troisième classe au ministère de l'Enregistrement. En hiver, il se rendait à son bureau par l'autobus et, à la belle saison, il faisait le trajet à pied, sous son chapeau melon.

M. Aymé, *Le Passe-Muraille*, © Éd. Gallimard.

b. **Écriture** Racontez dans quelles circonstances le héros s'aperçoit qu'il passe au travers des murs. Employez des compléments circonstanciels variés.

30 Le complément du nom

Observer

Durant le repas de midi, le neveu d'Agathe a mangé de la tarte aux pommes.

1. Quelle est la nature de chacun des groupes soulignés ?
2. Quel mot chacun des groupes de mots en rouge complète-t-il ?
3. Quelle est, à chaque fois, la nature de ce mot complété ?

Leçon

■ Un groupe nominal (GN) s'organise autour d'un nom qu'on appelle « noyau ». Un groupe prépositionnel peut **suivre** ce nom noyau pour apporter une information sur celui-ci. La fonction de ce groupe prépositionnel est alors **complément du nom** (CDN).

> *Un magasin de jouets* → *magasin* est le noyau de ce GN ; *de jouets* est le complément du nom *magasin*.

■ Le **complément du nom** est généralement introduit par une préposition (*à*, *de*, *pour*, *en*, *sans*...), suivie de :

– un nom ou un GN : *le sac en cuir* ; *le sac en cuir verni*.

– un pronom : *pour l'amour de celle-ci*.

– un verbe à l'infinitif : *une brosse à reluire*.

– un adverbe : *les enfants d'aujourd'hui*.

> **ATTENTION**
> On ne dit pas : « la feuille *à* Jérémie »
> mais « la feuille *de* Jérémie ».

■ **Remarque :** lorsque le sujet du verbe est un **groupe nominal**, l'accord se fait avec le **noyau** de ce groupe nominal.

> *La **photographie** de ses neveux est pos**ée** sur son bureau.*

Exercices

1 a. Complétez les groupes nominaux par un complément du nom de votre choix.

des litres de ... – un café sans ... – le désir de ... – une vue sur ... – une machine à ... – le droit de ... – des huîtres de ... – un apprentissage par ... – un repas sans ... – un produit pour ... – une protection contre ... – l'obéissance envers ... – un bateau à ... – des ciseaux à ... – des ciseaux de ... – des ciseaux en ... – une boîte à ... – une boîte de ...

b. Expliquez la différence de sens entre les groupes nominaux suivants.

1. un sac à linge sale/un sac de linge sale
2. une cuiller à soupe/une cuiller de soupe

2 a. Recopiez les groupes nominaux suivants. Soulignez en rouge le noyau, en bleu le complément du nom et entourez la préposition qui l'introduit.

b. Donnez la nature du complément du nom.

un carré de chocolat – une poêle à frire – un poêle à mazout – un batteur à œufs – joie d'offrir, plaisir de recevoir – le bonheur de tes parents – l'amour des miens – les paysages d'ici – la crainte de périr – la peur de l'ennemi – un temple d'époque romaine – un dé à coudre – une spécialité de Nantes

3 Dans les expressions suivantes, remplacez les adjectifs en gras par un complément du nom de même sens.

Exemple : *un fromage **français*** → *un fromage de France*

des soirées **estivales** – un chemin **montagnard** – un vin **savoyard** – une visite **nocturne** – une croisière **fluviale** – un accent **méridional** – une merveille **architecturale** – un exemple **grammatical** – une samba **brésilienne** – un air **bovin** – le pays **natal** – une température **hivernale** – un arrêt **cardiaque** – une entreprise **britannique** – une musique **orientale**

4 Dans les expressions suivantes, remplacez les compléments du nom en gras par un adjectif de même sens.

Exemple : du thé __de Chine__ → du thé chinois

un remède **des ancêtres** – une vie **en ville** – l'air **de la mer** – un chemin **en forêt** – la grippe **du porc** – une crise **dans le monde** – un paradis **sur Terre** – le palais **du roi** – un abri **sur la côte** – une touriste **du Danemark** – un accent **de la campagne** – un trésor **de Grèce** – un château **du Moyen Âge** – un voyage **dans les airs**

5 Simplifiez les expressions suivantes en remplaçant le groupe souligné par un groupe nominal prépositionnel (de fonction complément du nom).

Exemple : une maison qui est construite avec des briques → une maison en briques

1. une jupe qui est en laine
2. une scie qui sert à couper des métaux
3. la princesse qui a des cheveux d'or
4. un appel qui vient de l'espace
5. un plat dans lequel on met des fromages
6. la punition que la directrice a donnée
7. une chambre qui a une vue sur la mer
8. une plaine qui est située en Russie
9. une rose qui a un doux parfum

6 Ne confondez pas complément du nom, COI et complément circonstanciel. Indiquez si les groupes soulignés complètent un nom ou un verbe, puis donnez leur fonction.

1. Julie et Jimmy habitent en Guyane. – 2. Je présente mon camarade à mes parents. – 3. Émilie porte une jupe à fleurs. – 4. Je me souviens de mes vacances en Bretagne. – 5. Ne te souviens-tu pas de ton enfance ? – 6. Timothée se rend au collège en car. – 7. Le général s'adressa à ses troupes avec fermeté. – 8. Le général condamna la trahison d'un soldat. – 9. La pêche à la ligne est un passe-temps qui déplaît à Camille. – 10. Léonie souffle la réponse à son voisin. – 11. Gaspard répète la réponse de son voisin.

7 a. Recopiez les groupes nominaux et entourez leur noyau.

b. Soulignez les compléments du nom et, à l'aide d'une flèche, indiquez quel nom ils complètent.

1. Aujourd'hui, elle revenait. Orpheline sans mémoire, princesse sans royaume. Marchant sans fin dans les couloirs de la nuit, et cherchant à tâtons sa maison, ses frères, ses parents. (CHANDERNAGOR)

2. Au départ d'Antioche, Séléné, assise dans sa litière aux rideaux ouverts, joue avec une figurine de faïence bleue. (CHANDERNAGOR)

8 Conjuguez les verbes entre parenthèses au temps de l'indicatif indiqué. Attention à l'accord avec le sujet !

1. Les cheveux de Stéphanie (*briller, présent*) au soleil. – 2. Les rames de la galère (*s'agiter, imparfait*) dans la mer. – 3. Le chocolat aux noisettes (*être, présent*) mon préféré. – 4. Les voisins de la sorcière (*se méfier, passé simple*) de ses cadeaux. – 5. Le camion des pompiers (*parvenir, passé simple*) rapidement sur les lieux du drame. – 6. La chasse aux œufs (*se terminer, futur simple*) à quatre heures. – 7. Les acteurs de cette comédie de Molière (*revenir, plus-que-parfait*) sur scène pour saluer le public.

9 Transformez les phrases suivantes en groupes nominaux contenant un complément du nom, à la manière des titres de journaux.

Exemple : Les sapins seront vendus sur la place du marché. → Vente __de sapins__ sur la place du marché.

1. Nelson Mandela a été libéré en 1990. – 2. Jules César a vaincu les Gaulois. – 3. Deux randonneurs disparurent en montagne. – 4. La situation s'aggrave de jour en jour. – 5. On construisit la Tour Eiffel à Paris. – 6. Le malfrat a détruit les preuves. – 7. Il est défendu de fumer. – 8. Le collège sera fermé durant la tempête. – 9. Des archéologues italiens découvrent une tombe étrusque.

10 Enrichissez le texte suivant en ajoutant un complément du nom de votre choix.

Richement vêtue d'une robe … et coiffée d'un diadème …, la fille … attirait sur elle tous les regards …. Comme elle avait été conviée au bal …, la jeune fille s'y rendit et donna la preuve …. Tous souhaitaient l'inviter à danser et elle accepta la demande …. Hélas, ses souliers … lui blessaient cruellement les pieds et elle dut renoncer au plaisir …. Un rapide regard … l'avertit qu'il était l'heure du retour ….

11 **Écriture** Décrivez brièvement une boutique en montrant l'abondance des marchandises. Employez le plus possible de compléments du nom. Évoquez les récipients (sacs, sachets, filets, boîtes, pots…), l'origine des produits, la matière des objets…

31 La fonction des mots

Cette maison date du XVᵉ siècle.
Nous avons construit nous-mêmes notre maison.
Nous te retrouverons à la maison.
Le chat a grimpé sur le toit de la maison.

1. Donnez la nature du mot « maison » : cette nature change-t-elle d'une phrase à l'autre ?

2. Dans chacune des phrases, repérez le verbe conjugué et son sujet.

3. À quelle question le GN « notre maison » répond-il ? Et le GN « à la maison » ?

4. Quel mot le groupe « de la maison » complète-t-il ? Déduisez-en sa fonction.

1 La fonction d'un mot

La fonction d'un mot, c'est **son rôle dans une phrase** : sujet du verbe, COD, complément circonstanciel…
La fonction d'un mot dépend donc de la phrase dans laquelle il est employé.

> **ATTENTION**
> Ne confondez pas nature et fonction.
> – Donner la nature d'un mot, c'est indiquer de quelle **sorte de mot** il s'agit : verbe, nom, conjonction… (voir p. 348).
> – Donner la fonction d'un mot, c'est indiquer **son rôle dans une phrase** précise.

2 Les principales fonctions

Fonctions autour du verbe	Fonctions autour du nom
Sujet Attribut du sujet COD, COI, COS Complément circonstanciel (de temps, de lieu, de manière…)	Complément du nom Épithète (pour les adjectifs seulement)

3 Trouver la fonction d'un mot

1. On repère chaque verbe conjugué.

2. On cherche d'abord le sujet du verbe.

3. On se demande si le verbe est transitif ou intransitif.
– S'il est transitif, on cherche un complément d'objet.
– S'il est intransitif, on cherche s'il y a un attribut du sujet.

4. On repère les compléments circonstanciels en se demandant à quelle question ils répondent.

5. On cherche à quel mot se rattachent les groupes qui restent.

1 Oral **Vrai ou faux ?**

1. Un mot a une fonction même s'il n'est pas employé dans une phrase.

2. La fonction d'un mot peut changer d'une phrase à l'autre.

3. La fonction d'un mot peut être sujet, verbe, COD, pronom.

4. La première fonction à repérer dans une phrase est le sujet du verbe.

2 Dans le texte suivant, relevez les verbes conjugués et précisez leur sujet.

Jocabed est obligée d'abandonner son enfant, Moïse, pour le soustraire aux persécutions des Égyptiens. Elle le dépose sur le Nil dans un berceau flottant.

Jocabed en larmes venait à peine de déposer le berceau entre les roseaux que la fille de Pharaon, accompagnée de ses suivantes, descendit vers le Nil pour se baigner. À quelques pas s'était cachée Myriam, sœur aînée du bébé. La princesse aperçut le berceau et ordonna à sa servante d'aller le chercher. Le bel enfant pleurait. « C'est sans doute quelque enfant hébreu », dit Bithya, prise de pitié. Une si grande tendresse habitait sa voix que Myriam prit le risque de s'avancer. « Veux-tu que je cherche une nourrice parmi les femmes des Hébreux ? demanda-t-elle. – [Oui.] », répondit la princesse. Et Myriam alla chercher Jocabed.

M. Kahn, *Contes et Légendes de la Bible*,
© Éd. Nathan, 2003.

3 Recopiez les phrases suivantes, entourez le verbe conjugué, soulignez en rouge son sujet et en bleu son COD.

1. La vieille femme ramassa ses affaires. – **2.** Il répétait lentement, méthodiquement, les mêmes gestes. – **3.** Le chat portait chaque semaine le fruit de sa chasse au roi. – **4.** Nous ne pouvons pas continuer ainsi. – **5.** Je te ramène chez toi. – **6.** Quelle décision prendraient-ils ? – **7.** Elle affirme qu'ils étaient absents ce jour-là. – **8.** Je les reconnais bien là.

4 Oral Dites si les groupes en gras sont sujets inversés ou COD.

1. Au milieu de la salle se dressait **un trône somptueux**. – **2.** Jules César a conquis **un empire**. – **3.** Il raconta alors **son histoire**. – **4.** **Quelle erreur** ils avaient commise ! – **5.** Ils **nous** aideront bien volontiers. – **6.** Enfin arriva **le temps de la victoire**. – **7.** Ainsi reprirent-ils **leur chemin**.

5 Oral Dites si les verbes en gras sont transitifs ou intransitifs. Déduisez-en la fonction des groupes soulignés.

1. Assurément, cet homme **est** le Fils de Dieu ! – **2.** L'ange Gabriel **dicta** le Coran à Mahomet. – **3.** Yahvé **interdit** à Adam et Ève de manger du fruit de cet arbre. – **4.** Joseph **se rendit** à Bethléem. – **5.** Joseph **devint** le favori de Pharaon. – **6.** Marie **paraissait** bouleversée. – **7.** Moïse **conduisit** son peuple hors d'Égypte. – **8.** Ève **obéit** au serpent. – **9.** Abel **était** berger. – **10.** L'agneau **dormira** tranquille entre les pattes du lion.

6 Donnez la fonction des mots ou groupes de mots soulignés.

1. Abraham remonta la vallée de l'Euphrate.
2. Autrefois, les élèves écrivaient à la plume.
3. Devant nous coulait un fleuve impétueux.
4. Par amour pour elle, Georges a renoncé à un poste important dans les Pyrénées.
5. Le président de séance a demandé le silence.
6. Ils travaillaient en silence.
7. Abraham était devenu un riche berger nomade.
8. Je lui téléphone tous les jours.
9. La colère de Pharaon a été terrible.
10. Ramsès rassembla ses soldats.
11. Dieu ordonna à Abraham le sacrifice de son fils.
12. Les Hébreux traversèrent la mer Rouge à pied sec.
13. Nous naviguerons sur la mer Rouge.
14. Joseph était le fils de Jacob.
15. Quelle peur a eue Isaac !

7 Complétez les phrases par un mot ou un groupe de mots occupant la fonction demandée entre parenthèses.

1. Le berger rentre ... (*COD*). – **2.** La bergère rentre ... (*CCL*). – **3.** Le prince sourit ... (*COI*). – **4.** Le prince sourit ... (*CC manière*). – **5.** La princesse était ... (*attribut du sujet*). – **6.** La princesse était ... (*CCL*). – **7.** Nous sommes arrivés ... (*CCT*) – **8.** Je ne suis pas arrivé ... (*COI*). – **9.** Nous partirons ... (*CCT*). – **10.** Nous partirons ... (*CCL*). – **11.** Tu rendras ce cahier ... (*COS*). – **12.** Tu rendras ce cahier ... (*CC manière*).

8 Donnez la nature et la fonction des mots ou groupes de mots soulignés.

1. Les disciples n'osaient pas répondre.
2. De l'autre côté du village se trouvait une riche demeure.
3. Judas était un apôtre de Jésus, mais il le trahit.
4. Dieu promit à Moïse qu'il verrait la Terre promise.
5. Vous vivrez heureux, éternellement.
6. Tu as obéi au serpent : je punirai celui-ci.
7. Tuer est interdit par les Tables de la Loi.
8. L'inconnu semblait inoffensif : les deux femmes l'approchèrent sans crainte.
9. Demande-moi ce que tu veux.

9 Faites des phrases selon le schéma suivant.

1. Sujet + verbe + COD + COS.
2. Sujet + verbe + attribut du sujet.
3. CCL + verbe + sujet.
4. Verbe + sujet + COD + CCT
5. Sujet + verbe + CC manière.

Initiation à la phrase complexe

Observer

La jeune fille ouvrit la noix et revêtit sa robe couleur de soleil. Elle monta dans les salons, et tous lui livrèrent passage, car personne ne la reconnut. On la prenait pour une princesse. Le roi alla à sa rencontre, lui offrit la main, et dansa avec elle. Il se disait que jamais ses yeux n'avaient vu pareille beauté.

D'après **J. et W. Grimm**, *Peau-de-toutes-bêtes*, trad. C. Deulin, 1878.

1. Recopiez les phrases, entourez les verbes conjugués, soulignez leur sujet.

2. Laquelle de ces phrases contient un seul verbe conjugué ?

3. Combien d'informations la première phrase vous donne-t-elle ? Séparez-les par une barre verticale. Quel mot relie les deux parties de la phrase ?

4. De même, séparez la quatrième phrase en trois parties par des barres verticales : quels indices vous aident à repérer ces différentes parties de la phrase ?

5. a. Relevez le COD du verbe « se disait » : par quel mot est-il introduit ? Précisez sa nature.

b. Les deux parties de la phrase peuvent-elles exister l'une sans l'autre ? Pourquoi ?

Leçon

1 Phrase simple et phrase complexe

■ **On appelle proposition une partie de phrase cohérente organisée autour d'un verbe et son sujet.**

■ Si une phrase est constituée d'**une seule proposition**, c'est une **phrase simple**.
Si une phrase est constituée de **plusieurs propositions**, c'est une **phrase complexe**.

■ Pour trouver le nombre de propositions que contient une phrase, il faut donc compter les verbes conjugués.

*Lorsque le roi la **vit**, il **alla** à sa rencontre.* → deux verbes conjugués = deux propositions.

2 La nature des propositions

■ Dans une phrase complexe, on distingue trois sortes de propositions.

– Une proposition qui commence par un **mot de subordination** (*que, parce que, quand, comme, si, pendant que, tandis que*, mais aussi *qui, dont, où…*) est une **proposition subordonnée. Elle complète** une autre proposition. *Il se disait **que** ses yeux n'avaient jamais vu pareille beauté.*

– Une proposition qui **est complétée** par une ou plusieurs autres propositions est appelée **proposition principale**. *Il se disait que ses yeux n'avaient jamais vu pareille beauté.*

– La **proposition indépendante** est complète par elle-même, c'est-à-dire qu'elle ne dépend d'aucune proposition et qu'aucune proposition ne dépend d'elle. *On la prenait pour une princesse.*

■ **Remarque :** une proposition subordonnée ne peut pas être employée seule dans une phrase.
Parce qu'il est fatigué. → phrase incorrecte.

3 Les propositions indépendantes

Elles peuvent être :

– **juxtaposées** : séparées uniquement par un **signe de ponctuation** (virgule, point-virgule ou deux points). *Il lui offrit la main, l'emmena sur la piste, dansa avec elle.*

– **coordonnées** : reliées à l'aide d'une **conjonction de coordination** (*mais, ou, et, donc, or, ni, car*).
*Elle ouvrit la noix **et** revêtit sa robe.*

Exercices

1 **Vrai ou Faux ?**

1. Une phrase contient au moins une proposition.
2. Une phrase contient toujours une seule proposition.
3. Une phrase peut contenir plusieurs propositions.
4. Une phrase contient autant de propositions que de verbes conjugués.

2 **Écriture** Ajoutez des actions aux phrases suivantes de manière à en faire des phrases complexes. Entourez le verbe de chaque proposition.

Exemple : Le prince enfourcha son cheval. → *Le prince enfourcha son cheval, partit au galop et disparut dans la nuit.*

1. Tom et Huck entrèrent dans la maison. – 2. Tintin plia les jambes. – 3. Joé prit une pioche.

3 Relisez une par une les phrases du texte, relevez les verbes conjugués et dites s'il s'agit de phrases simples ou de phrases complexes.

Il était une fois un homme malheureux. Il aurait bien aimé avoir dans sa maison une femme avenante et fidèle. Beaucoup étaient passées devant sa porte, mais aucune ne s'était arrêtée. Par contre, les corbeaux étaient tous pour son champ, les loups étaient tous pour son troupeau et les renards étaient tous pour son poulailler. S'il jouait, il perdait. S'il allait au bal, il pleuvait. Bref, il n'avait pas de chance.

D'après **H. GOUGAUD**, *L'Arbre aux trésors,*
Légendes du monde entier, © Éd. du Seuil, 1987.

4 **Oral** Précisez de quelle proposition chaque verbe en gras est le noyau.

Les noces ne **furent** pas plus tôt faites que la belle-mère **fit** éclater sa mauvaise humeur : elle ne **put** souffrir[1] les bonnes qualités de cette jeune enfant, qui **rendaient** ses filles encore plus haïssables. Elle la **chargea** des plus viles occupations de la maison : c'**était** elle qui **nettoyait** la vaisselle et les montées[2], qui **frottait** la chambre de madame et celles de mesdemoiselles ses filles.

CH. PERRAULT, *Cendrillon.*
1. **Souffrir** : supporter. – 2. **Montées** : escaliers.

5 a. Recopiez le texte, encadrez en rouge les **verbes conjugués**, soulignez leur sujet et séparez d'un trait vertical les différentes propositions.

b. Mettez entre crochets les **propositions subordonnées** introduites par les mots subordonnants en gras.

Lorsqu'ils atteignirent la maison hantée, ils furent saisis par l'atmosphère étrange et le silence de mort **qui** l'entouraient. La sinistre désolation du lieu les impressionna **si bien qu'**ils hésitèrent d'abord à entrer. Puis ils s'aventurèrent jusqu'à la porte et se risquèrent, en tremblant, à jeter un coup d'œil à l'intérieur.

D'après **M. TWAIN**, *Les Aventures de Tom Sawyer,*
trad. P. F. Caillé, Y. Dubois-Mauvais,
© Le Livre de Poche Jeunesse, 2015.

6 **Écriture** Réécrivez les phrases suivantes de manière à n'en obtenir qu'une seule en utilisant des mots subordonnants.

1. J'aimerais bien aller au cinéma. Je ne sais pas si j'aurai la permission. – 2. J'étais jeune. Je croyais au Père Noël. – 3. Séraphine est contente. Elle a terminé ses devoirs. Elle peut aller jouer. – 4. Il fait beau. Nous allons nous promener dans le bois. Ils sont magnifiques en cette saison.

7 a. Recopiez les phrases, entourez en rouge les **verbes conjugués**, soulignez leur sujet.

b. En vert, entourez les mots subordonnants et délimitez par des crochets les **propositions subordonnées**.

c. Soulignez en rouge les **propositions principales**.

1. Un jour, Orphée dut s'absenter et Eurydice resta seule.
2. À ce moment-là arrive un pigeon qui pousse des cris d'horreur en voyant Alice. (CARROLL)
3. On l'appelle Clochette-la-Rétameuse parce qu'elle répare les casseroles et les bouilloires. (BARRIE)
4. Le ravissement [d'Alice] se transforma en vive inquiétude lorsqu'elle s'aperçut qu'elle ne retrouvait nulle part ses épaules. (CARROLL)
5. Bilbo s'assit alors sur un banc qui se trouvait à côté de sa porte, croisa les jambes et lança un magnifique rond de fumée. (TOLKIEN)

8 **Écriture** Les phrases suivantes sont incorrectes : corrigez-les en ajoutant ou en complétant la proposition principale manquante.

1. Parce qu'il pleut. – 2. Un garçon qui s'appelait Peter Pan. – 3. La maison où vit une sorcière. – 4. Quand nous serons en vacances. – 5. Le contrôle pour lequel j'ai beaucoup révisé.

9 **Écriture** Recopiez les phrases suivantes et complétez-les par une autre proposition en respectant le mode de liaison indiqué entre parenthèses.

1. Pascalet est courageux (*coordination*). – 2. Le jour se levait (*subordination*). – 3. Il faisait froid (*juxtaposition*) – 4. Tom leva la tête, fit un signe à Huck (*coordination*). – 5. Poucet était en train de dormir (*subordination*).

> Réviser

1 **Oral** Dites si les groupes prépositionnels en couleur exercent la fonction complément du nom ou complément circonstanciel.

Pour son premier rendez-vous avec Gaston, Mademoiselle Jeanne, pour se faire belle, était allée chez le coiffeur pour dames de la rue des Martyrs. Gaston est arrivé avec le sourire, accompagné de sa mouette et son chat. Elle l'a invité à prendre le thé dans son salon. Ils ont regardé la mouette de sa fenêtre. Celle-ci donnait des coups de bec sur le crâne des passants. Gaston lui a expliqué que, lorsque l'animal était de mauvaise humeur, il valait mieux porter un chapeau en acier.

2 Relevez un complément circonstanciel de temps, un de lieu et un de manière. Précisez leur nature.

Jusqu'à huit ans j'ai cru que j'avais une mère, car lorsque je pleurais, il y avait une femme qui me serrait si doucement dans ses bras que mes larmes s'arrêtaient de couler. Jamais je ne me couchais dans mon lit, sans qu'une femme vînt m'embrasser, et, quand le vent de décembre collait la neige contre les vitres blanchies, elle me prenait les pieds entre ses deux mains et elle me les réchauffait en me chantant une chanson.

D'après **H. MALOT**, *Sans Famille.*

3 Recopiez les phrases suivantes.
a. Entourez toutes les prépositions.
b. Soulignez seulement les compléments du nom.

1. Il y avait, derrière la petite maison de brique, de magnifiques buissons d'églantines.
2. De la fenêtre, on apercevait au loin un nuage de fumée noire.

3. Vous n'avez qu'à me donner un sac et me faire faire une paire de bottes pour aller dans les broussailles. (PERRAULT)
4. La cadette commença à trouver que le maître du logis n'avait plus la barbe si bleue. (PERRAULT)

4 a. Indiquez la fonction des groupes en couleur.
b. Relevez tous les compléments du nom.

Il s'approcha : c'était un petit paysan. Il était brun, avec un fin visage provençal, des yeux noirs, et de longs cils de fille. Il portait, sous un vieux gilet de laine grise, une chemise brune à manches longues qu'il avait roulées jusqu'au-dessus des coudes, une culotte courte, et des espadrilles de corde comme les miennes, mais il n'avait pas de chaussettes.

Le Château de ma mère, Éd. de Fallois, coll. Fortunio, © Marcel Pagnol, 2004.

5 Recopiez ce texte en sautant des lignes.
a. En rouge, encadrez les verbes conjugués et soulignez leurs sujets.
b. Séparez d'une barre les différentes propositions et précisez si elles sont indépendantes, principales ou subordonnées.

Quand la petite sirène arriva au château de son père, les lumières de la grande salle de danse étaient toutes éteintes ; tout le monde dormait, et elle n'osa pas entrer. Elle ne pouvait plus parler, et bientôt elle allait les quitter pour jamais. Elle se glissa ensuite dans le jardin, cueillit une fleur de chaque parterre de ses sœurs, envoya du bout des doigts mille baisers au château, et monta à la surface de la mer. Le soleil ne s'était pas encore levé lorsqu'elle vit le château du prince.

H. C. ANDERSEN, *La Petite Sirène*, trad. D. Soldi, 1856.

> Croiser les connaissances

6 Soulignez les compléments d'objet des verbes en couleur et précisez si ce sont des COD ou des COI.

1. Elle dépensait en toilettes tout ce qu'elle avait.
2. Il présenta son nouvel ami à ses parents.
3. Elle rencontra, au détour d'un chemin, le loup.
4. Celui-ci pensait justement au déjeuner qu'il allait faire
5. Ceux-ci le félicitèrent pour sa réussite.
6. Les fillettes lui demandèrent un peu de pain et d'eau.
7. Il prétendait à chaque fois qu'il avait eu un empêchement.

7 Conjuguez à la personne indiquée, au passé simple puis au passé composé.

je (*décorer*) – il (*prendre*) – elle (*être*) – je (*pouvoir*) – il (*vivre*) – je (*connaître*) – je (*partir*) – il (*savoir*)

8 Recopiez le texte suivant en conjuguant les verbes entre parenthèses au temps indiqué.

– Vous (*prétendre, présent*) qu'il y a un cheval fantôme ? Bon ! Depuis quand (*se manifester, présent*)-t-il ?
– Eh bien, (*dire, passé simple*) Jaouen, on ne (*savoir, présent*) pas exactement. C'est Jean-Marc qui, un soir, (*remarquer, passé composé*) le… la chose.
– Oui, (*dire, passé simple*) Jean-Marc, qui, en quelques mots, (*raconter, passé simple*) dans quelles circonstances il (*constater, plus-que-parfait*) pour la première fois le phénomène.
– Alors, nous (*aller, passé composé*) tous nous poster dans l'aile nord…
– Pourquoi l'aile nord ? (*interrompre, passé simple*) maître Robion.
– Parce que le cheval (*se diriger, imparfait*) de ce côté-là. Et nous l'(*entendre, passé composé*) tous les trois… Il (*passer, passé composé*) à quelques mètres de nous.
– Et vous ne (*voir, imparfait*) rien ?
– Rien.

BOILEAU-NARCEJAC, *Sans Atout et le cheval fantôme*, © Éd. Rageot.

9 Donnez la nature des mots en gras. Précisez la nature exacte des déterminants.

Il **était** une fois un **homme** qui avait **de belles** maisons **à la ville** et à **la** campagne, **de** la vaisselle d'**or** et d'argent, **des** meubles **en** broderie, **et** des **carrosses** tout dorés ; **mais par** malheur **cet** homme **avait** la barbe **bleue** : cela **le** rendait **si** laid et si **terrible**, qu'il n'était **ni** femme ni fille qui **ne** s'enfuît de **devant** lui. Une de **ses** voisines, **dame** de qualité, avait deux filles **parfaitement** belles. Il lui **en** demanda **une** en mariage, et **lui** laissa **le** choix de **celle** qu'**elle** voudrait lui **donner**.

CH. PERRAULT, *La Barbe bleue*.

10 Indiquez la nature et la fonction des groupes en couleur.

Un vent froid soufflait de la plaine. Le bois était ténébreux, sans aucun froissement de feuilles, sans aucune de ces vagues et fraîches lueurs de l'été. De grands branchages s'y dressaient affreusement. Des buissons chétifs et difformes sifflaient dans les clairières. Quelques bruyères sèches avaient l'air de s'enfuir avec épouvante devant quelque chose qui arrivait. De tous les côtés il y avait des étendues lugubres. L'obscurité était vertigineuse.

D'après **V. HUGO**, *Les Misérables*.

► Maîtriser l'écrit

11 Écriture Afin d'obtenir des phrases complètes, ajoutez un COD en respectant la nature indiquée entre parenthèses. Soulignez ce COD.

1. L'eau a recouvert …. (*GN*)
2. Ils détestent par-dessus tout …. (*verbe à l'infinitif*)
3. Elle a reconnu tout de suite …. (*pronom personnel*)
4. Prenez immédiatement …. (*GN*)
5. Je n'ai pas …. (*pronom*)
6. Je préférerais …. (*verbe à l'infinitif*)

12 Écriture Enrichissez les groupes nominaux en couleur d'adjectifs ou de groupes prépositionnels.

1. Cette route est très pittoresque.
2. Bien aménagée, la maison deviendrait très confortable.
3. Les habitants sont tous partis.
4. Le château paraissait hanté.
5. La boutique attirait peu les regards.

13 a. Complétez par la bonne terminaison en [é].

b. Dictée Préparez ce texte pour la dictée.

Le maître Chat arriva enfin dans un beau château, dont le maître ét… un ogre, le plus riche qu'on ait jamais vu ; car toutes les terres par où le roi av… pass… ét… de la dépendance de ce château.

Le Chat, qui eut soin de s'inform… qui ét… cet ogre et ce qu'il sav… faire, demanda à lui parl…:
« On m'a assur…, dit le Chat, que vous av… le don de vous chang… en toutes sortes d'animaux ; que vous pouv…, par exemple, vous transform… en lion, en éléphant.
– Cela est vrai, répondit l'ogre brusquement, et, pour vous le montr…, vous m'all… voir devenir lion. »
Le Chat fut si effray… de voir un lion devant lui, qu'il gagna aussitôt les gouttières.

D'après **CH. PERRAULT**, *Le Chat botté*.

Règles d'orthographe d'usage

1 Écrire certains sons

Règle 1 **Devant -a, -o, -u**, on met une **cédille** sous le **-c-** pour faire le son **[s]** : **-ç-**.
Une leçon, il avança, ils aperçurent.
Attention : le « c » ne prend jamais de cédille devant **-i, -e** et **-y**.

Règle 2 Entre deux voyelles, le **-s-** se prononce comme le **-z-**. Pour faire le son **[s]**, on écrit **-ss-**.
Un cousin, un coussin.
Exceptions : *susurrer, parasol, vraisemblable, resurgir.*

Règle 3 Pour faire les sons **[ja]**, **[jo]**, **[ju]**, on met un **-e** derrière le **g-** : **-ge-**.
Les bourgeons sont rouges.

Règle 4 **Le son [g]** (« g » dur) s'écrit avec un **-u-** devant devant **-e, -i** et **-y** : **-gu-**.
Une guêpe, un guide.
Il s'écrit sans **-u-** devant les consonnes et les voyelles **-a, -o, -u**.
La grammaire, une gomme.
Exceptions : les verbes en **-guer** conservent le **-u-** du radical dans toute leur conjugaison.
Naviguer → *il navigua.*
Attention : les **noms** et les **adjectifs** formés sur des verbes en **-guer** perdent le « u ».
Conjuguer → *la conjugaison.*

Règle 5 **Le son [y]** s'écrit **-ill-** ou **-y-** :
– **si la voyelle qui précède est prononcée normalement**, il faut écrire **-ill-**.
De la paille (le « a » se prononce [a]).
– **si la voyelle qui précède est modifiée** comme si elle était suivie d'un **-i**, il faut écrire **-y-**.
La paye (le « a » se prononce [è] comme quand on a « ai »).

Règle 6 **Le son [euil]** s'écrit **-e-u-i-l** : *l'écureuil.*
Mais, **derrière** un **c-** ou un **g-**, il s'écrit **-u-e-i-l** : *recueillir.*

Règle 7 Les **noms** en **[aille]**, **[eille]**, **[euille]**, **[ouille]** s'écrivent **-i-l-l-e au féminin** et **-i-l au masculin**.
Une cisaille, le travail ; la veille, un réveil ; une feuille, le deuil ; une grenouille, du fenouil.
Exceptions : *un millefeuille, le chèvrefeuille, un portefeuille, le réveille-matin.*
Attention : ne confondez pas **les noms masculins** en **-ail, -eil, -euil** et **les verbes** en **-ailler, -eiller, -euille**
qui ont des finales en **-l-l-e**.
Le travail ≠ je travaille. – Le réveil ≠ je me réveille.

2 Les doublements de consonnes au début des mots

Règle 8 **Les verbes** commençant par *ap-* prennent **deux -p-** : *app-*. *Apprendre, apparaître.*
Exceptions : *apaiser, apercevoir, apeurer, apitoyer, aplanir, aplatir.*

Règle 9 Les mots commençant par *ac-* et *oc-* prennent **deux -c-** : *acc-, occ-*. *Accrocher, occasion.*
Exceptions : *acacia, académie, acajou, acariâtre, acolyte, acompte, acoustique, acrobate, ocre, oculaire*
et les mots de la même famille.

Règle 10 Les mots commençant par *af-*, *ef-*, *of-* prennent **deux** *-f-* : *aff-*, *eff-*, *off-*. *Affection, effort, offense.*
Exceptions : *afin, africain, Afrique.*

Règle 11 Les mots composés avec les **préfixes** *il-*, *im-*, *in-*, *ir-* **doublent la consonne** lorsque le **radical** commence par *-l, -m, -n, -r.*
Illisible (lisible), immobile (mobile), irresponsable (responsable).

3 Les finales de mots

Règle 12 Les **noms** en [**assion**], [**ission**] et [**ussion**] s'écrivent avec un *-t* : *-tion*. *Apparition, émotion.*
Exceptions : *passion, compassion, mission, discussion, répercussion, percussion.*

Règle 13 Les **noms** en [**èl**] s'écrivent *-e-l-l-e* au féminin et *-e-l* au masculin. *Une tourterelle, un appel.*
Exceptions : *une clientèle, la grêle, une parallèle, une aile, un modèle, un polichinelle, un rebelle, un vermicelle.*

Règle 14 Les **noms** en [**oir**] prennent un *-e* **au féminin**, mais pas au masculin. *Une histoire, un entonnoir.*
Exceptions : *un laboratoire, le territoire, un pourboire, un accessoire, le conservatoire, le répertoire, le réfectoire, un square.*
Attention : les **verbes** en [**oir**] ne prennent pas de *-e*. *Devoir, recevoir.*
Exceptions : *boire, croire.*

Règle 15 Les **noms** en [**eur**] s'écrivent sans *-e* même s'ils sont féminins : *-eur*. *Le coiffeur, une lueur.*
Exceptions : *le beurre, la demeure, l'heure, un leurre, un heurt (heurter).*

Règle 16 Les **noms féminins** en [**é**] prennent un *-e* : *-ée*. *L'année, la giboulée.*
Exceptions : *une clé.*

Règle 17 Les **noms féminins** en *-té* ou *-tié* ne prennent pas de *-e* : *fraternité, amitié.*
Exceptions : *butée, dictée, jetée, montée, pâtée, portée* et les noms indiquant une contenance (*pelletée, assiettée...*).

Règle 18 Les **noms féminins** en [**i**] prennent un *-e* : *une toupie, la pluie.*
Exceptions : *la brebis, la souris, la perdrix, la fourmi, la nuit.*

Règle 19 Les **noms féminins** en [**u**] prennent un *-e* : *une statue.*
Exceptions : *la glu, la tribu, la vertu.*

Règle 20 Les **noms féminins** en [**ou**] et en [**eu**] prennent un *-e* : *la boue, la banlieue.*
Exception : *la toux.*

Règle 21 Les **noms féminins** en [**oi**] prennent un *-e* : *une voie.*
Exceptions : *la croix, la foi, la fois, la loi, la noix, la paroi, la voix.*

Règle 22 Les **noms masculins** en [**ar**] prennent un *-d* : *un renard, le hasard.*
Exceptions : *le bazar, le cauchemar, le départ, un écart, le hangar, le phare.*

Règle 23 Les **adjectifs qualificatifs** en [**il**] s'écrivent au masculin *-ile* : *utile.*
Exceptions : *civil, puéril, subtil, vil, viril, volatil, tranquille.*

Règle 24 L'adverbe *toujours* ainsi que les noms *velours*, *concours*, *parcours*, *recours*, *secours*, prennent toujours un *-s.*

Tableaux de conjugaison

Être

INDICATIF		CONDITIONNEL	
Présent	**Passé composé**	**Présent**	**Passé**
je suis	j'ai été	je serais	j'aurais été
tu es	tu as été	tu serais	tu aurais été
il, elle est	il, elle a été	il, elle serait	il, elle aurait été
nous sommes	nous avons été	nous serions	nous aurions été
vous êtes	vous avez été	vous seriez	vous auriez été
ils, elles sont	ils, elles ont été	ils, elles seraient	ils, elles auraient été
Imparfait	**Plus-que-parfait**	SUBJONCTIF	
		Présent	**Passé**
j'étais	j'avais été	que je sois	que j'aie été
tu étais	tu avais été	que tu sois	que tu aies été
il, elle était	il, elle avait été	qu'il, elle soit	qu'il, elle ait été
nous étions	nous avions été	que nous soyons	que nous ayons été
vous étiez	vous aviez été	que vous soyez	que vous ayez été
ils, elles étaient	ils, elles avaient été	qu'ils, elles soient	qu'ils, elles aient été
Passé simple	**Passé antérieur**	IMPÉRATIF	
		Présent	**Passé**
je fus	j'eus été	sois	aie été
tu fus	tu eus été	soyons	ayons été
il, elle fut	il, elle eut été	soyez	ayez été
nous fûmes	nous eûmes été		
vous fûtes	vous eûtes été		
ils, elles furent	ils, elles eurent été		
Futur simple	**Futur antérieur**	INFINITIF	
		Présent	**Passé**
je serai	j'aurai été	être	avoir été
tu seras	tu auras été	PARTICIPE	
il, elle sera	il, elle aura été	**Présent**	**Passé**
nous serons	nous aurons été	étant	été
vous serez	vous aurez été		ayant été
ils, elles seront	ils, elles auront été		

Avoir

INDICATIF		CONDITIONNEL	
Présent	**Passé composé**	**Présent**	**Passé**
j'ai	j'ai eu	j'aurais	j'aurais eu
tu as	tu as eu	tu aurais	tu aurais eu
il, elle a	il, elle a eu	il, elle aurait	il, elle aurait eu
nous avons	nous avons eu	nous aurions	nous aurions eu
vous avez	vous avez eu	vous auriez	vous auriez eu
ils, elles ont	ils, elles ont eu	ils, elles auraient	ils, elles auraient eu
Imparfait	**Plus-que-parfait**	SUBJONCTIF	
		Présent	**Passé**
j'avais	j'avais eu	que j'aie	que j'aie eu
tu avais	tu avais eu	que tu aies	que tu aies eu
il, elle avait	il, elle avait eu	qu'il, elle ait	qu'il, elle ait eu
nous avions	nous avions eu	que nous ayons	que nous ayons eu
vous aviez	vous aviez eu	que vous ayez	que vous ayez eu
ils, elles avaient	ils, elles avaient eu	qu'ils, elles aient	qu'ils, elles aient eu
Passé simple	**Passé antérieur**	IMPÉRATIF	
		Présent	**Passé**
j'eus	j'eus eu	aie	aie eu
tu eus	tu eus eu	ayons	ayons eu
il, elle eut	il, elle eut eu	ayez	ayez eu
nous eûmes	nous eûmes eu		
vous eûtes	vous eûtes eu		
ils, elles eurent	ils, elles eurent eu		
Futur simple	**Futur antérieur**	INFINITIF	
		Présent	**Passé**
j'aurai	j'aurai eu	avoir	avoir eu
tu auras	tu auras eu	PARTICIPE	
il, elle aura	il, elle aura eu	**Présent**	**Passé**
nous aurons	nous aurons eu	ayant	eu
vous aurez	vous aurez eu		ayant eu
ils, elles auront	ils, elles auront eu		

Danser (1er groupe)

INDICATIF		CONDITIONNEL	
Présent	**Passé composé**	**Présent**	**Passé**
je danse	j'ai dansé	je danserais	j'aurais dansé
tu danses	tu as dansé	tu danserais	tu aurais dansé
il, elle danse	il, elle a dansé	il, elle danserait	il, elle aurait dansé
nous dansons	nous avons dansé	nous danserions	nous aurions dansé
vous dansez	vous avez dansé	vous danseriez	vous auriez dansé
ils, elles dansent	ils, elles ont dansé	ils, elles danseraient	ils, elles auraient dansé
Imparfait	**Plus-que-parfait**	SUBJONCTIF	
je dansais	j'avais dansé	**Présent**	**Passé**
tu dansais	tu avais dansé	que je danse	que j'aie dansé
il, elle dansait	il, elle avait dansé	que tu danses	que tu aies dansé
nous dansions	nous avions dansé	qu'il, elle danse	qu'il, elle ait dansé
vous dansiez	vous aviez dansé	que nous dansions	que nous ayons dansé
ils, elles dansaient	ils, elles avaient dansé	que vous dansiez	que vous ayez dansé
		qu'ils, elles dansent	qu'ils, elles aient dansé
Passé simple	**Passé antérieur**	IMPÉRATIF	
je dansai	j'eus dansé	**Présent**	**Passé**
tu dansas	tu eus dansé	danse	aie dansé
il, elle dansa	il, elle eut dansé	dansons	ayons dansé
nous dansâmes	nous eûmes dansé	dansez	ayez dansé
vous dansâtes	vous eûtes dansé		
ils, elles dansèrent	ils, elles eurent dansé		
Futur simple	**Futur antérieur**	INFINITIF	
je danserai	j'aurai dansé	**Présent**	**Passé**
tu danseras	tu auras dansé	danser	avoir dansé
il, elle dansera	il, elle aura dansé	PARTICIPE	
nous danserons	nous aurons dansé	**Présent**	**Passé**
vous danserez	vous aurez dansé	dansant	dansé
ils, elles danseront	ils, elles auront dansé		ayant dansé

Finir (2e groupe)

INDICATIF		CONDITIONNEL	
Présent	**Passé composé**	**Présent**	**Passé**
je finis	j'ai fini	je finirais	j'aurais fini
tu finis	tu as fini	tu finirais	tu aurais fini
il, elle finit	il, elle a fini	il, elle finirait	il, elle aurait fini
nous finissons	nous avons fini	nous finirions	nous aurions fini
vous finissez	vous avez fini	vous finiriez	vous auriez fini
ils, elles finissent	ils, elles ont fini	ils, elles finiraient	ils, elles auraient fini
Imparfait	**Plus-que-parfait**	SUBJONCTIF	
je finissais	j'avais fini	**Présent**	**Passé**
tu finissais	tu avais fini	que je finisse	que j'aie fini
il, elle finissait	il, elle avait fini	que tu finisses	que tu aies fini
nous finissions	nous avions fini	qu'il, elle finisse	qu'il, elle ait fini
vous finissiez	vous aviez fini	que nous finissions	que nous ayons fini
ils, elles finissaient	ils, elles avaient fini	que vous finissiez	que vous ayez fini
		qu'ils, elles finissent	qu'ils, elles aient fini
Passé simple	**Passé antérieur**	IMPÉRATIF	
je finis	j'eus fini	**Présent**	**Passé**
tu finis	tu eus fini	finis	aie fini
il, elle finit	il, elle eut fini	finissons	ayons fini
nous finîmes	nous eûmes fini	finissez	ayez fini
vous finîtes	vous eûtes fini		
ils, elles finirent	ils, elles eurent fini		
Futur simple	**Futur antérieur**	INFINITIF	
je finirai	j'aurai fini	**Présent**	**Passé**
tu finiras	tu auras fini	finir	avoir fini
il, elle finira	il, elle aura fini	PARTICIPE	
nous finirons	nous aurons fini	**Présent**	**Passé**
vous finirez	vous aurez fini	finissant	fini
ils, elles finiront	ils, elles auront fini		ayant fini

Tableaux de conjugaison

Faire (3e groupe)

INDICATIF		CONDITIONNEL	
Présent	**Passé composé**	**Présent**	**Passé**
je fais	j'ai fait	je ferais	j'aurais fait
tu fais	tu as fait	tu ferais	tu aurais fait
il, elle fait	il, elle a fait	il, elle ferait	il, elle aurait fait
nous faisons	nous avons fait	nous ferions	nous aurions fait
vous faites	vous avez fait	vous feriez	vous auriez fait
ils, elles font	ils, elles ont fait	ils, elles feraient	ils, elles auraient fait
Imparfait	**Plus-que-parfait**	SUBJONCTIF	
je faisais	j'avais fait	**Présent**	**Passé**
tu faisais	tu avais fait	que je fasse	que j'aie fait
il, elle faisait	il, elle avait fait	que tu fasses	que tu aies fait
nous faisions	nous avions fait	qu'il, elle fasse	qu'il, elle ait fait
vous faisiez	vous aviez fait	que nous fassions	que nous ayons fait
ils, elles faisaient	ils, elles avaient fait	que vous fassiez	que vous ayez fait
		qu'ils, elles fassent	qu'ils, elles aient fait
Passé simple	**Passé antérieur**	IMPÉRATIF	
je fis	j'eus fait	**Présent**	**Passé**
tu fis	tu eus fait	fais	aie fait
il, elle fit	il, elle eut fait	faisons	ayons fait
nous fîmes	nous eûmes fait	faites	ayez fait
vous fîtes	vous eûtes fait		
ils, elles firent	ils, elles eurent fait		
Futur simple	**Futur antérieur**	INFINITIF	
je ferai	j'aurai fait	**Présent**	**Passé**
tu feras	tu auras fait	faire	avoir fait
il, elle fera	il, elle aura fait	PARTICIPE	
nous ferons	nous aurons fait	**Présent**	**Passé**
vous ferez	vous aurez fait	faisant	fait
ils, elles feront	ils, elles auront fait		ayant fait

Voir (3e groupe)

INDICATIF		CONDITIONNEL	
Présent	**Passé composé**	**Présent**	**Passé**
je vois	j'ai vu	je verrais	j'aurais vu
tu vois	tu as vu	tu verrais	tu aurais vu
il, elle voit	il, elle a vu	il, elle verrait	il, elle aurait vu
nous voyons	nous avons vu	nous verrions	nous aurions vu
vous voyez	vous avez vu	vous verriez	vous auriez vu
ils, elles voient	ils, elles ont vu	ils, elles verraient	ils, elles auraient vu
Imparfait	**Plus-que-parfait**	SUBJONCTIF	
je voyais	j'avais vu	**Présent**	**Passé**
tu voyais	tu avais vu	que je voie	que j'aie vu
il, elle voyait	il, elle avait vu	que tu voies	que tu aies vu
nous voyions	nous avions vu	qu'il, elle voie	qu'il, elle ait vu
vous voyiez	vous aviez vu	que nous voyions	que nous ayons vu
ils, elles voyaient	ils, elles avaient vu	que vous voyiez	que vous ayez vu
		qu'ils, elles voient	qu'ils, elles aient vu
Passé simple	**Passé antérieur**	IMPÉRATIF	
je vis	j'eus vu	**Présent**	**Passé**
tu vis	tu eus vu	vois	aie vu
il, elle vit	il, elle eut vu	voyons	ayons vu
nous vîmes	nous eûmes vu	voyez	ayez vu
vous vîtes	vous eûtes vu		
ils, elles virent	ils, elles eurent vu		
Futur simple	**Futur antérieur**	INFINITIF	
je verrai	j'aurai vu	**Présent**	**Passé**
tu verras	tu auras vu	voir	avoir vu
il, elle verra	il, elle aura vu	PARTICIPE	
nous verrons	nous aurons vu	**Présent**	**Passé**
vous verrez	vous aurez vu	voyant	vu
ils, elles verront	ils, elles auront vu		ayant vu

Peindre (3e groupe)

INDICATIF		CONDITIONNEL	
Présent	**Passé composé**	**Présent**	**Passé**
je peins	j'ai peint	je peindrais	j'aurais peint
tu peins	tu as peint	tu peindrais	tu aurais peint
il, elle peint	il, elle a peint	il, elle peindrait	il, elle aurait peint
nous peignons	nous avons peint	nous peindrions	nous aurions peint
vous peignez	vous avez peint	vous peindriez	vous auriez peint
ils, elles peignent	ils, elles ont peint	ils, elles peindraient	ils, elles auraient peint
Imparfait	**Plus-que-parfait**	SUBJONCTIF	
		Présent	**Passé**
je peignais	j'avais peint	que je peigne	que j'aie peint
tu peignais	tu avais peint	que tu peignes	que tu aies peint
il, elle peignait	il, elle avait peint	qu'il, elle peigne	qu'il, elle ait peint
nous peignions	nous avions peint	que nous peignions	que nous ayons peint
vous peigniez	vous aviez peint	que vous peigniez	que vous ayez peint
ils, elles peignaient	ils, elles avaient peint	qu'ils, elles peignent	qu'ils, elles aient peint
Passé simple	**Passé antérieur**	IMPÉRATIF	
		Présent	**Passé**
je peignis	j'eus peint	peins	aie peint
tu peignis	tu eus peint	peignons	ayons peint
il, elle peignit	il, elle eut peint	peignez	ayez peint
nous peignîmes	nous eûmes peint		
vous peignîtes	vous eûtes peint		
ils, elles peignirent	ils, elles eurent peint		
Futur simple	**Futur antérieur**	INFINITIF	
		Présent	**Passé**
je peindrai	j'aurai peint	peindre	avoir peint
tu peindras	tu auras peint	PARTICIPE	
il, elle peindra	il, elle aura peint	**Présent**	**Passé**
nous peindrons	nous aurons peint	peignant	peint
vous peindrez	vous aurez peint		ayant peint
ils, elles peindront	ils, elles auront peint		

Prendre (3e groupe)

INDICATIF		CONDITIONNEL	
Présent	**Passé composé**	**Présent**	**Passé**
je prends	j'ai pris	je prendrais	j'aurais pris
tu prends	tu as pris	tu prendrais	tu aurais pris
il, elle prend	il, elle a pris	il, elle prendrait	il, elle aurait pris
nous prenons	nous avons pris	nous prendrions	nous aurions pris
vous prenez	vous avez pris	vous prendriez	vous auriez pris
ils, elles prennent	ils, elles ont pris	ils, elles prendraient	ils, elles auraient pris
Imparfait	**Plus-que-parfait**	SUBJONCTIF	
		Présent	**Passé**
je prenais	j'avais pris	que je prenne	que j'aie pris
tu prenais	tu avais pris	que tu prennes	que tu aies pris
il, elle prenait	il, elle avait pris	qu'il, elle prenne	qu'il, elle ait pris
nous prenions	nous avions pris	que nous prenions	que nous ayons pris
vous preniez	vous aviez pris	que vous preniez	que vous ayez pris
ils, elles prenaient	ils, elles avaient pris	qu'ils, elles prennent	qu'ils, elles aient pris
Passé simple	**Passé antérieur**	IMPÉRATIF	
		Présent	**Passé**
je pris	j'eus pris	prends	aie pris
tu pris	tu eus pris	prenons	ayons pris
il, elle prit	il, elle eut pris	prenez	ayez pris
nous prîmes	nous eûmes pris		
vous prîtes	vous eûtes pris		
ils, elles prirent	ils, elles eurent pris		
Futur simple	**Futur antérieur**	INFINITIF	
		Présent	**Passé**
je prendrai	j'aurai pris	prendre	avoir pris
tu prendras	tu auras pris	PARTICIPE	
il, elle prendra	il, elle aura pris	**Présent**	**Passé**
nous prendrons	nous aurons pris	prenant	pris
vous prendrez	vous aurez pris		ayant pris
ils, elles prendront	ils, elles auront pris		

Tableaux des préfixes et des suffixes : la formation des mots

QUELQUES PRÉFIXES

Préfixe	Sens	Exemple
a, an	absence	*anormal*
ab, abs	éloignement	*abdiquer, absent,*
anté, anti	avant	*antérieur, antique*
anti	contre	*antivol*
auto	soi-même	*autocollant*
co, com, con, col	ensemble	*comporter, coopérer, collatéral*
contre	opposition, proximité, substitution	*contre-poison, contresigner, contrefaire*
dé(s), dis	séparation, cessation, différence	*défaire, disjoindre, disparaître*
en, em, en, in	éloignement, à l'intérieur, mise en état	*enlever, emporter, importer, endimancher*
entre, inter	réciproque, entre, à demi	*s'entraider, interligne, entrouvrir*
ex	en dehors, anciennement	*extérieur, exporter, ex-président*
extra	intensif, en dehors	*extra-plat, extraordinaire*
hétéro	différent	*hétérogène*
homo	semblable	*homogène, homonyme*
hyper	idée d'intensité, caractère excessif	*hypertension, hyperactivité*
hypo	insuffisance	*hypotension*
in, im, il, ir	négatif	*inégal, illégal, irréparable*
mal, mau, mé(s)	négatif, mauvais, inexact	*malaise, maudire, malformation*
mono	qui comporte un élément	*monocle, monologue, monoski*
néo	nouveau, récent	*néonatal, néologisme*
para	protection contre qq chose, proximité	*parachute, paraphrase*
péri	autour de	*périmètre, périphrase*
poly	nombreux	*polyvalent*
pré	avant, devant	*préparer, prémolaire*
pro	en avant, en faveur de	*progrès, progresser, projeter*
r(e), ré	répétition, inversion	*recommencer, retour, rentrer*
sou(s), sub	insuffisance, au-dessous	*sous-développement, souligner*
trans, tra, tré, très	au-delà, à travers, changement	*trépasser, transpercer, transformer*

QUELQUES SUFFIXES

Suffixe	Sens	Exemple
Suffixes servant à former des noms		
ie, esse, eur, ise, té	qualité	*courtoisie, finesse, grandeur, gourmandise, bonté*
ais, ois, ain, ien	nationalité, origine	*Lyonnais, Chinois, Roumain, Parisien*
aire, ateur, er, eron, eur, ier, ien	qui fait l'action	*disquaire, orateur, danseur, boulanger, bûcheron, fermier, laitière, pharmacien, magicienne*
eur, oir, (t)ier	instrument, machine	*autocuiseur, arrosoir, dentier*
erie, oir	lieu de fabrication, de vente	*boulangerie, épicerie, comptoir, fumoir*
isme	opinion, attitude	*paternalisme, activisme, christianisme*
eau, elet, et, ette, iche, ille, illon, in, on, ot, otin, ule, cule	diminutif	*chevreau, agnelet, barbiche, brindille, oisillon, bottine, moucheron, îlot, jugeote, diablotin, globule, pellicule*
ace, aille, ard, asse, âtre	péjoratif	*populace, ferraille, vantard, paperasse, marâtre*
Suffixes servant à former des adjectifs		
able, ible, uble	possibilité, qualité	*buvable, lisible, soluble*
(i)/(u)eux, u	possession, abondance	*nuageux, monstrueux, barbu, chevelu*
if, ile	aptitude, qualité active	*expressif, pensif, agile, fragile*
et, elet, in, ot	diminutif	*follet, rondelet, blondin, pâlot*
ard, aud, âtre	péjoratif	*criard, lourdaud, verdâtre*
Suffixes servant à former des verbes		
iser	agir en..., rendre semblable, causer	*tyranniser, cristalliser, scandaliser*
ailler, eler, eter, iller, nicher, onner, oter, otter	diminutif, péjoratif	*rimailler, craqueler, voleter, fendiller, pleurnicher, grisonner, picoter, frisotter*
asser	péjoratif	*traînasser, rêvasser*

Index

Index des auteurs

Apollinaire (Guillaume) 35, 37
Asturias (Miguel Angel) 35
Bosco (Henri) 196
Charles d'Orléans 22
Dickens (Charles) 202
Doyle (Arthur Conan) 210
Ésope 255
Grimm (Jacob et Wilhelm) 47
Hergé 213
Homère 158, 170-184
Hugo (Victor) 16, 18
Kipling (Rudyard) 228-242, 245
La Fontaine (Jean de) 256-260
Leblanc (Catherine) 32
Leprince de Beaumont (Jeanne-Marie) 80-86
Malot (Hector) 199
Massoudy (Hassan) 34
Molière 280-290
Noailles (Anna de) 23
Ovide 115-119, 150
Perrault (Charles) 42, 56, 59, 64
Prévert (Jacques) 26
Queneau (Raymond) 37
Renard (Jules) 35
Rimbaud (Arthur) 24
Romain (Jules) 291
Roy (Claude) 20
Tolkien (John Ronald Reuel) 208
Twain (Mark) 205
Verhaeren (Émile) 17

Index des œuvres littéraires

Aventures de Tom Sawyer (Les) 205
Belle et la Bête (La) 80-90
Bilbo le Hobbit 208
Calligrammes 37
Cœur innombrable (Le) 23
Contes 47
Dernière Gerbe 16, 18
Des Étoiles sur les genoux 32
Enfant et la Rivière (L') 196
Fables 255-260
Histoires naturelles 35
Histoires ou Contes du temps passé 42, 56-67
Iliade (L') 158
La Bible 122-130
Lai de Mélion 91-97
Livre de la jungle (Le) 228-242
Médecin malgré lui (Le) 280-290
Métamorphoses (Les) 115-119, 150
Monde perdu (Le) 210
Odyssée (L') 170-184
Oliver Twist 202
Paroles 26
Poèmes à Lou 35
Poèmes indiens 35
Poésies 20, 24
Roman de Renart (Le) 262-267
Rondeaux 22
Sans famille 199
Temple du soleil (Le) 213
Villages illusoires (Les) 17
Ziaux (Les) 37

• Les échelles de maîtrise sont là pour vous donner **les critères** en fonction desquels on considérera que votre niveau en compréhension et en rédaction est insuffisant, moyen, bon ou très bon.

• Soyez attentif à ces critères : ils vous disent ce qui est globalement maîtrisé et ce qui pose encore problème. Travailler ces points en priorité vous permettra de **progresser vers le niveau supérieur**.

• Ces échelles sont donc des outils pour évaluer votre travail, mais aussi pour **organiser vos efforts de façon personnalisée**.

Compréhension

NIVEAU INSUFFISANT	❏ Des informations sont prélevées sans distinction des informations principales et secondaires. ❏ Les différents personnages ne sont pas bien identifiés. ❏ Des événements de l'action sont perçus, mais les liens entre eux ne sont pas clairs. ❏ Les stratégies mises en place ne permettent pas de compenser le vocabulaire inconnu.
NIVEAU MOYEN	❏ Les personnages sont globalement bien identifiés, même s'il peut rester des confusions ponctuelles. ❏ La succession des événements est comprise. ❏ Les changements de temps ou de lieu sont repérés. ❏ Des stratégies sont mises en place pour deviner le sens des mots inconnus.
BON NIVEAU	❏ Tous les éléments explicites du texte sont bien compris. ❏ Les éléments implicites (non dits) sont saisis : rapports entre les événements, motivation des personnages, sentiments… ❏ Le sens des mots inconnus est compris grâce au contexte. ❏ Les procédés littéraires simples sont identifiés (comparaison, accumulation…) et mis en relation avec des effets.
TRÈS BON NIVEAU	❏ Le texte est compris avec finesse, y compris dans sa tonalité (ironie…). ❏ Les procédés qui contribuent aux effets sont analysés (tâche complexe). ❏ La spécificité d'un texte est saisie. ❏ Types de personnages, situations, motifs, sont mis en relation pour tirer des conclusions d'ordre littéraire.

Rédaction

NIVEAU INSUFFISANT	❏ La graphie n'est pas toujours lisible.
	❏ La ponctuation forte n'est pas systématiquement utilisée.
	❏ La phrase simple est encore souvent mal construite (absence de verbe, propos incomplet…).
	❏ Les accords de base ne sont pas appliqués.
	❏ Les idées manquent de cohérence ou ne répondent pas au sujet.
NIVEAU MOYEN	❏ Les idées sont organisées en phrases simples mais claires.
	❏ La ponctuation forte est utilisée correctement.
	❏ Le récit ne mélange pas présent et passé.
	❏ Les accords réguliers (sujet/verbe, chaîne du pluriel…) sont maîtrisés.
	❏ Les idées sont ordonnées mais sans paragraphes ni lien explicite entre les phrases.
	❏ Les idées sont cohérentes mais d'un intérêt parfois limité.
BON NIVEAU	❏ Plusieurs idées peuvent être exprimées dans la même phrase, bien séparées par la ponctuation.
	❏ Les mots de liaison courants sont utilisés pour relier les phrases (mais, soudain, alors…).
	❏ Les pronoms sont employés sans ambiguïté.
	❏ Le récit est enrichi de dialogues ponctués comme il convient.
	❏ Les principales règles d'orthographe (accords, conjugaisons…) sont respectées.
	❏ Les idées sont intéressantes et développées.
TRÈS BON NIVEAU	❏ Les phrases sont plus longues, enrichies de circonstances, de détails descriptifs et autres précisions.
	❏ Les personnages sont désignés à travers des mots de reprise variés, bien employés.
	❏ Les temps du récit sont globalement maîtrisés.
	❏ Le texte s'organise en paragraphes.
	❏ Les mots banals sont remplacés par des synonymes plus précis, plus soutenus ou plus forts.
	❏ L'orthographe est globalement maîtrisée.

Crédits photographiques

N° éditeur : 10264865 - Dépôt légal : octobre 2018
Achevé d'imprimer en juin 2020 en Espagne par Macrolibros

Les classes grammaticales

MOTS VARIABLES

Ils désignent quelque chose ou quelqu'un.

noms
- Ils nomment la chose ou la personne dont on parle.
- Ils peuvent être précédés par un **déterminant** :
  un (ami), une (fleur), des (enfants), le (chocolat), la (maison)… + nom.

pronoms
- Ils désignent quelque chose ou quelqu'un sans le nommer (on ne peut le savoir que par le contexte).
- Ils sont souvent **suivis d'un verbe.**
  je, tu, il(s), elle(s), on, nous, vous, me, te, se, le, la, les, celui-ci, qui…

Ils s'ajoutent au nom.

adjectifs
- Ils **décrivent** quelqu'un ou quelque **chose.**
- Ils peuvent se mettre au féminin et au masculin : un pantalon blanc, une chemise blanche.

déterminants
Ils sont placés **devant** un nom, dont ils précisent souvent la **quantité** : un, une, des, le, la, les, trois, cinq, cent, certains, mon, ma, ses, ces…

verbes
- Ils expriment **une action** (sauf le verbe être et les verbes d'état).
- Ils se **conjuguent.**
  je ris, tu ris, il rit

MOTS INVARIABLES

prépositions
- Elles introduisent des compléments de lieu, de temps, etc.
  à, dans, par, pour, en, vers, avec, de, sans, sous…
- Pour vous aider : dans préposition, il y a « positon ».
  Devant, derrière, à côté de, sur, sous, dans sont des prépositions.

interjections
Ce sont des exclamations : eh ! oh ! allô ? aïe ! ouf ! boum !

adverbes
Ils expriment en un seul mot :
- **la manière** : lentement, violemment, gentiment…
- **le lieu** : ici, loin, dehors…
- **le moment** : hier, maintenant, autrefois…
- **le degré** : un peu, beaucoup, très, si…
- **la négation** (2 mots) : ne pas, ne plus, ne jamais…

conjonctions de coordination
mais, ou, et, donc, or, ni car

conjonctions de subordination
Elles débutent une partie de phrase appelée proposition subordonnée : que, quand, comme, si, lorsque, parce que, si bien que, afin que…